RELACIÓN DE LA NUEVA ESPAÑA
I

CIEN DE MÉXICO

Cien textos fundamentales para
el mejor conocimiento de México

RELACIÓN DE LA NUEVA ESPAÑA
I

Alonso de Zorita

Relación de algunas de las muchas
cosas notables que hay en la Nueva España
y de su conquista y pacificación y de la
conversión de los naturales de ella

Edición, versión paleográfica,
estudios preliminares y apéndices
Ethelia Ruiz Medrano
Wiebke Ahrndt
José Mariano Leyva

⟨A CONACULTA

Primera edición en Cien de México: 1999

Producción: CONSEJO NACIONAL PARA LA CULTURA
Y LAS ARTES
Dirección General de Publicaciones

Portada: Códice de Tlatelolco, lám. VIII, siglo XVI, año 1562. Fondo: Biblioteca
Nacional de Antropología e Historia; núm. de clasificación: 35-39; fac-
tura: indígena. (Alonso de Zorita aparece en el extremo izquierdo de la
imagen.)

ISBN 970-18-3890-4 (Obra general)
ISBN 970-18-3290-6

Impreso y hecho en México

ÍNDICE

Agradecimientos 9
Presentación, *Hanns J. Prem* 11
Alonso de Zorita: un funcionario colonial de la Corona española,
   Wiebke Ahrndt 17
Proyecto político de Alonso de Zorita, oidor en México, *Ethelia*
   Ruiz Medrano 59
Criterios de transcripción 93

RELACIÓN DE LA NUEVA ESPAÑA

Dedicatoria 97
Al lector 101
Catálogo de los autores que han escrito historias de Yndias o tra-
   tado algo de ellas 103
Sumario de los capítulos que se contienen en esta Relaçión 117
Primera parte 131
Segunda parte 311
Segunda parte de la segunda y principal 385
Tercera parte 411
Cuarta parte 627

Bibliografía de las fuentes citadas por Alonso de Zorita 807
Índice onomástico 863

AGRADECIMIENTOS

Cuando en 1994 comencé a preparar la edición de este manuscrito conté con el apoyo de varias personas e instituciones. En primer lugar, agradezco a la Biblioteca del Palacio Real en Madrid el haberme proporcionado de manera generosa una copia en microfilme del original, así como el permiso para su publicación. Fue de gran ayuda durante la consulta en el Archivo General de Indias, Sevilla, el apoyo brindado por todo su personal. En México quiero agradecer al Archivo General de la Nación, donde obtuve todo tipo de facilidades y la constante guía de Roberto Beristáin. El acceso al archivo de la Catedral Metropolitana se lo debo a Jesús Contreras.

Gran parte de este trabajo se logró con el financiamiento del Consejo Nacional de Ciencia y Tecnología, a través del apoyo a proyectos de investigación. En la Dirección de Estudios Históricos del Instituto Nacional de Antropología e Historia, conté con el interés y gestión de quien fuera su director, Antonio Saborit García-Peña, quien mucho facilitó el inicio de este proyecto y me dio ánimos para proseguir en la tarea, no siempre grata, de sacar a la luz un manuscrito inédito. En el mismo sentido me procuró todo su apoyo el actual director, Salvador Rueda Smithers, quien gestionó exitosamente su publicación con las instituciones involucradas en el proceso editorial.

Han sido de gran utilidad los comentarios, opiniones y discusiones sostenidas con los miembros de varios seminarios de investigación. Especialmente con los del Seminario de Etnología Novohispana, coordinado por el doctor Felipe Castro, y del Seminario de Códices Mexicanos, al que pertenecen el doctor Marc Thouvenot y la maestra Perla Valle. Asimismo, no poco se debe al programa de doctorado en historia de la Universidad de Zacatecas-INAH, coordinado por el doctor José Francisco Román Gutiérrez.

Un antecedente importante fue el de asistir a un brillante seminario en 1986, impartido en la ciudad de Sevilla por el doctor Carlos Sempat Assadourian, de El Colegio de México, así como por el doctor John V. Murra, de la Universidad de Cornell. Estos generosos maestros dieron sentido a mucho de lo que hoy sabemos del complejo mundo del siglo XVI americano.

En algunos momentos de duda sobre los criterios para elaborar el proyecto y llevarlo a buen fin, no escatimaron tiempo y paciencia el doctor

Manuel Miño Grijalva, de El Colegio de México, y el doctor José Rubén Romero Galván del Instituto de Investigaciones Históricas de la UNAM. No puedo dejar de mencionar los esclarecedores comentarios de la doctora Teresa Rojas y el maestro Luis Reyes, del Centro de Investigaciones y Estudios Superiores en Antropología Social.

Sin duda, el apoyo del exterior fue fundamental. Quiero agradecer al doctor Hanns J. Prem, catedrático del Instituto de Antropología Americana de la Universidad de Bonn, por las facilidades brindadas durante mi estancia de tres meses en un ambiente grato a la investigación. Asimismo, sería injusto olvidar la generosa amistad y ayuda de la doctora María Justina Sarabia Viejo de la Universidad de Sevilla. Conversaciones y cartas con la doctora Carmen Val Julian, de la École Normale Supérieure, y el doctor Jean Pierre Berthe, de la École des Hautes Études en Sciences Sociales, París, fueron un incomparable estímulo.

En nuestro centro de trabajo, la Dirección de Estudios Históricos del INAH, agradezco a la directora de la Biblioteca Manuel Orozco y Berra, María Esther Jasso, así como a su equipo, por haber proporcionado todo tipo de ayuda en la obtención del material que hoy se convierte en un libro. A Tere Bonilla su apoyo técnico en los momentos precisos, lo que tantas veces salvó el manuscrito. La maestra Martha Rocha me facilitó equipo de cómputo y el personal administrativo siempre me auxilió durante los tiempos difíciles. Por otra parte, el Seminario de Grupos Sociales al que pertenezco mostró permanente interés en el desarrollo de este trabajo; recuerdo especialmente los inteligentes comentarios de la doctora Clara García Ayluardo.

Conté con la ayuda en la transcripción paleográfica de Carla Ruiz, y quedo en deuda con Marie Alsace Galindo, cuyo entusiasmo contagió a los editores. Pero sin duda el trabajo fundamental en la edición de esta obra se lo debo a José Mariano Leyva.

Quiero reconocer a los amigos y gente querida que me han acompañado en este largo proceso, especialmente a Guilhem Olivier, así como a Carmen Herrera, José Francisco Román Gutiérrez, Lourdes Villafuerte, María Eugenia Sánchez Calleja, Francisco González Hermosillo, Dolores Plá, Cuauhtémoc Velasco, Cristina Monzón, Andy Roth, Ángeles Magdaleno, Jorge y Guillermo Aranda, Guillermo Robles, Ricardo y Enrique Omaña, Marisela Montes de Oca y Swan, y especialmente a la doctora Gloria Cosío. Sin todos ellos, quizá el oidor Alonso de Zorita seguiría sólo como una referencia erudita y elegante a pie de página.

Ethelia Ruiz Medrano

PRESENTACIÓN

El conocimiento sobre el México antiguo se basa primordialmente en las fuentes escritas que dejaron los autores del siglo XVI. Por un lado, están aquéllos de procedencia indígena, quienes transmitieron lo encontrado en manuscritos pictóricos o lo que habían escuchado de los ancianos. Por otro, los misioneros que registraron lo que, a su entender, eran simultáneamente engaños diabólicos y razones para ver a los indígenas como hombres, como sus iguales. La discrepancia de intereses y finalidades entre estos dos grupos influyó profundamente en los relatos, en los cuales se privilegiaron ciertos temas y se menospreciaron otros, presentándolos con una luz más o menos favorable. Los autores no pretendían distorsionar sus informaciones, sino que ellos mismos fueron presa de las ideas prevalentes en su grupo y su tiempo, sin posibilidad de desligarse conscientemente. Esto no quiere decir que sus obras no merezcan confianza alguna, sino que éstas deben ser abordadas con una actitud crítica y cautelosa. De otra manera no se puede hacer justicia a los autores, ya sea del pasado o del presente.

Esto resulta especialmente válido para Alonso de Zorita, que no pertenece a ninguno de los dos grupos referidos, ni al de los indígenas ni al de los misioneros, aunque su forma de pensar estuviera muy influida por estos últimos. Zorita es conocido por su *Breve y sumaria relación*, de la que ningún estudio moderno al respecto ha dejado de aprovecharse, y ha sido considerado como la autoridad principal para el conocimiento de la vida social del México prehispánico. ¿Quién si no Zorita, letrado, juez, oficial de la Real Audiencia, oidor en diferentes partes de las posesiones americanas, sería la persona más adecuada para merecer el más alto respeto y especial confianza? ¿Quién podría contar con mejores conocimientos de primera mano por su desempeño como funcionario, y tendría la capacidad para presentarlos con la mayor precisión y profundidad? ¿No sería adecuado tomar sus palabras como un juicio bien equilibrado?

La *Breve y sumaria relación* es la única obra sociocultural de Zorita publicada hasta el momento. No se escribió como un reporte imparcial, sino al contrario, la concibió su autor como obra política, como explican los estudios introductorios en la presente publicación. Zorita se propuso convencer a su rey de que su manera de ver el pasado indígena era la

11

correcta. Consideró esta forma de vivir como la más adecuada, lo que no significa que pensara regresar al pasado pagano, sino que abogaba por una adaptación de la vida autóctona dentro del marco del gobierno español, permeada por la fe católica y el buen ejemplo de algunos españoles.

Por consiguiente, Zorita concibió su obra como una guía política. Pero lamentablemente, cuando redactó sus obras la política colonial había ido más allá de toda posibilidad de retorno —en caso de que ésta hubiera existido. Es probable que por eso su visión nunca haya sido considerada por las autoridades reales y que, por ello, fracasara como autor político ya desde el momento de ponerse a escribir.

En cambio, la *Breve y sumaria relación* ha tenido éxito como fuente histórica y antropológica, y esto por varias razones. En primer lugar, porque es el único trabajo de Alonso de Zorita accesible en forma impresa desde el siglo pasado. Otro motivo sería su calidad de obra descriptiva general, que la hace atractiva como fuente para estudios sobre diversas materias. ¿Y no podría inclusive Zorita haber diseñado dicha descripción con el objetivo de hacer más convincente y atractivo a los lectores occidentales la mezcla cultural de elementos indígenas y formas europeas ideadas por él?

Aunque en los últimos veinticinco años la calidad generalizadora de la *Breve y sumaria relación* ha sido progresivamente tomada en cuenta, ésta se revela en su totalidad sólo al compararla con la *Relación de la Nueva España*, la otra obra histórica de Zorita. Lamentablemente esta *Relación* más amplia y detallada, se ha conocido poco debido a que permaneció prácticamente inédita y poco difundida. La presente publicación tiene la finalidad de remediar dicha situación.

Esta extensa obra de Alonso de Zorita tiene como propósito fundamental informar sobre la situación histórica en el México de su tiempo, y su organización es sencilla: en la primera parte se hace una descripción general del país, a la manera de una historia natural, así como de sus habitantes, sus costumbres y ritos. La segunda parte habla de la organización social y política y de la economía del antiguo México. La tercera narra la historia de la conquista española y la última se ocupa de la conversión de los indígenas a la fe cristiana. Sorprendentemente, falta en absoluto la historia precolonial. Este tema se reduce a unos sumarios brevísimos sobre los primeros pobladores y los antiguos gobernantes en el primer capítulo de la segunda parte. Vale mencionar que el gran modelo para Zorita, el franciscano fray Toribio de Benavente o Motolinía, quien tampoco se interesa por la historia, incluyó unos pocos datos históricos —comprendidos los nombres de los reyes mexicas— sólo en la carta dedicatoria de su obra y en un apéndice hoy perdido, pero no en el texto mismo.

La obra de Zorita se refiere sobre todo al centro de México, aunque se aportan informaciones sobre otras regiones. Sólo una pequeña parte del contenido la atribuye Zorita a sus propios conocimientos, el resto —con excepción de la segunda parte, donde es mayor su propia contribución— está tomado de los escritos de otras personas. El editor de la anterior publicación de la primera parte, Manuel Serrano y Sanz, le ha acusado de plagiario, desconociendo el propósito de Zorita. La intención de Zorita no fue la de presentar en todo momento sus propios conocimientos, sino sacar provecho de aquellos que a su juicio eran los más competentes y mejores autores de su tiempo. Quizás esto tuvo que ver con su formación jurídica y su experiencia como juez, es decir, escuchar opiniones, evaluarlas, y luego decidirse definitivamente por una.

Dada su intención de presentar un resumen concluyente de conocimientos, evitó basarse principalmente en su propia experiencia, y le pareció necesario valerse de las obras que consideró más importantes y fehacientes. En todos sus textos —al contrario de lo que expresaba Serrano y Sanz— su comportamiento no es el de un plagiario, puesto que no sólo no esconde sus fuentes, sino que cita autores y obras y, a veces, capítulos. Es, en suma, el comportamiento de un autor científico que quiso producir un libro de referencia.

El valor de la gran obra de Zorita —desde la perspectiva actual— no es tanto la originalidad de sus informaciones, sino el peso que les daba incorporándolas a su trabajo. A través de las palabras de los mejores eruditos de su tiempo, nos ofrece una visión personal y muy particular de la cultura indígena, de la Conquista y de los sucesos posteriores. Zorita juzgó la veracidad de los escritos, seleccionó cuidadosamente aquellos autores que consideró relevantes para su punto de vista y rechazó otros cuyas aportaciones no le parecían adecuadas. No sólo dio su parecer implícito en la selección de textos, sino también su opinión explícita en el largo tratado sobre los autores de su tiempo, trabajo único para aquella época. Debe tenerse en muy alto la relevancia de tal evaluación crítica por parte de una persona que había acumulado tanta experiencia y conocimientos de primera mano.

La selección de Zorita muestra que consideraba al grupo con el cual estuvo íntimamente ligado, es decir, los franciscanos y sus partidarios políticos, como el más relevante y representativo del México contemporáneo. La visión de Zorita resulta ilustrativa de este grupo, aunque con algunos acentos particulares que tal vez provengan de sus estudios perdidos. Repetidas veces se refiere a estos reportes que intituló "sumas". Estas sumas sí pueden considerarse los frutos de su propia investigación. Estaban dedicadas a las áreas que más interesaban a Zorita: los señores antiguos, el sistema autóctono del gobierno hereditario y el tributo, es decir, la recaudación de impuestos por el gobierno. No obstante los grandes esfuerzos que desplegó, no logró verlas publicadas y hasta hoy están perdidas.

Zorita, sin embargo, no se contentó con reunir en su obra los textos que a él le parecían más relevantes, sino que les añadió datos adicionales, consideraciones propias y reflexiones humanistas, además de gran número de citas de autores medievales y contemporáneos. Esto nos lleva a la otra faceta de Zorita, al autor como humanista, como persona de su tiempo, cuyos escritos reflejan el pensamiento de su época. De esta forma, la obra es también testigo de la cultura hispánica de aquel entonces, representada por una persona erudita y académica, una de las primeras en México que obtuvieron su doctorado.

A través de sus obras llegamos también a conocer a Zorita como persona y como representante de su clase social y de su época. Él mismo nos ofrece los medios para decidir cuándo y hasta dónde se puede confiar en él y dónde hay que tener cautela. Él mismo acepta que sus obras no son imparciales, pues robustecen las ideas de sus partidarios y refutan las opiniones contrarias, siempre dentro del ámbito culto de su tiempo.

La obra principal de Zorita, que aquí se presenta por primera vez en su totalidad es, en resumen, una obra multifacética que no se aprecia con una lectura rápida. Merece ser leída detenidamente, entre líneas y a veces a contracorriente. Los estudios que acompañan a esta edición pueden servir como guía, pero de ninguna manera son exhaustivos.

La presente publicación es sólo una de las bases para el estudio de Zorita. Falta mucho por analizar e investigar sobre sus obras, así como sobre su entorno político e intelectual.

La publicación de la *Relación de la Nueva España* de Zorita tiene una larga historia que es útil resumir aquí brevemente: en los primeros años del presente siglo, Manuel Serrano y Sanz encontró el grueso volumen en la Biblioteca Real de Madrid. Logró publicar solamente la primera parte. Al parecer, el manuscrito cayó otra vez en un olvido casi total. En la década de los ochenta, Wayne Ruwet, de la Universidad de California en Los Ángeles, consiguió un microfilme y lo dio al que esto escribe para obtener una copia fotostática. Posteriormente, este autor inició en la Universidad de Bonn el proyecto sobre una edición crítica que no pudo concluir por diversas razones. Por último, desde el año de 1992, Wiebke Ahrndt se ha dedicado a completar una parte de la edición dentro del marco de su tesis de doctorado en esta universidad. En 1994 Ethelia Ruiz Medrano, quien en la Dirección de Estudios Históricos del INAH en México ya había empezado a trabajar sobre los manuscritos de Zorita, preparó la presente edición para el CONACULTA y la llevó a cabo exitosamente. Esta colaboración entre México y Alemania logró cruzar el océano de nuevo, desarrollándose de manera fructífera como lo com-

14

prueba la presente edición de la obra magna de Alonso de Zorita. Gracias al interés y a la ayuda de las instituciones involucradas en ambas naciones, especialmente en México al Consejo Nacional de Ciencia y Tecnología y al Consejo Nacional para la Cultura y las Artes.

Hanns J. Prem
Universidad de Bonn

ALONSO DE ZORITA:
UN FUNCIONARIO COLONIAL
DE LA CORONA ESPAÑOLA

Biografía

La vida de Zorita ha sido reconstruida por distintos investigadores a partir de la información que él mismo proporciona en la *Relación de la Nueva España*, la *Breve y sumaria relación*, así como en sus cartas y otros escritos. Es necesario mencionar también la introducción de Serrano y Sanz a la *Historia* (1909), además de los diferentes prólogos a las ediciones de la *Breve y sumaria relación* de Ramírez y Cabañas (1963), Keen (1994 [1963]) y Vázquez (1992), al igual que las investigaciones de Vigil (l976, 1982 y 1987).[1]

Zorita nació en 1511 o 1512[2] en Córdoba. Sus padres fueron don Alonso Díaz de Zurita[3] —empleado municipal originario de Cañete de las Torres— y doña Inés Fernández de Valdelomar y Córdoba. Primogénito de este matrimonio, Zorita creció en una familia de la nobleza baja de Castilla, en la que existía plena conciencia de su papel, como sostén del Estado castellano.[4] La familia posee los medios suficientes para enviar a su hijo mayor —de nueve que tenía— a la Universidad de Salamanca, la más antigua de España.

Muchos funcionarios eclesiásticos y empleados de la administración, además de científicos que más tarde adquirirían renombre, habían pasa-

---

[1] Véase también la introducción de Beatriz Bernal a la edición crítica de la obra zoritiana "Recopilación de las leyes" (*El Cedulario de Alonso de Zorita*, 1985:37-66).

[2] Estas fechas se basan en la información de Zorita en la última frase de la carta introductoria a su *Relación de la Nueva España*, donde escribe que la ha terminado el 20 de octubre de 1585 a la edad de setenta y tres años. Véase Serrano y Sanz, 1909:XI; Ramírez y Cabañas, 1963:VIII; Vázquez, 1992:9.

[3] Era práctica común en el siglo XVI intercambiar la u y la o; un buen ejemplo es la familia Zorita o Zurita. Con frecuencia, la escritura no es la misma entre distintos miembros de la familia y aun en una misma persona cambia con el tiempo.

[4] Vigil, 1976:503-505; Vázquez, 1992:9; Keen, 1994 [1963]:19-20.

do por las aulas de esta universidad, fundada a principios del siglo XIII. En el siglo XVI la institución gozaba de una sólida reputación como "madre de las ciencias".[5] En ella se conjuntaban el espíritu de la escolástica medieval y el pensamiento renacentista.

La escolástica partía de la idea de que la verdad de la fe se encuentra ya en la teología, por lo que el objetivo de la ciencia no consiste en el descubrimiento de la verdad, sino en su defensa por medio de la justificación racional, la sistematización y la interpretación. Para confirmar esta verdad de la fe, resultaba necesario exponer y debatir todos los argumentos a favor y en contra. No será sino hasta finales del siglo XIV y durante el XV, en la escolástica tardía, cuando comience el proceso de separación entre la fe y el conocimiento. La ciencia no se sujetaría ya enteramente al dogma de la fe cristiana.

En este mismo periodo surge el humanismo renacentista que se vuelve en contra de la escolástica en su afán de liberarse de los dogmas de la Iglesia, y contribuir a la formación secular de la vida al promover el redescubrimiento y el cultivo de las lenguas clásicas, la literatura y la ciencia. Mientras que el humanismo se remite ante todo a los escritores latinos, en especial a Cicerón, las ideas del Renacimiento se conforman añadiendo a todo esto el pensamiento griego. La razón y la experiencia se convierten en elementos decisivos en la ciencia y se da también un paso consciente hacia la secularización del pensamiento. Esto hará posible un debate libre de dogmas con la Antigüedad.

Éste es el trasfondo que hace posible el surgimiento, en el siglo XVI, en la universidad del mismo nombre, de la llamada Escuela de Salamanca, cuyo fundador fue el teólogo dominico Francisco de Vitoria. Tomando como punto de partida el derecho racional —cuya elaboración había sido decisivamente influida por las ideas de Santo Tomás de Aquino— y la emancipación de la teología, surge un nuevo derecho natural con base en el cual Francisco de Vitoria, inspirado también por el descubrimiento de América, desarrolla una ética colonial. De este modo él define el derecho internacional, por primera ocasión en la historia, ya no como un *ius gentium* sino como un *ius inter gentes*. Estas ideas convirtieron a Vitoria y a su escuela en pioneros y representantes avanzados de su tiempo en el ámbito de la filosofía del derecho.[6]

Vigil (1987:30) ve de esta manera la influencia de los años de estudio en Salamanca en las convicciones posteriores de Zorita:

Trough his study of liberal arts, Zorita came to admire the Greek and Roman past and began to believe, like many other humanists, that history,

---

[5] Vigil, 1987:28; Keen, 1994 [1963]:20-21.
[6] Véase por ejemplo, Fernández-Santamaría, 1977:97-100 y Elliott, 1984:306.

even pagan history, provided a basis for moral criticism and taught moral and political truths...

At Salamanca, Zorita undoubtedly imbibed the pro-Indian ideology of his later career from Fray Francisco de Vitoria, who held the Prima Chair of Theology until his death in 1546.*

La Universidad de Salamanca contaba con cuatro "colegios mayores", en los que sólo eran aceptados aquellos estudiantes que hubieran obtenido en alguna otra universidad el grado de bachiller. Además de un certificado de linaje y de pertenencia a la nobleza, era requisito tener una edad mínima de dieciocho años. Zorita realizó sus estudios en el Colegio de San Bartolomé Cuenca —uno de los cuatro—, en el que estaba prohibido hablar español. Después de estudiar jurisprudencia durante tres años, abandonó la institución con el grado de licenciado. Como los letrados estaban obligados por ley a estudiar por lo menos diez años en alguna universidad antes de obtener algún cargo oficial, es probable que Zorita no haya obtenido el grado de licenciado antes de 1540. Aspirar al título de doctor no era absolutamente necesario para un graduado de Salamanca, en especial si, como Zorita, se tenía contacto con las familias importantes de Castilla. Aun sin este grado, su punto de partida para una carrera profesional era bastante favorable.[7]

Zorita encuentra su primer trabajo en la Audiencia de Granada como "abogado de pobres", un cargo menor cuya tarea era defender a personas de escasos recursos. En esta época contrae nupcias con doña Catarina de Cárdenas, de la que sólo se sabe que era originaria de Andalucía y que poseía algunas propiedades en Granada. El matrimonio no tuvo hijos.[8]

Zorita es nombrado oidor de la Audiencia de Santo Domingo el 21 de mayo de 1547,[9] y arriba a este puerto con la flota española en junio de 1548. Lo acompañan su esposa y su hermano Juan Pérez de Zorita. Este acontecimiento señala el comienzo de su carrera como oidor en el Nuevo Mundo, en donde desde entonces habrá de desem-

---

* "Gracias a sus estudios de las artes liberales, Zorita se convirtió en admirador del pasado grecolatino, llegando a la convicción, como muchos otros humanistas, de que la historia —incluso la pagana— proporcionaba una base a la crítica moral y era fuente de aprendizaje de verdades morales y políticas [...] Sin duda en Salamanca Zorita se impregnó de la ideología proindígena (evidente en su carrera política posterior) de fray Francisco de Vitoria, quien conservó hasta su muerte en 1546 la primera cátedra de teología."

[7] Vigil, 1976:506; 1987:32-33, 37; Serrano y Sanz, 1909:X.
[8] Vigil, 1987:38; Keen, 1994 [1963]:21; Serrano y Sanz, 1909:X.
[9] Véase Serrano y Sanz, 1909:X-XI (Archivo General de Indias, Sevilla (AGI), Audiencia de Santo Domingo, leg. 868, lib. II, ff. 362r-363r.

peñarse como juez y alto funcionario de la administración para diferentes audiencias.

Las siguientes tareas en la vida profesional de Zorita son: entre 1550 y 1552 —interrumpiendo su periodo como oidor en la Audiencia de Santo Domingo— se desempeña como juez de residencia y gobernador de Nueva Granada (la actual Colombia); de 1553 a 1556, oidor en la Audiencia de Los Confines (llamada más tarde Audiencia de Guatemala, cuya jurisdicción comprendía desde el sur de México hasta la frontera norte del actual Panamá) y, por último, entre 1556 y 1566, oidor de la Audiencia de la Nueva España, donde también es miembro de la Real y Pontificia Universidad de México.[10]

Mientras que la estancia de Zorita en Santo Domingo parece transcurrir apaciblemente, a pesar de la amenaza constante que para la ciudad representan los piratas franceses,[11] su actividad como juez de residencia en Nueva Granada y en las provincias de Santa Marta y Cartagena puede considerarse la etapa más oscura de su vida. En septiembre de 1549 recibe las reales cédulas, fechadas el 8 y 9 de junio del mismo año, en las que la Audiencia de Santo Domingo le confirma las facultades y atribuciones de gobernador y juez de residencia. Zorita debía hacerse cargo de la investigación de la residencia del licenciado Miguel Díez Armendáriz, es decir, averiguar acerca de su gestión como gobernador de las provincias de Santa Marta, Cartagena y del Reino de Nueva Granada, así como la de sus tenientes y oficiales.[12] Pero no será sino hasta enero de 1550 cuando pueda emprender el viaje a tierra firme. Después de una travesía extenuante y difícil llega a Santa Fe el 8 de mayo de 1550. No obstante, en septiembre de este mismo año el Consejo de Indias le retira la autorización de gobierno, al considerar más conveniente una división de la autoridad. Por esta razón Zorita no es reconocido

---

[10] *Breve y sumaria relación*, 1941:71-72; Ramírez Cabañas, 1963:VIII-IX; Vázquez, 1992:50, notas 3 y 4:52, y nota 8; y Serrano y Sanz, 1909:418, 449, 452 (anexo VII: en este lugar, Zorita utiliza un título de doctor). Para una breve explicación de los conceptos "audiencia" y "oidor", véase Elliott, 1984:297.

[11] Keen, 1994 [1963]:21-24.

[12] Reales cédulas del 8 y 9 de junio de 1549 (AGI, Audiencia de Santa Fe, leg. 533, lib. I, 59r-60r (8 de junio de 1549) y 61r-62r (9 de junio de 1549), en Serrano y Sanz, 1909:XXII-XXVI); *Real Cédula, dirigida al Licenciado Zorita, en reproducción de otras anteriores en las que se le da el encargo de ir á tomar su residencia al licenciado Miguel Díez de Armendáriz* (AGI, Audiencia de Santa Fe, leg: 533, lib. I, 83r-84r, en Serrano y Sanz, 1909:XXX-XXXI); *Carta del Licenciado Zorita dirigida á S.M. acusando recibo del despacho en que se le encomendaba fuese á las provincias de Cartagena, Santa Marta y Nuevo Reyno de Granada para tomar residencia al Licenciado Miguel Díez de Armendáriz, Santo Domingo, 12 de octubre de 1549* (AGI, Audiencia de Santo Domingo, leg. 49, en Serrano y Sanz, 1909:XXVII-XXIX). Véase también Serrano y Sanz, 1909:321-399 (anexo I-IV): Cuatro Cartas de los años 1550 a 1552 a la Corona, que se refieren a la residencia de Armendáriz.

como gobernador.[13] A pesar de esto y con el apoyo de los franciscanos y dominicos del lugar, intenta imponer las Nuevas Leyes, vigentes desde 1542,[14] y procesar a Miguel Díez. En gran medida, sin embargo, sus esfuerzos fracasan. El 10 de mayo de 1552 abandona otra vez Nueva Granada para volver, después de un viaje aún más penoso y desafortunado que el anterior, a Santo Domingo. Tal vez un mayor respeto por las órdenes franciscana y dominica sea el único resultado positivo de todo este periodo.[15]

La siguiente etapa de Zorita sería Guatemala.[16] Allí se le reconoce oficialmente como oidor de la Audiencia el 20 de septiembre de 1553.[17] En sus casi tres años de permanencia en Guatemala, Zorita realiza tres viajes por la región. La primera de estas visitas se prolonga durante dos meses; la segunda le lleva tres y la última ocho.[18] Gracias a estos recorridos Zorita pudo conocer lugares muy apartados. El propósito de estas

[13] Serrano y Sanz, 1909:XL: "...pero el Consejo de Indias cometió un grave yerro: anular la provisión de la Audiencia, creyendo que la división del poder facilitaría el restablecimiento del orden y de la justicia ..."; *Real Cédula, dirigida al Licenciado Zorita, para que no se entremetiese en las cosas de gobernación de las provincias de Santa Marta, Nuevo Reino de Granada, y Cartagena, no obstante la provisión que para ello se le dió por la Audiencia de la Española, Valladolid, 26 de septiembre de 1550* (AGI, Audiencia de Santa Fe, leg. 533, lib. I, 136r-137r; en Serrano y Sanz, 1909:XL-XLII); Serrano y Sanz (1909:XXVI) señala que, en realidad, en esta época Zorita tenía dos cargos: uno de magistrado (oidor) en La Española y el otro de gobernador en Nueva Granada. Cuando se le retira este último, continúa siendo todavía juez de residencia.

[14] Las Nuevas Leyes habían sido decretadas por Carlos V el 20 de noviembre de 1542. En ellas resulta evidente la influencia de Bartolomé de las Casas. Aparte de la protección de los indios, su objetivo principal era su oposición al carácter hereditario de las encomiendas (véase Hanke, 1951:30-32).

[15] Vigil, 1987:98-109; Ramírez Cabañas, 1963:IX-X; Vázquez, 1992:9-10; *Carta del Licenciado Zorita, dirigida á S.M., dándole cuenta de varias incidencias ocurridas en la residencia que tomaba al Licenciado Miguel Díez de Almendáriz [sic], Cartagena, 14 de octubre de 1551* (AGI, Audiencia de Santa Fe, leg. 187; en Serrano y Sanz, 1909:XXXVI, XLIX-LIV). Vale la pena leer la descripción que de estos acontecimientos hace Keen (1994 [1963]:25-33), quien se basa en la *Información de servicios de Alonso de Zorita en México, años 1562-1567* (AGI, Audiencia de México, leg. 100; en Serrano y Sanz, 1909: 438-492, anexo IX). Acerca de la fecha de partida de Zorita, véase la última fuente mencionada (1909:458-459).

[16] Serrano y Sanz, 1909:LVII-LVIII; *Carta del licenciado Zorita, dirigida á S.M., en la que le nombraba Oidor de Guatemala, y da cuenta de que la residencia que se le toma está al terminar, y de otros asuntos relacionados con la comisión que tuvo en el Nuevo Reino de Granada, Santo Domingo, 15 de Mayo de 1553* (AGI, Audiencia de Santo Domingo, leg. 49; en Serrano y Sanz, 1909:LVIII-LXIII).

[17] Vigil, 1987:127; *Carta de la Audiencia de Guatemala al Consejo de Indias, Santiago de Guatemala, 20 de Septiembre de 1553* (AGI, Audiencia de México, leg. 100).

[18] *Información de servicios de Alonso de Zorita, México, años 1562-1567* (AGI, Audiencia de México, leg. 100; en Serrano y Sanz, 1909:463, 465, 486-487, anexo IX).

visitas eran los censos, la reducción de los tributos y la supresión de la explotación por parte de los encomenderos. Zorita efectúa también varias reducciones, lo que le acarrea la animadversión de los franciscanos, quienes rivalizaban en Guatemala con los dominicos.[19] Por lo demás, sus medidas de reglamentación le ocasionaron pronto el antagonismo no sólo de los encomenderos sino de otros oidores e incluso del clero secular. El único apoyo a su labor lo recibió del presidente de la Audiencia, Alonso López de Cerrato, quien se había propuesto hacer valer las Nuevas Leyes, y del obispo de Chiapas, Bartolomé de las Casas, a quien Zorita conoce personalmente en este tiempo, y llega a tenerle gran estima.[20] Sin embargo, no será sino hasta su instalación en la Nueva España cuando Zorita se convierta en abogado e impulsor de las ideas de Las Casas.

Es difícil juzgar ahora la importancia que tuvo el traslado de Zorita a la Audiencia de la Nueva España en la ciudad de México;[21] como Keen (1994 [1963]:36) ha expuesto, se trataba de la Audiencia de mayor prestigio en el Nuevo Mundo, después de la de Perú. Podemos considerar, por lo tanto, que se trató de una promoción. Por otra parte, en Guatemala fue objeto de innumerables quejas por parte de otros oidores y encomenderos,[22] así que su reubicación puede interpretarse como una reacción de la Corona ante este descontento. Es evidente, entonces, que Zorita fue "quitado de enmedio con alabanzas".

Su estancia en México como funcionario coincide con una fase de transformación radical de la política colonial de la Corona española, encabezada desde 1556 por Felipe II, que es acompañada de fuertes conflictos entre los distintos grupos. Se trata de un periodo en el que la cuestión indígena es predominante. En 1550 la Corona había recomendado al virrey Luis de Velasco la necesidad de impedir la explotación de los indios, de reducir los tributos y de poner en práctica las disposicio-

---

[19] Vigil, 1987:127; *Carta de los franciscanos, Guatemala, 1° de enero de 1556* (AGI, Audiencia de Guatemala, leg. 168).

[20] Vigil, 1987:127; Vázquez, 1992:10; Keen, 1994 [1963]:33-36. Acerca de los objetivos y reglamentaciones más importantes en las Nuevas Leyes, véase Petschmann, 1984:24.

[21] Zorita dejó Santiago de Guatemala el 25 de abril de 1556, asumiendo su cargo en la ciudad de México, después de un accidentado viaje, el 9 de julio de 1556 (Vigil, 1987:159); *Carta de la Audiencia de México al Consejo de Indias, México, 9 de julio de 1556* (AGI, Audiencia de México, leg. 100); *Información de Servicios de Alonso de Zorita, México, años 1562-1567* (AGI, Audiencia de México, leg. 100; en Serrano y Sanz, 1909:467-469, anexo IX).

[22] Vigil, 1987:147; *Carta del licenciado Alonso de Zorita al Consejo de Indias, México, 20 de julio de 1561* (AGI, Audiencia de México, leg. 68); *Carta de Fray Juan de Torres, Guatemala, 17 de noviembre de 1555* (AGI, Audiencia de Guatemala, leg. 108).

nes relativas al carácter no hereditario de las encomiendas.[23] Cuando Velasco asume el gobierno de la Nueva España, hay en la Audiencia local solamente cuatro oidores. Una de las primeras peticiones del nuevo virrey es, por lo tanto, aumentar el número de jueces. Si la Corona no hubiera aceptado la solicitud de nuevos oidores, Velasco se habría contentado con jueces eclesiásticos del Arzobispado a manera de sustitutos. El virrey pugnaba también por un intercambio entre jueces y miembros del Consejo de Indias, pues consideraba que de esta manera, el gobierno de la Madre Patria podría estar en mejores condiciones para evaluar los problemas de la Nueva España. Otra de sus ideas era que los oidores no duraran en este cargo más de cinco o seis años, para evitar la corrupción y los abusos. El Consejo de Indias desechó todas estas sugerencias; no obstante, en 1556, cuando debían designarse nuevos jueces, incrementó su número a cinco. Entre ellos se encontraba Zorita.[24]

Las ideas de Velasco dividieron la Audiencia. Zorita se contaba entre quienes apoyaban la nueva política del virrey. En 1559 las pugnas acabaron definitivamente con la armonía entre el virrey y la Audiencia: los nuevos oidores acusaron a Velasco de centralizar la autoridad y de inmiscuirse en la impartición de justicia. Además Velasco era, en su opinión, demasiado viejo, por lo que solicitaban que el rey delegara el gobierno y el aparato judicial en manos de la Audiencia. El rey Felipe II intentó poner fin a este conflicto en 1560, al decidir que en el futuro el poder ejecutivo debía ser ejercido por Velasco en común acuerdo con la Audiencia.[25]

La decisión fue severamente criticada por el Cabildo de la ciudad de México y también por las órdenes religiosas. Con la aprobación de Velasco, se decidió enviar representantes del Cabildo a la Corte para informar al rey que la división de la autoridad, propuesta por él, representaba un obstáculo aún mayor que los ya existentes. Los emisarios le comunicaron también la petición de Velasco acerca de que los asuntos indígenas no fueran ya decididos por la Audiencia sino por un órgano especial formado de alcaldes, ordinarios y corregidores. De esta manera, los

---

[23] Keen, 1994 [1963]:39-40.

[24] Vigil, 1987:179, 181; *Carta al emperador, de personas desconocidas de México, quejándose de agravios recebidos de los oidores de aquella Audiencia y especialmente del doctor Quesada* [sin fecha ni firma] (AGI, Audiencia de México, leg. 168; en ENE, XV, documentos sin fechas II):99-101, doc. 864; *Carta al príncipe Don Felipe del licenciado Diego Téllez, antiguo abogado de la Audiencia de México, quejándose de la conducta y procedimientos de los oidores de ella y suplicando se les haga visita y se les tome residencia sin varas ni oficios* [sin fecha] (AGI, Audiencia de México, leg. 168; en ENE, XIV:155-158, doc. 834); Sarabia Viejo, 1978:43.

[25] Vigil, 1987:175-182; Sarabia Viejo, 1978:56.

problemas de propiedad y límites podrían ser juzgados por dos o tres personas nombradas *ex profeso*; una de ellas sería, de acuerdo con la sugerencia de Velasco, Zorita mismo. La solicitud del virrey recibió el apoyo de Gerónimo de Mendieta, quien el 1° de enero de 1562 dirigió una carta al provincial franciscano fray Francisco de Bustamante, que a su vez tenía la intención de trasladarse a España para presentar propuestas similares. Zorita era, a los ojos de Mendieta, la persona idónea para el cargo.[26]

A diferencia de lo ocurrido en Guatemala, en México Zorita gozó de la estima y del apoyo de los franciscanos. Él también favoreció la causa de éstos, al pugnar por que las parroquias de los indios fueran confiadas exclusivamente a religiosos pertenecientes a alguna orden.[27] Había otros problemas relativos a los asuntos de los indios respecto de los cuales las ideas políticas de los franciscanos, del virrey Velasco y las de Zorita coincidían;[28] por ejemplo, la reducción de los tributos y la abolición de la explotación de los indígenas por parte de los encomenderos.[29]

Tales propósitos coinciden con los formulados en las Nuevas Leyes, cuyo establecimiento y observación fue uno de los objetivos de Zorita. Con este fin efectuó varias visitas y cuentas en las que llevó a cabo un censo de los indios en encomienda, investigando al mismo tiempo la relación entre cantidad de habitantes y recursos. Los informes de Zorita fueron decisivos para la fijación, por parte de la Audiencia, del monto del tributo y frecuentemente propiciaron su reducción, lo que le ganó la enemistad de los encomenderos afectados. Durante 1563 y 1564 el do-

---

[26] Vigil, 1987:183; Keen, 1994 [1963]:44-45; Serrano y Sanz (1909:LXVII) da como fecha 1561 remitiéndose a García Icazbalceta, CDHM, II:515-544, particularmente la p. 534: *Carta del padre fray Gerónimo de Mendieta, Monasterio de Toluca, 1° de enero de 1562.*

[27] Vigil, 1987:161, 171; Serrano y Sanz, 1909:LVII; *Parecer del Doctor Alonso de Zorita sobre la enseñanza espiritual de los indios, Granada, 10 de Marzo de 1584* (AGI, Patronato, leg. 231, ramo 7; en Serrano y Sanz, 1909:493-527, anexo X; también publicado por Cuevas (1975) bajo un título ligeramente distinto).

[28] El apoyo que Velasco manifestaba a Zorita se puso también en evidencia en otras oportunidades. Por ejemplo, Zorita y el oidor Juan Bravo habían sido aceptados en la Real y Pontificia Universidad de México por invitación de Velasco, y habían sido nombrados doctores en derecho con la aprobación de la rectoría de la universidad (Cristóbal de la Plaza, 1931, I:54 [escrito en el siglo XVII]; Vigil, 1987:165; Ramírez y Cabañas, 1963:VIII-IX; Keen, 1994 [1963]:38). Un familiar de Zorita recibió de Velasco una estancia de ganado mayor y una de ganado menor. Puede mencionarse, por último, que un sobrino de la mujer de Zorita formaba parte de la familia del virrey, esto es, vivía y comía en la casa de éste (Vigil, 1987:39). Había, entonces, no sólo acuerdo en lo que a las convicciones políticas se refiere, sino también vínculos de tipo familiar.

[29] Vigil, 1987:161.

24

minio del marqués del Valle, Martín Cortés, fue especial objeto de las visitas de Zorita.[30]

Zorita condenaba la encomienda y criticaba el hecho de que, desde que el tributo se había fijado con base en la cantidad de indios, los encomenderos incluyeran a los discapacitados y a los niños en sus cuentas para poder elevar el monto exigible. Él se inclinaba más bien por fijar el tributo de acuerdo con el monto de la cosecha, en lugar de un impuesto *per capita*. Era contrario, sin embargo, a un pago en dinero debido a que éste prácticamente no circulaba entre los indígenas y debido, también, al poco valor pecuniario de las propiedades que ellos tenían en comparación con la media usual; esto provocó que muchos no pudieran cumplir con sus obligaciones de pago.[31]

Las reducciones tributarias a consecuencia de las visitas de Zorita afectaron no sólo a la Iglesia, los funcionarios encargados de los asuntos indígenas y los caciques indios, sino también a la Corona. Esta situación fue tolerada en un principio por Felipe II; después de todo, una parte sustantiva de las Nuevas Leyes establecía que las obligaciones de pago debían ser menores que en la época precolonial.[32] Sin embargo, durante su reinado esta actitud cambió y los ingresos gubernamentales adquirieron cada vez mayor importancia frente a las condiciones de vida de los indios.

Este conflicto se dirimió a raíz de la polémica acerca del pago de tributos de los indígenas de la ciudad de México. Bajo el gobierno de Carlos V, los indios no estaban obligados a pagar ningún tributo en dinero o bienes; a cambio realizaban una labor de servicio "voluntario" para las instituciones públicas financiando, con sus contribuciones, a iglesias, conventos e incluso los salarios de los funcionarios indígenas que administraban los barrios indios. El virrey Velasco y Alonso de Zorita querían preservar esta regulación; para lo cual esgrimían diferentes argumentos: la población de la capital ya era privilegiada en el tiempo de Moctezuma II; la ciudad había permanecido libre del pago de tribu-

[30] Vigil, 1987:185-188; Keen, 1994 [1963]:40-41; Vázquez, 1992:11-12; en relación a las visitas, véanse los *Nuevos documentos relativos a los bienes de Hernán Cortés, 1547-1947*, 1946: por ejemplo, 204, 259-260. Acerca de la enérgica intervención de Zorita en contra de indígenas rebeldes en Teotihuacan, véase por ejemplo, Serrano y Sanz, 1909:LXVI, o Vigil, 1987:197-201.

[31] Vigil, 1987:193-194; *Breve y sumaria relación*, 1941; *Real Cédula dirigida a la Real Audiencia de México pidiendo información sobre los tributos que los indios pagaban a Moctezuma. Valladolid, 20 de diciembre de 1553*, en Scholes y Adams, *Documentos*, 1957, IV:22.

[32] Vigil, 1987:191; Miranda, 1962:72; *Parecer de Alonso de Zorita sobre los tributos de México y Santiago. México, 1° de abril de 1562* (AGI, Patronato, leg. 182, ramo 2; en Scholes y Adams, *Documentos*, 1958, V:49-53; véase también Serrano y Sanz, 1909:433; 432-437, anexo VIII); así como el epígrafe a la pregunta 16 de la Real Cédula de 1553 (en *Breve y sumaria relación*, 1941:178).

tos a la Corona aun después de la Conquista. Por otra parte, la carga impositiva tendría diversas y graves consecuencias: en primer lugar, los más afectados serían los nobles indios, pues se les colocaría en el mismo nivel que los macehuales; en segundo, una obligación tributaria significaría la supresión del servicio de labor pública. En tal caso, los trabajos necesarios tendrían que ser efectuados por operarios remunerados, lo cual significaba un gasto excesivo. En tercero, resultaría impracticable establecer un tributo en alimentos —como era usual en otras partes— debido a la escasa extensión de tierra disponible en la ciudad. En cuarto y último lugar, el dinero de los impuestos se había venido utilizando para el pago de magistrados en las comunidades indígenas de la ciudad; el financiamiento de todo ello se vería en peligro con la imposición tributaria por parte de la Corona.[33]

Hasta este punto los argumentos de Velasco y de Zorita coinciden; sin embargo, éste va más allá: en su opinión, también el derecho azteca justificaba la exención de tributos de la población de la ciudad de México.[34] En efecto, en la época precortesiana si algún pueblo se rendía a los aztecas sin ofrecer batalla, reconociendo su dominio, únicamente se le imponía un valor simbólico como tributo, mismo que debía entregarse "voluntariamente" como presente. Como los habitantes de la ciudad de México se sometieron voluntariamente a la Corona, tendrían también el derecho de exención.

Las opiniones de Velasco y Zorita provocaron acaloradas controversias. Se les objetaba que sería benéfico para los indios pagar solamente a la Corona y ya no a los funcionarios indígenas. De hecho, las exigencias de éstos eran mucho mayores que las del rey, aparte de que con ellos la explotación de los pobladores continuaba como antes de la llegada de los españoles.[35] La opinión de estos opositores fue sostenida, sobre todo, por el oidor Vasco de Puga, quien pensaba que con base en un censo

[33] Vigil, 1987:189-190; Keen, 1994 [1963]:42-43, "Sobre el modo de tributar los indios de Nueva España a Su Majestad, 1561-1564", en Scholes y Adams, *Documentos*, 1958, V:29-31; *Parecer del virrey Don Luis de Velasco sobre lo del tributar los indios de México, México, último de febrero de 1562* (AGI, leg. 182, ramo 2):49-53; *Parecer del Doctor Zorita sobre los tributos de México y Santiago, México, 1° de Abril de 1562* (AGI, Patronato, leg. 182, ramo 2; véase también Serrano y Sanz, 1909:432-437, anexo VIII).

[34] *Parecer del doctor Zorita sobre los tributos de México y Santiago, México, 1° de abril de 1562* (AGI, Patronato, leg. 182, ramo 2; en Scholes y Adams, *Documentos*, 1958, V:49-53). Zorita mantuvo también en retrospectiva la misma postura (*Relación de la Nueva España*, vol. II, parte I, cap. 8, parágrafo 17); véase también *Breve y sumaria relación*, 1941:91-92; Vigil, 1987:190; Keen, 1994 [1963]:43.

[35] Miranda, 1952:135; *Carta del licenciado Valderrama á Felipe II, sobre asuntos del gobierno de Méjico* [24 de febrero de 1564]; *Carta al rey, del doctor Vasco de Puga, oidor de la Audiencia de México, sobre las tasaciones de tributos que hizo en algunos pueblos, Suchimilco, 28 de febrero de 1564* (AGI, Audiencia de México, leg. 226; en ENE, X:33-40, doc. 546).

poblacional de la capital se determinaría el impuesto *per capita*. Una tasa de este tipo sería, según Velasco, demasiado elevada e injusta, pues no se establecía ninguna distinción entre ricos y pobres.[36] Sin embargo, al final se impusieron las necesidades financieras de la Corona. Un poco antes de la llegada del visitador general Gerónimo de Valderrama, se decidió establecer en la ciudad de México un impuesto de un peso y media fanega de maíz por año y persona, del que los solteros sólo debían pagar la mitad. En vista de que la ciudad no era una región productora de maíz, se permitió pagar en moneda, a un curso de tres reales, como equivalente a media fanega de grano.[37] Con la visita de Valderrama, numerosos grupos de población, que habían sido eximidos de tributación en dinero o bienes, debieron pagar un impuesto por individuo. Esto afectaba a aquellos pueblos que anteriormente "sólo" habían estado obligados a prestar servicios de labor (como en Teotihuacan, por ejemplo), aunque también a los llamados terrazgueros, quienes labraban tierras ajenas y únicamente debían pagar el arrendamiento del terreno; lo mismo ocurrió con algunos caciques.[38]

[36] El censo de población se efectuó entre el 29 de octubre de 1563 y el 26 de febrero de 1564 (Miranda, 1952:134); *Relación de los pueblos y provincias que visitó y contó el doctor Vasco de Puga, oidor de la Audiencia de México desde 29 de octubre de 1563 hasta la fecha, México, 26 de febrero de 1564* (AGI, Audiencia de México, leg. 226; en ENE, X:21-24, doc. 543).

[37] Gibson, 1964:390, *Auto proveído por el Virrey, Visitador y Audiencia sobre el tasar los indios de la Nueva España, México, 18 de enero de 1564* (AGI, Audiencia de México, leg. 256; en Scholes y Adams, *Documentos*, 1958, V:116-119; véase también ENE, X:1-3); *Tasación de los tributos que los indios de Tlatelolco debían pagar a su majestad* [Sin fecha. Se confirmó en 18 de enero de 1564] (AGI, Audiencia de México, leg. 226; en ENE, XV:71-73, doc. 857); *Carta del licenciado Valderrama a Su Majestad en su Real Consejo de Indias* [México, febrero-marzo 1564] (AGI, Audiencia de México, leg. 92; en Scholes y Adams, *Documentos*, 1961, VII:64); *Parecer de Alonso de Zorita sobre lo que debían tributar los indios de México y Santiago. México, 1° de Abril de 1562* (AGI, Patronato, leg. 182, ramo 2; en Scholes y Adams, *Documentos*, 1958, V:49-53; véase también Serrano y Sanz, 1909:432-437, anexo VIII).

[38] Vigil, 1987:190-191; Keen, 1994 [1963]:43; Gibson, 1964:200; El libro de las tasaciones, 1952:306; Miranda, 1952:133-137; NCDHM, 1941, IV:135; *Respuesta que dió la Orden de San Francisco sobre los tributos de los indios, al Memorial que se dió de parte del Visitador, el licenciado Valderrama* (en NCDHM, 1892, IV:31-34, doc. VIII); *Carta de los señores y principales de las provincias y ciudades de la Nueva España más principales, para el Rey Don Felipe, nuestro señor, en que piden ser desagraviados de las cosas aquí contenidas, México, 25 de febrero de 1560* (CNCDHM, 1892, IV:128-136, particularmente 135, doc. XXIII); Icazbalceta observa, en relación con la fecha de escritura de esta carta: "Esta fecha se asigna al documento, así en el MS como en el catálogo de Gayangos; pero está manifiestamente errada, porque los padres Navarro y Mendieta que llevaron la carta salieron para España en 1570. Ésta es pues, la verdadera fecha"; Zorita, *Breve y sumaria relación*, 1941:154, 172-174; *Carta del licenciado Valderrama á Felipe II, sobre asuntos del gobierno de Méjico* [24 de febrero de 1564]; *Carta al rey, del doctor Vasco de Puga, oidor de Audiencia de México, sobre las tasaciones de tributos que hizo en algunos pueblos, Suchimilco, 28 de febrero de 1564* (AGI, Audiencia de México, leg. 226; en ENE, X:33-40, doc. 546).

El visitador Valderrama, enviado por Felipe II a causa de las diferencias entre la Audiencia y el virrey, llegó a la ciudad de México el 31 de
julio de 1563. Entre los problemas que debía afrontar se encontraban los
relativos a la administración indígena, que incluían asuntos de forma de
gobierno, evangelización, servicio laboral, cobro de tributos, el futuro
del sistema de la encomienda, las posibles pérdidas de la Corona —en
particular las ocasionadas por la revisión de las reglamentaciones
tributarias— y, por último, las acusaciones de fraude, las violaciones a
lo dispuesto por el rey y la economía de favoritismo practicada por algunos burócratas coloniales. Su visita produjo un debilitamiento adicional
de la Audiencia y una reducción aún más drástica del poder de Velasco.
En cuanto a Zorita, si bien el visitador era un enemigo del movimiento en
favor de los indios, no podía pasar por alto las actividades del castellano.[39]

El 22 de septiembre de 1556, apenas unos meses después del inicio de
sus actividades como funcionario en México, la Audiencia hace saber al
Consejo de Indias que Zorita ha solicitado una licencia para volver a España, además del salario correspondiente a un año para cubrir los costos
que de ello se deriven. Aunque en esa carta ya se mencionan los problemas auditivos de Zorita, [40] en 1558, él mismo informa a la Corona de su
sordera parcial y de su deteriorado estado de salud, males que considera
una consecuencia de sus visitas a Nueva Granada y Guatemala.[41] Dos
años más tarde, la Audiencia envía un informe donde se expone la queja
de que la sordera de Zorita lo ha incapacitado para desempeñar eficaz-
mente sus funciones.[42] De una carta de Zorita al rey, fechada el 10 de
febrero de 1561, se desprende que el 6 de enero de ese año la Corona le
otorga el permiso para regresar, así como la aprobación de un año de
salario; sin embargo, Zorita escribe que su salud mejora. Por esta razón
y porque el virrey Velasco se lo habría solicitado, pide permanecer en su

[39] Vigil, 1987:184; Scholes y Adams, *Documentos*, 1961, VII:9-10.

[40] Carta de la Audiencia de México al Consejo de Indias, México, 22 de septiembre
de 1556 (AGI, Audiencia de México, leg. 100, ramo 1).

[41] Vigil, 1987:210; *Carta dirigida á S.M. por el Licenciado Zorita, en la que le expone su lamentable estado de salud, para que se sirviera relevarlo del cargo de Oidor,
sustituyéndolo por otro, ó tomar la providencia que fuere de justicia en el caso, México,
25 de enero de 1558* (AGI, Audiencia de México, leg. 68; en Serrano y Sanz,
1909:LXVII-LXXI).

[42] Vigil, 1987:211; *Carta de la Audiencia de México al Consejo de Indias, México, 22
de marzo de 1560* (AGI, Audiencia de México, leg. 68). También Zorita mismo escribe
nuevamente: *Carta de Alonso de Zorita dirigida á S.M. suplicándole se le excuse de
ciertos servicios, á causa de sus enfermedades, especialmente la del oído, y se le conceda ayuda de costa para atender el pago de las deudas contraídas por las frecuentes
mudanzas de destinos, México, 20 de marzo de 1560* (AGI, Audiencia de México, leg.
68; en Serrano y Sanz, 1909:LXXIV; LXXV-LXXVIII).

cargo hasta que la flota zarpe hacia España entre abril y mayo.[43] Cuando los provinciales franciscanos, dominicos y agustinos —Francisco Bustamante, Pedro de la Peña y Agustín de Coruña— se enteran de su mejoría, lo instan a permanecer en México y a escribir al respecto a la Corte.[44] A esta petición se suma en una carta el virrey Velasco.[45] Por último, según una nota de Zorita, interviene también Bartolomé de las Casas, quien le expresa en una carta su convicción de que es deber moral de Zorita permanecer en México.[46] Por eso Zorita no abandona la Nueva España con la flota que parte a principios de 1561.[47] En lugar de ello, se ocupa del "Proyecto Florida". Se trataba de un plan para la conversión pacífica de los chichimecas siguiendo el modelo del proyecto "Vera Paz" de Bartolomé de las Casas en Guatemala. Zorita tenía la intención de dirigir personalmente esta expedición a tierras chichimecas y aún más hacia el noreste, en dirección a Copala, Nuevo México y Florida. Es posible que su preocupación por las tribus del norte de la ciudad de México haya sido suscitada por su amistad con el antiguo conquistador y encomendero Gonzalo de las Casas, quien escribió un libro sobre los chichimecas.[48]

Los planes de Zorita fueron alentados por dominicos y franciscanos. Un tal fray Jacinto de San Francisco, antiguo soldado familiarizado con las regiones del norte en el curso de varias expediciones de pacificación frustradas, se convirtió en un apoyo fundamental del proyecto.[49] Sus ideas acerca de la conversión coincidían con las de Zorita, y en 1561 enviaron juntos a la Corte una exposición de las mismas.[50] Los planes y las peticiones vinculadas a su realización se encuentran en el *Memorial*

---

[43] Serrano y Sanz, 1909:422 (anexo VII); Vigil, 1987:210-213, así como 213, nota 147; *Carta de Alonso de Zorita al Consejo de Indias, México, 10 de febrero de 1561* (AGI, Audiencia de México, leg. 68; Keen, 1994 [1963]:45-46).

[44] Vigil, 1987:213; *Carta de los Padres Provinciales Fray Pedro de la Peña, Fray Francisco de Bustamante y Fray Agustín de Coruña, al Rey Don Felipe II, México* [Sin fecha] (en NCDHM, 1941, V:229-230).

[45] Vigil, 1987:213; Wagner y Parish, 1967:229.

[46] Serrano y Sanz, 1909:422 (anexo VII); Vigil, 1987:213; *Carta de Alonso de Zorita al Consejo de Indias, México, 20 de julio de 1571* (AGI, Audiencia de México, leg. 68).

[47] Vigil, 1982:52; 1987:213; Keen,1994 [1963]:45-61.

[48] Vigil, 1982:50, 53; 1987:214; en relación a Gonzalo de las Casas véase también el "Catálogo" de Zorita.

[49] Vázquez, 1992:14.

[50] Vigil, 1987:217; Vázquez, 1992:14; Keen, 1994 [1963]:47-48; *Carta del Dr. Zorita, á S.M., en la que después de exponer sus servicios, pide se le nombre capitán para entrar á los chichimecas; se suprima la Audiencia de Nueva Galicia y se le conceda el gobierno de aquella provincia, y trata de la orden que se ha de guardar en la entrada, fundación de pueblos, salario que debe llevar, etcétera. México, 20 de julio de 1561* (AGI, Audiencia de México, leg. 68; en Serrano y Sanz, 1909:417-431, anexo VII).

del licenciado Zorita, oidor de la Audiencia de México, sobre la población de Florida y de Nuevo México.[51] El proyecto preveía su nombramiento por parte de la Corona como gobernador y capitán general de dichos territorios, que hasta entonces se encontraban bajo la jurisdicción de la Audiencia de Nueva Galicia, correspondiente a los actuales estados de Jalisco, Sinaloa, Nayarit, Zacatecas y Sonora. Zorita deseaba ponerse al frente de la expedición que estaría conformada por aproximadamente cien soldados y veinte misioneros franciscanos. Su intención era ganarse la buena voluntad de los indios de la región por medio de regalos, afecto, buenas obras y buen ejemplo. Emisarios indígenas invitarían a las tribus nómadas a establecerse en las ciudades y dedicarse a la agricultura.[52]

Habría un fraile en cada uno de los nuevos asentamientos. Los españoles tendrían prohibido ocupar tierras asignadas a los indios. Para garantizar que así fuera, las colonias españolas se establecerían a una distancia adecuada de las indígenas. Además, en estos territorios no existirían las encomiendas y los indios convertidos se encontrarían exentos del pago de tributos durante un periodo de diez años.[53]

Zorita propuso como lugar donde se iniciaría el proyecto Nueva Galicia. Uno o más tenientes estarían estacionados en Guadalajara, mientras él se ocupaba de supervisar la pacificación y el asentamiento de los indios. Para evitar una división de autoridad entre él y la Audiencia de Nueva Galicia, ésta debía suprimirse. Zorita calculaba que para la realización de sus planes se requerirían dos años y de 50 000 a 60 000 ducados, gran parte de los cuales estarían destinados a los cien soldados, quienes más tarde, como colonos, recibirían un salario anual de 300 ducados, beneficio que se otorgaría también a sus descendientes. La Corona asumiría, asimismo, los gastos de los frailes. Para sí, Zorita reclamaba un salario anual de 12 000 ducados y la garantía de permanecer en el cargo por un mínimo de diez años, así como la prerrogativa de expulsar de la región a aquellos españoles que se opusieran a su gobierno.[54]

El proyecto fue enviado a España en 1561, junto con la carta de fray Jacinto. En 1562, su petición fue presentada al Consejo de Indias por el franciscano Alonso Maldonado de Buendía, en ocasión de

---

[51] Publicada con el título *Memorial del Oidor Dr. Alonso de Zorita sobre conquistar y poblar de Florida,* en CDHM, II:333-343; véase cap. 2.2.1.

[52] Vigil, 1982:53-54; Serrano y Sanz, 1909, anexo V:400-405, VII:417-431.

[53] Vigil, 1982:54; Serrano y Sanz, 1909, anexo V:400-405, VII:417-431.

[54] Vigil, 1982:54-55; Serrano y Sanz, 1909, anexo V:400-405, VII:417-431.

la comparecencia de éste en favor de la causa indígena.[55] La Corona halló el plan demasiado fantástico y lo rechazó, y si bien Zorita recibió permiso para llevar a cabo una expedición, los costos de ésta debían ser asumidos por él mismo. Lo que Zorita no podía prever en ese momento era que tiempo después, a principios del siglo XVII, una vez que los intentos de conquistar por la fuerza los territorios del norte fracasaron —entre 1570 y 1585—, se recurrió a una estrategia similar a la suya, mezcla de compra, diplomacia y conversión, que resultó tan eficaz que aun más tarde se aplicó con frecuencia.[56]

El rechazo de su "Proyecto Florida" significó para Zorita una decepción tan grande que su salud volvió a deteriorarse, lo que le llevó a solicitar nuevamente autorización para regresar a España, para lo cual, sin embargo, transcurrirían aún varios años. Este periodo estuvo marcado por las investigaciones del visitador general Valderrama y por la conspiración Cortés-Ávila. Martín Cortés gozaba del favor de Valderrama y pronto estuvo al frente de los encomenderos de la ciudad, que veían amenazados sus privilegios por la presencia en cargos oficiales de gente como el virrey Velasco y Zorita.

El otro protagonista de la conjura mencionada es Alonso de Ávila, miembro de una poderosa familia lejanamente emparentada con Velasco y que formaba parte de la nobleza criolla, dentro de la cual existían fuertes vínculos. Un grupo de encomenderos relacionados con Ávila tenía planes para una revuelta, de la que ya se murmuraba. Velasco mismo previno a muchas de las personas supuestamente involucradas, lo que puso fin a los rumores de una rebelión de la nobleza. Sin embargo, el 31 de julio de 1564 muere Velasco. Con él, Zorita perdía también a un protector poderoso. La Audiencia recibió una nueva visita de Valderrama, quien, como resultado de sus investigaciones, suspendió a varios jueces. Zorita, que aún conservaba el cargo, enfermó con frecuencia durante dos de los tres años que duró esta inspección de Valderrama. Después de la muerte de Velasco la Audiencia se ve enteramente reba-

---

[55] Vigil, 1987:220, así como 222, nota 170; *Carta de Alonso de Zorita, dirigida á S.M., en la que le expone la imposibilidad en que se encontraba de cumplir la comisión que se le confería de marchar al descubrimiento y población del Nuevo México, si no obtenía recursos para ello, México, 30 de agosto de 1562*: "Yo he escrito a Vuestra Magestad sobre este negocio con un religioso de San Francisco que se llama frai Alonso Maldonado de Buendía, que fue en unas carauelas que salieron del puerto de la Veracruz por Septiembre pasado, y por mis cartas abra Vuestra Magestad sido servido de mandar ver lo que yo pretendo en este negocio, y como es imposible hazerlo á mi costa, y por la prisa que ay para despachar esta fragata..." (AGI, Audiencia de México, leg. 68; en Serrano y Sanz, 1909:LXXXI-LXXXIII; en especial LXXXII).
[56] Vigil, 1982:55; 1987:221; en general, en relación con los planes para la Florida, véase también Keen (1994 [1963]:46-50) y Ramírez Cabañas (1963:XIII-XV).

sada por los hechos, lo que obliga a sus oficiales a hacer caso omiso de numerosos delitos de poca monta.[57]

Los encomenderos reaccionan con rapidez a la muerte de Velasco: por intermediación del Cabildo de la ciudad piden al rey que no envíe un nuevo virrey. En lugar de ello pretenden que Valderrama sea designado gobernador y Martín Cortés capitán general. La Corona rechaza la petición. Entre septiembre de 1565 y junio de 1566 crecen cada vez más los rumores de una rebelión y se elaboran también planes detallados al respecto. La estrategia, que al parecer preveía la muerte de los oidores y de Valderrama mismo, así como la proclamación de Cortés como rey —y por lo tanto, también la separación de España— fue puesta al descubierto por Vasco de Puga, a quien, no obstante, Valderrama le prohíbe emprender cualquier acción. No se inician investigaciones, sino que tiene lugar un encuentro entre Valderrama y Cortés. A comienzos de 1566 Valderrama deja México, no sin antes haber despojado a Puga de su cargo. Sólo hasta el 16 de julio de ese mismo año se llevan a cabo numerosas aprehensiones. La participación de Cortés no pudo, sin embargo, ser probada.[58]

Al mismo tiempo que la conspiración seguía su curso, Zorita fue investigado por Valderrama. El resultado de sus pesquisas se comunicó a la Corona a principios de 1564. En su informe, Valderrama opina que habían sido los planes de Zorita acerca de la Florida los que habían hecho que los frailes, evidenciando la gran estima que les inspiraba , se expresaran tan positivamente sobre su estado de salud. En los hechos, sin embargo, la sordera le incapacitaba para el servicio, puesto que en los juicios y procedimientos —que no estaba ya en condiciones de seguir— su actitud consistía en reservar su voto para el punto en el que con él no se decidiera ya ningún asunto. Después de que se le negara el financiamiento para la expedición a Florida, Zorita mismo —continuaba Valderrama— había modificado su idea acerca de una pensión. Por esta razón, la Corona debía permitirle el regreso a España, con una prima de tres o cuatro salarios anuales.[59]

Cuando Valderrama hace también declarar ante la Audiencia a testigos de la sordera de Zorita, éste reacciona enviando a la Corona una

[57] Vigil, 1987:201-204, 233, Petición de Zorita al Consejo de Indias, Madrid, 5 de mayo de 1575 (AGI, Indif. Gen., leg. 1385); Suárez de Peralta, 1949 [1580]:113-114, 132; Bancroft, 1883, II:603, 605.

[58] Vigil, 1987:204-207; *Petición del Licenciado Vasco de Puga al Presidente del Consejo de Indias, Madrid, 28 de mayo de 1575* (AGI, Indif. Gen., leg. 1385); Bancroft, 1883, II:602-603; González Obregón, 1952:153-156; Suárez de Peralta, 1949 [1580]:117-119.

[59] *Carta del licenciado Valderrama a Su Majestad en su Real Consejo de Indias* [México, febrero-marzo, 1564] (AGI, Audiencia de México, leg. 92, doc. 7, en Scholes y Adams, *Documentos*, 1961, VII:37-52.

carta de defensa (con fecha de 10 de febrero de 1564), en la que expone que su oído es suficiente y que sólo necesita que se le hable un poco más fuerte. A pesar de la discreción con que Valderrama se ocupa del problema, corrían ya una serie de rumores exagerados acerca de su enfermedad. Sin embargo, en esa misma carta, Zorita confirma su problema auditivo y solicita de nuevo permiso para volver a España. No obstante, para no dar la impresión de que se le había despedido del cargo, solicita que se le llame de España en calidad de informante de la Corona. Por lo demás, considera que es el momento idóneo para hacerlo, puesto que en esos días tiene lugar en la ciudad una reunión de encomenderos para discutir una prórroga en sus derechos sobre la tierra y los indios. Zorita se remite a una situación análoga en el Perú, en la que el rey fue informado por representantes de los indios de la visión que éstos tenían de las cosas. Zorita considera que éste puede ser un precedente para el caso, y se ofrece personalmente como representante de la parte indígena.[60]

El virrey Velasco apoyó las propuestas de Zorita en una carta en la que afirma que éste debía rendir un informe al Consejo de Indias acerca de los asuntos de la Nueva España, una vez que hubiera concluido la visita de Valderrama.[61] De la correspondencia posterior de Zorita se desprende claramente que esta gracia no le fue concedida.

A principios de 1565, Zorita escribe de nuevo a la Corona; presenta su dimisión, puesto que Velasco le había concedido ya, con fecha de 6 de junio del año anterior, permiso para abandonar México. Sin embargo, para poder embarcarse necesitaba recibir la suma que el gobierno español le adeudaba. A causa de la escasez de dinero en tierra, esto no era posible antes de que los barcos partieran. Por otra parte, los funcionarios de la Audiencia tenían la obligación de esperar la conclusión de las investigaciones de Valderrama, para poder preparar su defensa tomando en cuenta las acusaciones que se les hicieran. Así, no quedó a Zorita otra alternativa que permanecer otro año en México. Sin trabajo y sin salario tendría que esperar la siguiente flota.[62] A finales de octubre de 1565 recibe la lista de los cargos que se le imputan. Finalmente, una

---

[60] Vigil, 1987:222-223; *Carta de Alonso de Zorita al Consejo de Indias, México, 10 de febrero de 1564* (AGI, Audiencia de México, leg. 68; en Serrano y Sanz, 1909: LXXXIV-LXXXVII).

[61] *Carta del Virrey Don Luis de Velasco a su Majestad en el Real Consejo de Indias, México, 26 de febrero de 1564* (AGI, Audiencia de México, leg. 19, en Scholes y Adams, *Documentos*, 1961, VII:343 (apéndice V, doc. 2); Vigil, 1987:223.

[62] *Carta de Alonso de Zorita al Consejo de Indias, México, 12 de febrero de 1565* (AGI, Audiencia de México, leg. 68; en Serrano y Sanz, 1909:LXXXIX-XCII). En realidad, se le había concedido el salario de un año para que pudiera cubrir sus gastos (Serrano y Sanz, 1909:LXXXIX).

33

vez que hubo recibido 8 000 ducados por la venta de su casa, Zorita deja México con la flota de 1566, arribando en septiembre del mismo año a Sevilla.[63]

Apenas ha pisado tierra cuando la Casa de Contratación le confisca sus 8 000 ducados, en un acto que evidencia las dificultades económicas por las que atraviesa la Corona española. Después de presentar varias protestas, le son devueltos 1 000, mientras que el resto debe dejarlo, forzosamente, en préstamo a la Corona como *juro*, esto es, con un derecho fijo de ingreso y con un interés de 7.14 por ciento. Después de esto, Zorita se traslada a Granada, donde se establece en una de las casas de su esposa. En los años siguientes Zorita presentaría varias peticiones que muestran con claridad sus penurias económicas. A causa de estos problemas, el 30 de abril de 1567 se apersona en Madrid para solicitar una pensión cuyo monto sería el del salario de un oidor. Una petición posterior, enviada el 5 de mayo de 1575 al Consejo de Indias, prueba que no ha habido ningún cambio en su situación financiera. En ella se señala que la Corona no había cubierto desde hacía siete años el pago anual correspondiente al dinero confiscado, es decir, una suma que en ese momento se elevaba ya a 3 500 ducados.[64]

Tuvieron que transcurrir cinco años desde el retorno a España de Zorita, para que el Consejo de Indias terminara el examen de las acusaciones que Valderrama había presentado en su contra. El 7 de febrero de 1572 se dicta sentencia.[65] De los numerosos cargos, se le absolvía de cincuenta y tres; en la mayoría de los restantes se le concedía indulto, por tratarse de infracciones menores. Se le culpaba, por ejemplo, de haber abandonado varias veces las sesiones de la Audiencia antes de que hubieran concluido. Había, sin embargo, tres cargos graves que condujeron a que Zorita fuera inhabilitado durante tres años y medio para ejercer cual-

[63] Vigil, 1987:233-234, 241; O'Gorman, 1971:LXXXV; Keen, 1994 [1963]:50-51; Vázquez, 1992:12; *Información de servicios de Alonso de Zorita, México, años 1562-1567* (AGI, Audiencia de México, leg. 100; en Serrano y Sanz, 1909:XCII:438-492, anexo IX; en particular 442).

[64] Vigil, 1976:509; 1987:241, 245, 255; *Información de servicios de Alonso de Zorita, México, años 1562-1567* (AGI, Audiencia de México, leg. 100; en Serrano y Sanz, 1909: XCIII, 438-492, anexo IX; en especial 442-443): ésta es la reacción de Zorita a la visita de Valderrama (Madrid, 30 de abril de 1567).

[65] Desgraciadamente, el protocolo de las acusaciones y de los juicios de Valderrama no se ha conservado (Scholes y Adams, *Documentos*, 1961, VII:8), pero todavía existe el veredicto. Scholes y Adams lo han publicado (*Documentos*, 1961,VII:346-376, apéndice VI): *Sentencias pronunciadas por el Consejo de Indias en los cargos resultantes de la visita del licenciado Valderrama a la Audiencia de México, Madrid, septiembre de 1571-marzo de 1572* (AGI, Escribanía de Cámara, leg. 1180).

quier función jurídica y para que, además, se le impusiera una multa de 100 ducados. Uno de ellos se refería al caso de un tal Francisco Díaz de Ayala que, bajo tortura, había confesado una "relación sexual contra natura" con don Juan de Saavedra Cervantes, pero que se había negado a firmar su declaración al día siguiente. A causa de esto, la tortura hubiera tenido que repetirse. Zorita omitió, sin embargo, dar la orden al respecto. Como resultado del descuido evidenciado por él en este caso, el acusado no sólo no había sido castigado, sino que, además, había logrado huir de la prisión.[66] Esto fue motivo suficiente para que se descalificara por medio año a Zorita para la investidura de cualquier función jurídica.[67] Las otras dos penas se refieren a casos de soborno. En las sentencias se habla siempre de Zorita y de su esposa. Al parecer, tuvo participación con un tal Luis de Quesada, en una serie de turbios negocios mineros que violaban ciertos acuerdos. Precisamente en el tiempo en que la Audiencia procesa a Quesada, el matrimonio Zorita recibe de éste varios presentes. Por esta razón, se prohíbe al antiguo oidor, por un lapso de dos años, asumir cualquier puesto de índole jurídica. Un tercer año de exclusión más los 100 ducados referidos se le impone por haber prestado dinero a un individuo de nombre Alonso Ramos, justo cuando a éste se le involucra en la muerte de un esclavo negro y se le procesa por este hecho.[68]

El 5 de mayo de 1575 Zorita presenta una nueva petición al Consejo de Indias.[69] En ella solicita, entre otras cosas, el levantamiento de la prohibición del ejercicio profesional, que oficialmente terminaría en algunos meses más, el 7 de agosto del mismo año, así como la condonación de la pena pecuniaria que se le había impuesto, misma que por falta de medios y sobreendeudamiento no había podido todavía pagar. Zorita aduce varios argumentos en su descargo. En primer lugar, de los tres años que había durado la visita de Valderrama, Zorita afirma no haber trabajado dos como juez de conflictos de derecho en la Audiencia, y por lo que se refiere al tiempo restante, ninguna de las partes enfrentadas en alguno de los procesos que tuvieron lugar en este periodo había presentado acusación alguna en su contra. Los cargos se referían, en su opinión, a hechos en los que no había participado como juez o que habían tenido lugar después de abandonar su cargo. Por lo demás, en muchos de los puntos a los que la acusación se refería había trabajado junto

[66] Vigil, 1987:230; Scholes y Adams, *Documentos*, 1961, VII:375.
[67] Scholes y Adams, *Documentos*, 1975, VII:375.
[68] Scholes y Adams, *Documentos*, 1961, VII:375-376.
[69] Vigil,1987:231; *Petición de Zorita al Consejo de Indias, Madrid, 5 de mayo de 1575* (AGI, Indif. Gen., leg. 1385).

con los oidores Pedro de Villalobos y Jerónimo de Orozco, sin que en las sentencias de éstos se mencionaran siquiera tales casos.[70] Zorita encuentra que las inculpaciones en su contra se apoyan, en gran medida, en testimonios falsos. Ésta era también la razón por la que se le había absuelto de muchos otros cargos. Según él, también de las acusaciones menos graves la sentencia tendría que haber sido absolutoria, porque la mala reputación de algunos de los testigos de cargo era evidente: se trataba de personas que habían tomado parte en la conspiración de Cortés-Ávila, en la que él mismo había intervenido como juez.[71]

Pero las demandas de Zorita iban más allá de un simple indulto. Deseaba que su inocencia fuera reconocida a fin de que cesara aquella condición ignominiosa que pesaba sobre él. Pedía, en primer término, como compensación por sus pérdidas y servicios anteriores, una licencia especial para enviar barcos con mercancías a los distintos puertos del Nuevo Mundo sin tener que esperar la flota que zarpaba cada año. En segundo, solicitaba el cargo de escribano de juez de bienes de difuntos de la ciudad de México y su distrito. Y, finalmente, reclamaba la función de la escribanía del juzgado del alcalde mayor de Tlaxcala, Tepeaca y Huejotzingo. De una nota al dorso de la petición se desprende que la prohibición de ejercer un puesto y la multa debían ser examinadas nuevamente en el Consejo de Indias. No se sabe si Zorita obtuvo los derechos que pretendía; en todo caso, no se le volvió a confiar ningún cargo en el Nuevo Mundo. Es posible que no le interesaran propiamente tales cargos, sino las retribuciones que iban asociadas con ellos. Sin embargo, tampoco se sabe si se le asignó alguna especie de provisión para su vejez. Es de suponerse que, al menos en parte, la cuestión se haya resuelto en favor suyo, pues nunca volvió a plantear las demandas mencionadas. Todas sus peticiones ulteriores se refieren únicamente a sus escritos.[72]

---

[70] Scholes y Adams, *Documentos*, 1961, VII:370. Pedro de Villalobos y Jerónimo de Orozco habían sido nombrados en 1556 y 1557, respectivamente, oidores de la Audiencia de México. A causa de faltas menores (por ejemplo, impuntualidad en las sesiones de la Audiencia), se les encontró culpables en 1572. Hasta esta fecha, Villalobos se había desempeñado en la Audiencia. Más tarde sería nombrado presidente de la Audiencia de Charcas. Por su parte, Orozco fue nombrado en ese mismo año de 1572 primer gobernador-presidente de la Audiencia de Nueva Galicia, que había sido reorganizada. Como tal murió en 1580, durante la defensa de la provincia ante un grupo de indios dedicados al saqueo.

[71] Vigil, 1987:231; *Petición de Zorita al Consejo de Indias, Madrid, 5 de mayo de 1575* (AGI, Indif. Gen., leg. 1385).

[72] Vigil, 1976:510-511; Vigil, 1987:261; *Petición de Zorita al Consejo de Indias, Madrid, 5 de mayo de 1575* (AGI, Indif. Gen., leg. 1385).

En cuanto a la vida de Zorita, no hay mucho que decir después del 5 de mayo de 1575. Mantuvo correspondencia con sus amigos en México, especialmente con algunos frailes.[73] También sabemos, gracias a sus comentarios en el "Catálogo", que cultivó relaciones con diversas personas que, como él, habían regresado a España. Entre ellas cabe mencionar a su amigo Gonzalo de las Casas, antiguo conquistador y encomendero. Los datos biográficos se detienen en este punto, pues no se sabe cuándo murió. La última noticia suya registrada por escrito proviene de la *Relación de la Nueva España*. La fecha que aparece al pie de la carta al presidente del Consejo de Indias, Hernando de Vega, corresponde al 20 de octubre de 1585, año en que Zorita cumplía setenta y tres de edad.

Obra

Zorita redactó sus numerosos escritos en una época de profundas transformaciones políticas, cuyo impacto en la vida cultural de la segunda mitad del siglo XVI es evidente. Diez años después del ascenso al trono de Felipe II, la política colonial se transformó. En 1566, Felipe II decide dar un fuerte impulso a la evangelización de los indios. Se percata, sin embargo, de que esto sólo es posible sobre la base de un conocimiento profundo de la cultura indígena. Por otro lado, estaba convencido de la necesidad de restructurar la administración de las colonias americanas. Había que hacer más efectiva la legislación y más humano el manejo de los asuntos relativos a los indígenas. La determinación de las reformas necesarias, así como su posterior ejecución, fue una tarea de la que se ocupó Juan de Ovando, consejero de la Inquisición. Para ello se le encomendó, en 1567, la inspección del Consejo de Indias —la llamada "visita de Juan de Ovando"—, para luego, en 1571, ser nombrado presidente del mismo. No sería sino hasta 1575, con su muerte, que la visita llegaría a su término.

Juan de Ovando tenía a su cargo la difícil misión de dictaminar sobre los asuntos de ultramar y reorganizar, en consecuencia, el Consejo de Indias. Para ello envía, en 1569, un Questionario a América con preguntas relativas a las entradas y los nuevos descubrimientos. A éste siguieron otras consultas en 1570, 1573 y 1577, que ampliaban considerable-

---

[73] Como ejemplo se puede mencionar a los dominicos fray Domingo de la Anunciación y fray Vicente de las Casas (Keen, 1994 [1963]:51-52. Véase también el "Catálogo" (f. Xr., Serrano y Sanz, 1909:22-23).

mente el ámbito de sus investigaciones. Asimismo, en 1570 se decide reunir las leyes americanas en un *corpus* integral. El resultado fue la *Gobernación espiritual y temporal de las Indias*, elaborado entre 1570 y 1574 por el cosmógrafo Juan López de Velasco bajo la dirección de Ovando. En el mismo año emprende una expedición el doctor Francisco Hernández, a quien se le encarga realizar investigaciones zoológicas y botánicas.[74]

Esas medidas desencadenaron una verdadera "fiebre de investigaciones" en América. Surgen así numerosos trabajos etnográficos que atestiguan un gran interés por las culturas indígenas y una voluntad real de entenderlas. También se da inicio a la célebre *Recopilación de las Leyes de indias*. De hecho, Felipe II había intentado ya llevar a cabo esta empresa, en 1560, por medio de la real cédula respectiva.[75] Pero no será sino hasta después de 1570 cuando se haga un esfuerzo sostenido por reunir el conjunto de ordenamientos. Tales tentativas culminarían en 1680 con la *Recopilación de las Leyes de los Reynos de las Indias de 1680*.[76]

Después de la muerte de Ovando —a quien se consideraba favorecedor de los franciscanos y, al mismo tiempo, partidario de los indígenas—, el 8 de septiembre de 1575, se extinguieron paulatinamente las actividades promovidas por la Corona, en especial aquellas relacionadas con el Consejo de Indias. Todavía a principios de 1577 se envió un *Questionario* oficial a diversas autoridades locales en América.[77] Este mismo *Questionario*, que daba inicio a las *Relaciones geográficas*, volvió a ser editado, en 1584, sin cambios.[78] Sin embargo, el de 1570 ya muestra que el interés por las culturas indígenas, en particular las de la época prehispánica, había disminuido. El documento se inscribe en el contexto del cambio de actitud del Consejo de Indias respecto a los escritos etnográficos y políticos correspondientes a América que tiene lugar después de la muerte de Ovando.

De manera paralela al interés en la investigación de las culturas indígenas, impulsado por Ovando, el Consejo de Indias se convierte en punto de partida de un movimiento de oposición que se propone el es-

---

[74] Baudot, 1983:490-493; *Gobernación espiritual y temporal, lib. I, tít.12, núm. 38* (AGI, Indif. Gen., leg. 427, lib. 29, ff. 67r-93v (148§§), especialmente parágrafo 15 (ff. 69v-70r), en Encinas, *Cedulario*, IV:232-246); *Questionario de 1577* (en PNE, 4:207); Manzano y Manzano, 1970:117-120; Schäfer, 1936, I:161.

[75] García-Gallo, 1985:21.

[76] Bernal, 1985:76-77.

[77] PNE, 4:207.

[78] Baudot, 1983:492-493; *Questionario de 1577* (en PNE, 4:207).

tablecimiento de restricciones a la política colonial. El movimiento no alcanzaría su madurez plena sino hasta algunos años después de la muerte de Ovando. La iniciativa se había originado en 1566, con la disposición de que ningún libro acerca de los indígenas podía ser editado o vendido sin la autorización de la Corona. A partir de ahí se consolidó una tradición de censura en el seno del Consejo de Indias, que no se puso de manifiesto sino hasta 1575, después de la muerte de Ovando.[79]

El hecho que da pie a las primeras prohibiciones es la aparición, en 1575, de la *República de las Indias occidentales*, de Gerónimo Román y Zamora. Los dos últimos capítulos no agradaron a los miembros del Consejo de Indias, pues en ellos supuestamente se denigraba a los primeros conquistadores y se ponía en duda la supremacía española. El Consejo de Indias exhortó a Felipe II a emitir un bando que exigiese la obtención ante dicho Consejo de un permiso de impresión para cualquier libro relacionado con las Indias.[80]

Fray Bernardino de Sahagún y Agustín de Zárate fueron, en 1577, las primeras víctimas conocidas de tales prohibiciones, resultantes del cambio en el clima político. En tanto la obra de Sahagún fue confiscada, el libro de Zárate tuvo que ser editado de manera parcial. La *Cédula* del 22 de abril de 1577, mediante la cual se confiscaba la obra de Sahagún y se prohibían de antemano otros trabajos semejantes, establecía, de manera muy clara, que las investigaciones etnográficas que se ocuparan de las culturas prehispánicas no se consideraban ya aceptables y por ello quedaban prohibidas. En un párrafo de la *Cédula* se lee lo siguiente: "...no consentir que, por ninguna manera, persona alguna escriba cosas que toquen a supersticiones y manera de vivir que estos indios tenían..."[81]

Los empeños censores del Consejo de Indias alcanzaron otro momento culminante el 20 de mayo de 1578, cuando se estableció por medio de una real cédula, que debía adoctrinarse intensamente a los indios en la fe católica para que olvidaran sus antiguas creencias.[82] Esta política deter-

---

[79] Baudot, 1983:493, 484.

[80] *Gobernación espiritual y temporal, lib. I, tít. 12, núm. 38*; para Román: *Consulta de Consejo de Indias al rey, hecha en Madrid, el 30 de septiembre de 1575, con el título: Sobre el libro de fray Gerónimo Román Augustino* (AGI, Indif. Gen., leg. 738, ramo de 1575); Baudot, 1983:484-485. Una censura similar es la que, al decir de Baudot (1983:485), decidieron aplicar el año siguiente los dominicos de México a los escritos de sus hermanos.

[81] Según Baudot, 1983:492-493: Museo Nacional de Antropología de México (Chapultepec), Archivo Histórico, Colección Gómez de Orozco, vol. 11, *Libro de actas de los capítulos provinciales O.P.* (f.60v).

[82] Baudot, 1983:484-485; García, 1907:204, núm. XCV.

minaba que las investigaciones etnográficas que se ocupaban de la religión prehispánica y su influencia en la vida cotidiana indígena, dejaban de ser consideradas como apropiadas. El nuevo reglamento afectó particularmente a aquellos autores cuyas obras salieron a la luz después de 1580. Precisamente entre ellos se extendió de manera patente el temor de que el tratamiento de tales temas pudiera conducir a la prohibición de sus obras. Al respecto, también en la *Relación de la Nueva España* de Zorita se encuentra un ejemplo:[83]

> Muchas cosas refiere fray Torivio en aquel su libro para declarar si había matrimonio verdadero entre los naturales de Anauac y entre los que tenían muchas mujeres cuál de ellas era legítima porque todas las demás dice que eran mancebas y declara la manera que tenían en pedir a sus padres así las mujeres legítimas como las mancebas y sobre esto se alarga mucho *y porque parece que ya no es necesario no se refiere aquí y también porque no conviene traerlo a la memoria*[84] y los fundamentos que él trae para probar que había matrimonio se podrán ver por los doctores que de ello tratan y el maestro fray Alonso de la Veracruz agustino muy antiguo en aquella tierra varón muy docto y de gran religión hizo un trato particular de ello y anda impreso [*Relación de la Nueva España*, 1a. parte, cap. ll, párrafo 13, f. 225v].

No es fácil entender en la actualidad los cambios en la postura del Consejo de Indias ni, en especial, su contradictoria actitud a principios de 1577 al demandar, por una parte, información etnográfica mediante un Questionario y prohibir, por la otra, los trabajos correspondientes. Las conjeturas sobre los motivos del Consejo de Indias son necesariamente fragmentarias. Baudot (1983:498-498) cree que tal postura tenía como fundamento la convicción de que los indígenas representaban un peligro, una masa de la que otros podían aprovecharse y que, además, constituía la base de la visión franciscana de la sociedad en las colonias americanas. Hubo también oposición a las ideas de los franciscanos. El establecimiento de una iglesia secular durante el periodo 1550-1552, así como más tarde (1570-1571), de la Inquisición, son manifestaciones claras de ello. Por otra parte, con la muerte de Ovando los franciscanos habían perdido a un personaje muy influyente y favorable a ellos y a la causa indígena en el Consejo de Indias. Además, en la conspiración de Cortés y Ávila de 1566 se habían manifestado tendencias indepen-

---

[83] Baudot, 1983:487.
[84] Las cursivas son mías.

dentistas que, como atinadamente observa Baudot, hacían necesaria una intervención del Consejo de Indias. Una de las medidas adoptadas por éste consiste en mantener una postura restrictiva respecto de los escritos etnográficos y políticos. Así, la conspiración de 1566 provoca, en el mismo año, la prohibición de la *Historia de las Indias y conquista de México* de Gómara.[85]

Zorita mismo no pudo sustraerse a la ola de censura que tuvo lugar después de la muerte de Ovando. No sin razón lamenta, en su "Catálogo" (f. Vr.), que precede a la primera parte de la *Relación de la Nueva España*, la prematura muerte de Ovando, a quien desde luego tenía mucho que agradecer. La *Recopilación de las leyes de Indias*, escrita por él en 1574, fue rechazada por el Consejo de Indias; la *Suma de los tributos* recibió permiso para publicarse únicamente en latín en 1578. Sin embargo, hasta donde se sabe, no se imprimió nunca, a pesar de que Zorita mismo había preparado ya la traducción. Por largo tiempo —al menos hasta el siglo XVIII— los escritos de Zorita permanecieron en el olvido o se perdieron por completo. Durante su vida no volvieron a ser publicados.

La *Relación de la Nueva España*

La obra más extensa de Zorita la forman las cuatro partes de la *Relación de la Nueva España*. García Icazbalceta la menciona por vez primera (*Nueva colección de documentos para la historia de México*, 1941 [1891], vol. III:XIV), y remite a una nota de Lorenzo Boturini. El manuscrito se encuentra actualmente en la Biblioteca del Palacio Real en Madrid (ms. II. B4; anteriormente, pero aún al uso: ms. 59). En 1908 la editorial Idamo Moreno intenta, por primera vez, publicar la *Relación* bajo el título *Historia de la Nueva España*. Sin embargo, se transcriben únicamente los primeros siete capítulos de la primera parte, que existían como prueba de impresión y que hoy resguarda la Biblioteca Nacional de Madrid (R23075). Un año después siguió una edición completa de la primera parte, igualmente bajo el título *Historia de la Nueva España*, a cargo de Manuel Serrano y Sanz (*Colección de libros y documentos referentes a la historia de América*, vol. 10, Madrid, 1909). Las partes restantes continúan hasta la fecha inéditas.

En esta obra se abordan numerosos temas. Por ejemplo, en la primera parte se ocupa de geografía, religión prehispánica e historia de la Nueva

---

[85] Bataillon, 1956:78-81.

España; la segunda aborda el tema de las relaciones sociopolíticas y económicas entre los aztecas; la tercera se ocupa de la conquista de México, así como de los acontecimientos en Guatemala y Nicaragua; finalmente, la cuarta está dedicada a la evangelización de los indios.

Por lo que toca al manuscrito de la Biblioteca del Palacio Real, hay que decir que no se trata de un texto original, sino de una copia que, al decir de Marcos Jiménez de la Espada (citado por García Icazbalceta, 1941 [1891], III:XIX-XXIV), quedó concluida aún en vida de Zorita, y fue anotada y corregida por éste. La interpretación del texto lo hace probable, pues se trata en su mayoría de notas complementarias que se refieren al contenido. Aparte de estas notas marginales, que por lo demás son difíciles de descifrar, el resto del manuscrito fue escrito por una sola persona y resulta bastante legible.[86]

En la parte frontal de la última hoja de la *Relación de la Nueva España* se encuentra la siguiente nota:

en 17. marco de 1616
Joan A[n]to[nio?] de Heredia
en Villa Carrillo

Villacarillo —como se escribe hoy— se encuentra a unos 100 kilómetros al noreste de Granada. No se sabe nada acerca de un tal Joan Antonio de Heredia, de Villa Carrillo. Sin embargo, hubo en Aragón una célebre familia Heredia, muy diseminada en la región, una de cuyas ramas se instaló en Córdoba. De ella provienen varias personas con el nombre de Juan de Heredia. Por lo demás, hacia fines del siglo XVII hubo también una familia Heredia de la que proceden distintos calígrafos llamados Juan y Antonio de Heredia. Sin embargo, la familia tenía su origen en Zaragoza, aunque en el siglo XVII también encontramos a toda una rama de ella establecida en Madrid. Finalmente hay que mencionar a un escritor de comedias llamado Juan de Heredia, cuyo único dato conocido lo sitúa en Granada en el año 1585.[87]

Es probable que la nota arriba mencionada sea un *ex libris*, lo cual permite conjeturar que el manuscrito no llegó de manera directa a la

---

[86] Una copia de la *Relación de la Nueva España*, incompleta y en la cual no se incluye la cuarta parte, se encuentra en la Biblioteca Nacional de Antropología e Historia, en la ciudad de México (Señalado: 972.02 (287 folios); véase también O'Gorman, 1971:XXII, nota 8).

[87] Archivo Biográfico de España, Portugal e Iberoamérica (ABEPI), Nueva serie, ABEPI II. (Mediados del siglo XIX - mediados del siglo XX.)

biblioteca de Palacio; desafortunadamente, tampoco en la biblioteca se sabe en qué año llegó ahí.

El manuscrito de la *Relación de la Nueva España* se publica aquí junto con el "Catálogo" previo, un "Sumario", un prólogo "Al lector", y una carta a don Hernando de Vega, presidente del Consejo de Indias y a quien está dirigida la *Relación*. El número de folio comienza en la primera página de la primera parte en numeración arábiga, siempre con el número 1 en la parte superior derecha. Las páginas encuadernadas anteriores a la primera parte fueron numeradas a lápiz utilizando cifras romanas. Para la nueva encuadernación fueron cambiadas las partes que preceden al texto principal; la moderna numeración romana reconstruye la probable sucesión original.

En consecuencia, la estructura original era la siguiente:

1. Carta introductoria al presidente del Consejo de Indias, Hernando de Vega (ff. Ir-IIIr)
2. Prólogo Al lector (f. IIIv)
3. Catálogo (ff. IVr-XIIIr)
4. Sumario de los capítulos (ff. XVIII-XXIV)
5. Hoja en blanco
6. Comienzo de la primera parte (f. 1).

En el folio 1 el texto de la primera parte empieza con la leyenda "primera parte de la Relación de la Nueva España en que se trata..." No existe, por lo tanto, una hoja que contenga únicamente el título. Como Zorita se refiere nuevamente a su obra, al final del "Catálogo", como *Relación de la Nueva España*, debe aceptarse éste como título.

La numeración va del folio 1 hasta el 634. Los inicios de párrafo y capítulo se señalan al margen con la abreviatura correspondiente a *item*. En general, los títulos de los capítulos aparecen separados por algunos renglones en blanco tanto del texto precedente como del subsecuente. Cada capítulo es numerado al margen izquierdo: capítulo 1, etcétera. Por otro lado, se encuentra una numeración arábiga al margen izquierdo, que sin embargo no siempre se mantiene, pues con frecuencia se interrumpe a la mitad del libro. Aquí y allá se encuentran diseminadas, sobre el margen izquierdo, pequeñas glosas.

En el folio 260v, entre la segunda y la tercera parte, se encuentra un poema de veintiséis versos, dedicado a Hernando de Vega. Fue compuesto por un tal Francisco de Arzeo, sobre el que desafortunadamente nada se sabe. La cuarta parte termina con el número de folio 632v. En la hoja siguiente hay otro soneto de Francisco de Arzeo, esta vez dedicado a Hernando Cortés y sus compañeros, que abarca los folios 633r-634r.

Al reverso de esta pequeña hoja se lee, en tinta más clara, la nota anteriormente mencionada.[88]

El poema que aparece en el reverso de la última hoja de la segunda parte (f. 260v), probablemente indica que la obra habría estado planeada para terminar en ese punto. Da la impresión de que con el poema citado se hubiera querido llenar el resto de la hoja en blanco. Lo mismo ocurre al final de la cuarta parte: también aquí se encuentra, inclusive a lo largo de varias páginas, otra vez un soneto. Sin embargo, la última página queda en blanco.[89] La página en blanco entre la tercera y la cuarta parte está fuera de lugar.

Existen varias razones para suponer que originalmente la *Relación de la Nueva España* debía finalizar con la segunda parte: en primer término, la primera parte conduce directamente a la segunda en la misma página; y, en segundo, la última página en blanco fue llenada con el soneto de otro autor. Existen dos justificaciones para ello: la primera es que, al menos para los libros impresos, era inusual en el siglo XVI dejar páginas en blanco, a causa del alto costo del papel. Por otra parte, con esa práctica se ofrecía la posibilidad a autores desconocidos de ver sus obras publicadas. Así, no era raro encontrar himnos de alabanza dirigidos al autor del texto principal o a algún otro personaje importante.[90] Esto también es válido en nuestro caso para los sonetos de Francisco de Arzeo: uno de ellos está dedicado al presidente del Consejo de Indias, Hernando de Vega; el otro a Hernando Cortés. La *Relación de la Nueva España* está dirigida a Hernando de Vega, mientras que Hernando Cortés resulta ser el héroe de toda la tercera parte.

Dos referencias a Cortés en la *Relación de la Nueva España* permiten colegir que la obra estaba proyectada en dos partes separadas. Zorita se refiere, hacia el final de la primera (cap. 21, f. 138r), a la tercera parte. En el sitio correspondiente (cap. 18, sección 7, f. 361v), se hace, a su vez, una referencia al pasaje respectivo de la primera parte. Además, Zorita menciona, al final del primer capítulo de la segunda (f. 174r, sección 13), la tercera parte de la *Relación de la Nueva España*. Puesto que el manuscrito existente es una copia del original, extraviado, es posible que la referencia haya sido añadida posteriormente.

El "Sumario" inicial no proporciona ningún indicio en favor de la tesis de que sólo hayan sido planeadas dos partes. Puesto que el "Sumario" contiene todos los títulos de los capítulos y partes, así como

---

[88] Véase página 42 de este estudio.
[89] Aparte de la nota posterior, para la que ya habría lugar al final de la segunda parte.
[90] Véase por ejemplo la biografía de Erasmo, de Huizinga, 1993 [1958]:34-35.

sus números de folio hasta donde llega cada capítulo por separado, bien pudo ser redactado una vez terminadas las cuatro partes. Por lo demás, las secciones que preceden al texto no están incluidas en la numeración de sitio.

Zorita escribió esta obra a su regreso a España, es decir, después del año 1566. En la *Relación* se encuentran diversas indicaciones relativas a una cronología precisa. Zorita escribe, por ejemplo hacia el final del penúltimo capítulo de la cuarta y última parte de la *Relación*, que fray Gerónimo de Mendieta buscaba la obra de Motolinía (el manuscrito original, hoy extraviado) porque la necesitaba para su *Historia eclesiástica*. Si bien a Zorita mismo le fue útil para su cuarta parte, la envió de regreso a México en la flota de 1584. Puesto que esta obra ya no estaba a su disposición —como él mismo hace saber al lector—, se ocupa de manera sucinta del resto y sigue un capítulo de sólo siete folios. Las flotas que salían hacia México zarpaban de España siempre en el mes de abril. Esto significa que Zorita debió haber finalizado por esas fechas su trabajo de la cuarta parte.

Es posible establecer una cronología más precisa de cada parte gracias a la literatura que cita Zorita, pues para algunas de sus obras se conoce el año de la primera impresión. De acuerdo con esto, la aparición de las partes segunda a cuarta, se puede fechar después de 1574 (terminación del *Cedulario*, citado al final de la segunda parte), tal vez, inclusive, después de comenzado 1578 (traducción al latín de la *Suma de los tributos*, citado en esta lengua en la segunda parte). Esto nos indica que la *Relación de la Nueva España* (por lo menos de la segunda a la cuarta parte) fue redactada en el periodo que va de principios de 1578 a la primera mitad de 1584.

El texto principal de la *Relación* está precedido por la carta introductoria al presidente del Consejo de Indias, Hernando de Vega, y por el "Catálogo de los autores que han escrito historias de Indias". Según sus propias declaraciones, Zorita concluye el catálogo "en la octava de su Purificación del año de 1585", en un momento en el que escribía los *Discursos de la vida humana*. La celebración católica de la "Purificación" se lleva a cabo hoy en día el 2 de febrero. La octava se refiere tanto al octavo día como a la semana posterior a la festividad. Por lo tanto, Zorita pone fin al "Catálogo" el 9 de febrero o la primera semana de febrero de 1585. En consecuencia, estuvo listo aproximadamente nueve meses después de la terminación de la *Relación*. La carta liminar de la *Relación* que Zorita dirige a Hernando de Vega está, además, fechada el 20 de octubre de 1585, esto es, ocho meses después. La *Relación de la Nueva España* surge, entonces, en un periodo que abarca casi diez años. Es posible que Zorita haya interrumpido el trabajo varias veces, para escribir algunos de sus otros ensayos.

Luego de que Zorita redactara diversas "sumas" consagradas a temas como la tributación, los gobernantes indígenas y el diezmo eclesiástico, empieza a escribir su obra más importante: la *Relación de la Nueva España*, sobre la que, en su prólogo "Al lector", afirma no saber si puede considerarse o no como una "historia". Por tal motivo, llama a su obra *Relación*. Bajo el término "historia", los autores del siglo XVI que escribían acerca del Nuevo Mundo concebían un tratado en varios tomos, con una parte formada por una *historia natural*, y las restantes consagradas a los indios, la Conquista y evangelización. No todos los temas tenían que ser tratados con el mismo detalle, y algunos (como la Conquista y evangelización) hasta podían ser omitidos. Esa división temática se encuentra también en otros autores de la época.[91] La modestia de Zorita es injustificada, pues las cuatro partes de su *Relación de la Nueva España* cumplen cabalmente con los criterios entonces al uso para una "historia".

En la *Relación de la Nueva España* confluyen numerosas obras de otros autores. Esencialmente se trata de los escritos de los frailes franciscanos Toribio de Motolinía, Andrés de Olmos y Francisco de las Navas, así como del noble indígena don Pablo Nazareo. Zorita no se sirve de los *Memoriales* de Motolinía, que se conservan, ni de la *Historia* de éste, sino del hoy extraviado manuscrito original. Cita a Motolinía con abundancia y —como puede comprobarse en el caso de los *Memoriales*— de manera textual o casi textual. Sin embargo, en la *Relación de la Nueva España* aparecen algunos pasajes que no se encuentran en los *Memoriales*. Esto ofrece la posibilidad de una reconstrucción parcial del original, empresa que han iniciado Edmundo O'Gorman, en sus ediciones de los *Memoriales* de Motolinía y del *Libro perdido*, y Georges Baudot en su trabajo *Utopía e historia en Mexico* (Madrid, 1983), apoyándose en la *Relación* de Zorita, así como en los *Memoriales* e *Historia* de Motolinía.

De la obra de Andrés de Olmos, Zorita cita principalmente la traducción española —debida al mismo Olmos— de las *Huehuetlatolli*. Además, se refiere en múltiples ocasiones a la *Breve relación* de Olmos, que no se conserva. También se ha perdido la obra completa de Francisco de las Navas, que Zorita utiliza para su descripción del sistema de gobierno y tributario de la época prehispánica. Zorita completa su exposición del sistema tributario con informaciones propias relativas al régimen de tenencia de la tierra —tema que en la investigación remite, también muchas veces, al texto de Las Navas. Las citas tomadas de este último son,

---

[91] Véase por ejemplo, Acosta, 1963.

como en el caso similar de los pasajes de Motolinía, introducidas al tenor de "Francisco de las Navas dice que". La atribución de las descripciones ya sea a Las Navas o a Zorita interesa desde el punto de vista de una clasificación regional de los hechos descritos.[92]

Tampoco existe ya la *Relación* de Pablo Nazareo que emplea Zorita. Únicamente se conocen tres cartas escritas por él. Por su contenido, los extractos que cita Zorita corresponden a su tercera carta al rey de España, la cual data de 1566.[93] La misiva está en latín, mientras que la *Relación* de Nazareo presumiblemente se escribió en español. Existen, además, algunas otras pequeñas discrepancias en cuanto a datos y formulaciones. Pero en lo fundamental, la *Relación* de Nazareo corresponde evidentemente al contenido de su tercera carta.

Además, en el texto hay numerosas interpolaciones de pasajes de la Biblia, así como de obras y fuentes antiguas, medievales y contemporáneas, procedimiento habitual en el siglo XVI. Zorita también concede importancia a sus propias intercalaciones cuando se trata de capítulos enteros de otros autores; muchas de ellas parecen proceder de enciclopedias. Cuáles utilizó, es algo que desafortunadamente ya no es posible determinar. En general, Zorita hace estas interpolaciones cuando aborda temas problemáticos (por ejemplo, el divorcio) y quiere relativizarlos mediante comparaciones con la Antigüedad, o cuando desea respaldar con ello sus propias certidumbres.

Finalmente, Zorita cita también sus propios escritos, y en particular las dos "sumas" mencionadas. También éstas parecen corresponder, en lo esencial, al segundo volumen de la *Relación de la Nueva España*. Posiblemente abarcaban menos temas, pero los abordados se trataban con mucho mayor detalle, como se desprende de la frecuente anotación "más largo" añadida por Zorita. También cita pasajes de los *Discursos*, que en consecuencia habían sido por lo menos parcialmente concluidos. Queda entonces claro que, al servirse con frecuencia de sus propios escritos, Zorita reescribe varias veces lo mismo.

La aportación de Zorita a la *Relación de la Nueva España* no es, por lo tanto, muy extensa. La primera parte se basa principalmente en la obra de Motolinía y en la *Breve relación* de Olmos. También se mencionan con frecuencia la *República de Indias* de Gerónimo Román y Zamora y las *Cartas* de Hernando Cortés. Por otra parte, saltan a la vista las citas extensas, a veces de capítulos completos, de la Biblia y de la literatura de la Antigüedad, la Edad Media y contemporánea. Entre lo que perte-

---

[92] Véase en Carrasco, 1976:110, 116; Reyes García, 1977:115; Dyckerhoff y Prem, 1978:192; Hicks, 1974:254, 1982:244; Keen, 1994:XV-XVI.
[93] En Zimmerman, 1970, doc. IIIc:23-31.

nece a Zorita en la segunda parte, se cuentan los temas de la estructura de la propiedad agraria en la época prehispánica, los problemas de la determinación tributaria en la Colonia y algunos breves informes de sus propias experiencias como oidor. Para su tercera parte sobre la Conquista, Zorita utiliza principalmente la obra de López de Gómara, los informes de Cortés y Juan Cano, así como algunos pasajes de los trabajos de Motolinía, Bartolomé de las Casas y Gonzalo Fernández de Oviedo.[94] Finalmente, la cuarta parte, que trata de la evangelización, se apoya en su mayor parte en la obra de Motolinía que puede ser considerada, por lo tanto, como la fuente principal de Zorita. Muchas de las fuentes utilizadas por Zorita se han perdido. Por esta razón, la *Relación de la Nueva España* resulta invaluable como reserva de información.

La *Breve y sumaria relación*

Zorita se ha vuelto célebre en el campo de la investigación por la *Breve y sumaria relación*, cuya elaboración es ubicada por los estudiosos en el periodo que va de 1567 a 1585. Con esta obra, dedicada a la estructura social de los aztecas, Zorita se incorpora a la segunda generación de historiógrafos de la época precolombina, que se ocupa de la historia del México prehispánico y de los inicios de la Colonia, tomando en consideración testimonios externos.[95] Desde el punto de vista de la procedencia de las fuentes, esta obra está emparentada con las cuatro partes de la *Relación de la Nueva España*, del mismo autor.

Esta afinidad de origen se pone de manifiesto sólo cuando se confrontan las estructuras de la *Breve y sumaria relación* y de la segunda parte de la *Relación de la Nueva España*. Resulta claro, entonces, que la *Breve y sumaria relación* de Zorita se amolda a la segunda parte de la *Relación*. Todas las partes que componen esta última siguen exactamente la misma secuencia de aquélla. Los capítulos de ambas obras corresponden fácilmente unos con otros si se omiten sus encabezados. Algunos temas se encuentran ahí muy abreviados. Todas las cuestiones relativas a la tributación que no aparecen en la segunda parte de la *Relación*, encuentran respuesta a partir de las propias experiencias de Zorita, que en su mayor parte las aborda bajo una forma narrativa. Es evidente que algunas partes están copiadas de sus *Suma de los tributos* y *Suma de los señores*. La parte que va más allá de la *Relación* es, sin embargo, muy extensa.

---

[94] El escrito de Juan Cano no se ha conservado; para los demás, véase la bibliografía.
[95] Vigil, 1987:265.

De acuerdo con esto, la *Breve y sumaria relación* fue escrita después de la segunda parte de la *Relación*, que no surge sino hasta principios de 1578. Tampoco la *Breve y sumaria relación* puede datar, en consecuencia, de este año. Zorita menciona en el "Catálogo", además, los escritos redactados por él: en último término están los *Discursos de la vida humana* ("estoy escribiendo"), que posiblemente nunca terminó. La *Breve y sumaria relación* no figura en la lista; si en esta época ya la hubiera elaborado, seguramente habría sido citada, pues en ella se menciona todo, incluyendo los *Discursos* inconclusos. Es muy probable, entonces, que la *Breve y sumaria relación* haya sido compuesta en el curso de los años o, inclusive, hasta después de 1585. Por esta razón, es necesario fecharla en la investigación mucho después de lo que se ha acostumbrado hasta ahora. Así pues, Zorita redactó ese trabajo, tan importante para la investigación moderna, casi veinte años después de haber abandonado México.

Una vez que Zorita hubo concluido la *Relación de la Nueva España* se decidió, tardíamente —de hecho ya sin necesidad gracias a la *Breve y sumaria relación*— a responder el cuestionario de la real cédula de 1553. Éste, con sus dieciocho preguntas, fue enviado al virrey de Nueva España y a los altos funcionarios (los miembros de las audiencias). Zorita aprovechó el cuestionario de la Corona, en el cual también se pedía el parecer del interrogado, como foro para exponer sus convicciones e ideales políticos, ilustrándolos con descripciones de las épocas prehispánica y colonial. En consonancia con el interés de la Corona española, se concentró mayormente en el sistema tributario azteca. La *Breve y sumaria relación* es también, por lo tanto, un escrito de carácter político.

Zorita no era etnógrafo, por lo cual no debemos valernos de ningún criterio de valoración etnográfica para juzgar su obra. Numerosas investigaciones le han reprochado que sus descripciones de la época prehispánica no resulten clasificables desde una perspectiva regional, o al menos que lo sean de manera limitada y poco natural. Sin embargo, tales objeciones caen por su propio peso, pues el objetivo de Zorita no era la exposición de ninguna diversidad regional. No le interesaba en absoluto una descripción etnográfica de las condiciones de vida en el México prehispánico. No le importaba que los acontecimientos prehispánicos que describe fueran o no fenómenos regionales. Lo que tenía en mente era un tratado general acerca de las condiciones sociales en la Nueva España, en el cual debían estar incluidos numerosos temas. Y este propósito lo logró.

A pesar de esta forma de descripción, que actualmente se juzga, con frecuencia, defectuosa, la *Breve y sumaria relación* es considerada un clásico de la investigación, en el cual está contenida gran cantidad de información acerca del México prehispánico y colonial. Hasta ahora, se ha pasado por alto el hecho de que las descripciones que aparecen en la *Breve y sumaria relación* provienen, en gran medida, de fuentes más antiguas. Esto se explica en parte por la circunstancia de que Zorita no siempre menciona sus fuentes en esta obra.

En la introducción a la *Breve y sumaria relación* se afirma, como justificación de la obra, que el autor, luego de su regreso a España y disponiendo del tiempo necesario, no desea escatimar a la Corona el beneficio de los conocimientos que había adquirido en su larga carrera de servicio.[96] Tal aclaración no parece completamente satisfactoria, aunque tampoco se percibe un motivo concreto y seguro para la composición de un escrito de este tipo. Sin embargo, podemos conjeturar que dicha causa guarda relación con el Tercer Concilio Mexicano de 1585, en el cual los franciscanos exigieron la abolición del sistema de repartimiento.[97] Este tema ocupa un espacio considerable en la *Breve y sumaria relación* de Zorita, y los argumentos y exigencias de éste se asemejan a los de los franciscanos en este aspecto: si bien el trabajo de Zorita es temáticamente mucho más rico, resulta evidente la conexión entre ellos.

Zorita mantuvo el contacto con los franciscanos después de su regreso a España. Éstos ya no tenían en la Corte, hacia fines del siglo XVI, la influencia de que habían gozado decenios atrás.[98] Es posible que esto los hubiera obligado a buscar algún apoyo. Y es probable que Zorita haya llamado su atención, pues al menos durante su estancia en México había ejercido gran influencia en el gobierno virreinal. Bien pudieron haberle solicitado que pusiera por escrito sus puntos de vista, representando así su causa, en especial respecto del repartimiento. La *Breve y sumaria relación* podría ser, entonces, una obra de encargo. Esto aclararía también por qué Zorita no suele mencionar sus fuentes franciscanas. Sin duda, deseaba aparecer como autor independiente para no debilitar sus argumentos si se le consideraba portavoz de autores franciscanos. También se aclararía así, por qué Zorita contestó a la real cédula con tantos años de demora: ésta le ofrecía en 1585 un motivo concreto y un argumento para asumir una posición, sin que ello significara tener que adentrarse en una relación directa con el Concilio.

Ciertamente las demandas de abolir el repartimiento formuladas en la *Breve y sumaria relación* y, por el lado franciscano, en el *Memorial*,

---

[96] *Breve y sumaria relación*, 1941:71.
[97] *Memorial de los franciscanos de 1585* (Bancroft Library: Concilios Mexicanos, M-M 269, ff. 126r-134v; en Llaguno, 1963:240-258); Stafford Poole, 1966.
[98] Véase Baudot, 1983:197-198.

fueron convertidas en ley en 1601, pero al principio, en 1585, no tuvieron ningún efecto. La *Breve y sumaria relación* de Zorita llegó, por vías que ya no es posible dilucidar, a México, donde siglos más tarde fue descubierta, mientras que la *Relación de la Nueva España* desapareció sin publicarse en la Biblioteca del Palacio Real de Madrid. A Zorita no le fue dado atestiguar el alcance de su trabajo.

Otros escritos de Zorita

Además de esas dos importantes obras, Zorita escribe una compilación de leyes, que aparece en la *Relación de la Nueva España* como *Recopilación de las Leyes de Indias* (véase el final del "Catálogo" y de la segunda parte de la *Relación de la Nueva España*). Las "Leyes y ordenanzas reales de las Indias del mar Océano, por las cuales primeramente se han de librar todos los pleitos civiles y criminales de aquellas partes y lo que por ellas no estuviese a de librar por las leyes y ordenanzas de los reynos de Castilla. Año de 1574", se encuentran actualmente en la Biblioteca del Palacio Real en Madrid (ms. 1813). El texto, que abarca 367 folios, está dirigido a Felipe II y constituye la respuesta de Zorita al proyecto del rey para una recopilación oficial de las *Leyes de Indias*, que ya en el año de 1560 había sido iniciada por medio de una real cédula.[99]

A consecuencia de la visita de Juan de Ovando se trabaja con mayor ahínco, desde 1570, en una *Recopilación de las Leyes de Indias*. Para recabar información a este respecto, así como de carácter etnográfico, Ovando mantiene contacto con todas las personas que regresan a España del Nuevo Mundo y llegan a Madrid. De esta manera, Zorita mantiene también relación con él,[100] de lo cual se deduce que estaba al tanto del proyecto. Sin embargo, transcurrieron otros cuatro años antes de que Zorita enviara su manuscrito al Consejo de Indias. Además, el material recopilado por Zorita data del periodo que va de 1523 a 1562. Así pues, no pudo ya actualizarlo. El manuscrito da la impresión de no estar terminado, pues contiene tachaduras, correcciones, repeticiones en el material legislativo, así como numerosas hojas en blanco intercaladas.[101] Bernal (1985:91) sospecha que Zorita tuvo demasiadas dificultades para

[99] García Gallo, 1985:21.
[100] Manzano y Manzano, 1950:71, nota 12:283; Sánchez Bella *et al.*, 1992:97-101; Zorita, "Catálogo", en Serrano y Sanz, 1909:11, f. V.
[101] Bernal, 1985:79, 90-91; Manzano y Manzano, 1950:288.

51

concluirlo y que precisamente a causa de esto no fue tomado en cuenta por el Consejo de Indias.

En 1578 Zorita había solicitado al Consejo de Indias la devolución del manuscrito de su *Recopilación*, que había enviado como prueba. Por lo tanto, es posible que ésta haya sido rechazada.[102] Existe también la posibilidad de que la selección de las leyes consideradas por Zorita haya suscitado el rechazo del Consejo. Según Bernal (1985:136), en ellas se muestra claramente la preocupación de Zorita en favor de los indios, pues da preferencia a aquellas ordenanzas que los protegían.

Después de esto, es evidente que la *Recopilación* cayó por entero en el olvido, pues según Bernal (1985:33, 77) no se menciona ni en el *Aparato político de las Indias Occidentales* (1653), de Antonio de León Pinelos, ni está considerada dentro de la oficial *Recopilación de las leyes de los Reynos de las Indias* de 1680. Habrá que esperar a Serrano y Sanz (1909) para una sucinta descripción de la misma.

El *Memorial del licenciado Zorita, oidor de la Audiencia de Méjico, sobre la población de Florida y Nuevo Méjico*, que surge como petición y escrito justificatorio del proyecto de la expedición a Florida planeada por Zorita, está dirigido también a Felipe II, y se encuentra actualmente bajo dicho título en el Archivo Histórico Nacional, en Madrid (sección Diversos - Documentos de Indias, 168). Ha sido publicado dentro de la *Colección de documentos para la historia de México* (1941 [1891], II: 333-343) de García Icazbalceta.[103] En la primera parte del texto se alude a Zorita en tercera persona. Sólo en la última sección se usa la primera persona del singular. El *Memorial* está signado de la siguiente manera: "Suplico a V.M. seuido de mandarlo oyr. = El Licen[cia]do de Çorita". Data del año 1560 o 1561. Y aunque el manuscrito mismo no consigna ninguna fecha, ésta se deduce del examen del contenido.

Hay que mencionar además el *Parecer del Dr. Alonso de Zorita acerca de la doctrina y administración de los sacramentos a los naturales. Granada, 19 de marzo 1584*, editado por primera vez por Serrano y Sanz (1909:493-527; apéndice X),[104] y por el padre jesuita Mariano Cuevas en los *Documentos inéditos del siglo XVI para la Historia de México*

---

[102] Bernal, 1985:33; Vigil, 1976:512, *Petición de Zorita del 3 de marzo de 1578* (AGI, Indif. Gen., leg. 1086, f. 68v, punto 6). Manzano y Manzano (1950:296) señala que la prueba era ya necesaria desde el momento en que Zorita había creado la *Recopilación* como particular y sin cargo alguno en el Consejo de Indias.

[103] Vigil, 1982:55; otra copia del *Memorial* se encuentra en el Instituto Nacional de Antropología e Historia, Archivo Histórico, Colección Gómez Orozco, vol. 10:381-390.

[104] Serrano y Sanz (1909:493) emplea el título *Parecer del Doctor Alonso de Zorita, sobre la enseñanza espiritual de los Indios*.

(México, Porrúa, Biblioteca Porrúa 62, 1975). El original se encuentra en el Archivo General de Indias, en Sevilla (AGI, Patronato, leg. 231).[105]

Como fuentes adicionales se conservan también numerosas cartas de Zorita al Consejo de Indias que datan de su periodo de servicio en el Nuevo Mundo; algunas se conservan en el Archivo General de Indias de Sevilla y en el Archivo Histórico Nacional de Madrid; otras pertenecen a la Colección Muñoz, que actualmente resguardan la Academia de Historia y la Biblioteca del Palacio Real en Madrid. Algunas de esas cartas fueron publicadas por Serrano y Sanz (1909) como parte de la introducción y como anexo en la edición del primer volumen de la *Relación de la Nueva España*.

Hay que añadir que se considera a Zorita autor de otros trabajos que no se conservan. A ellos pertenecen la *Suma de los tributos* y la *Suma de los señores*, mismas que se citan con frecuencia en sus demás libros. La *Suma de los tributos* la menciona Boturini por primera ocasión en 1783, en una copia de la *Breve y sumaria relación*, de acuerdo con la cual el texto ya era desconocido a mediados del siglo XVIII.[106]

De una petición de Zorita del 27 de enero de 1578 se desprende que éste obtuvo el permiso para publicar la *Suma de los tributos* en un periodo de veinte años. Sin embargo, el permiso establecía la obligación de traducirla al latín. Después de esto, Zorita solicita en dos ocasiones al Consejo de Indias la autorización para publicar la obra en el original español. Al no obtenerla, traduce el tratado. Es evidente, sin embargo, que éste nunca se publica.[107]

Por último, Zorita se refiere con frecuencia a sus *Discursos de la vida humana*, que posiblemente no llegó a completar. En octubre de 1585, al poner término a la *Relación de la Nueva España*, no había concluido aún el trabajo en aquéllos. Los *Discursos* son conocidos únicamente gracias a las referencias del mismo Zorita.

Wiebke Ahrndt

---

[105] A partir de este escrito, Gil (1993:235-238) ha investigado la Junta o Congregación de 1541, iniciada por fray Juan de Zumárraga, que sólo se conoce gracias al texto de Zorita.

[106] Según García Icazbalceta, 1941 [1891], III:XIV.

[107] Vigil, 1976:512, *Peticiones de Zorita del 27 de enero de 1578* (AGI, Indif. Gen., leg. 1086, f. 28, punto 28), del 29 de enero de 1578 (AGI, Indif. Gen., leg. 1086, f. 29v, punto 4) y 4 de febrero de 1578 (AGI, Indif. Gen., leg. 1086, f. 40v, punto 5).

Bibliografía

Acosta, Joseph de, *Historia natural y moral de las Indias, vida religiosa y civil de los indios*, Edmundo O'Gorman (ed.), México, UNAM (Biblioteca del Estudiante Universitario, 83), 1963.

Bancroft, Hubert Howe, *The Works,* vol. X: *History of Mexico 1521-1600*, San Francisco, The History Company Publishers, 1883.

Bataillon, Marcel, "Hernán Cortés, autor prohibido", en *Libro jubilar de Alfonso Reyes*, México, UNAM, 1956, pp. 77-82.

Baudot, Georges, *Utopía e historia en México. Los primeros cronistas de la civilización mexicana (1520-1569)*, Madrid, Espasa-Calpe (Espasa Universitaria, 12), 1983.

Benavente, Toribio de, Motolinía, *Memoriales o libros de las cosas de la Nueva España y de los naturales de ella*, Edmundo O'Gorman (ed.), México, UNAM, 1971.

"*Breve y sumaria relación* de los señores y maneras y diferencias que había de ellos en la Nueva España", en Joaquín García Icazbalceta (ed.), *Nueva colección de documentos para la historia de México*, México, Salvador Chávez Hayhoe, 1941, pp. 71-227.

Carrasco, Pedro y Johanna Broda (eds.), *Estratificación social en la Mesoamérica prehispánica*, México, INAH / Cultura SEP, 1976.

Carrasco, Pedro, "Los linajes nobles de México antiguo", en Pedro Carrasco y Johanna Broda (eds.), *op. cit.*, pp. 19-36.

Cuevas, P. Mariano, S.J., *Documentos inéditos del siglo XVI para la historia de México*, México, Porrúa (Biblioteca Porrúa, 62), 1975.

Dyckerhoff, Ursula y Hanns J. Prem, "Der vorspanische Landbesitz", en *Zeitschrift für Ethnologie*, núm. 103, 1978, pp. 186-238.

Elliott, James H., "Spain and America in the Sixteenth and Seventeenth Centuries", en *The Cambridge History of Latin America*, Cambridge, Cambridge University Press, 1984, t. I, pp. 287-340.

Fernández-Santamaría, J.A., *The State, War and Peace. Spanish Political Tought in the Renaissance, 1516-1559*, Cambridge, Cambridge University Press, 1977.

García Icazbalceta, Joaquín, *Colección de documentos para la historia de México* [CDHM], México, Antigua Librería Robredo, 1866, t. II.

_____, *Don fray Juan de Zumárraga, primer obispo y arzobispo de México*, México, Porrúa, 2a. ed., 1947.

_____, *Nueva colección de documentos para la historia de México* [NCDHM] *(Códice Franciscano siglo XVI)*, México, Salvador Chávez Hayhoe, 1941.

García, Genaro, "El clero de México durante la dominación española, según el archivo inédito archiepiscopal metropolitano", en Genaro

García y Carlos Pereyra (eds.), *Documentos inéditos o muy raros para la historia de México*, México, Bouret, 1907, t. XV.

Gibson, Charles, *The Aztecs Under Spanish Rule. A History of the Indians of the Valley of Mexico, 1519-1810*, Stanford, Stanford University Press, 1964.

Gil, Fernando, *Primeras doctrinas del Nuevo Mundo. Estudio histórico-teológico de las obras de fray Juan de Zumárraga*, Buenos Aires, Facultad de Teología de la Pontificia Universidad Católica Argentina Santa María de los Buenos Aires, 1993.

Góngora, Mario, *El Estado en el derecho indiano. Época de fundación (1492-1570)*, Santiago de Chile, Editorial Universitaria, 1951.

_____, *Studies in the Colonial History of Spanish America*, Cambridge, Cambridge University Press, 1975.

González Obregón, Luis, *Rebeliones indígenas y precursores de la independencia mexicana en los siglos XVI, XVII y XVIII*, México, Fuente Cultural, 1952.

Hanke, Lewis, "Un festón de documentos lascasianos", en *Revista Cubana*, núm. XVI, 1941.

_____, *Bartolomé de las Casas. An Interpretation of his Life and Writings*, The Hague, Martinus Nijhoff, 1951.

_____, *Cuerpo de documentos del siglo XVI*, México, FCE, 2a. ed., 1977.

_____, *La lucha por la justicia en la conquista de América*, Madrid, Istmo, 1988.

Hicks, Frederic, "Tetzcoco in the early 16th Century: the state, the city, and the calpolli", en *American Ethnologist*, núm. 9, 1982, pp. 230-249.

_____, "Dependent Labor in Prehispanic Mexico", en *Estudios de Cultura Náhuatl*, núm. 11, México, UNAM, 1974, pp. 243-266.

Jiménez de la Espada, Marcos, *El código Ovandino*, Madrid, Imprenta de Manuel G. Hernández, 1891.

Kagan, Richard L., *Lawsuits and Litigants in Castile, 1500-1700*, The Chapel Hill, University of North Caroline Press, 1981.

Kamen, Henry, *Una sociedad conflictiva: España, 1469-1714*, Madrid, Alianza, 1984.

Keen, Benjamin (ed.), *Life and Labor in Ancient Mexico. The Brief and Summary Relation of the Lords of New Spain by Alonso de Zorita*, New Brunswick, N.J., Rutgers University Press, 1994.

Las Casas, fray Bartolomé de, *Apologética. Historia sumaria*, Edmundo O'Gorman (ed.), México, UNAM, 1967.

Llaguno, José A., *La personalidad jurídica del indio y el III Concilio Provincial Mexicano 1585. Ensayo histórico-jurídico de los documentos originales*, México, Porrúa (Biblioteca Porrúa, 27), 1963.

Manzano y Manzano, Juan, *Historia de las recopilaciones de Indias*, Madrid, Cultura Hispánica, 1950, t. I, siglo XVI.

_____, "La visita de Ovando al Real Consejo de las Indias y el código Ovandino", en *El Consejo de las Indias en el siglo XVI*, Valladolid, Universidad de Valladolid, 1970, pp. 111-123.

Mariluz Urquijo, José María, *Ensayo sobre los juicios de residencia indianos*, Sevilla, Escuela de Estudios Hispano-Americanos, 1952.

"Memorial del licenciado Zorita, oidor de la audiencia de Méjico, sobre la población de Florida y Nuevo Méjico", en Joaquín García Icazbalceta (ed.), *Colección de documentos para la historia de México, op. cit.*, t. II, pp. 333-343.

Miranda, José, *El tributo indígena en la Nueva España durante el siglo XVI*, México, El Colegio de México, 1980.

_____, *España y Nueva España en la época de Felipe II*, México, UNAM, 1962.

Muro, Fernando, *Las presidencias-gobernaciones en Indias (siglo XVI)*, Sevilla, Escuela de Estudios Hispano-Americanos, 1975.

O'Gorman, Edmundo, *La idea del descubrimiento de América*, México, UNAM, 1976.

Ots Capdequi, José María, *El Estado español de las Indias*, Santo Domingo, 1986.

"Parecer del Dr. Alonso de Zorita acerca de la doctrina y administración de los sacramentos a los naturales, 19 de marzo, 1584", en Serrano y Sanz (ed.), *Historia de la Nueva España por Alonso de Zorita, Colección de libros y documentos referentes a la historia de América*, Madrid, Librería General de Victoriano Suárez, 1909, t. X, apéndice X.

"Parecer del Dr. Alonso Zorita acerca de la doctrina y administración de los sacramentos a los naturales, Granada, 19 de marzo de 1584", en Mariano Cuevas S.J. (ed.), *Documentos inéditos del siglo XVI para la historia de México*, México, Porrúa (Documentos, 63), 1975.

Paso y Troncoso, Francisco del, *Epistolario de Nueva España* [ENE], *(1505-1818)*, 16 vols., México, Antigua Librería Robredo, José Porrúa e Hijos, 1936-1942.

Pietschmann, Horst, "Die Kirche in Hispanoamerika", en W. Henkel (ed.), *Die Konzilien in Lateinamerika, parte 1, México 1555-1897*, Konzillengeschichte, serie A, Darstellungen, Paderborn, Schöningh, 1984, pp. 1-48.

Porras, Guillermo, *El gobierno de la ciudad de México en el siglo XVI*, México, UNAM, 1982.

Rand Parish, Helen y Harold E. Weidman, *Las Casas en México. Historia y obras desconocidas*, México, FCE, 1992.

Reyes García, Luis, *Cuauhtinchan del siglo XII al XVI: Formación y desarrollo histórico de un señorío pre-hispánico*, Das Mexico-Projekt der DFG, Wiesbaden, Franz Steiner Verlag, 1977, t. X.

Ricard, Robert, *La conquista espiritual de México*, México, FCE, 1995.

Sánchez Bella, Ismael, *La organización financiera de las Indias. Siglo XVI*, México, Escuela Libre de Derecho / Fondo para la Difusión del Derecho Mexicano, 1990.

Sarabia Viejo, María Justina, *Don Luis de Velasco, virrey de Nueva España, 1550-1564*, Sevilla, Escuela de Estudios Hispano-Americanos, 1978.

Schäfer, Ernst, *Der königliche spanische oberste Indienrat, Consejo Real y Supremo de las Indias, parte 1: Geschichte un Organisation des Indierates und der Casa de la Contratación im sechzehnten Jahrhundert*, Ibero-Amerikanisches Institut Hamburg, Hamburgo, H.J.J. Hay, 1936.

_____, *El Consejo Real y Supremo de las Indias*, 2 vols., Sevilla, Imprenta Carmona, 1935.

Scholes, Francis V. y Eleanor B. Adams (eds.), *Documentos para la historia de México colonial*, 7 vols., México, José Porrúa e Hijos, 1957-1961.

Scholes, Walter V., *The Diego Ramírez Visita*, University of Missouri Studies, 4, Missouri University Press, 1946.

Serrano y Sanz, Manuel (ed.), *Historia de la Nueva España por Alonso de Zorita*, en *Colección de libros y documentos referentes a la historia de América*, Madrid, Librería General de Victoriano Suárez, 1909, t. X.

Stafford Poole, Richard, "The Franciscan Attack on the Repartimiento System (1585)", en John Francis Bannon (ed.), *Indian Labor in the Spanish Indies: Was There Another Solution?*, Boston, D.C. Heath, 1966, pp. 66-75.

Suárez de Peralta, Juan, *Tratado del descubrimiento de las Indias: Noticias históricas de Nueva España*, México, SEP, 1949.

Vázquez, Germán (ed.), *Alonso de Zorita, Relación de los señores de la Nueva España, Crónicas de América*, Madrid, Historia, 16, 1992.

Vigil, Ralph H., "Alonso de Zorita, Early and Last Year", en *Américas*, núm. 32, abril de 1976, pp. 501-513.

_____, "Bartolomé de las Casas, Judge Alonso de Zorita, and the Franciscans: A Collaborative Effort for the Spiritual Conquest of the Borderlands", en *Américas*, núm. 38, julio de 1981-abril de 1982, 1982, pp. 45-57.

_____, *Alonso de Zorita. Royal Judge and Christian Humanist, 1512-1585*, Norman, Oklahoma University Press, 1987.

Wagner, Henry Raup y Helen Rand Parish, *The Life and Writings of Bartolomé de las Casas*, Albuquerque, University of New Mexico Press, 1967.

Zavala, Silvio, *La encomienda indiana*, México, Porrúa, 1973.

Zorita, Alonso de, *Breve y sumaria relación de los señores de la nueva España*, Joaquín Ramírez Cabañas (ed.), México, UNAM (Biblioteca del Estudiante Universitario, 32), 1963.

_____, *El Cedulario de Alonso de Zorita (Leyes y ordenanzas reales de las Indias del mar Océano por las cuales primeramente se han de librar todos los pleitos civiles y criminales de aquellas partes y lo que por ellas no estuviere determinado se ha de librar por las leyes y ordenanzas de los reinos de Castilla, por Alonso Zorita, 1574)*, versión paleográfica y estudio crítico de Beatriz Bernal y Alonso García-Gallo, México, Secretaría de Hacienda y Crédito Público, 1985.

_____, *Historia de Nueva España*, Madrid, Idamor Moreno Press, Biblioteca Nacional de Madrid (manuscrito), 1908.

_____, *Relación de la Nueva España*, 4 vols., Madrid, Biblioteca del Palacio Real (manuscrito) 1585 [ms 59= ms II. B4].

PROYECTO POLÍTICO DE ALONSO DE ZORITA, OIDOR EN MÉXICO

A mi padre, José Ruiz Herrera,
escudriñador del universo

En el códice de Tlatelolco se observa una escena que relata los festejos en la ciudad de México dedicados a celebrar la entronización de Felipe II en 1557. Sobre una tarima se sientan las más altas autoridades virreinales: el virrey don Luis de Velasco, el arzobispo Montúfar y el oidor Diego López de Montealegre. En el extremo izquierdo de la tarima se encuentra al doctor Alonso de Zorita, oidor de Nueva España. El autor del códice representó al oidor con ropa sencilla, carente de adornos y que contrasta notablemente con la vestimenta lujosa de las demás autoridades novohispanas presentes en el festejo. Pareciera que el *tlacuilo* subrayara sutilmente la diferencia entre Alonso de Zorita y otros funcionarios coloniales.

Casi treinta años después de este suceso, a finales del año de 1585, en la ciudad de Granada, España, Alonso de Zorita con setenta y tres años de edad y una salud quebrantada, terminaba una voluminosa obra acerca de la Nueva España. Su trabajo se centraba en las costumbres, religión, conquista y evangelización de la población nativa. El ensayo de más de seiscientas fojas quedó sin título, lo más que su autor explicó fue que se trataba de "una relación de algunas de las muchas cosas notables que hay en la Nueva España y de su conquista y pacificación y de la conversión de los naturales de ella" al que no se atrevía a otorgar el honroso título de "historia" por las muchas carencias y faltas que en la obra encontraba.[1]

---

[1] Sobre los festejos en el códice de Tlatelolco véase la portada de la presente edición y la publicación del códice: *Códice de Tlatelolco*, estudio preliminar de Perla Valle, México, INAH-Universidad de Puebla, 1994, lámina núm. VIII; este excelente estudio ha ubicado la fiesta y los personajes principales (pp. 77-82). Alonso de Zorita, *Relación de las cosas notables de la Nueva España y de la conquista y pacificación de ella y de la doctrina y conversión de los naturales*, Madrid, Biblioteca del Palacio Real, manuscrito núm. 59 (en adelante *Relación*); aquí el oidor explica "Al lector" que "...esta *Relación* no me atreví a intitularla historia porque no sé si lo merece..." El erudito Manuel Serrano y Sanz publicó la primera de las cuatro partes que componen esta obra de Zorita; asimismo, puso como título al manuscrito el de *Historia de la Nueva España por Alonso de Zorita*,

Retirado en el año de 1566 del servicio público, como funcionario en las colonias castellanas, vivía en la casa de su esposa y enfrentaba severos problemas económicos. En 1547 había iniciado una carrera en la burocracia indiana como oidor en la isla de Santo Domingo. A partir de entonces, sucesivamente, fue visitador en Nueva Granada, oidor en Guatemala y finalmente, en 1556, fue enviado a la Audiencia de México para ocupar también el cargo de oidor hasta el momento de su jubilación. Hasta aquí, tenemos a un hombre con experiencia en asuntos americanos que se sienta a escribir sus impresiones de alto funcionario en las Indias, tal vez en espera de alguna recompensa por sus servicios.[2]

Sin embargo, ¿tendría algún otro propósito este burócrata jubilado al escribir su obra? De ser así, ¿cuál era el motivo que empujaba a un hombre anciano de escasos recursos económicos a escribir una obra de grandes dimensiones y cuyos actores principales eran indios?

en su *Colección de libros y documentos referentes a la historia de América*, Madrid, Librería General de Victoriano Suárez, 1909.

[2] Para los datos biográficos y ambiente político de Zorita véase: Archivo General de Indias de Sevilla (en adelante AGI), Justicia, 1029, "El doctor Zorita, oidor que fue en la Audiencia Real de México sobre que se le haga merced por su vida del salario que se le daba en la dicha plaza", 1567 (con su expediente de méritos y servicios). Serrano y Sanz (*Historia...*, *op. cit.*) publicó parte del expediente, pero lamentablemente dejó fuera todas las respuestas de los testigos del oidor Zorita. Véase también: Benjamin Keen, *Life and Labor in Ancient Mexico. The Brief and Summary Relation of the Lords of New Spain by Alonso de Zorita*, New Brunswick, N.J., Rutgers University Press, 1994 (reed. de la de 1963); Ralph H. Vigil, *Alonso de Zorita. Royal Judge and Christian Humanist, 1512-1585*, Oklahoma Press, 1987. María Justina Sarabia Viejo hace una pormenorizada reconstrucción de la época de Alonso de Zorita como oidor, a partir de fuentes de archivo inéditas en su mayor parte, en *Don Luis de Velasco, virrey de Nueva España, 1550-1564*, Sevilla, Escuela de Estudios Hispano-Americanos, 1978. Beatriz Bernal elaboró una síntesis interesante sobre los materiales ya conocidos relativos a la vida y obra del oidor en su estudio crítico a la edición del *Cedulario de Alonso de Zorita (Leyes y ordenanzas reales de las Indias del Mar Océano por las cuales primeramente se han de librar todos los pleitos civiles y criminales de aquellas partes y lo que por ellas no estuviere determinado se ha de librar por las leyes y ordenanzas de los reinos de Castilla por...)*, México, Miguel Ángel Porrúa, 1984. Wiebke Ahrndt ha comparado la *Breve y sumaria relación de los señores de la Nueva España*, cuyo manuscrito original se encuentra en la Biblioteca Nacional de México, y la segunda parte de la *Relación de la Nueva España*; en este trabajo la autora presenta una introducción relativa a la vida de nuestro oidor: "Die Relación de la Nueva España und die Breve y sumaria relación des Alonso de Zorita als Quellen zur Sozial-und Wirtschaftsgeschichte Mexikos", tesis de doctorado, Universidad de Bonn, 2 vols., 1995. Sobre la obra de Zorita y su importancia en la reconstrucción de fuentes franciscanas desaparecidas del siglo XVI: Toribio de Benavente, Motolinía, *Memoriales o libros de las cosas de la Nueva España y de los naturales de ella,* edición de Edmundo O'Gorman, México, UNAM, 1971; Georges Baudot, *Utopía e historia en México. Los primeros cronistas de la civilización mexicana (1520-1569)*, Madrid, Espasa-Calpe, 1983.

De la vida de Zorita poco sabemos, aunque sobresale un par de situaciones curiosas: la primera y quizás la más conocida, es que la mayor parte de su carrera política la realizó con el cargo de oidor, pero con el defecto principal de ser prácticamente sordo. La segunda se refiere a que no obstante su alto cargo, siempre argumentó estar en extrema pobreza. El erudito Manuel Serrano y Sanz, no sin cierta malicia, llegó a considerar que nuestro oidor vivió casi obsesionado por su perenne problema económico, y que escribió constantes cartas a la Corona en las que solicitaba ayuda para solucionar sus carencias materiales.

Este último dato resulta interesante si lo comparamos con otros burócratas contemporáneos suyos. Conocemos que la mayor parte de los funcionarios coloniales, especialmente oidores, se enriquecieron de manera ilimitada. De hecho, los miembros de la burocracia del siglo XVI no se diferenciaban en su comportamiento socioeconómico cotidiano de la mayor parte de los encomenderos y colonos, situación que la Corona prohibía de modo terminante. Así, era muy común que los oidores fueran parientes o socios de comerciantes, encomenderos y mineros locales.[3]

De lo anterior se colige que no es inútil averiguar las razones que tuvo Alonso de Zorita para elaborar un voluminoso manuscrito referente a los indios de Nueva España. ¿Era acaso parte de un proyecto político personal? ¿Buscaba algún tipo de recompensa por parte de la Corona?, o bien, ¿estaba interesado en denunciar ante la autoridad real una situación colonial insostenible que destruía a los indios y debía ser impedida? Quizás era todo esto a la vez.

Como se dijo, a diferencia de otros altos funcionarios coloniales, el oidor Zorita siempre manifestó haberse empobrecido en el cumplimiento de su deber. Sus cartas a la Corona, que lamentan su escasez de recursos y enfermedades, han llevado a algunos eruditos de principios de siglo, como Serrano y Sanz, a señalar que pocos funcionarios coloniales mostraron una falta de orgullo y dignidad como el oidor Alonso de Zorita: "nunca se vio Oidor tan gastado y empeñado, ni que llevase con menos estoicismo una toga raída..." Mucho influyó en este mal juicio el haber comprendido cierta filiación lascasiana del oidor, ya que Serrano opina que fue "discípulo de fray Bartolomé de las Casas" y que sus descripciones del mundo indígena siguen a su maestro en lo fantasioso de su descripción.

[3] María Justina Sarabia Viejo, *Don Luis de Velasco...*, *op. cit.*, José F. de la Peña, *Oligarquía y propiedad en Nueva España, 1550-1624*, México, FCE, 1983; Ethelia Ruiz Medrano, *Gobierno y sociedad en Nueva España. Segunda Audiencia y Antonio de Mendoza*, México, El Colegio de Michoacán, 1991; Guillermo Porras, *El gobierno de la ciudad de México en el siglo XVI*, México, UNAM, 1982; Robert Theron Himmerich, "The Encomenderos of New Spain, 1521-1555", tesis doctoral, University of California, 1984. Este trabajo ya se ha publicado, nosotros lo hemos consultado como tesis.

Un capital defecto encierra y es la falsa pintura que de la sociedad mexicana bosqueja Zorita; aquellos indios tan cultos, tan honrados, tan piadosos y aun tan filósofos en sus pláticas y consejos: aquella intachable administración de justicia; aquel paternal gobierno de reyes y señores; aquel suave reparto de las cargas públicas; todo es tan amanerado y convencional [...] como las fantasías del P. Las Casas en su *Apologética Historia de las Indias*.[4]

En el otro extremo, esa misma posición política de Alonso de Zorita en favor de los indios, su interés por apoyar a los religiosos, especialmente franciscanos, su coincidencia con las ideas de fray Bartolomé de las Casas, han propiciado la simpatía de historiadores más recientes, como Benjamín Keen y Ralph H. Vigil.[5]

En realidad, estas posturas nos hablan más de las corrientes historiográficas prevalecientes en este siglo que de la personalidad de Alonso de Zorita. Cabe agregar que una tercera postura, más sugerente respecto a su obra, proviene de estudiosos del mundo indígena que consideran fundamental su análisis del mundo prehispánico, si bien apuntan que deben utilizarse con sumo cuidado sus trabajos.

Esta fundada objeción se debe a que el oidor Zorita simplificó más de una vez en su obra una compleja terminología nahua relativa a los asuntos de la propiedad y la estratificación social indígena. Los autores mencionados opinan que ello se debe a su preocupación por apoyar los proyectos políticos novohispanos de los frailes franciscanos, los cuales tendían a uniformar en sus escritos a la sociedad indígena conforme a sus intereses. Sin embargo, Pedro Carrasco recientemente estableció que una de las fuentes más importantes, acerca del asunto de la tenencia de la tierra y estructuras jerárquicas indígenas, se encuentra en la obra de Zorita, especialmente porque recupera el material aportado por fray Francisco de las Navas. Lo anterior permite afirmar que pese a su postura política, los datos que ofrece el oidor son de suma importancia para el estudio de la sociedad indígena.[6]

---

[4] Manuel Serrano y Sanz (ed.), *Historia...*, *op. cit.*, sobre su triste "capa raída", p. XXXVI, y sobre su lascasianismo, pp. XIII y CXVI.

[5] Especialmente la introducción de la edición inglesa a la *Breve y sumaria relación*; Benjamin Keen, *Life and Labor...*, *op. cit.*; Ralph H. Vigil, *Alonso de Zorita...*, *op. cit.* Este último autor se desborda en un reconocimiento a la persona de Zorita un tanto exagerado.

[6] Pedro Carrasco, Johanna Broda *et al.*, *Estratificación social en la Mesoamérica prehispánica*, México, INAH/Cultura SEP, 1976, pp. 7-12; véase especialmente la introducción de Carrasco a este importante libro. Luis Reyes, "El término callpulli en documentos del siglo XVI", en Luis Reyes, Eustaquio Celestino Solís *et al.*, *Documentos nauas de la Ciudad de México del siglo XVI*, México, CIESAS/AGN, 1996; en este trabajo Luis Reyes muestra de manera notable la inexistencia del término callpulli en diversos documentos en náhuatl. James Lockhart, *The Nahuas After the Conquest. A Social and*

Nuestro interés en este caso, consiste en acercarnos a la postura ideológica de Zorita, procurando señalar su cercanía con las ideas de fray Bartolomé de las Casas, así como su interés por las actividades de las órdenes religiosas en Nueva España. Si bien esto ya ha sido esbozado por algunos autores, queremos enfocar este interés en un problema concreto en el cual, como alto funcionario en Nueva España, Alonso de Zorita se involucró: el asunto del cobro del diezmo a los indios. Hemos decidido soslayar su crítica a la reforma tributaria encabezada en 1563 por el visitador Jerónimo de Valderrama, así como sus discusiones sobre el tributo, por considerar que el tema se aborda en el estudio introductorio de Wiebke Ahrndt y porque ha sido muy comentado por otros estudiosos; después de todo, el oidor es conocido por su trabajo en torno al problema del tributo y su defensa de la nobleza indígena. Quizás nuestro enfoque permita entender algunas de sus preocupaciones al escribir la *Relación* en su retiro granadino.

Antecedentes

En 1547 Alonso de Zorita se inscribió en una de las más grandes y complejas administraciones del antiguo régimen. A partir de la colonización americana, la Corona castellana desarrolló diversos mecanismos de control a distancia de sus colonias, lo que implicó disponer de gran número de burócratas, formados principalmente en la Universidad de Salamanca, con distintos niveles de jurisdicción. Asimismo, la Corona impulsó a los colonos y naturales de América a que informaran constantemente de la situación y problemas locales.[7] El resultado fue una copiosa infor-

---

Cultural History of the Indians of Central Mexico, Sixtheenth Through Eighteenth Centuries, Stanford University Press, 1992, p. 112; Armando Martínez Garnica "Miradas cruzadas. La incorporación de los linajes nobles del Valle de México a la sociedad novohispana del siglo XVI", tesis de doctorado, El Colegio de México, 1993. En lo relativo a la importancia de Zorita como fuente para la historia indígena: Pedro Carrasco, *Estructura político territorial del Imperio Tenochca. La Triple Alianza de Tenochtitlan, Tetzcoco y Tlacopan,* México, FCE / El Colegio de México, 1996, p. 20 y especialmente la nota 19 de este trabajo.

[7] Sobre la organización administrativa del Estado en Indias: Ernesto Shaffer, *El Consejo Real y Supremo de las Indias,* Sevilla, Imp. Carmona, 1935, 2 vols.; Mario Góngora, *El Estado en el derecho indiano. Época de fundación (1492-1570),* Santiago de Chile, Ed. Universitaria, 1951; del mismo autor: *Studies in the Colonial History of Spanish America,* Cambridge University Press, 1975; José María Ots Capdequí, *El Estado español en las Indias,* Santo Domingo, 1986, 2a. ed.; Fernando Muro, *Las presidencias-gobernaciones en Indias (siglo XVI),* Sevilla, Escuela de Estudios Hispano-Americanos,

mación enviada a Castilla desde las lejanas colonias, que generó en parte un monumental *corpus* legal, en muchas ocasiones contradictorio.[8]

Se puede afirmar que la tendencia política más clara de la Corona castellana, a partir de los Reyes Católicos y hasta Felipe II, fue la de una creciente centralización del poder. De ahí la necesidad de contar con información constante de la situación global en los territorios de ultramar.[9]

Durante la primera mitad del siglo XVI se observa una tendencia política relevante en la colonia mexicana. La Corona permitió a través de sus altos funcionarios importantes ajustes locales a su legislación, siempre y cuando la jurisdicción de la propia Corona no se viera debilitada. Todo esto al margen de los costos sociales que tales adecuaciones implicaban; por ejemplo, las reformulaciones que favorecían a grupos de poder y cuyas consecuencias generalmente pagó la sociedad indígena.[10]

El poder de estos altos funcionarios coloniales, oidores como Alonso de Zorita, estaba garantizado de antemano por la propia dinámica centralista de España. La necesidad de controlar territorios formalmente considerados reinos de Castilla y que se encontraban a enorme distancia entre sí, permitió que se investiera a los altos funcionarios con poderes prácticamente ilimitados. Al mismo tiempo, se trataba también de afir-

---

1975. En lo relativo a los controles ejercidos sobre los altos funcionarios en América: Pilar Arregui Zamorano, *La Audiencia de México según los visitadores. Siglos XVI y XVII*, México, UNAM, 1981; Javier Barceló Malagón, *El distrito de la Audiencia de Santo Domingo en los siglos XVI a XIX*, Ciudad Trujillo, Universidad de Santo Domingo, 1942; José María Mariluz Urquijo, *Ensayo sobre los juicios de residencia indianos*, Sevilla, Escuela de Estudios Hispano-Americanos, 1952. Respecto a la formación de cuadros para la burocracia en las colonias: Richard L. Kagan, *Lawsuits and Litigants in Castile, 1500-1700*, Chapel Hill, The University of North Carolina Press, 1981. En lo relativo a la abundante información recibida por la Corona de parte de sus vasallos americanos, mecanismo único de control, bastaría con observar que existe una sección completa relativa a cartas de particulares enviadas a la Corona tan sólo entre los años de 1544 a 1602: AGI, México, legs. 95-121.

[8] Las contradicciones del propio *corpus* legislativo han sido señaladas por Silvio Zavala en un análisis sobre la perpetuidad de la encomienda y los vaivenes políticos de la Corona en sus instrucciones a la primera y segunda audiencias; asimismo, se observa esta contradicción legislativa en los problemas para aplicar las Leyes Nuevas en Nueva España: Silvio Zavala, *La encomienda indiana*, México, Porrúa, 1973.

[9] Sobre la concentración del poder por parte de la Corona: Perry Anderson, *El Estado absolutista*, México, Siglo XXI, 1990, 11a. ed.; Henry Kamen, *Una sociedad conflictiva: España, 1469-1714*, Madrid, Alianza, 1984; Alonso Benjamín González, *Sobre el Estado y la administración de la Corona de Castilla en el Antiguo Régimen*, Madrid, Siglo XXI, 1981; A.W. Lovett, *La España de los primeros Habsburgos (1517-1598)*, Barcelona, Labor Universitaria, 1989; John Lynch, *España bajo los Austrias. Imperio y absolutismo (1516-1598)*, Barcelona, Península, 1987, 5a. ed.

[10] Ethelia Ruiz Medrano, *Gobierno..., op. cit.*, especialmente el capítulo tercero.

mar la obediencia del resto de la sociedad a los delegados jurisdiccionales metropolitanos.

Sin embargo, las condiciones sociales y políticas de la época hicieron que la propia Corona soslayara las actividades empresariales de su burocracia americana. Puesto que los amplios privilegios de los funcionarios coloniales implicaban un riesgo para los intereses de la Corona, paulatinamente se desarrolló un equilibrio de poderes locales, que consistió en dotar a un amplio rango de funcionarios de igual nivel de jurisdicción o poder. La monarquía aseguró de este modo la vigilancia y el control recíproco de sus funcionarios: el virrey debía informar a la Corona y al Consejo de Indias sobre cualquier anomalía de los oidores y otros funcionarios en el cumplimiento de su deber y viceversa. Esto es lo que algunos estudiosos han definido como un proceso de equilibrio de poderes.[11]

De esta manera, la Corona y el Consejo de Indias lograron mover los hilos necesarios para el control de las colonias a distancia, garantizando la jurisdicción real sobre las colonias americanas. Por otro lado, los poderes amplios de que gozó la alta burocracia colonial la vincularon a los grupos de poder local. Importantes adecuaciones legales se realizaron conforme a los intereses de los funcionarios y los sectores preponderantes de la sociedad colonial —como los encomenderos, comerciantes, mineros, estancieros y funcionarios menores.[12]

Esta situación global se endureció con la llegada al poder de Felipe II en 1556. Las líneas maestras de control que trazó el rey junto con los miembros de su Consejo trajeron una serie de modificaciones sobre la política indiana, pues como ha mencionado Sempat Assadourian, el gobierno de Felipe II se caracterizó por un creciente interés en el beneficio de la hacienda real y en un alejamiento de las políticas seguidas por el Consejo de Indias hasta ese momento, que habían permitido una ligera participación de los súbditos indígenas y la garantía de ciertos derechos. Especialmente a partir de finales de los años sesenta, la presión fiscal de la Corona sobre los indios tuvo·como consecuencia "la erosión de las bases económicas" de los señores naturales. Dentro de este esquema político las órdenes religiosas estorbaban a la Corona porque funcionaban como un poder alterno, especialmente por su tradicional defensa de la población indígena y por el control que tenían sobre ella. Era necesario mediatizar esa influencia a través del fortalecimiento de las preeminencias del clero secular. En esta época se fortaleció más el sector minero

[11] Clarence H. Haring, *El imperio hispánico en América,* Buenos Aires, Solar/Hachette, 1966; Mario Góngora, *El Estado...,* op. cit.

[12] María Justina Sarabia Viejo, *Don Luis de Velasco...,* op. cit.; José F. de la Peña, *Oligarquía...,* op. cit.; Ethelia Ruiz, *Gobierno...,* op. cit.

y se generaron mecanismos legales para impulsar el trabajo indígena hacia las minas, lo que coadyuvó al fuerte desplome de la población nativa a partir de las epidemias de 1568. Lo anterior permitió consolidar una economía colonial controlada por los españoles, que dejó fuera a la comunidad indígena.[13]

A partir de 1556 y en este incipiente contexto político de creciente dificultad, Alonso de Zorita desempeñó su cargo como funcionario en la Real Audiencia de México.[14] Conocedor de los recovecos legales, Zorita había acumulado una gran experiencia como oidor en las Indias Occidentales. Debido a su interés en promover la legislación de protección a los indios, contaba con gran número de enemigos, sobre todo entre los colonos y encomenderos poderosos, así como entre algunos de sus propios colegas en las audiencias de Santo Domingo y Guatemala.[15] Pero ello también le permitió por otra parte, tener la protección y amistad de los religiosos en distintas regiones de América.

La mayoría de sus conflictos se originaron por el interés del oidor en hacer prevalecer las famosas Leyes Nuevas, de inspiración lascasiana: un arma legal importante en la defensa de los indios. En Nueva España, estas leyes fueron desde su proclamación en 1544, modificadas y adecuadas por la Audiencia y el entonces virrey Antonio de Mendoza; especialmente los capítulos que atentaban contra los intereses del entonces todavía poderoso sector de encomenderos y colonos: la no perpetuidad de la encomienda, la abolición del servicio personal indígena y los

---

[13] "Predispuesto a transformar las Indias en un territorio de máxima utilidad económica para la Corona. Este cambio fue impulsado por el ascenso al trono de Felipe II..." De tal forma, la "cristalización de un sistema económico mercantil, controlado internamente por la población europea, constituyó la premisa de la política de la utilidad económica. El Estado logró imponer este proyecto entre 1570 y 1600", en: Carlos Sempat Assadourian, "La despoblación indígena en Perú y Nueva España durante el siglo XVI y la formación de la economía colonial", en *Historia Mexicana*, núm. 3, 1989, pp. 425-426 y 440.

[14] Sobre la multitud de oficiales que había en la Audiencia y su distribución espacial, el propio Zorita escribe en su *Relación*, libro I, f. 81r, "el virrey es gobernador y capitán general de aquella tierra y presidente de la Audiencia real, donde hay ocho oidores para dos salas en lo civil y tres alcaldes de corte para lo criminal para otra sala hay sus fiscales, relatores, cancilleres, y registro, porteros, e intérpretes, y dos abogados, y dos procuradores de pobres, y todos con buenos salarios, hay abogados y procuradores, y receptores, y secretarios, y alguacil de corte que pone tres tenientes y un alcalde para la cárcel y cuando los nombra los presenta en la Audiencia para que los confirme y reciban, y los oficiales de la Real hacienda, tesorero, contador, y factor entran en el cabildo de la ciudad y tienen voz y voto y el primer asiento por su antigüedad entre ellos".

[15] Ralph H. Vigil, *Alonso de Zorita..., op. cit.*, cap. 3.

mecanismos pacíficos de descubrimiento y conquista de nuevos territorios.[16]

De tal forma, cuandoAlonso de Zorita se instaló en la ciudad de México, había acumulado amplia experiencia como impulsor de un atacado y reformulado cuerpo legal. Por fortuna para él, su llegada coincidió con el gobierno del virrey don Luis de Velasco (1550-1564), bajo cuyo impulso se habían conservado algunos puntos esenciales de las Leyes Nuevas. Por ejemplo, los referentes a la abolición de la esclavitud indígena, el planteamiento de políticas globales de tasación y tributo, así como el fortalecimiento de las visitas a los pueblos de indios para vigilar el cumplimiento de estas leyes en materia tributaria. Asimismo, el virrey fue uno de los más poderosos defensores de las órdenes religiosas en Nueva España, especialmente la franciscana. Esta defensa le acarreó problemas severos con el arzobispo Montúfar.[17]

En 1550 se nombró como visitador de los pueblos de indios en el área central a Diego Ramírez, oscuro funcionario que se dedicó a tasar el tributo en diversos pueblos de indios según lo señalado en las Leyes Nuevas, lo cual significó una notable reducción tributaria para pueblos en encomienda y corregimiento. Este poco conocido visitador gozó en todo momento del apoyo de don Luis de Velasco, así como de los frailes franciscanos; sin embargo, como era de esperarse, su política le ganó la enemistad de encomenderos, colonos y algunos funcionarios. Al igual que Alonso de Zorita, Diego Ramírez es conocido por seguir planteamientos políticos de fray Bartolomé de las Casas; incluso algunos de sus contemporáneos señalaron el parentesco de Ramírez con éste, ya que una de sus hijas estaba casada con Agustín de las Casas, sobrino de fray Bartolomé.[18]

Cabe destacar la filiación lascasiana de Diego Ramírez y el respaldo que tenía de los frailes, pues ambos hechos ilustran cómo un grupo de funcionarios compartía un interés político dirigido hacia la protección y

[16] Sobre este cuerpo legal: Antonio Muro Orejón, *Las Leyes Nuevas de 1542-1543: Ordenanzas para la gobernación de las Indias y buen tratamiento y conservación de los indios*, Sevilla, Escuela de Estudios Hispano-Americanos, 1961; en lo relativo a la discusión política que se dio en Nueva España y las reformulaciones al respecto: Silvio Zavala, *La encomienda..., op. cit.*; sobre los resultados en la práctica de esas adecuaciones durante el gobierno de Mendoza: Ethelia Ruiz, *Gobierno..., op. cit.*

[17] Para lo relativo al periodo de Velasco: María Justina Sarabia Viejo, *Don Luis de Velasco..., op. cit.*; resultados de su interés por revisar la tributación: José Miranda, *El tributo indígena en la Nueva España durante el siglo XVI*, México, El Colegio de México, 1980, pp. 110-137; Francis V. Scholes y Eleanor B. Adams (eds.), *Documentos para la historia del México colonial*, México, Porrúa, 1958, vol. V, pp. 24-32, 66-67.

[18] José Miranda, *El tributo indígena..., op. cit.*, p. 110; instrucciones al virrey Velasco: 16 de abril de 1550, pp. 110-115; cédulas sobre las visitas a los pueblos: 11 de junio de 1552 y 11 de agosto del mismo año, y la cédula real del 20 de diciembre de 1553, pp.

conservación del mundo indígena. De tal manera, el asunto de la protección a los indios no se circunscribía a los religiosos, rebasaba ese ámbito y a él también se adscribían funcionarios coloniales. A nuestro juicio, este interés iba más allá de la simpatía hacia las ideas de Las Casas y conformaba en cierta manera el diseño de un proyecto colonial que prevaleció durante algunos años en la metrópoli.

No fue la sola existencia de un fray Bartolomé de las Casas lo que permitió a funcionarios como Alonso de Zorita o Diego Ramírez defender las poblaciones nativas. La política de Carlos V en las Indias se distinguió por racionalizar el sistema de explotación colonial mediante una legislación restrictiva que procuraba la protección de los naturales. Lo anterior no implicaba razones de generosidad o de un claro sentido de la justicia. Pensar esto sería un grave error interpretativo, pues el asunto tiene una lógica de poder circunscrita a la época.

Ciertamente evitar el maltrato a los indios por parte de los encomenderos, así como negociar y adaptar el sistema jurídico castellano en la Colonia para beneficiar a la comunidad indígena, no fue nunca el eje de la política del gobierno colonial, menos aún lo fue de la autoridad imperial. Podemos sugerir que esta adaptación era consecuencia del hecho mismo de procurar la adecuación del proyecto jurisdiccional centralizado de la Corona con los diversos intereses locales y afianzar así el territorio colonizado. Para algunos servidores reales, como Alonso de Zorita, Diego Ramírez y Luis de Velasco, la tarea principal consistió en implantar la jurisdicción en el territorio colonial mediante un equilibrio legal que implicó negociar tanto con los colonos como con las dirigencias comunitarias.

Si bien es cierto que estos funcionarios actuaron de manera conjunta con los religiosos —y en ocasiones existía una relación de parentesco entre ellos, como en el caso apuntado de Diego Ramírez y Bartolomé de

118-119. Sobre la visita de Diego Ramírez sólo existe un trabajo al respecto: Walter V. Scholes, *The Diego Ramirez Visita*, University of Missouri Studies, núm 4, 1946. Las cartas de religiosos acerca del asunto de la visita en Mariano Cuevas: *Documentos inéditos del siglo XVI para la historia de México,* México, Porrúa, 1975. Lo relativo al parentesco de Las Casas y Diego Ramírez: Ralph H. Vigil, *Alonso de Zorita..., op. cit.*, p. 214; Colección Muñoz en la Academia de la Historia, Madrid (en adelante Colección Muñoz, ms.), tomo 70 A-115, Carta al Rey del Dr. Vázquez, Valladolid, 10 de oct. de 1559, ff. 94-95v., "Que especialmente en la N.E. pudo hacer el dicho Obispo que se nombrase visitador un Diego Ramírez cantor de la iglesia de México y deudo suyo, al que conservó en el cargo hasta pocos días ha fallecido. Lo que fue como si se cometiera al mismo Obispo porque tiene por opinión que no se ha de dejar nada a españoles", y tomo 68 A-113, cartas de Diego Ramírez, donde menciona datos biográficos como el de que era cantor de iglesia y hermano de un fraile franciscano. El testimonio de Agustín de las Casas sobre su parentesco con Diego Ramírez: AGI, México, 1841, ramo 5, Petición de Agustín de las Casas.

las Casas—, estos vínculos entre funcionarios coloniales o metropolitanos en torno al problema de la preservación de los naturales en Nueva España muestran una postura política inspirada en las ideas de Las Casas y que ha sido claramente establecida por Sempat Assadourian. Consideramos que la trayectoria administrativa de Alonso de Zorita es un ejemplo más de la existencia de dicho proyecto.[19]

Simpatías políticas de Alonso de Zorita

El problema de la jurisdicción y derechos de la monarquía castellana sobre América decidió las grandes líneas políticas de los territorios a lo largo del siglo XVI. De hecho, la metrópoli española tuvo una característica única. Se puede decir que el gran tema ideológico de la monarquía en ese siglo fue el de definir su papel como guardián del cristianismo universal, papel que la monarquía castellana se otorgó a sí misma. En todo momento, actuar de acuerdo con los principios ético-político cristianos se volvió un asunto fundamental para la Corona. La tarea de teólogos y juristas notables fue establecer cuáles eran esos principios y debatir en torno a ellos.[20]

Esa búsqueda de legitimación ética y política estimuló una corriente de pensamiento que buscaba razones para sostener los derechos de la Corona sobre América, y coadyuvó a la discusión sobre la naturaleza jurídica y los derechos de la población nativa.

Acerca de las discusiones de los derechos de Castilla sobre América, remitimos a los trabajos de especialistas como Lewis Hanke, Edmundo O'Gorman y Anthony Padgen, entre otros.[21] Aquí sólo nos interesa des-

[19] Carlos Sempat Assadourian, "Memoriales de fray Gerónimo de Mendieta", en *Historia Mexicana,* núm. 147, 1988, pp. 357-422; Rodrigo Martínez Baracs, "El debate sobre los modos de producción y la contribución de Carlos Sempat Assadourian", en Ruy Mauro Marini y Márgara Millán, *La teoría social latinoamericana,* México, UNAM / Ediciones El Caballito, 1995, t. III, pp. 189 y 195-197; esta definición es seguida por Armando Martínez Garnica, "Miradas cruzadas...", *op. cit.,* pp. 112-113.

[20] Anthony Padgen, *Spanish Imperialism and the Political Imagination,* New Heaven-Londres, Yale University Press, 1990, pp. 5-6.

[21] Sobre las discusiones teológicas y Las Casas, una visión clásica, con un gran trabajo de archivo, aunque muy criticada: Lewis Hanke, *La lucha por la justicia en la conquista de América,* Madrid, Istmo, 1988; del mismo autor, *Cuerpo de documentos del siglo XVI,* México, FCE, 1977, 2a. ed. Una visión sugerente y bien escrita sobre las mismas fuentes en Anthony Padgen, *La caída del hombre. El indio americano y los orígenes de la etnología comparativa,* Madrid, Alianza, 1988; y Colin M. MacLachlan, *Spains Empire in the New World. The Role of Ideas in Institutional and Social Change,* University of California Press, 1984; Edmundo O'Gorman, *La idea del descubrimiento de América,* México, UNAM, 1976, 2a. ed.

tacar a fray Bartolomé de las Casas, debido a que Alonso de Zorita, como alto funcionario en Indias, siguió su línea argumentativa referente a la protección de la población indígena.

Una de las mejores definiciones sobre las ideas de Bartolomé de las Casas nos la brinda Edmundo O'Gorman, en su estudio preliminar a la *Apologética. Historia sumaria.*[22] Es aquí donde O'Gorman percibe el ideario misionero y la "doctrina antropológica" del dominico. Así, para fray Bartolomé es primordial determinar en su obra el grado o concreción del indio en su vida histórica. El problema acerca de la dimensión humana del indio no estaba en discusión, lo que estaba en la mesa de debate era el nivel alcanzado por los indios al momento de su conquista. En la *Apologética*, Las Casas procuró probar que los habitantes de América gozaban de plena capacidad racional: "todos los hombres participan por igual en una esencia y en cada uno de ellos se actualiza en características inalterables, el vivir humano y los modos de ese vivir, o sea la historia, no puede ser sino la expresión de aquella esencia, o si se prefiere, manifestaciones de la racionalidad".[23]

Para O'Gorman el "largo cotejo" que elaboró Las Casas entre los indígenas americanos y otras naciones, va más allá de sólo querer comparar, y su trabajo encierra un "argumento lógicamente válido"; en palabras de O'Gorman: "porque la diversidad real entre griegos, escitas, chinos [...] por ejemplo, no hace fuerza de impedimento contra la comparación de sus respectivas culturas, ya que, para él [Las Casas] el devenir histórico de esos pueblos, como el de todos, es en el fondo siempre lo mismo".[24]

La *Relación de la Nueva España* de nuestro oidor Alonso de Zorita, también contiene una larga serie de referencias comparativas. La mayor parte aparenta, al igual que en el caso de la *Apologética...*, obedecer a una ostentosa erudición del autor. De hecho, Serrano y Sanz encontró motivo de nueva burla luego de observar las abundantes comparaciones que Zorita estableció en su trabajo entre la sociedad indígena y otras naciones gentiles.[25]

El contenido principal de la primera parte de la *Relación*, abunda en comparaciones en las que Zorita sigue el método de Las Casas para argumentar y demostrar la participación de los indios en la historia de la

---

[22] Fray Bartolomé de las Casas, *Apologética. Historia sumaria*, edición y notas de Edmundo O'Gorman, México, UNAM, 1967, pp. VII-LXXIX.

[23] *Ibid.*, p. LXIII.

[24] *Ibid.*, p. LXV.

[25] En su introducción a la *Historia...*, Manuel Serrano y Sanz dice: "Aquellas impertinentes divagaciones eruditas que embarazan el curso de la narración en su *Historia de la Nueva España*", p. XCV.

humanidad. Resulta interesante observar cómo algunas comparaciones de Las Casas o Alonso de Zorita, en sus respectivas obras, se precipitan hacia temas ideológicos muy delicados, como el del sacrificio humano. El oidor comparó este fenómeno indígena con los sacrificios humanos descritos en la Biblia, para mostrar que los indios no eran los únicos en sacrificar gente. El oidor llegó inclusive a alabar el profundo y disciplinado sentimiento religioso de los indios durante su gentilidad, contrastándolo con la falta de piedad cristiana de los españoles. En este tipo de comparaciones no fue el único, pues Motolinía y Durán también admiraron en sus obras la lealtad de los indios hacia sus deidades paganas.[26]

La cercanía ideológica entre Las Casas y Alonso de Zorita se observa también en la práctica política del oidor, y más específicamente en el desempeño de sus funciones al regular asuntos relevantes como el del tributo y la encomienda. En el estudio que precede a éste, Wiebke Ahrndt comenta la visita del oidor a Nueva Granada y su paso por la Audiencia de Guatemala. Sólo queremos hacer énfasis en la manera en que procuró implementar reducciones tributarias, su revisión de los títulos de encomienda y, en fin, en su interés por reorganizar administrativamente el territorio de Nueva Granada cuando fungió como juez visitador del gobernador Armendáriz; todo ello de acuerdo con los principales capítulos de las Leyes Nuevas.

Asimismo, durante su etapa de oidor en Guatemala, Zorita parece perseguir el mismo fin. No es sorprendente que en ese lugar visitara y revisara las condiciones de tributo y trabajo de comunidades indígenas alejadas de la Audiencia de Guatemala, en la mayor parte de las cuales los indios nunca habían visto a un funcionario español.

Además, el propio Zorita relata su amistad con los frailes dominicos de la provincia de Guatemala, como fray Gregorio de Beteta y, especialmente, con el gran amigo de Bartolomé de las Casas: fray Luis de Cancer. De hecho, a este último religioso dedicó don Alonso un capítulo en la cuarta parte de su *Relación*, destacando su admirable tarea evangelizadora entre los indios de la Florida, quienes por cierto lo convirtieron en mártir. Sin duda, la referencia de Zorita a fray Cancer en su obra muestra,

---

[26] Alonso de Zorita, *Relación...*, *op. cit.* Sobre el sacrificio humano: primera parte, capítulo décimo. Sobre la obediencia de los indios a sus dioses: primera parte, capítulo once. Zorita no es el único en hacer este tipo de comparaciones: Motolinía dice a este respecto que los indios, pese a su idolatría, mostraban más paciencia y ayunos en sus oficios religiosos como paganos, que los propios cristianos; fray Toribio de Benavente, Motolinía, *Memoriales...*, *op. cit.*, p. 343; fray Diego Durán, *Historia de las Indias de Nueva España e Islas de Tierra Firme,* México, CNCA (Cien de México), 1995, p. 79.

71

nuevamente, la cercanía del oidor con los correligionarios y amigos de Las Casas. Un dato que resulta sumamente interesante es la denuncia que contra Zorita elaboran los franciscanos de Guatemala en 1556. En su demanda, los frailes solicitan que el oidor Alonso de Zorita sea removido de Guatemala inmediatamente, lo acusan de utilizar métodos severos contra los indios para reducirlos en poblaciones o congregaciones que el propio oidor determina y que todo lo efectúa sin consejo de ellos y siguiendo a gentes menos experimentadas. Debemos tomar en cuenta que los mecanismos de congregación adoptados por Zorita no debieron ser suaves, numerosos testigos declaran sobre distintas campañas de extirpación de idolatría que el oidor llevó a cabo en diversos pueblos de indios de Guatemala. Más interesante es el tono de la denuncia de los franciscanos guatemaltecos, tan contrastante con la postura favorable hacia él por parte de los miembros de la misma orden en Nueva España. Es probable que además del fondo real de la queja, Zorita mostrara un desusado favor en Guatemala a los dominicos, como queda claro en la *Relación*.[27]

En cualquier caso, podemos considerar también su propuesta de 1562 sobre una entrada pacífica al norte de Nueva España, como una prueba más de la cercanía política de Alonso de Zorita y Bartolomé de las Casas. En el ensayo de Ahrndt se observa el contenido de dicho proyecto, así como el interés y apoyo que recibió de algunos franciscanos en Nueva España. Ciertamente, la emotiva carta de fray Jacinto de San Francisco al rey, en la cual lamenta la implacable mortandad de los indios que ha generado la ambición de los pobladores y conquistadores, plantea que sólo a partir de un avance europeo pacífico se impedirá la destrucción de los indios y sus tierras:

> se han asolado grandes provincias y poblaciones, fertilísimas tierras, que creo en el mundo no las había mejores, ni gente más aparejados para ser

---

[27] Para su actividad en Guatemala véase Ralph H. Vigil, *Alonso de Zorita...*, *op. cit.*, pp. 121-160; en lo relativo al ataque de los franciscanos guatemaltecos a Zorita, agradezco a la maestra Gudrun el haberme proporcionado generosamente la carta: AGI, Guatemala, 168, Guatemala a 1° de enero de 1556. Sobre los elogios que Zorita prodiga a fray Luis Cancer durante su triste expedición religiosa y su muerte entre los indios de la Florida: *Relación...*, *op. cit.*, f. 538v. Sobre sus amigos dominicos en Guatemala: *ibid.*, f. 540r. Nunca Zorita menciona a los franciscanos de Guatemala; sobre las campañas del oidor contra la idolatría: AGI, Justicia, 1029, Méritos..., aquí varios testimonios a su favor indican que congregó a los indios con gran trabajo y que quemó muchos ídolos con la ayuda de los propios naturales. Sobre la amistad de fray Luis Cancer con Las Casas: Joaquín García Icazbalceta, *Don fray Juan de Zumárraga, primer Obispo y Arzobispo de México*, con un apéndice de documentos, México, Díaz de Léon, 1881. Aquí utilizamos la reedición en 4 vols. de R. Aguayo Spencer y A. Castro Leal (eds.), México, Porrúa, 1947, vol. I, p. 256.

doctrinados e ir a gozar de Dios, si hubieran tenido quien los doctrinara, y enseñara la ley evangélica en que se habían y habemos de salvar [...] ¿Qué cristiano ó qué hombre hay que tenga algún respeto de hombre, esto no lo sienta con gran dolor y lástima, viendo que por culpa de los españoles y por su crueldad y tiranía han perecido tantas gentes? [...] que con tener entre ellos grandes y continuas guerras y sacrificios grandes, han sido mayores las guerras y sacrificios que los españoles en ellos han fecho, pues que en tan poco tiempo han asolado y acabado lo que en muchos tiempos atrás no habían podido asolar ni acabar las que ellos tenían...

Para concretar la propuesta pacificadora en el norte, fray Jacinto avisa a la Corona que el comisario general de la orden franciscana, fray Francisco de Bustamante, oficialmente proyecta un avance por Zacatecas y San Martín hasta llegar a la Florida. Este avance sería efectuado por franciscanos y una persona lega como capitán de la empresa, aunque sólo llevaría oficialmente el título de "coadjutor [...] de nuestra santa fe y religión de nuestra orden..." El religioso señala que los frailes proponen como capitán de esta empresa al doctor Alonso de Zorita.[28]

El proyecto franciscano a la Florida contó con el apoyo de fray Bartolomé de las Casas (el propio Zorita señala su interés en el asunto). Además, poco antes Las Casas denunció ante la Corte las guerras injustas contra los indios del norte; debe recordarse especialmente su apoyo al señor de Nochistlán y su denuncia de la guerra conocida como del Mixtón, ocurrida en 1542.[29] Hay que hacer hincapié en la naturaleza de la propuesta global del proyecto de entrada pacífica: se debía realizar mediante frailes para lograr la conversión de los indios norteños y su reducción. Desde luego, el asunto recuerda el fallido intento de Las Casas en la Vera Paz, ocurrido entre los años de 1537 y 1550, así como los

---

[28] Carta de fray Jacinto de San Francisco al Rey Felipe II, México, 20 de julio de 1561, en Joaquín García Icazbalceta, *Nueva colección de documentos para la historia de México* (Códice franciscano siglo XVI), México, Salvador Chávez Hayhoe, 1941; fray Jacinto fue conquistador y encomendero convertido en fraile, pp. 221-227; José Francisco Román Gutiérrez, *Sociedad y evangelización en Nueva Galicia durante el siglo XVI*, México, INAH / El Colegio de Jalisco, 1993.

[29] Phil C. Weigand y Acelia G. de Weigand, *Tenamaxtli y Guaxicar. Las raíces profundas de la rebelión de Nueva Galicia*, México, El Colegio de Michoacán, 1996. "Relación de agravios hechos por Nuño de Guzmán y sus huestes a Don Francisco Tenamaztle", México, Porrúa Hermanos, 1959; esta relación fue escrita por fray Bartolomé de las Casas y publicada por Lewis Hanke: "Un festón de documentos lascasianos", en *Revista Cubana*, núm. XVI, 1941; véase también sobre este interés de Las Casas, AGI, México, 168, Carta de Toribio de Bolaños a Las Casas, sobre cosas tocantes a la protección de los indios de Nueva Galicia, en la zona de frontera Zacatecas, octubre 9 de 1556.

artículos relativos a descubrimientos y conquistas de nuevos territorios señalados en las Leyes Nuevas de 1542.[30]

Es interesante observar a don Alonso como oidor, pues pareciera empeñado en detener el tiempo y continuar en la práctica con propuestas relativas a entradas pacíficas, ideas que fueron aprobadas por el Consejo de Indias diez e incluso veinte años antes de que él y los frailes franciscanos plantearan el proyecto de avance hacia el norte.

Esta política "anacrónica" de Alonso de Zorita resulta evidente en la propia respuesta de Felipe II a su proyecto. Sin ambages, el soberano argumentó que era una propuesta a la que la Corona no se oponía, pero que debía ser financiada por el propio Zorita.[31] Las Casas recibió apoyo y financiamiento de Carlos V para el proyecto de entrada pacífica en Vera Paz.[32] No cabe duda que el oidor vivía otros tiempos. Tiempos en los que funcionarios como él, así como ciertos miembros de las órdenes religiosas en América, comenzaban a incomodar en las altas esferas administrativas de la metrópoli.

La acción política de Zorita remite a la ideológica. Edmundo O'Gorman señala, en su edición a la *Apologética*, la importancia de resaltar que la polémica entre fray Bartolomé de las Casas y Gines de Sepúlveda fue un enfrentamiento, en el siglo XVI, de una postura teológica universalista que perdía terreno, frente a una postura moderna y de corte nacionalista, esta última representada por Sepúlveda.

De tal manera, Sepúlveda aceptaba la idea de un hombre universal pero a la vez consideraba indispensable introducir elementos que jerarquizaran esa universalidad. Esto debido a que no todos los hombres se encontraban en el mismo nivel de civilización, y a que existían, por derecho natural, naciones o pueblos inferiores y superiores en el devenir de la historia. Lo anterior, en opinión de O'Gorman, introduce en el pensamiento occidental la idea de un relativismo cultural. Así que si bien todos eran hombres, había pueblos que por su propio nivel de "policia" podían gobernar a otros más "primitivos". Para Sepúlveda, la nación que por su nivel de desarrollo estaba destinada a dominar a los pueblos

---

[30] Sobre la propuesta de entrada pacífica de Vera Paz: Lewis Hanke, *La lucha...*, *op. cit.*, pp. 202-208; M. Batallion y A. Saint-Lu, *El padre Las Casas y la defensa de los indios*, Barcelona, Ariel, 1976, pp.25-27. Sobre los capítulos de las Leyes Nuevas referente a descubrimientos: Antonio Muro Orejón, *Las leyes...*, *op. cit.*, caps. 34-36, pp. 16-17; Carlos Sempat Assadourian, "Fray Bartolomé de las Casas obispo: la naturaleza miserable de las naciones indianas y el derecho de la Iglesia. Un escrito de 1545", en *Historia Mexicana*, núm. 159, enero-marzo de 1991, pp. 387-451.

[31] Manuel Serrano y Sanz (ed.), *Historia...*, *op. cit.*; el planteamiento del proyecto y la solicitud del oidor de la gobernación de Nueva Galicia en pp. LXXIX-LXXXI, y sobre la negativa de la Corona, p. LXXXI.

[32] Lewis Hanke, *La lucha...*, *op. cit.*, p. 207.

atrasados de América era España. Con esto introducía una idea naciona-lista y una discusión teórica importante para el Estado español y muy novedosa en la época.[33]

Nos gustaría quedarnos con esta última idea y volver a la obra en-sayística de Alonso de Zorita. Este funcionario escribió la conocida *Breve y sumaria relación de los señores de la Nueva España*, una apolo-gía de las dirigencias o señoríos indígenas que destacaba su capacidad de mando, su alto nivel de justicia y el vínculo profundo con la religión pagana que observaba la nobleza nativa. Por lo demás, el oidor presentó en esa obra una relación de las ceremonias de entronización, y aludió a los autosacrificios que debían pasar los señores para asumir su papel como dirigentes. Incluso en algunos detalles, es la única fuente conoci-da del siglo XVI en donde se encuentra esta información.[34] Por otra par-te, en su *Relación* Zorita menciona haber escrito dos obras más, ac-tualmente desaparecidas, la *Suma de los tributos* y la *Suma del diezmo*, y al aludirlas se entrevé que en ellas también escribió en favor de los principales prehispánicos y coloniales.

En su praxis política, es conocido que Alonso de Zorita fue un defen-sor del señorío indígena, junto con algunos frailes de las tres órdenes, así como con Las Casas.[35] Quizá no resulte muy atrevido afirmar que tanto Las Casas como Zorita procuraron defender a los señores natura-les por varias razones, una de las cuales era argumentar la existencia entre los indios de la Nueva España de una organización que cumplía, desde antes de la llegada de los españoles, con lo indispensable para ser

[33] Fray Bartolomé de las Casas, *Apologética...*, *op. cit.*; en su brillante introducción a esta edición O'Gorman abre esa vía de análisis, pp. LIX-LXXIX.

[34] Guilhem Olivier, *Moqueries et métamorphoses d'un dieu azteque. Tezcatlipoca, le "Seigneur au miroir fumant"*, París, Institut d'Ethnologie / CEMCA, 1997, p. 99; en este documentado trabajo se observa el dato de Zorita.

[35] Esto queda claramente establecido por Margarita Menegus Bornemann, *Del Seño-río a la República de Indios. El caso de Toluca: 1560-1600*, Madrid, Ministerio de Agricultura, Pesca y Alimentación, 1991. También la defensa de los señores naturales se encuentra en los resultados de la Junta Eclesiástica de 1546: ordenada por Tello de Sandoval, por medio de una Instrucción Real, en que se le ordenó juntar a los prelados para tratar asuntos sobre la "buena gobernación de sus obispados". Desgraciadamente, las actas están desaparecidas. Como obispo de Chiapa se encontraba presente Las Casas (a fines de octubre terminaron la junta). Este resumen de acuerdos en Joaquín García Icazbalceta, *Don fray Juan de Zumárraga..., op. cit.*; los acuerdos de la junta en el vol. I, cap. XVII: "Junta convocada por el señor Casas, sus declaraciones. El Requerimiento. Oposición de la Ciudad. Resultado de la junta", año de 1546, pp. 251-260. Esta junta es citada por Helen Rand Parish y Harold E. Weidman en *Las Casas en México. Historia y obras desconocidas*, México, FCE, 1992.

considerada una sociedad civilizada, ya que contaba con un gobierno, estructuras jerárquicas, leyes, moral y religión. La defensa del señorío indígena, en este nivel, era la defensa de una *polis* indígena, que no requería ser sometida por un pueblo ajeno, pero que sí debía ser evangelizada de manera pacífica.

Por otra parte, en esta lucha por la defensa de los derechos señoriales indígenas Zorita y Las Casas no estuvieron solos. Varios autores han subrayado la cercanía del oidor en México con los frailes. Al parecer, los intereses entre Zorita y Las Casas eran también compartidos por los franciscanos. Sin embargo, debemos ir más despacio. Considerar que funcionarios como Zorita y Diego Ramírez eran afines a la ideología de Las Casas resulta claro, pero es necesario examinar con mayor cuidado la cercanía de los frailes a la misma. Creemos que esta afinidad ideológica se debe contextualizar para mostrar que los religiosos —por lo menos entre 1559 y 1566— radicalizaron sus posturas relativas a la defensa de los indios, así como su apoyo para que los principales indígenas gozaran de mayor jurisdicción. Todo esto como respuesta a los embates de la política seguida por Felipe II, contraria a otorgar jurisdicciones más amplias a sus vasallos, indios y españoles, y que privilegiaba al grupo del clero secular sobre el clero regular.

Como se puede ver en el proyecto fallido de entrada al norte o de la Florida, Alonso de Zorita gozó de la particular amistad de varios frailes franciscanos en Nueva España. En algunos momentos difíciles contó con su apoyo y con sus cartas de recomendación. Por ejemplo, en 1561 Zorita se empeñó en jubilarse debido a su problema de sordera y fue apoyado por los padres provinciales de las tres órdenes religiosas en Nueva España, quienes no escatimaron elogios sobre la labor del oidor, solicitaron a la Corona lo jubilara con un buen salario y lamentaron la pérdida que su retiro implicaba, especialmente en la defensa de los indios y de los religiosos frente a los grupos de poder local.[36]

Esta buena relación del oidor con los frailes es un ejemplo de cómo las ideas de Zorita y Las Casas sobre protección a los indios y en relación con la propuesta de obediencia a las Leyes Nuevas, pudieron ser parte del discurso franciscano durante los años en que Zorita fue oidor en México. Si bien es cierto que no podemos atribuir a Las Casas todos los movimientos prácticos y teóricos en favor de los indios ocurridos

---

[36] AGI, Indiferente general, 1093, Carta de fray Francisco de Bustamante, fray Pedro de Peña y fray Alonso de la Veracruz, sobre Alonso de Zorita, que se le haga merced de retirarlo, entre otras cosas que escriben, México 26 de julio de 1561; Carta, sin fecha, de los Padres provinciales fray Pedro de la Peña (dominico), fray Francisco de Bustamante (franciscano) y fray Agustín de Coruña (agustino) a Felipe II, en Joaquín García Icazbalceta, *Nueva colección... op. cit...*, pp. 229-230.

durante el siglo XVI, su participación permitió importantes discusiones —como la de la naturaleza de los derechos de la monarquía sobre las Indias o bien, la de la perpetuidad de la encomienda. Sin embargo, conocemos que importantes miembros de las órdenes religiosas, interesados también en la protección a los indios, no estaban de acuerdo con él. Fray Bartolomé no sólo tuvo enemigos entre los encomenderos, sino también entre algunos importantes miembros de las órdenes religiosas y magníficos conocedores del mundo indígena, como es el caso de fray Toribio Benavente o Motolinía. La famosa carta que Motolinía dirigió al emperador en 1555, donde critica ciertas posturas de Las Casas, es una de las evidencias más importantes para documentar la antipatía de fray Toribio hacia fray Bartolomé de las Casas.[37]

En esta misiva el franciscano atacaba a Las Casas, por el hecho de abandonar su obispado en Chiapas, así como por su ligereza al calificar a todos los españoles en Nueva España —conquistadores, estancieros, comerciantes y funcionarios— como "ladrones". Cuestionamiento que, en opinión de Motolinía, debía matizar Las Casas. La dura misiva de fray Toribio lleva como recomendación que fray Bartolomé sea encerrado en algún monasterio, pues teme que sus escándalos y protestas lleguen a Roma.

Ciertos miembros de la orden franciscana, así como agustinos y los propios dominicos, no estuvieron siempre en favor de los métodos de Las Casas, y mucho menos estuvieron dispuestos a considerar de manera general a los colonos, conquistadores y funcionarios como enemigos, especialmente durante los primeros años coloniales. Sin embargo, a partir de la subida al trono de Felipe II se dio un cambio global en la situación política nada favorable para las órdenes religiosas, lo cual varió en la práctica las posturas de algunos frailes sobre aquellos grupos de poder. No sólo los franciscanos emprendieron una acción política más a tono con las propuestas lascasianas, también lo hicieron otros miembros de las demás órdenes religiosas en México.

Hay que apuntar que en la carta de 1555, Motolinía criticaba a Las Casas por su ánimo belicoso, amigo de pleitos y denuncias. Sin embargo, apenas cinco años después de enviada esa carta, tanto fray Toribio Motolinía como la orden franciscana novohispana se involucraron en un embrollado pleito legal contra el arzobispo y obispos de Nueva España por el asunto del cobro del diezmo a los indios. Creemos que en ese litigio los caminos e intereses de varios miembros de las tres órdenes religiosas se enlazaron con los de Alonso de Zorita y Bartolomé de las

---

[37] "Carta de fray Toribio Motolinía al Emperador Carlos V", Tlaxcala, 2 de enero de 1555, en Fray Toribio Benavente, Motolinía, *Memoriales...*, *op. cit.*, doc. 1, pp. 403-423.

Casas. La coyuntura política favorable a los frailes había dado un giro contrario y a fines de los años cincuenta, los frailes se dispusieron a dar una dura batalla frente a los tribunales, de cuyo resultado dependía fortalecer sus derechos y preeminencias, así como mantener el control de la población indígena.

En este litigio, en efecto, se ve claramente cómo los intereses de Alonso de Zorita, de las tres órdenes religiosas en Nueva España, así como los de fray Bartolomé de las Casas, coinciden plenamente. Para nosotros el problema del cobro del diezmo a los indios, así como la política tributaria seguida por Felipe II, fueron gestiones administrativas a las que se opuso Alonso de Zorita.

Zorita y el conflicto por el diezmo

En el verano de 1556 don Alonso de Zorita se encontraba muy ocupado iniciando sus tareas como oidor en Nueva España. El día 20 de agosto entró de mañana por una de las tres puertas principales de la Casa Real, atravesó el primer patio que era el destinado a la Audiencia de México y se dirigió a un segundo patio, que pertenecía a los aposentos del virrey don Luis de Velasco. Ahí, como todas las mañanas, escuchó misa en una capilla privada junto con el resto de los oidores y el propio virrey. Poco después sesionaron estos personajes en secreto, como era la costumbre, y tomaron lo que formalmente se denominaba un *acuerdo* o resolución tocante a diversos problemas de gobierno. Ese día de agosto, las autoridades novohispanas decidieron que Alonso de Zorita se encargaría de recabar información oficial sobre el difícil asunto de cobrar o no el diezmo a los indios.[38]

Desde el inicio de la colonización en América la Corona castellana, mediante el regio patronato, tuvo el derecho de cobrar diezmos a sus súbditos. De hecho, a partir de 1533 ese impuesto eclesiástico fue solicitado a los españoles. Sin embargo, no estaba claro si ese derecho también se podía aplicar sobre los indios, esa cuestión era en el año de 1556 la que debía dirimir el oidor Alonso de Zorita.[39]

[38] La descripción del edificio de la Audiencia en: Alonso de Zorita, *Relación...*, *op. cit.*, primera parte, ff. 80-80v. Sobre la orden de que la información sobre este asunto sea levantada ante el oidor Alonso de Zorita: Real Acuerdo de 20 de agosto de 1556, auxiliado del escribano de la Audiencia Jorge Martos, en AGI, Justicia, 158, "Averiguación sobre si los indios deben pagar Diezmo", año de 1556, 444 ff.

[39] El diezmo es un impuesto consistente en la entrega a la Iglesia de una décima parte de determinados beneficios. Asentado ese pago desde el Antiguo Testamento, la costumbre se generalizó después del siglo VIII. Legalmente la Corona castellana, por la bula de

La situación no estaba nada clara desde los tiempos en que fray Juan de Zumárraga era obispo y, junto con fray Domingo de Betanzos, había sugerido tímidamente que los indios pagaran a la Iglesia lo que solían en sus tiempos gentiles. Al parecer, el emperador y su Consejo de Indias prefirieron recibir más información antes de enviar órdenes al respecto.[40] Sin embargo, dos cédulas reales de 1543 y 1544, establecen que los indios deben pagar diezmo de lo que se denominó "las tres cosas", que eran básicamente trigo, ganado y seda, si se dedicaban al cultivo y crianza de estos productos. Pero conocemos que tal impuesto no lo aplicó el primer obispo novohispano.[41]

Lo anterior es interesante porque a nuestro parecer, una de las razones para que el diezmo no se aplicara a los indios durante el obispado de Zumárraga fueron los acuerdos que surgieron de la Junta Eclesiástica de 1546 (convocada por el visitador general Tello de Sandoval y a la que asistieron miembros de las tres órdenes, así como fray Bartolomé de las Casas y su cercano amigo Luis Cancer, también dominico, quien, como mencionamos, había conocido al oidor Alonso de Zorita en Guatemala). Entre las conclusiones a las que llegaron los participantes, obispos y frailes, resalta la influencia del pensamiento de Las Casas. En primer lugar consideraron que los indios, por el derecho de gentes, tenían dominio y señorío sobre "sus cosas", poseían con justicia sus "principados, reinos, dignidades". En una palabra, la Junta de 1546 reconoció la jurisdicción de los señores sobre sus vasallos y tierras. En segundo lugar

Alejandrina de 1493, tenía derecho al patronato religioso de los dominios descubiertos y, por ende, a cobrar los diezmos con la condición de sostener económicamente la evangelización de los indios. El 2 de agosto de 1533 se ordenó a los españoles pagar el diezmo de los frutos que recolectaban en Indias; para 1534 se definió que los españoles no pagaran el diezmo si se trataba de oro, plata, piedras preciosas y otros objetos exentos por bula papal. Véase la introducción a la edición y traducción del original en latín al inglés de la obra de Alonso de la Veracruz por Ernest J. Burrus, S.J., *The Writings of Alonso de la Veracruz. Defense of the Indians: Their Privileges,* Jesuit Historical Institute, 1976, vol. IV. Existe una traducción de la versión al latín: fray Alonso de la Veracruz, *Sobre los diezmos,* edición de Roberto Jaramillo Escutia, México, Agustinos de América Latina, 1994; Robert Ricard, *La conquista espiritual de México,* México, FCE, 1995, 4a. reimpresión, pp. 374-376. En general el problema de cobrar el diezmo o no a los indios ha sido poco abordado, pionero es el trabajo de Georges Baudot, *La pugna franciscana por México,* México, Alianza / CNCA, 1990. En su ensayo Baudot aborda otros problemas, en el capítulo referente al diezmo editó diversas cartas de importancia. Una visión interesante sobre este problema, especialmente porque no sólo investigó las cartas referentes al asunto del diezmo, y vincula el problema con el de los derechos señoriales indígenas, es la de Armando Martínez Garnica, *Miradas cruzadas..., op. cit.*

[40] Georges Baudot, *La pugna franciscana, op. cit.*, pp. 60-61.

[41] Alonso de Zorita, *Cedulario..., op. cit.*, Real Cédula del Emperador, Valladolid, 8 de agosto de 1544 años, p. 114.

se condenó la guerra, bajo cualquier pretexto, que se declaraba y asolaba a los indios. En tercero, manifestaron que el Patronato Real en las Indias fue otorgado por el papado sólo para predicar y expandir la fe católica y no como un medio para enriquecer a los soberanos castellanos. En esta lógica, la santa sede no otorgó el derecho de Patronato a la Corona española con el fin de retirar los privilegios y reinos a los señores naturales.

Por otra parte, una de las declaraciones clave de esa reunión señalaba que los reyes de Castilla se obligaron a expandir el Evangelio en las Indias, y que lo debían efectuar a sus expensas.[42] Por tanto, el cobro de diezmo a los indios era ilegal.

No es difícil pensar que la Junta influyó en el ánimo de fray Juan de Zumárraga cuando se opuso a cobrar el diezmo a los indios. En 1547 escribió al príncipe Felipe una carta en la que explicaba cómo todos los religiosos se oponían al impuesto. Mencionaba el obispo una reunión convocada en el monasterio franciscano de Texcoco, en el cual el rechazo al diezmo indígena había sido unánime por considerarse perjudicial a los intereses de los pueblos de indios que se hallaban bajo su protección y guía espiritual.[43] Por lo demás, puede pensarse que el obispo de México respetaba la figura de Las Casas; incluso parecen haber tenido un trato amistoso y de confianza, por lo menos desde 1529 hasta la muerte de Zumárraga. Así lo indican algunas cartas,[44] especialmente una que al

[42] Joaquín García Icazbalceta, *Don fray Juan de Zumárraga...*, *op. cit.*, Junta de 1546: Los reyes de Castilla se obligaron por su propia "policitación" a tener cargo de proveer cómo se predicase la fe y convirtiesen las gentes de las Indias, "son obligados de precepto divino a poner los gastos y expensas que para la consecución del dicho fin fueren necesarios".

[43] *Idem.* Sobre que Zumárraga no estaba de acuerdo con que los indios pagaran diezmo: "Carta de Don Fray Juan de Zumárraga al Príncipe Don Felipe", México, 4 de diciembre de 1547, t. IV, doc. 24, pp. 203-228 y 212-214; sobre cosas importantes que quiere comentar al príncipe, dice: "Lo segundo que tengo entendido en el dezmar los indios, que todos los religiosos están de contraria opinión, que los obispos y cabildos con clerecía, y cada una de las partes alega suficientes razones que a quien quiera persuaden. Y como V.A. [...] mandó dar su real ejecutoria que los comenderos diezmen de ciertas cosas que los indios les tributan, que a los religiosos parece así e yo lo prediqué en esta iglesia mayor, que no se pudo hallar otro más conveniente medio en el tiempo precedente, ni remedio, para no ser defraudadas las iglesias y ministros dellas, y no ser turbados y vejados los indios sobre la mortandad tan increíble de ellos, y así los religiosos tienen creído y lo dicen a voces que fue inspiración divina; y los comenderos aunque han recalcitrado lo posible, ya van de vencida y dicen que quieren pagar [...] E nunca tuve voluntad que se pidiese diezmo a los indios, y estorbo cuanto puedo..."

[44] *Ibid.*, t. IV, núm. 1, p. 101: "Carta de los Ilmos. Sres. Dn. Fr. Julián Garcés, Obispo de Tlaxcala y Dn. Fr. Juan de Zumárraga, electo Obispo de México, a un noble señor de la Corte Consejero de los Reyes", México, 7 de agosto de 1529, p. 101; "Carta de Fray Juan de Zumárraga al Emperador", México, 17 de abril de 1540", pp. 205-206; especialmente sobre la carta más íntima en *ibid.*, doc. 54, 2 de junio de 1548, "vispera" de la muerte de Zumárraga.

parecer envió el obispo de México a fray Bartolomé poco antes de su fallecimiento y cuyo tono revela una confianza y admiración mutua.

Durante algunos años el problema del diezmo no se abordó nuevamente, hasta la llegada de fray Alonso de Montúfar como arzobispo de Nueva España en 1554. Este personaje retomó con singular celo la propuesta de que los indios pagaran diezmo, en gran parte por la necesidad de financiar su propio proyecto como arzobispo. Su intención seguía claramente los señalamientos del Concilio Universal de Trento, así como los del Concilio Mexicano de 1555: proyectaba asentar la autoridad episcopal y regalista de la Iglesia española, asegurar la observancia de la legislación canónica, así como garantizar el sostenimiento de un aparato ceremonial y el respeto a las devociones populares. Para lograr esas metas el arzobispo procuró reducir el poder e influencia de las órdenes religiosas al interior de las comunidades indígenas —sobre todo la de los franciscanos— mediante su sustitución por clérigos. Mostrando una especial inclinación por que fueran criollos. Consideraba además que los frailes ejercían un dominio ilimitado sobre los indios, una relación que definía como de señores y vasallos. En concreto, Montúfar procuró restar a la iglesia misional sus prerrogativas y privilegios. Todo lo cual se encontraba a tono con los intereses de la Corona castellana. Sin embargo, la propuesta ofrecía serios obstáculos, pues en la Colonia eran escasos los clérigos preparados, especialmente en lenguas indígenas, además de que se necesitaba obtener importantes recursos económicos para efectuar la sustitución de clérigos por frailes. En parte, como ha mostrado Enrique González, la solución de Montúfar consistió en impulsar la formación de un clero criollo, y con el fin de obtener fondos, aplicar el cobro del diezmo a los indios. Su plan contemplaba la creación de un colegio en cada obispado donde se enseñara a los hijos de los vecinos españoles. Por supuesto, subrayó la conveniencia de educar a los criollos, como conocedores de la tierra y acostumbrados a vivir en ella.

Es natural que con estas ideas fuera el arzobispo Montúfar quien solicitara en 1555 que se cumpliera una cédula real que ordenaba una reunión eclesiástica para recabar información sobre el diezmo aplicado a los indios. El resultado de esto fue el acuerdo de gobierno en que se comisionó al oidor Alonso de Zorita.[45]

[45] AGI, Justicia, 158, "Averiguación...", Cédula de que los indios paguen diezmo: que se platique acerca de este negocio entre el obispo y los prelados y "personas principales de las tres órdenes". Que los pareceres se hagan por escrito, Valladolid, 14 de septiembre de 1555; también ahí se encuentra la solicitud de Vicençio de Riberol, procurador del arzobispo, de que se cumpla la cédula anterior: "Carta del arzobispo de México al Consejo de Indias sobre la necesidad de que los indios pagasen diezmos", México, 15 de mayo de 1556. en Francisco del Paso y Troncoso, *Epistolario de Nueva España*

Diversos autores afirman que la controversia suscitada por el cobro del diezmo a los indios fue uno de los puntos más importantes de la discusión entre el clero regular y el secular durante la segunda mitad del siglo XVI.[46] Este impuesto representaba el control de la base económica para un extenso apostolado que beneficiaría a los clérigos.

El argumento esgrimido por los religiosos para mantener su rechazo al diezmo de las comunidades indígenas se centró en que su pago resultaría un esfuerzo económico intolerable para los indios, quienes mediante el pago del tributo ya cubrían las necesidades de la Iglesia. De tal manera, para los frailes imponer a los pueblos de indios otro impuesto sería una gran injusticia y colocaría en entredicho su imagen desinteresada frente a los indios.[47] De la misma opinión era Alonso de Zorita y esto se puede observar en su obra, así como en la resolución que dio a su comisión de 1556. Una de las mejores pruebas de que el oidor mantenía una postura contraria a este diezmo es el hecho de que antes de 1585 escribió una obra, desaparecida actualmente, sobre el tema y a la que llamó *Suma del diezmo*. El asunto fue de gran importancia para Zorita y

(1505-1818), México, Antigua Librería Robredo/José Porrúa e Hijos, 16 vols., 1939-1942 (en adelante ENE), vol. VIII, pp. 70-96. Enrique González ha señalado cómo Montúfar consolidó dentro de la Universidad a un grupo de clérigos criollos, en "Legislación y poderes en la Universidad Colonial de México, 1551-1668", tesis de doctorado, Universidad de Valencia, 1991, pp. 203-212. El proyecto de Montúfar se ve claramente en diversas cartas, véase la Colección Muñoz, ms., t. 70, signatura A-115: Carta de Montúfar y obispos al rey sobre cobro de diezmo a los indios, sin fecha, año de 1556, ff. 12-33v., y otra carta: 25 de noviembre de 1556, del obispo de Tlaxcala en la que denuncia cómo las tres órdenes se preparan a escribir en contra de los prelados por su pretensión de cobrar el diezmo, y en lo cual "no tienen razón"; *ibid.*, Carta de Montúfar al Consejo sobre cobro de diezmo a los indios, s.f. año de 1556, en esta misiva el arzobispo afirma que por cédula de 1543 se autorizó el cobro de diezmo a los indios en trigo, seda y ganado.

[46] Georges Baudot, *La pugna franciscana...*, *op. cit.*; Robert Ricard, *La Conquista...*, *op. cit.*, p. 351.

[47] AGI, Indiferente General, 2978, en este extenso legajo existen decenas de cartas y pareceres que versan sobre si se debe o no cobrar el diezmo a los indios; la mayor parte fueron enviadas a la Corona por religiosos de Nueva España, otras abordan el mismo problema para el virreinato del Perú. Algunas de ellas están publicadas y fueron analizadas por Georges Baudot en su libro *La pugna franciscana...*, *op. cit.*; asimismo, contamos con la obra monumental de fray Alonso de la Veracruz, quien escribió la monografía más importante del tema: *De decimis*, consistente en 26 cuestiones (véase Ernest J. Burrus, *The Writings of...*, *op. cit.*). Es importante subrayar que esta obra fue pensada a raíz de las disertaciones sobre el asunto del diezmo ofrecidas por Veracruz en la Universidad de México entre 1554 y 1555. En opinión del agustino y coincidiendo con el resto de los religiosos, el asunto del diezmo no podía ser una carga añadida a los indios porque éstos ya lo entregaban a través del pago del tributo. De tal manera, debía evitarse que los indios pagaran el diezmo. Finalmente, Veracruz consideraba "un derecho de ellos en estricta justicia" el abstenerse de dar dicho pago.

quizás, con el apoyo de Luis de Velasco que también apoyaba a los frailes en contra de ese impuesto, logró que se le diera la comisión de 1556.[48] En cualquier caso, el oidor debió procurar durante el ejercicio de esa función favorecer a los religiosos y vigilar las posturas del clero secular al respecto.[49]

A fines del verano de 1556 Alonso de Zorita comenzó a recabar la información necesaria sobre el asunto, y dispuso mandar traer a los testigos. Naturalmente, éstos fueron representantes de la Iglesia novohispana. Sin demora, el arzobispo Montúfar envió un cuestionario para que sobre él testificara su gente ante el oidor Zorita. El interrogatorio señalaba la escasa renta con que contaban los obispados y la consecuente imposibilidad de disponer de los oficiales necesarios para operar de manera efectiva. Aducía que ésta era la razón por la que no ocupaban sus parroquias, pues no podían sustentar curas en ellas. Incluso lamentaba que la falta de dinero fuera la causa de tener catedrales sin campanas.

Lo más significativo es cómo la estrategia de las preguntas se coordinó por tres vías importantes. La primera se centró en manifestar la existencia de una tradición de sostenimiento del culto religioso por parte de los indios, incluso desde antes de la llegada de los españoles. La segunda señalaba la pobreza de la Iglesia secular y por ende, su ineficacia en el cumplimiento de sus tareas. Finalmente, la tercera vía procuraba mostrar que los indios eran solventes económicamente para afrontar el diezmo.

Toda esta justificación es importante. El arzobispo Montúfar trató de asentar que el adoctrinamiento indígena sería insuficiente si no lo financiaban los mismos indios, quienes no sólo tenían capacidad económica para ello, sino que además era parte de su tradición. Lo único que impedía a los indios ejercer ese derecho era la postura de los frailes y su incapacidad para observar que los indios gozaban de suficientes privilegios y, según el cuestionario, que habían hecho uso de los mismos para enriquecerse y dañar en ese camino los intereses de los colonos. Los españoles, en efecto, perdían tierras y el control de los productos agrícolas frente a los indios a causa de una política que privilegiaba a éstos y los volvía "codiciosos". Por otra parte, el cuestionario señalaba que había tierras que los indios no cultivaban y que éstas bien podrían pasar

---

[48] Sobre que Velasco favorecía cobrar el diezmo a los indios: Georges Baudot, *La pugna franciscana...*, *op. cit.*, pp. 109-112.

[49] Carta de Alonso de Zorita, México..., en AGI, Indiferente General, 2978; publicada en Georges Baudot, *La pugna franciscana...*, *op. cit.*, pp. 97-108, en la cuarta parte de su *Relación*, Zorita declara sin ambages que el diezmo a los indios es injusto, ff. 614-614v. Sobre que escribió un manuscrito acerca del diezmo, Zorita lo asienta claramente en su "Catálogo" de autores de la *Relación*.

a manos de españoles.[50] Resalta que ésa fue una tendencia política cada vez más clara en la segunda mitad del siglo XVI.

No es sorprendente la actitud favorable que el cuestionario de Montúfar muestra respecto a los colonos. El comportamiento del arzobispo no se diferenciaba de los intereses de este sector de la población; de hecho, importantes dueños de tierras, especialmente del área agrícola de Puebla, fueron testigos suyos en este informe. Un ejemplo es el de Juan García Callejas, vecino de la ciudad de los Ángeles, que declaró cómo en 1547 obtuvo, del cabildo eclesiástico de Puebla, el permiso para cobrar a los indios de Huexotzinco el diezmo sobre trigo y ganado; cabe pensar en la importancia que estos productos tenían para los indios de la zona y en la capacidad económica del testigo para obtener este privilegio durante un año.[51] En general, los estancieros agrícolas españoles que participaron como testigos, reforzaron el argumento de que ellos solos no podían pagar el diezmo y de que los indios tenían muchas tierras, algunas sin producir, lo cual provocaba una gran pérdida de rentas al clero, e inclusive a la propia Corona.

En la Audiencia de México y delante del oidor Zorita, desfilaron diversos colonos que respondían al cuestionario de Montúfar. Probablemente el oidor, conocedor de los manejos de los pobladores europeos, algo debió sorprenderse al escucharles declarar la gran pobreza en que se encontraba la iglesia secular y ellos mismos, todo por culpa de los indios y especialmente de los frailes. El arzobispo contaba con colonos relevantes entre sus amistades, y él mismo se comportaba como uno de ellos. Montúfar tenía negocios mineros en la zona de Temascaltepec, a nombre de su hermano. Para administrar su empresa y obtener azogue, frecuentaba a distintos mineros y comerciantes de la ciudad de México

---

[50] AGI, Justicia, 158, "Averiguación...", "Cuestionario de los arzobispos y obispos", quince preguntas.

[51] En lo relativo a los testigos de la parte de Montúfar: AGI, Justicia, 158 y AGI, Justicia, 160, núm. 2, "Los indios y principales de la Nueva España contra los prelados de ella sobre el pagar de los diezmos los dichos indios", año 1559, 425 fojas numeradas (en la cubierta se lee: trigo, seda y ganados). Testigos: Cristóbal Morales, vecino de la ciudad de los Ángeles; Hernán Blázquez; Rodrigo de Segura; Juan Morales Coronel (conquistador); Antonio (?) Arnaz, vecino de la ciudad de los Ángeles; Pedro de Meneses, vecino y regidor de la ciudad de los Ángeles; Gonzalo Díaz de Vargas, alguacil mayor de la ciudad de los Ángeles; Juan García Callejas, vecino de la ciudad de los Ángeles; Rui García, tesorero de la iglesia de la ciudad de los Ángeles; Alonso Pérez, chantre de la iglesia catedral de la ciudad de los Ángeles; Diego Velázquez, clérigo de la iglesia de México; Cristóbal Rodríguez Bilbao, escribano de la ciudad de México; Martín de Aranguren, vecino de la ciudad de México; doctor Rafael de Cervantes, tesorero de la iglesia de la ciudad de México; Diego de Almodóvar, vecino de la ciudad de México; bachiller Bernaldino López, vecino de Antequera; Alonso Suelto, "residente en el pueblo de Tula".

y Taxco; sin duda, su esfera social le sirvió para generar un apoyo importante a su proyecto.[52] El asunto era de origen, las actividades religiosas de Montúfar en su natal Granada se pueden definir como muy cercanas a la nobleza local. A su llegada a México esa inclinación hacia los grupos locales preponderantes no decayó. Lo comprueba la gran cantidad de cartas que como arzobispo envió a la Corona apoyando las peticiones de los colonos, peticiones que iban desde solicitudes de tierras para ellos, hasta las de beneficios eclesiásticos para los hijos de conquistadores.[53]

Durante semanas el oidor Alonso de Zorita escuchó y, mediante el secretario de la Audiencia, asentó los diversos testimonios presentados por el arzobispo. Desde luego, también concurrió la parte contraria, y se llamó a testificar a diversos frailes de las tres órdenes religiosas. Entre otros, los franciscanos Toribio Motolinía, Diego de Olarte, Juan Focher, los dominicos Domingo de Santamaría, Bernardo de Albuquerque, Pedro de los Ríos y el agustino fray Alonso de la Veracruz.[54]

La situación era delicada, a cada nuevo testimonio las contradicciones aumentaban y también las declaraciones en contra de Montúfar y el resto de los obispos de Nueva España. El asunto quedó pendiente, muy probablemente debido a la influencia de Alonso de Zorita en el ejercicio de su comisión. Sin duda, también medió el virrey Velasco, que procuraba limitar las pretensiones del arzobispo. Sin embargo, los embates

---

[52] Sobre los negocios de Montúfar: en abril de 1562 el segundo virrey de la Nueva España, don Luis de Velasco, entregaba al secretario de la Audiencia una cédula real que mencionaba una serie de acusaciones contra el prelado. Éstas se centraban especialmente en el poco cuidado que mostraba Montúfar en la doctrina de los indios, su gran ambición que lo llevó a comprar minas, así como a tomar dinero a los clérigos y sobre todo a utilizar las limosnas de la ermita de Guadalupe para sus negocios. Ethelia Ruiz, "Los negocios de un arzobispo: el caso de fray Alonso de Montúfar", en *Estudios de Historia Novohispana*, Instituto de Investigaciones Históricas-UNAM, núm. 12, 1992, pp. 64-83.

[53] Montúfar era originario de Loja, Granada, nació alrededor de 1489. Era muy apreciado por la aristocracia granadina, especialmente por el influyente marqués de Mondejar, de quien era confesor, y quien recomendó al futuro arzobispo al emperador Carlos V para ocupar la sede vacante episcopal de México. Véase Edmundo O'Gorman, *Destierro de sombras. Luz en el origen de la imagen y culto de Nuestra Señora de Guadalupe del Tepeyac*, México, UNAM, 1986, p. 117. Enrique González, "Legislación...", *op. cit.*, pp.175-180, ofrece importante información y análisis de fuentes poco accesibles; respecto de su alianza con los grupos preponderantes, la identificación de Montúfar "...con las demandas del ayuntamiento fue completa en numerosos aspectos. Pasajes enteros de peticiones de la ciudad [...] se encuentran textualmente en las cartas del arzobispo: solicitudes de dar tierras a los españoles, previa reagrupación de los indios; conveniencia de bajar los derechos del azogue, las tasas a las mercancías [...] la creación de beneficios eclesiásticos para los hijos de los conquistadores...", p. 178.

[54] AGI, Justicia, 160.

políticos contra los religiosos continuaban y las cartas de protesta de Montúfar, así como las de algunos colonos importantes, inclinaban la balanza política de Castilla en su favor. La situación empeoró en los dos años siguientes y se multiplicaron los numerosos pareceres y quejas del arzobispo; su radical determinación lo llevó a seguir cobrando el diezmo a los indios en tanto la Corona decidía una política al respecto. Los indios se quejaban de que el arzobispo prosiguiera cobrando el diezmo y de que cuando se negaban a pagar, se les amenazara con la excomunión.[55]

Una de las maniobras inteligentes del arzobispo fue procurar limitar la jurisdicción del virrey Velasco y, por lo tanto, reducir la protección que otorgaba a los frailes. En 1558 el arzobispo Montúfar denunció que un franciscano del pueblo de Tula se había atrevido, junto con un nutrido grupo de indios del lugar, a talar los abundantes árboles de la huerta de un hospital fundado por él. Montúfar argumentaba que los frailes se habían vengado de que él utilizara el antiguo convento de la orden en ese lugar para crear un hospital. Al parecer esta denuncia fue escuchada en España, y la Corona envió una cédula real para castigar a los culpables. Sin embargo, el virrey Velasco apoyó a los religiosos y no aplicó un castigo, lo que permitió al arzobispo insistir en la necesidad de que las cédulas que involucraran a las órdenes religiosas fueran recibidas sólo por los miembros de la Audiencia y no por el virrey, quien hacía caso omiso de los mandatos relacionados con los frailes.[56] No parece haber tenido resultado inmediato su solicitud, aunque su actuación es una prueba de la fuerza política que detentaba para inmiscuirse en cuestiones de gobierno local y retar a la propia autoridad virreinal.

Mientras tanto, los religiosos no se cruzaron de brazos para contemplar cómo Montúfar ganaba terreno, y finalmente decidieron demandar al arzobispo ante la Audiencia. Sin embargo, tomaron como estrategia que fueran los indios quienes presentaran el litigio. En 1559 los señores naturales de México, Tacuba, Tezcoco, Tlaxcala, Tepeaca, así como diversos señores naturales y representantes de cabildos indígenas del obispado de Oaxaca, dirigidos por los frailes de las tres órdenes religiosas, demandaron al arzobispo Montúfar y a todos los obispos de Nueva España. El motivo de su pleito contra las dignidades eclesiásticas era uno solo: se oponían a que se les cobrara el diezmo.

---

[55] Un expediente de cartas y reportes de Montúfar sobre este problema se encuentra en AGI, Justicia, 165, "El Arzobispo de la Iglesia de México y otros prelados de la Nueva España sobre que se revoquen ciertas cédulas y provisiones"; respecto a la excomunión de los indios por no pagar: AGI, Justicia, 160, núm. 2, "Los indios..."

[56] AGI, Justicia, 1012, núm. 6, "Que las cédulas dirigidas a castigar [...] los religiosos de aquella tierra sean cometidas derechamente a la Audiencia y no al Visorrey, que no les da cumplimiento".

Toda la información que en 1556 recogió el oidor Zorita se anexó a este litigio que enfrentaba a las órdenes religiosas y pueblos de indios con las autoridades eclesiásticas. Resulta importante resaltar que en todo este proceso —tanto en la averiguación que realizó el oidor en 1556 como en la demanda de 1559—, el procurador o abogado de la parte indígena fue el licenciado Álvaro Ruiz, quien era un amigo cercano del oidor Zorita, lo que muestra la existencia, como se ha mencionado, de un grupo de funcionarios que apoyaban las ideas de defensa de los naturales.[57] Los argumentos que defendía la parte indígena eran básicamente dos: el primero, que no había antecedente alguno de cobrar el diezmo a los naturales de Nueva España; el segundo, la pobreza de los indios y las múltiples cargas tributarias a las que hacían frente.[58]

Es importante la declaración de los frailes sobre que los indios abandonaban su incipiente interés en la agricultura y ganadería europea por no tener los recursos económicos para pagar el diezmo de esos productos. Por ejemplo, fray Diego de Olarte explicó que en Cholula cuando el obispo de Tlaxcala cobró diezmo sobre la producción de seda a los indios, "arrancaron los morales y los dejaron de labrar e cultivar, por no pagar el dicho diezmo".[59] En igual sentido, otro de los testigos de la parte indígena, Agustín de las Casas, quien como se ha dicho era sobrino de fray Bartolomé de las Casas y yerno del visitador Diego Ramírez, explicó que cuando él estuvo como corregidor en Tapalotepec, Oaxaca, observó a los indios destruir las moreras para no pagar diezmo de su producción de seda.

Este difícil litigio se prolongó algunos años. En 1560 el dominico fray Juan de Córdova llegó a Castilla y presentó diversos poderes a su nombre y al del procurador Álvaro Ruiz, firmados por los principales, gobernadores y funcionarios del cabildo de Guaxilotitlan, Yanhuitlan, Teposcolula, Tlaxiaco, Texupa, Tamazulapa, Achiuhtla, Coixtlahuaca, entre otros. Mediante ese poder, los indios le delegaban la representación de sus intereses en el conflicto sobre el cobro de diezmo, así como la negociación de su solicitud para que se les conmutara el tributo que venían pagando.[60] Es importante señalar que estos poderes fueron entregados tanto a fray Juan como al procurador Ruiz en la ciudad de Antequera de Oaxaca, y que fungió como testigo de los pueblos Gonza-

---

[57] AGI, Justicia, 1029, "El doctor Zorita [...] donde es testigo a favor del oidor: el procurador Álvaro Ruiz". Sobre Ruiz como procurador: AGI, Justicia, 160, núm. 2, "Los indios..."

[58] AGI, Justicia, 160, núm. 2, "Los indios...", ff. 14v.-15v.

[59] Idem.

[60] Ibid., Poder con fecha 16 de enero de 1560 y 23 de enero de 1560.

lo de las Casas, quien era amigo cercano de Zorita y de quien el oidor habla muy elogiosamente en su *Relación*.[61]

Finalmente, en 1563 los indios solicitaron no pagar diezmo y alegaron que esto se les había concedido de manera oficial —se referían probablemente a una cédula real de 1562 en la que desde Castilla se suspendía el asunto sin dar una resolución.[62]

Siete años después de que el oidor Alonso de Zorita iniciara su comisión el problema seguía pendiente. En todo el proceso habían participado de manera directa algunos amigos cercanos y conocidos del oidor, Álvaro Ruiz, Gonzalo de las Casas y diversos frailes. Al parecer el esfuerzo no había sido en vano y se ofrecía un respiro tanto a los frailes como a los indios; no obstante, los embates contra las órdenes religiosas continuaban y la confrontación no sólo involucraba al arzobispo Montúfar sino, incluso, a la propia Corona mediante el fiscal de la Audiencia de México. Entre 1560 y 1562 se puede observar un importante número de demandas promovidas ante la Audiencia de México por el fiscal real Alonso Maldonado, todas dirigidas contra los frailes.

En 1560 la Corona aprobó la elaboración de un informe detallado sobre todos los gastos públicos efectuados por el gobernador indígena de Tepeaca; una de las acusaciones más severas en su contra fue la gran cantidad de indios que otorgó a los frailes franciscanos para la construcción de su monasterio en el lugar. Ese mismo año llegó también de Castilla la orden de castigar a los frailes agustinos de Ocuytuco, por utilizar a los indios para construir un molino y por tener a muchos trabajando en telares de paño, todo en beneficio de los religiosos. En 1561 de nuevo los agustinos se vieron ante los tribunales, en esta ocasión la demanda fue promovida por ellos mismos: alegaban que algunos clérigos habían incendiado el convento de Tazazalca con todo y los frailes en su interior. Coincidentemente, su demanda fue promovida por Álvaro Ruiz, cuyo vínculo con Alonso de Zorita y su defensa de los indios en el pleito sobre el diezmo ya se han mencionado. Para 1562 la orden de San Francisco estaba una vez más en problemas; en ese año el arzobispo Montúfar apoyó la petición al Consejo de Indias del encomendero de San Juan Teotihuacan, Alonso de Bazán, contra frailes de la provincia. Alegaba

[61] *Relación*, ff. VIIv. y X.
[62] AGI, Justicia, 160, núm. 2, "Los indios...", Villa de Madrid a 28 de julio de 1563. Francisco Gómez, en nombre de los indios caciques de Nueva España, pide que no tengan que pagar diezmo como quedó confirmado en pleito de revista; cédula real: Madrid a 4 de agosto de 1562: que pese a la sentencia en revista de la Audiencia de que los indios pagasen diezmo como lo hacían en tiempos de Zumárraga, Francisco Gómez ha hecho relación en nombre de los indios de México sobre este asunto y en contra, por lo que la Corona de acuerdo a las nuevas leyes desea sea revisado de nuevo el asunto y sentenciado.

que los religiosos protegían al señor natural del lugar y fomentaban que los indios no le pagaran tributo a él. Según el encomendero, llegaban incluso a explicar a los indios que no tenían que ser tributarios ni siquiera del rey.

En ese mismo año 1562, el comisario de la orden franciscana en Nueva España, fray Francisco de Bustamante, tuvo que suplicar al rey que no ejecutara una orden que expulsaba de la Colonia a varios religiosos de su orden. El motivo era que los frailes habían quemado la iglesia de Cuitzeo, en Michoacán. Bustamante alegaba en su defensa que lo habían hecho porque los indios de ese lugar tenían orden del virrey de congregarse en el pueblo de Aran y no obedecían por seguir en sus idolatrías. El comisario detalló que la iglesia quemada más parecía un corral de ganado y que la pérdida no era de lamentarse. Finalmente, también en 1562, llegó su turno a los dominicos; acusados por el fiscal de la Audiencia, doctor Maldonado, de no hacer caso a las instancias debidas, como el arzobispo, los frailes habían castigado duramente a diversos indios idólatras de Titiquipaque, Oaxaca, e incluso habían quemado a cuatro de ellos.[63]

Todos estos litigios en que se involucraron las órdenes en México sin duda las debilitaron políticamente, y muestran el interés de la Corona por limitar el papel de los frailes al interior de los pueblos de indios. Esta medida era celosamente ejecutada por el fiscal real. Cabe destacar que antes de 1550 resultaba difícil pensar que los religiosos pudieran ser demandados ante la Audiencia por tomar servicio personal en sus pueblos de doctrina; o bien, verse en dificultades por perseguir los casos de idolatría. En 1563, con la llegada del visitador Jerónimo de Valderrama, y en 1564 con la muerte del virrey Velasco, la situación de los religiosos y funcionarios que como Alonso de Zorita se oponían a las reformas tributarias del visitador, y en general a la política de Felipe II sobre sus colonias de ultramar, decayó en todo sentido. Al parecer, el visitador Valderrama colocó a gente de su confianza para espiar en las misas los sermones de los frailes que se atrevían a denunciar la reforma que lleva-

---

[63] Los conflictos entre clero regular y secular han sido abordados, entre otros, por Robert Ricard, *La conquista espiritual...*, *op. cit.*; sin embargo, a nuestro juicio no se han resaltado suficientemente los pleitos que iniciaba contra las órdenes el fiscal de la Audiencia en nombre de los intereses de la Corona. Sobre Tepeaca: AGI, Justicia, 205, núm. 1; Ocuytuco, *ibid.*, núm. 3; Tlazazalca, *ibid.*, Justicia, 161 (este juicio va a ser publicado en breve por el doctor Warren, con la colaboración del doctor Carrillo del Colegio de Michoacán); en lo relativo a San Juan: AGI, Justicia, 1029; sobre Aran y Cuitzeo, *ibid.*, Justicia, 206; finalmente, sobre Titiquipaque, Oaxaca, *ibid.*, Justicia, 279. Estos procesos son estudiados en Ethelia Ruiz, "La justicia del rey: procesos a religiosos en Nueva España, 1560-1562", en prensa.

ba a cabo. En esa línea, recomendó a la Corona que Zorita fuera retirado de su puesto como oidor por su problema de sordera.[64]

Finalmente, en 1566 el oidor Alonso de Zorita decidió abandonar las Indias y retirarse a los reinos de Castilla; probablemente la presión que ejercía el visitador no fue el único motivo para su salida de la Audiencia: después de todo, era un hombre cansado y enfermo. Sin embargo, todo esto no significó que disminuyera su interés por la situación de los frailes y señores naturales de la Nueva España. Desde Granada procuró mantenerse en contacto con algunas gentes en la Colonia, especialmente con frailes.

En 1585 Alonso de Zorita terminaba la *Relación*, al mismo tiempo que recibía alarmantes noticias de la Nueva España. Entre 1568 y ese año la población indígena se había reducido a la mitad, debido en parte a las epidemias y al endurecimiento de la legislación real, encauzada al logro de un alto beneficio económico de sus colonias. La pérdida de control de los frailes y de los señores naturales sobre los pueblos de indios era una situación prácticamente irreversible. Resultaba indispensable hacer un último intento para explicar al monarca y al Consejo de Indias la importancia de no olvidar experiencias pasadas y recuperar la tendencia legal que favorecía a los naturales de las Indias; de lo contrario, tal vez se perderían los territorios.[65] Quizás no es sólo una coincidencia que el propio Zorita mencione que se apresura a terminar su larga *Relación* para devolver a los franciscanos de la ciudad de México el libro de fray Toribio de Motolinía que tanto le sirvió en la preparación de su obra. La urgencia de los frailes en solicitar el manuscrito obedecía a que fray Gerónimo de Mendieta iniciaba la redacción de su *Historia*.[66] La importancia de avisar lo que ocurría con la población indígena en estos años y criticar velada o abiertamente la política seguida por la

[64] AGI, México, 281, informe por un sermón contra el rey, febrero 16 de 1564; una revisión de las cartas de Valderrama a la Corona durante su visita a México da idea del concepto que este funcionario tenía de los frailes y del oidor Zorita (véase la presentación de Wiebke Ahrndt). Francis V. Scholes y Eleanor B. Adams, *Documentos...* [Cartas del Licenciado Jerónimo de Valderrama y otros documentos sobre su visita al gobierno de Nueva España, 1563-1565], vol. VII, 1961; AGI, México, 92, "Cartas para su magestad del licenciado Valderrama, visitador de la Audiencia de México y de los comisarios que fueron al negocio de la rebelión [se refiere esto último a la conocida como conjura del marqués del Valle] desde el año de 1563 hasta el de 1568".

[65] Sobre las cifras véase el clásico trabajo de Woodrow Borah y Sherburne F. Cook, *The Aboriginal Population of Central Mexico on the Eve of the Spanish Conquest* (Ibero-Americana 45), Berkeley-Los Ángeles, 1963; la lectura de cualquiera de las ediciones de la *Breve y sumaria relación de los señores de la Nueva España* muestra esa nostalgia por la pérdida de autoridad de la nobleza indígena.

[66] *Relación*, f. IXv.

Corona a través de ministros como Jerónimo de Valderrama, era un interés compartido por el anciano funcionario y los frailes.

Si atendemos a las cuatro partes que componen la *Relación* del oidor, caeremos en la cuenta de que en la primera hace una descripción entusiasta de la Nueva España, subraya la fertilidad de la tierra, el buen clima y la abundancia de recursos. Como se ha mencionado, en esta parte las referencias a los indios casi siempre van junto con una comparación, es un "largo cotejo" que se asemeja al esfuerzo comparativo que elaboró Las Casas en la *Apologética*. En la segunda parte, la más corta, se enfoca en una descripción de la sociedad indígena, casi idéntica a la que elaboró en la *Breve*, con frecuentes alusiones a la minuciosa organización social y política antes y después de la Conquista, así como un énfasis en el orden prevaleciente antes de la llegada de los españoles. En la tercera parte de esta *Relación* encontramos un detallado relato de la conquista de México. Aquí no se nos muestran indios tan pasivos como en otras crónicas; pelean y no dudan más que por poco tiempo de la dimensión humana de los conquistadores. El oidor utilizó una desaparecida *Relación de la Conquista*, escrita por el conquistador Juan Cano, para emitir severos juicios en contra de Hernando Cortés; por ejemplo, el pasaje en que relata la traición del conquistador a Moctezuma. El tormento que Cortés ordena sobre Cuauhtémoc es también comentado por el oidor de una manera crítica. Las líneas que dedica Zorita a las batallas entre indios y españoles dejan ver que la población nativa se esforzó por defender sus territorios y que no parecen vivir la Conquista sólo como un acontecimiento fatídico.

Finalmente, en la última parte Alonso de Zorita despliega una apología de lo que fue la tarea evangelizadora de los frailes y destaca la docilidad y buena voluntad con que los indios abrazaron el cristianismo. Aquí resulta evidente que para el oidor no había otro sentido más profundo de los derechos de Castilla en las Indias que los de la conversión religiosa, tarea que únicamente podían llevar a cabo los frailes de las distintas órdenes. Cabe agregar además, la importante información inédita que ofrece sobre problemas de propiedad y organización indígena.

El hecho de que el manuscrito de Zorita haya permanecido inédito durante cuatrocientos años, revela que los intereses de la Corona se distanciaban cada vez más de un equilibrio político capaz de evitar un colapso de la población indígena. Alonso de Zorita había procurado a lo largo de su carrera política cumplir la legislación que permitía la supervivencia de un proyecto colonial en que el margen de participación indígena, mediante las órdenes religiosas, era factible. Toda esa experiencia se encuentra reflejada en su *Relación* y por ello recoge valiosa información de los pueblos de indios y su proceso de colonización; pero sobre todo, la obra contiene la sensibilidad de un hombre que quizás no escuchaba todo lo claro que sería de esperar, pero que escudriñaba su entorno de manera excepcional.

Ethelia Ruiz Medrano
Dirección de Estudios Históricos, INAH

CRITERIOS DE TRANSCRIPCIÓN

La *Relación de la Nueva España*, hasta el momento de la presente edición, era una obra inédita. No tuvimos ninguna edición previa que sirviera de ejemplo para la preparación en prensa de este importante trabajo. Por lo tanto, la versión paleográfica que ofrecemos se elaboró a partir del original que se encuentra en la Biblioteca del Palacio Real, manuscrito núm. 59. Tal situación nos llevó a establecer criterios de transcripción en extremo sencillos, con el fin de mantener la estructura original de la obra. Dirigida sobre todo a un público amplio, nos permitimos realizar en ella pequeñas modificaciones que facilitan la lectura del original del siglo XVI a los lectores del XX.

La tradición de publicar fuentes inéditas de principios de la Colonia es larga y afortunadamente estuvo en manos de eruditos de la talla de Joaquín García Icazbalceta, Francisco del Paso y Troncoso y Edmundo O'Gorman. Naturalmente, la soltura en el discurso historiográfico y el manejo de la lengua de estos historiadores son ventajas de las que nosotros, como editores, carecemos. Aun así, nos interesa que el lector tenga presente que se encuentra frente a una de las últimas grandes crónicas del siglo XVI que permanecía inédita y que ahora podrá disfrutar y, confiamos, le será de alguna utilidad.

Enlistamos a continuación las principales modificaciones que decidimos hacer al manuscrito.

1. Modernizamos la ortografía en todo el manuscrito, salvo en los casos que señalamos en los incisos siguientes. Así, se actualizó el uso de la ç, b, v, h, f, q, y, etcétera.

2. Decidimos no modernizar la puntuación original. Únicamente se colocaron los puntos finales en cada párrafo. En el texto el lector encontrará signos diagonales (/) que se respetaron porque sirven de descanso en la lectura, similares a la coma (,) o, posiblemente, al punto y coma (;), según el caso.

3. Asimismo, respetamos la ortografía original en los nombres de personas y lugares, así como en los títulos de libros y manuscritos que cita el autor a lo largo de la *Relación*, con la excepción de las palabras en náhuatl. Además, en este último caso, tales palabras se resaltan tipográficamente en el texto.

4. Las contracciones fueron desatadas en su totalidad.

5. El criterio de modernización también incluye iniciar con mayúscula los nombres de todas las instituciones, lugares y personas.

6. Las palabras en latín del original fueron modernizadas por la doctora Wiebke Ahrndt, especialista en fuentes humanísticas del siglo XVI.

7. En el manuscrito original aparecen anotaciones al margen. La mayor parte son síntesis del párrafo que consideramos innecesario reproducir. Sin embargo, transcribimos otro tipo de anotaciones que son probables comentarios de un lector anónimo del siglo XVII.

8. Las enmendaduras del autor en la redacción y corrección de su obra no fueron señaladas, y decidimos integrarlas al texto cuando aclaran la frase correspondiente.

9. Della, del, dellos, dellas, desta, destos se modernizaron por de ella, de él, de ellos, de ellas, de estas, de estos.

10. Sanct y Sancto se actualizaron por San y Santo, excepto cuando refieren a nombres de lugar. Por ejemplo, el apóstol Sanctiago fue cambiado por Santiago, pero se respetó el Sanctiago Tlatelolco.

RELACIÓN DE LA NUEVA ESPAÑA

DEDICATORIA

/I/ Don Hernando de Vega dignísimo presidente del muy católico y Real Consejo de Yndias, el doctor Alonso de Çorita [...].

Sentencia ilustrísimo señor de aquel príncipe de los oradores romanos en el *Dialogo de Amiçiçio* y en otras partes no haber cosa más digna de ser amada que la virtud la cual es de tanta fuerza y vigor que nos incita y atrae a que amemos aquellos en quien conocemos haberla y a que por ella tengamos en grande admiración y estima aun a los que nunca vimos así cristianos como infieles de quien por sus grandes hazañas y virtudes tenemos alguna noticia, y aborrecemos aquellos que por su malicia su vida gastaron en vicios, esto he conocido, ilustrísimo señor ser así por la experiencia que en mí la verdadera virtud que en vuestra ilustrísima señoría haya hecho y hace pues sin le haber visto le amo y le deseo servir como a digno por sus excelentes virtudes de ser de todos amado y servido / y dejado aparte lo que la fama publica de las heroicas virtudes de vuestra señoría y de su gran cristiandad y muchas letras rectitud y bondad, sea esto confirmado y parecido ser muy cierto y verdadero, pues el cristianísimo rey y gran monarca don Phelipe nuestro señor ha escogido a vuestra señoría para servirse de su muy ilustre y generosísima persona primeramente por inquisidor en el Santo Oficio de la Inquisición de Çaragoza donde mostró vuestra señoría muy a la clara su santo celo, [...] y bondad y de allí le sacó Su Majestad para servir [...] vuestra señoría en su Real Audiencia de Valladolid donde [...] /I v./ dio tan grandes muestras de sus muchas letras y gran rectitud que le pasó Su Majestad al Consejo de la Santa y General Inquisición y por su mandado visitó vuestra señoría la Real Audiencia de Valladollid y le nombró por presidente de su Real Consejo de Hacienda y ahora meritísimamente lo es vuestra señoría por su real mandado del muy católico y Real Consejo de Yndias, quién podrá decir ni explicar la gran libertad que vuestra señoría en todos estos tan preeminentes oficios ha tenido y tiene para hacer justicia igual a todos y dar a cada uno lo que es suyo y quién podrá decir la gran bondad y nobleza que en vuestra señoría hay, su virtud, y gran ser, su gentil y agradable afabilidad para con todos sin perder punto de su autoridad. Y el cuidado que vuestra señoría ha tenido y tiene de que se cumpla y guarde lo que conviene al servicio de la majestad divina y al de la majestad humana y que con toda brevedad se despachen los negocios, y con cuánta prudencia desde ese Real Consejo rige y gobierna vuestra señoría aquellas amplísimas y latísimas tierras que llamamos Yndias la paciencia con que sufre tantas importunidades como cada día se le ofrecen, la constancia que tiene en tantos y tan diferentes negocios como a la continua a vuestra señoría ocurren así en lo espiritual, como en lo temporal, la mansedumbre con que a todos oye, la buena gracia con que les responde, la voluntad con que los despacha, el contento que vuestra señoría recibe en hacer cuanto conviene favor [...] a todos lo que le pesa cuando no hay oportunidad [...] ello ni en que se les pueda hacer, era cierto necesario para lo poder significar la habilidad y suficiencia /II/ de vuestra señoría adornada de tantas y tan buenas letras como en vuestra señoría hay, lloró aquel grande Alexandro delante del sepulcro del valeroso Achiles movido con envidia por haber tenido a Homero por pregonero que tan gloriosamente cantó sus hazañas, yo empero lloro con dolor y no pequeño porque en mí no hay la facundia y habilidad que era necesaria para alabar y decir algo de lo mucho que en vuestra señoría hay con que a los buenos cause admiración y a los no tales espanto.

Qué diré pues de la muy generosa sangre y clarísimo linaje de vuestra señoría y de las muy ilustres personas que de él han procedido y lo mucho que han servido a la Corona Real de Castilla / doña Leonor de la Vega y Velasco que casó con don Juan Tellez Giron segundo conde de Ureña, ilustró mucho aquella casa, así con sus muchas y muy altas virtudes de honestidad, y devoción, religión, y reverencia al culto divino que sus descendientes hoy día poseen como herencia muy principal y muy preciada / como también por los grandes linajes que consigo trajo porque fue hija de Pedro Hernandez de Velasco el primer condestable de su linaje y de su mujer doña Maria de Mendoça hija de don Yñigo Lopez de Mendoça marqués de Santillan y de doña Catalina de Figueroa hija de don Lorenço Xuarez de Figueroa maestre de Santiago y de más de los muchos y valerosos señores que de esta tan ilustre condesa descienden el duque del infantazgo marqués de Santillan conde del real de Mançanares y de Saldaña es de la casa de Mendoça y de la Vega y don Hernando de Vega hijo de Juan de Vega señor de Grajales fue comendador mayor de Leon y embajador /II v./ en Roma por el emperador nuestro señor y Juan de Vega fue virrey de Siçilia, y desde ahí fue por capitán general con buen ejército y con él su muy valeroso hijo don Alvaro de Vega y recuperaron en Africa las ciudades de Susa, y de Monsester que las había ocupado Dragut Arraez famoso corsario y ganaron por fuerza de armas la muy fuerte y gran ciudad de Africa donde el virrey y don Alvaro de Vega su hijo mostraron su gran valor y prudencia, y en su lugar dejó el virrey en Siçilia a su hijo mayor Hernando de Vega que con gran cuidado y diligencia les proveía de lo necesario para la guerra, y pues como he dicho en mí no hay suficiencia para saber encarecer el valor del muy ilustre linaje de vuestra señoría y de los valerosos varones y personas ilustrísimas que en él hay y ha habido tengo por mejor y más acertado pasarlo en silencio que de cosa tan grande decir poco pues por mucho que diga quedaré corto, dejarlo he pues para quien lo pueda y sepa decir mejor que yo. Y para en prueba y señal del deseo que tengo de servir a vuestra señoría ilustrísima le ofrezco esta Relaçion de algunas de las muchas cosas notables que hay en la Nueva España y de su conquista y pacificación y de la conversión de los naturales de ella, y en el entretanto que otras cosas que tengo escritas se sacan en limpio para las ofrecer a vuestra señoría le suplico reciba esta Relaçion con la voluntad muy generosa que de tan ilustre persona se espera y que entre sus muchas y muy necesarias ocupaciones se ocupe algunos ratos en la leer porque después de vista si supiere que a vuestra señoría le agrada intentaré otras cosas que /III/ tengo trazadas y si no le agradare como abortiva y mal ordenada y no merecedora de ser leída la mande vuestra señoría echar a donde perezca, juntamente con el intento que para lo demás me quedaba, y si acaso fuere tan feliz que merezca ser aprobada por vuestra señoría osaré con tan gran merced y favor acabar lo demás, sin miedo de mordaces y maldicientes que en semejantes cosas y otras más subidas no suelen faltar porque yo les doy licencia / si así se puede decir / para que digan de mí y de mi trabajo lo que quisieren pues aunque les pida que no lo hagan no por eso lo dejarán de hacer, antes como dice Tullio peor lo hacen los tales cuanto más les ruegan / usen pues ellos su oficio inútil y sin fruto alguno, que no por eso faltaré yo en mi deseo que es y ha sido servir a vuestra señoría cuya ilustrísima persona nuestro Señor guarde y prospere en su santo servicio, con el aumento de casa y estado que vuestra señoría desea y su gran ser y calidad y sus muchos trabajos y leales servicios ante Dios y ante la majestad real merecen que será poniendo a vuestra señoría en la cumbre y más alto estado a que persona tan ilustre y de tanta calidad y méritos puede subir y llegar.

De Granada a 20 de octubre del año de 1585 y de mi edad 73.

IN INDY EXPUGNARY CORTES IN LEGI 69 CASTILY GUBERNAND ABIL IN PROEMI. CAP. PRELO. BIRB. LIBAS N. IFUOR.

AL LECTOR

/III v./ Habiendo escrito Plinio la *Historia del mundo* en la pre-
fación en que la ofrece a Vespasiano reprende a los que callaron
los nombres de aquellos de quien se ayudaron en lo que escribieron, y alaba a los que los nombraron, a cuya imitación referiré yo
los de quien me he ayudado para escribir esta Relaçion / no me atreví
a intitularla Historia porque no sé si lo merece, y porque creo
prudente lector que os dará gusto saber quién son los que han
escrito historias de Yndias o tratado algo de ellas pondré aquí los
nombres de los que han venido a mi noticia así de las que andan
impresas como de las que aún no han salido a luz y también se nom-
brarán algunos autores que aunque no han escrito historia tratan
en sus libros algunas cosas incidentemente de Yndias, y de sus
conquistas y conquistadores, no se guardará en los referir antigüedad sino según me ocurrieren a la memoria.

CATÁLOGO DE LOS AUTORES QUE HAN ESCRITO HISTORIAS DE YNDIAS O TRATADO ALGO DE ELLAS

/IV/ Digo pues que yo hube un libro que dejó escrito fray Torivio Motolinea *De las cosas de la Nueva España y de los naturales della* que fue uno de los doce frailes primeros de la orden de San Francisco que fueron aquella tierra tres años después de su conquista y se ocupó mucho tiempo en la doctrina de aquellas gentes porque era muy buena lengua y fue provincial de su orden y guardián en algunos de los más principales pueblos de españoles y de indios y siempre tuvo grande afición a su conversión y a su doctrina y cristiandad y muy particular cuidado de saber sus usos y costumbres como lo muestra en aquel su libro *y sobre esto mismo escribió** otro libro fray Andres de Olmos de la misma orden y no lo pude ver porque lo había enviado a España, y no le quedó traslado de él y después a ruego de algunas personas escribió una *Breve relaçion* de lo que se pudo acordar, como él lo dice, y parte de ella aunque muy poco hube yo otros *Memoriales* hube de otro religioso también franciscano llamado fray Francisco de las Navas ambos muy grandes lenguas y que anduvieron muchos años entre los indios entendiendo en su doctrina y fueron prelados en pueblos de españoles y de indios y tuvieron cuidado de saber y averiguar los usos y costumbres de aquellas gentes y fueron aquella tierra poco después que los doce primeros y vieron ellos y fray Torivio sus pinturas y antigüedades y trataron con indios antiguos y muy viejos y a todos tres los conocí yo y los traté algunos años en Mexico siendo allí oidor y sé que eran grandes siervos de nuestro Señor. /IV v./ Asimismo hube otros *Memoriales* que me dio un

---

* Subrayado en el original.

indio principal de un pueblo llamado Xaltocan y él se llamaba don Pablo Nazareo que se crio desde su niñez con los doce primeros frailes y con los demás que después de ellos fueron aquella tierra y era muy virtuoso y muy buen cristiano, y muy bien doctrinado y buen latino, y retórico, lógico, y filósofo y no mal poeta en todo género de versos, y fue muchos años rector y preceptor en el colegio de los indios desde que se fundó en el Tlatelulco que llaman Santiago y tenía algunas pinturas de las antigüedades de aquella tierra de donde sacó la *Relacion* y *Memoriales* que me dio y era casado con una hija de un hermano de Moctençuma llamado don Juan Axayac y lo conocí muy viejo y tenía gran noticia de todo lo de aquella tierra y ayudó a los españoles en la conquista de ella y lo tenía su yerno don Pablo en su casa porque estaba muy pobre aunque él no tenía más que cien pesos que por una real cédula se le hizo merced en quitas y vacaciones en cada un año.

También me ayudé de lo que anda impreso de lo que escribió el muy docto y muy curioso varón y de muy gran religión y cristiandad don fray Bartolome de las Casas de la Orden de Santo Domingo obispo que fue de Chiapa y lo renunció desde algunos años por poder asistir en Corte en los negocios de las Yndias y de los naturales de ellas y se le debe mucho por ser el primero y el que con más solicitud y cuidado trabajó muchos años en dar a entender al emperador nuestro señor de gloriosa memoria y al rey don Phelipe nuestro señor que gloriosamente reina y a los Consejos de Castilla /V/ y de Yndias las cosas de aquellas tierras y los agravios que se hacían a los naturales de ellas, ayudéme también de otras cosas suyas que tengo escritas de mano que no han salido a luz y están sin se publicar como lo están otras obras que doctísima y curiosamente dejó escritas muy necesarias y dignas de ser publicadas y sabidas por los que gobiernan aquellas latísimas tierras, que aunque yo no las he visto las he oído alabar con gran encarecimiento, a personas doctas que las han visto y leído, y entre lo demás que escribió dicen que hay una *Historia general* muy grande y copiosa de todo el mundo y no se ha publicado ni yo la he visto, hela oído alabar y estimar en mucho por su grandeza y curiosidad y por las diversas y agradables cosas que en ella trata de Yndias y de otras partes y dicen que lo que dejó escrito son veintinueve o treinta libros y que todos están en el colegio de San Gregorio de Valladolid, donde él los dejó / y según me han dicho, procuró verlos el muy ilustre y muy generoso y doctísimo varón don Juan de Ovando dignísimo presidente que fue de los Consejos de Yndias y de Hacienda, a quien yo soy en muy grande obligación por la afición que mostró tenerme y gran voluntad para me hacer toda merced y por su temprana muerte y por mi desgracia no hubo tiempo para ello, y no lo puedo nombrar sino con el respeto que se le debe por sus méritos y letras y por la grande obligación en que le soy.

Ayudéme asimismo aunque poco de un *Dialogo apologetico* que escribió Lazaro Vejarano natural /V v./ de Sevilla y vecino de la muy noble ciudad de Santo Domingo de la isla Española contra Gines de Sepulveda donde trata de las gentes de la isla de Cubagua hasta la punta de Coquibacoa que son más de doscientas leguas de costa de mar, y trató y conversó con los naturales de ella y con los de otras islas comarcanas a aquella costa donde él tenía una de ellas por merced que de ella se le hizo a su suegro y él la hubo con su mujer, y escribe muchas cosas muy curiosas y por muy elegante estilo porque era hombre de muy buen juicio como lo muestra en lo que allí trata y en otras cosas que escribió en prosa y en metro castellano y lo conocí y traté en Santo Domingo siendo allí oidor y era persona muy honrada y de mucha virtud y verdad.

Pedro Martir escribió en latín la historia de Yndias que se intitula *Decadas oçeanas* como lo refiere Francisco Lopez de Gomara y creo que fue el primero que escribió historia de aquellas tierras y naturales de ellas y anda impreso aunque no se halla ni yo lo he visto / Paulo Jovio obispo de Noçera en sus *Elogios* escribe algo aunque poco en latín / y esto fue para tratar de algunos descubridores o conquistadores de aquellas partes inducido a ello según ello dice por ellos mismos y anda impreso en latín y en romance aunque yo no lo he visto.

Oído he que también anda impreso en latín un libro intitulado *Novus Orbis* y que en él hay recopiladas muchas cosas de las que se han escrito de las Yndias / y Michael Buchingero en la *Historia Ecclesiastica Nueva*, que escribió en latín donde trata /VI/ del papa Ynnocencio octavo refiere algo de Cristobal Colon que descubrió las Yndias y de Hernando Cortes que sujetó y ganó a Mexico y de Vasco Nuñez de Balboa que descubrió la Mar del Sur y de Hernando de Magallanes que descubrió el estrecho que llamó de su nombre, y Luçio Marineo Siculo cronista del emperador nuestro señor escribió también de las Yndias como se colige de lo que él dice en el libro cuarto de las *Cosas memorables de España* en la hoja veintiuna donde trata del linaje de Hernando Cortes y dice que en otra parte ha escrito más largo de él.

También escribió Gines de Sepulveda natural de una villa de la ciudad de Cordova doctísimo varón cronista del emperador sobre la conquista de aquellas partes y naturales de ellas y anda impreso en latín y dicen que también en romance y no he visto lo uno ni lo otro.

Fray Francisco de Victoria de la Orden de los Predicadores doctísimo varón y de muy gran religión, y vida muy aprobada catedrático de prima de teología en Salamanca que fue uno de los mejores teólogos que hubo en su tiempo y de muy claro juicio y muy sólida doctrina, escribió entre otras cosas dos RELETIONES la una intituló *De Yndis Ynsularis*, y la otra *De Jure Belli*. Donde trata de la conquista doctrina, y conversión de las Yndias y naturales de ellas, y fray Domingo de Salazar de la misma orden discípulo suyo y que ha estado muchos años en la Nueva España, y en otras partes de Yndias entendiendo en la conversión y doctrina de los naturales de ellas con muy gran celo, diligencia, y cuidado porque es muy buen religioso y muy ejemplar en toda virtud /VI v./ y cristiandad, y muy aprobado predicador y de muy docta y sólida doctrina, y ahora es obispo de las Yslas del Poniente o Philipinas ha escrito en latín un tratado que intituló *De modo quem Rex hispaniarum et Ejus locum tenentes abere teneantur in Regimine indiarum.* Y lo comenzó a escribir leyendo teología en la Universidad de Mexico, sigue en él el intento que su doctísimo maestro tuvo en sus RELETIONES y el obispo de Chiapa en lo que escribió y estando yo en Madrid el año de 1576 donde él había venido de Mexico a negocios de su orden, me lo prestó para que lo viese, muestra en él su grande habilidad y muchas letras y su muy claro juicio y agudo ingenio y su muy rica y feliz memoria donde trata los negocios de Yndias muy de raíz como quien los vio y los entendió con muy particular cuidado, y algunas cosas de las que su maestro y el obispo han dicho las entiende y declara y en otras las contradice con muy firmes y fuertes autoridades, y delicadas razones y si lo acaba será una cosa muy digna de ser leída y muy estimada.

El maestro fray Alonso de la Veracruz fraile agustino doctísimo

106

varón y muy leído y resoluto en cualquier materia de teología a quien el emperador nuestro señor de gloriosa memoria ofreció en Yndias un obispado y no lo quiso aceptar por su grande humildad ha escrito entre otras muchas cosas un *Tratado de matrimonio* en latín y se imprimió en Mexico y en él trata de la condición y calidad de los indios porque ha estado muchos años en Nueva España y leído teología en la Universidad /VII/ de Mexico y entendido en la conversión de los indios y en su doctrina porque es muy buena lengua mexicana y tarasca, y de vida muy religiosa y lo conocí y traté entendiendo en tan santas obras a que es muy aficionado sin jamás mostrar alguna manera de fastidio ni cansancio, aunque es ya de mucha edad y he oído que ha escrito un tratado sobre si a los naturales de aquellas partes se les ha de pedir diezmos por ahora y que le han hecho gran contradicción los obispos y que por esto no se ha publicado.

Fray Geronimo Roman agustino dignísimo cronista de su orden y muy aprobado religioso varón docto y de gran curiosidad y muy leído en todo género de buenas letras y de tan gran memoria que se admiran los que leen sus obras que son muchas y por sus letras y bondad ha sido consultor en algunas partes en el Santo Oficio de Inquisición, y debe ser su habilidad muy grande porque he oído decir que por sí solo y sin maestro ha deprendido lo mucho que sabe, que es cosa digna de gran loor y por tal se dice lo mismo del divino Agustino y de Guillermo Budeo como en otra parte se dirá más largo / entre lo mucho que ha escrito han sido dos grandes tomos de las *Republicas del mundo* y en la segunda parte donde trata de las repúblicas gentílicas trata de la república de las Yndias Occidentales repartida en tres libros donde refiere muchas cosas de gran curiosidad como lo hace en las demás *Republicas* y las tengo y las he leído y lo demás que ha escrito no lo he visto ni lo he hallado.

/VII v./ Don Esteban de Salazar monje de la Cartuja doctor teólogo escribió en latín *La conquista de Nueva España*, y se anegó en el naufragio de los Jardines el año de 1564 como él lo refiere en el capítulo segundo del cuarto *Discurso* de los veinte que hizo sobre el Credo, y en el capítulo tercero del *Discurso* 16 y si aquella su *Historia* hubiera salido a luz nos quitara de este trabajo porque con su gran erudición pusiera silencio a los que esto quisieran tratar, porque tengo por cierto debía de ser lo que escribió de mucha doctrina y curiosidad porque es doctísimo varón y muy buen latino, griego, y hebreo, y de muy claro juicio y delicado ingenio y muy singular predicador en doctrina, vida, y ejemplo / conocílo en Mexico siendo fraile agustino y de allí se vino a estos reinos y se debió de pasar a la Cartuja por poder mejor vacar a las letras y estudio de ellas a que él es muy aficionado y en todo muy curioso y de rara habilidad y muy rica y feliz memoria que todas estas son partes para creer que ha de ser uno de los muy doctos varones de aquella muy religiosa orden, porque tiene edad para ello procuré haber el libro de los *Discursos* así porque Gonçalo de las Casas de quien adelante se hará mención me lo alabó como por el crédito que yo tengo de su autor, y visto conocí claramente que no había sido engañado pues queda corta cualquiera alabanza que se diga en su loor, de quien se puede decir por su mucha erudición y pequeño cuerpo lo que Homero /VIII/ dice de Tydeo que era de pequeño cuerpo pero de valeroso ánimo y muy grandes fuerzas, y Papiniano dice MAJOR IN EXIGUO REGNAVAT CORPORE VIRTUS, todo esto se puede decir del doctísimo don Esteban de Salazar por sus muchas letras y pequeño cuerpo y de fray Domingo de Salazar por ser muy bien dispuesto y alto de cuerpo se puede decir lo que comúnmente se dice que decía Bartulo que nunca había visto hombre de gran cuerpo que fuese docto sino Eaçyno que era de gran cuerpo y muy docto y lo puedo yo afirmar si algo vale mi voto de ambos a dos porque los traté en Yndias y en estos reinos.

Gonçalo Hernandez de Ovyedo y Valdes regidor de Santo Domingo y alcalde de la fortaleza que allí hay, cronista del emperador y que como tal tenía salario y cédula real para que todos los gobernadores le diesen aviso de las cosas notables de su gobernación para las poner en su historia, escribió *Historia general de las Yndias*, y lo mismo Francisco Lopez de Gomara y otra particular de la *Conquista de Nueva España* / Juan de Cieca y Agustin de Çarate contador de su majestad que fue al Peru a tomar cuenta a los oficiales de la Real Hacienda y Diego Hernandez escribieron historias particulares de las partes donde estuvieron y el bachiller Ençiso alguacil mayor que fue de Tierra Firme escribió algo de aquella costa y gente de ella y Alvaro Nuñez Cabeça de Vaca escribió un libro de su larga peregrinación en la Florida y anda impreso y no le he podido haber y a él lo vi en Salamanca cuando vino de Yndias y tornó a ellas por gobernador / don Hernando Cor-

108

tes primer marqués que fue del Valle y conquistador /VIII v./ de la Nueva España escribió unas *Epistolas* al emperador nuestro señor del suceso de la conquista de aquella tierra y se imprimieron la *Segunda* y *Tercera* y *Cuarta* y las tengo en mi poder la *Primera* no la he visto ni sé si se imprimió y hay impresas otras que a él escribieron Pedro de Alvarado y Diego de Godoy de las partes que por su mandado fueron a conquistar y de lo que en ellas vieron e hicieron y las tengo en mi poder.

El doctor Gonçalo de Yllescas abad de San Frontes y beneficiado de Dueñas varón docto y de gran diligencia y curiosidad en el libro sexto de la *Historia pontifical* en el párrafo 2 del capítulo 22 donde pone la vida del papa Pio tercero trata del descubrimiento de las Islas y Tierra Firme del Nuevo Mundo y de los viajes que a ello hizo Cristobal Colon y en el capítulo veinticuatro del mismo libro sexto en que trata de la vida de Leon décimo en el párrafo 8 refiere la conquista de la Nueva España y en el capítulo veintiséis de la vida de Clemente séptimo en el párrafo 14 del mismo libro trata del descubrimiento y conquista de las provincias del Peru donde alaba la *Historia* que de aquella tierra escribió Agustin de Çarate.

Francisco Çervantes de Salazar maestro en artes y en teología y doctor en cánones canónigo que fue de la Santa Iglesia de Mexico y catedrático en la Universidad que allí hay varón de muy presta elocuencia adornada con buenas letras escribía *Historia general de aquellas partes* y lo mismo Alonso Perez vecino de Mexico hijo del bachiller Alonso Perez que fue uno de los conquistadores de aquella tierra y uno de los que en ella tienen pueblos de encomienda de /IX/ indios varón de muy rico ingenio y claro juicio como lo muestra en otras cosas que ha traducido de la lengua latina en la castellana y en otros que ha escrito con una afluencia y suavidad maravillosa y con gran facilidad como naturalmente la tiene así en prosa como en todo género de verso en nuestra lengua materna que por su dulce estilo persuade con fuerza amorosa a su lección y también Pedro de Ledesma vecino asimismo de Mexico cuyo vivo ingenio y claro juicio adornado de una maravillosa y natural elocuencia castellana con que ha mostrado no ser en nada menor sino tan copiosa y tan suave como la griega y latina como se ha visto en muchas cosas que ha escrito con gran artificio y elegantísimo y muy dulce estilo en prosa y en todo género de versos que se han representado en Mexico en fiestas y días solemnes todo tan grato al pueblo y de tanta historia de Sacra Escriptura y profana que era muy estimado de personas doctas y religiosas y sospecho que al mejor tiempo lo dejaron él y Alonso Perez por las ocupaciones continuas que consigo trae el cuidado de sustentar mujer e hijos y casa y familia y también creo que lo dejaron por respeto del maestro Çervantes y que él no lo acabó por le haber cortado el hilo la muerte y que ellos no han tornado a ello porque tenían costa y trabajo y no premio ni esperanza de él y esto es causa para que muy ricos ingenios y de mucha erudición como los hay en aquella insigne ciudad de Mexico estén olvidados y puestos en perpetuas tinieblas y para que no osen emprender grandes cosas y a todos tres los conocí y traté muy particularmente en Mexico siendo allí oidor.

El doctor Juan Maldonado vecino de Sevilla a quien yo traté / IX v./ en Salamanca y después en estos reinos y sé que era muy buen letrado y muy virtuoso y muy dado al estudio / fiscal que fue y después oidor en la Audiencia Real que reside en el Nuevo Reino de Granada y después fue alcalde del crimen en la Audiencia Real de Mexico donde murió he oído decir que escribió algunas cosas de aquella tierra donde estuvo y al maestro fray Alonso de la Veracruz oí decir que había visto parte de ello y que contenía erudición y a Gonçalo de las Casas oí decir que lo tenía en su poder un hijo del doctor y que procuró verlo y que no se lo quiso prestar porque lo tiene en mucho.

Don Abojo de Arzila y de Çuniga escribió en metro castellano copiosa y elegantemente las guerras que los españoles tuvieron con los naturales de las provincias de Chile en que él se halló y anda impreso y lo intituló *El auracana* hela oído alabar y yo no le he visto.

Fray Bernardo de Sahagun de la Orden de San Francisco y muy antiguo en la Nueva España donde yo lo conocí siendo allí oidor y que ha entendido muchos años en la doctrina de los naturales de aquella tierra y es muy buen religioso y muy buena lengua ha escrito un tratado de los usos y costumbres de aquellas gentes y de sus ritos y ceremonias y de su manera de gobierno yo no lo he visto pero helo oído alabar y que en él escribe muchas cosas muy curiosas en nuestra lengua castellana y en la mexicana y que está de mano en la librería de San Francisco de Mexico.

110

Fray Geronimo de Mendieta de la misma orden de San Francisco me ha escrito de Mexico cómo por mandado de sus prelados escribe *Historia* no dice si es general de las Yndias o particular de Nueva España y así lo debe ser porque para ello me envió a pedir el libro de fray Torivio Motolinea /X/ y se lo envié con un religioso de su orden al tiempo que estaba yo escribiendo esta Relaçion / es muy buen religioso y muy buena lengua mexicana y otomí y ha entendido algunos años en la doctrina y será muy acertado lo que escribiere porque es muy curioso y de muy gran habilidad y lo conocí y traté en Mexico aunque pocos días.

También ha escrito de las gentes de la Nueva España y especialmente de los chichimecas Gonçalo de las Casas natural de Truxillo donde tiene muy principales casas y un buen mayorazgo y es caballero y persona de mucha calidad y virtud e hijo de Francisco de las Casas deudo de Hernando Cortes y persona de mucho valor y como tal lo envió Cortes contra Cristobal de Olid que se había alzado contra él en Honduras donde él y Gil Gonçales de Avila lo mataron como lo dice Gomara en el capítulo 172 de la *Conquista de Mexico* y en la Mixtheca tiene un principal pueblo en encomienda y en Mexico tiene buenas casas y hacienda donde ha residido muchos años y ha sido muy curioso en saber las cosas de aquella tierra y de los naturales de ella como lo muestra en lo que tiene escrito y asimismo muestra su mucha habilidad y gran juicio y muy feliz y muy rico ingenio y trae algunas cosas muy curiosas y razones muy bastantes y delicadas para probar lo que dice y muchas autoridades de Sacra Escriptura de autores católicos y profanos y me lo prestó para que lo viese estando en Granada donde vino a ciertos negocios de mucha calidad y lo vi con tanta prisa que ninguna cosa pude retener en la memoria y me dijo cómo fray Francisco de Spinosa dominico varón /X v./ docto y muy buen religioso y que ha sido provincial de su orden escribió las *Costumbres de los indios de la Mixtheca* estando allí por vicario que sabía y entendía su lengua y de Truxillo me ha escrito cómo de Salamanca le enviaron un libro que ha escrito uno de los hermanos de la Compañía de Jesus en que trata de las cosas de Yndias y fray Domingo de la Anuçiaçion me ha escrito de Mexico cómo él y fray Vicente de las Casas escriben la vida de las personas señaladas de su Orden de Santo Domingo que ha habido en aquella tierra y de lo que en ella ha trabajado toda la orden ambos sé que son muy buenos religiosos y antiguos en aquella tierra donde yo los conocí y los traté muy particularmente y han sido prelados en su orden y han entendido muchos años en la doctrina de los naturales y son personas de gran crédito y bondad y por tener Su Majestad noticia de ello envió a mandar que fray Domingo fuese con don Tristan de Arellano cuando por su mandado fue por gobernador a la Florida.

Juan Cano natural de Caçeres que fue casado con una hija de Moctençuma escribió una *Relacion de aquella tierra y de su conquista* y se halló en ella y así por esto como por respeto de su mujer le encomendó Hernando Cortes muy buenos repartimientos de pueblos de indios y don Juan Cano su nieto que vino a Granada a negocios de Gonçalo Cano su padre me ha dicho cómo Francisco de Terrazas vecino de Mexico hijo de uno de los conquistadores de aquella tierra donde tiene un muy buen repartimiento comenzó a escribir en metro /XI/ de octava rima *La conquista de la Nueva España* era hombre suficiente para ello y de buen juicio y que tenía muy buena habilidad para todo género de versos castellanos y porque murió antes de la acabar la prosigue Juan Gonçales clérigo capellán de la Iglesia Mayor de Mexico y que tiene habilidad y suficiencia para ello y que escribe y lleva el mismo estilo que Terrazas.

Bernaldo Diaz del Castillo vecino de Guatimala donde tiene un buen repartimiento y fue conquistador en aquella tierra y en Nueva España y en Guacaçinalco, me dijo estando yo por oidor en la Real Audiencia de los Confines que reside en la ciudad de Santiago de Guatimala que escribía la *Historia* de aquella tierra y me mostró parte de lo que tenía escrito no sé si la acabó ni si ha salido a luz.

Fray Antonio de Cordova franciscano en un tratado que intituló *De Ignorantia* en la cuestión 4 páginas 24 y 25 dice algo sobre lo de Yndias y lo mismo en la cuestión 57 de otro libro que intituló *Questionario* ambos andan impresos en latín como en otra parte se ha dicho más largo.

El doctor Gonçalo de Yllescas en el libro sexto de la *Historia pontifical* en el capítulo treinta y uno donde trata la vida de Pio cuarto párrafo único folio 159 columna 3 dice que el maestro Barrientos catedrático y profesor de la lengua latina en Salamanca ha escrito *La jornada que Pedro Melendez hizo a la Florida* con las particularidades que en ella pasaron y con la descripción y calidades de la Florida.

El glorioso y divino doctor San Geronimo al fin de *Catalogo de los escritores ecclesiasticos* refiere lo que él escribió /XI v./ a cuya imitación refiere lo que yo he escrito a propósito de lo que aquí se trata pues es regla de doctísimos varones sacada de lo que Quintiliano dice en el capítulo sexto libro primero *Oratoriarum institutionum* que lo que se hace a imitación de varones doctos carece de culpa. Digo pues que yo escribí no con poco trabajo ni con poca costa una suma que intitulé *De los Tributos que se pagan a los reyes y a otros particulares en su real nombre* en que pretendí probar que no hay cosa creada libre de tributo cada una SECUNDUM QUID y traté de los tributos que pagan los naturales de Yndias y para qué efecto se los impusieron después de conquistados y lo que pagaban en tiempo de gentilidad a sus reyes y señores y qué señores había y el modo que tenían en la sucesión de ellos y en su gobierno y el que se tiene y se debe tener en las tasaciones de tributos que ahora se hacen y para lo de los señores y señoríos que había y qué aprovechamientos tenían y si era cosa conveniente para el común haber estos señores escribí otra *Suma* por sí y otra si conviene que por ahora se les pidan diezmos y los inconvenientes que en ello hay y de las cosas que están proveídas para la buena gobernación de aquellas partes y para el aumento conservación y doctrina de los naturales de ellas hice una *Recopilaçion* de lo que pude haber y lo puse debajo de libros y títulos conforme a las que se han hecho de las leyes de estos reinos y esta *Relaçion de las cosas notables de la Nueva España y de la conquista y pacificaçion della y de la doctrina y conversion de los naturales y del modo que en ello se tuvo y quien a entendido y entiende en esta santa* /XII/ *obra con otras cosas que he traduzido del latim en nuestra lengua castellana, y otras que he escrito de devocion* todo a fin de aprovechar a los que en aquellas partes residen y a los que las gobiernan y últimamente aunque estoy ya en los setenta y tres años de mi edad estoy escribiendo unos *Discursos de la vida humana* obra larga y de mucho trabajo y conveniente para el mismo fin que lo demás que he escrito porque éste ha sido siempre mi intento y en ello pienso acabar la vida porque creo que en esto sirvo a nuestro Señor y a la majestad real aunque hasta ahora no he sacado de ello provecho alguno temporal ni sé si lo sacaré pero confío en la Majestad Divina que ninguna cosa que se hace en su servicio deja sin premio eterno así por su gran misericordia me lo dará a mí por los méritos de su santísima pasión y por intercesión de la Santísima Virgen y madre suya gran Señora y abogada de los pecadores como yo lo soy y se escribe y acaba esto en la octava de su purificación del año de 1585 plega a la divina majestad que parezcamos ante Él con conciencias puras y limpias para que merezcamos que nos dé su gloria amén.

De ningún otro autor tengo noticia que haya escrito historia de Yndias ni otra cosa alguna de ellas y ninguno de los que he visto que han sido pocos ha tratado de la calidad y fertilidad de Nueva España tan bien como fray Torivio Motolinea y así a él sigo en esta Relaçion y a los otros religiosos de quien en ella se hace mención y a Hernando Cortes en sus *Epistolas* y a los demás que para esto se nombran / algunos parece que no escribieron para más que para abatir y anihilar /XII v./ los naturales de aquellas partes haciéndolos tan torpes y brutos que no les atribuyen de hombres más que la figura y por lo que en esta Relaçion se dice se entenderá claramente su engaño / y también se trata de su conquista y de su conversión y doctrina y primero se dirá qué gentes poblaron aquella tierra y qué reyes y señores hubo en ella y cómo se llamaron y qué tiempo reinó cada uno y qué conquistó y acrecentó a su reino y se dirán otras cosas que creo todo será agradable a los que lo quisieren leer, porque hay en ella cosas notables y muy curiosas y dignas de ser sabidas así en lo del gobierno y lo demás, del tiempo de su gentilidad, como después que están en la Corona Real de Castilla y mucho de ello no se ha por otro que yo sepa tratado antes de ahora si no es fray Geronimo Roman que después de escrita la mayor parte de esta Relaçion se me dio noticia de lo que él dice en su *Republica de las Yndias* y procuré verla y vista su gran diligencia y curiosidad me puso en términos que estuve por borrar lo que había escrito y lo dejé de hacer a importunidad de personas doctas y a su ruego procuré llegar al cabo lo que tenía comenzado / temo se dirá que fue excusado mi trabajo pero como en otra parte se ha dicho no es nuevo escribir unos autores lo que otros han escrito y también temo se dirá que me he alargado mucho y aun demasiado en preámbulos pero en ello no se ha perdido más que mi trabajo, y lo superfluo se ha de sufrir cuando se hace para mejor y más claramente dar a entender lo que se dice y se trata / como en otra parte se dirá más largo suplico se me perdone la prolijidad /XIII/ que en ello y lo demás hubiere y no quiero rogar a los que tienen por costumbre de aniquilar y deshacer los libros y trabajos ajenos lo dejen de hacer pues como dice Tulio en una *epistola a Canimo* que es diecisiete en orden en el libro segundo de sus *Epistolas familiares* son 'los tales de tan mal ánimo que cuanto más les ruegan peor lo hacen usen pues de su costumbre inútil y perversa que a mi parecer no ha sido ni es mal empleado el trabajo que se toma ni el tiempo que se gasta en loar los buenos ingenios y las obras de los virtuosos pues se han de alabar como se dice en el capítulo 44 del Ecclesiastico los varones dignos de gloria y honor y las prefaciones prólogos o preámbulos que se ponen al principio de cualesquier libros sirven para declarar lo que en ellos se trata y pues como se dice al fin del capítulo segundo libro segundo de los Machabeos no es bien alargarse en prólogos antes de la historia y en ella ser sucinto o cortés. Quiero acabar con advertir al lector que en esta Relaçión se han citado algunos autores que después de escrita se han prohibido por la Santa Inquisición empero no se ha referido cosa alguna de ellos mal sonante sino de historia y esto no está prohibido.

SUMARIO DE LOS CAPÍTULOS QUE SE CONTIENEN EN ESTA RELACION

PRIMERA PARTE

/XIII v./ CAPÍTULO PRIMERO en que se trata cuándo se descubrió la Nueva España llamada Anauac y por qué la llamaron por este nombre y de los libros que los naturales de aquella tierra tenían en que escribían sus antigüedades por figuras y caracteres en lugar de letras [folio primero] 133

CAPÍTULO SEGUNDO en que se trata de las gentes que poblaron la Nueva España según se pudo colegir de las pinturas que de ello tenían [folio sexto] 139

CAPÍTULO TERCERO en que se refiere otra opinión sobre el origen de los pobladores de Anauac y los que tenían y adoraban por dioses y cómo creían que el ánima es inmortal y que hay infierno y gloria [folio 10] 145

CAPÍTULO CUARTO en que se trata quién fueron los primeros inventores de las letras y cómo y en qué escribían los antiguos y dónde se inventó el pergamino y el papel y de algunas maneras de cifras que se usaron y a dónde y por quién se inventó el arte del imprimir [folio 21] 157

CAPÍTULO QUINTO cómo y con qué se sustentaban los primeros hombres que hubo en el mundo y se refieren otras cosas antiguas que conforman con la costumbre y manera de vivir de los chichimecas y de los demás pobladores del Anauac [folio 30] 167

CAPÍTULO SEXTO en que se trata cuándo y dónde y por quién se fundó Tenuzchitlam Mexico y por qué se llama por dos nombres con su declaración. Y de su población y mercados y de lo que en ellos se vende y de algunas cosas que hay en esta ciudad y en la laguna donde está fundada [folio 43] 181

/XIV/ Capítulo séptimo en que se trata de las frutas de España que se han dado en aquella tierra y se venden entre los indios y de las palmas que muy en breve se han dado en ella y del cacao y cómo se planta y cría, y del árbol cardón llamado METL o maguey y de muchas cosas que de él salen y se hacen así de comer, y beber, calzar, y vestir como para otras muchas cosas en que sirve y de sus propiedades y de las palmas que no son menos que las del maguey [folio 50] 189

Capítulo octavo en que se pone la topografía o descripción de la tierra y del asiento de la ciudad de Mexico y de las plazas, mercados y templos que allí había y de su manera y edificio y de los ídolos y ministros de ellos [folio54] 195

Capítulo nueve en que se prosigue la manera de los templos y edificios de ellos y algunos sacrificios que se hacían a los ídolos [folio 60] 201

Capítulo diez en que se trata la penitencia, ayunos, y sacrificios que hacían los sacerdotes y ministros de los templos y otros particulares por su devoción y quién y cómo los servían y daban de comer [folio 68] 210

Capítulo once en que se prosigue lo de la idolatría y se pone y declara la causa por que se han referido los sacrificios y ayunos de los naturales de Anauac y cómo tenían cierta manera de orar y de confesión ante sus ídolos [folio 74] 217

Capítulo doce en que se refieren algunas cosas notables que hay en Mexico y sus rededores y los grandes edificios que ahora hay y había en tiempo de su gentilidad [folio 78] y hay Universidad y cátedras con buenos salarios [folio 88] 221

Capítulo trece en que se refiere la grande abundancia que /XIV v./ hay en Mexico de mantenimientos y de todo lo demás necesario para su provisión y de lo que de allí se saca para otras partes y de otras provincias sus comarcanas [folio 89] 233

Capítulo catorce en que se refieren algunas cosas notables que hay en Mexico que comienzan en C que son en más abundancia y las mayores que hay en el mundo [folio 93] 237

CAPÍTULO QUINCE en que se trata de la nobleza de la ciudad de Mexico y de las muchas poblaciones que hay en su circuito y muchas iglesias que en sí y en sus rededores tiene y de un río que salió cerca de la ciudad que la hizo reedificar un estado más alta de lo que antes estaba [folio 101] 245

CAPÍTULO DIECISÉIS en que se refieren algunas cosas preciosas que hay en aquellos montes que están a vista de Mexico [folio 110] 254

CAPÍTULO DIECISIETE en que refiere la abundancia de aguas así de fuentes como de ríos que hay en aquellos montes y de las notables fuentes que en ellos hay con otras particularidades de ellos y del daño que han hecho los tigres y leones que allí se crían [folio 117] 261

CAPÍTULO DIECIOCHO en que se refieren los ríos que salen de aquellos montes y cómo de ellos se hace uno muy grande y de su riqueza [folio 121] 265

CAPÍTULO DIECINUEVE en que se dice cómo y por qué se debería llamar la Nueva España, Nueva Esperia, y cuándo, y cómo, y por quién se fundó la ciudad de los Angeles y de su asiento y de los pueblos, montes, pastos, aguas, y pedreras que hay en su comarca [folio 124] 268

CAPÍTULO VEINTE en que se declara la diferencia que hay de las heladas /XV/ de aquella tierra a las de España y de la fertilidad del valle que llaman de Cristo con toda la vega, y de los morales y seda que allí se cría y de la iglesia catedral, y monasterios y edificios y otras cosas notables de la ciudad de los Angeles [folio 129] 273

CAPÍTULO VEINTIUNO en que se declara el grandor y término de Tlaxcallam y de un río en que en ella nace y de sus pastos, montes, y sierras, y los cuatro señores que en ella hubo y de sus iglesias y las lenguas que en ella hablan [folio 134] 279

CAPÍTULO VEINTIDÓS en que se trata del reino de Michiuacam y de su fertilidad y de la calidad de la gente de él y de la significación de este nombre Michiuacam y se refieren en suma otras provincias y de su fertilidad y población y cómo en el reino de Yucatam se sujetaron al señorío de los reyes de Castilla doce señores principales tomado pri-

119

mero para ello el consentimiento de sus pueblos y vasa-
llos [folio 138] 283

CAPÍTULO VEINTITRÉS en que se trata de la condición, ingenio y habilidad de los naturales de Mexico y su tierra y de
otras partes a ella comarcanas y cómo en breve tiempo
han deprendido a leer, y escribir, y contar, y tañer algunos
instrumentos de música y del origen de ella [folio 142] . . 287

CAPÍTULO VEINTICUATRO de los oficios mecánicos que los
naturales de la Nueva España sabían antes que los españoles entrasen en ella y de los que de ellos han deprendido en
que se muestra su grande habilidad como lo refiere fray
Torivio Motolinea en el capítulo veintiséis de la tercera
parte de aquel su libro [folio 150] 295

/XV v./ CAPÍTULO VEINTICINCO en que se trata del año y de
los meses y semanas que tenían los indios de la Nueva
España [folio 154] 299

CAPÍTULO VEINTISÉIS en que se trata del juego de la pelota y
de qué disposición era el lugar donde se jugaba y de qué
hacían las pelotas y qué manera de juegos tenían según lo
refiere fray Torivio en el capítulo veintisiete de la cuarta
parte de aquel su libro [folio 159] 303

CAPÍTULO VEINTISIETE en que se refiere la manera que los
naturales de Anauac tenían en sus bailes, y danzas y de la
gran destreza y conformidad que todos guardaban en el
baile y en el canto y de los bailes y cantares que hacían en
sus vencimientos y regocijos [folio 161] 305

SEGUNDA PARTE

CAPÍTULO PRIMERO en que se trata y refiere los señores
que hubo en los de Culhua y en los de Mexico hasta Moctençuma que fue el que señoreaba aquella tierra al tiempo
que los españoles entraron en ella y cómo se llamaron estos
señores y qué tiempo reinó, y qué ganó, y acrecentó a su
señorío cada uno de los señores de Mexico [folio 167] . . . 315

CAPÍTULO SEGUNDO en que se declara los señores supremos
que había en Mexico y Tlezcuco, y Tlacopam, que los españoles llaman Tacuba y en otros pueblos de aquella tierra

y cómo sucedían en los señoríos, y cómo llamaban y llaman a estos señores supremos y qué orden se tenía en la confirmación de ellos [folio 174] 321

CAPÍTULO TERCERO en que se refiere la manera que se tenía en Tlaxcallam, y Uexoçinco, y Cholullam, con los que de nuevo sucedían en el señorío y de la penitencia que hacían, y de las fiestas y regocijos con que los recibían al señorío, y cómo si el sucesor era mozo le daban coadjutor porque nunca gobernaban mozos [folio 180] 327

/XVI/ CAPÍTULO CUARTO en que se refiere lo que decían los señores inferiores y otras personas principales cuando visitaban a los señores supremos o los iban a consolar en algún trabajo que les había sucedido [folio 183] y lo que los señores les respondían [folio 186] 330

CAPÍTULO QUINTO en que se declara la segunda y tercera y cuarta manera de señores que había en Anauac y cómo los llamaban y qué provecho tenían, y qué era a su cargo y de los calpulles o barrios y de dónde tuvieron origen y de las tierras que labraban y de la forma y orden que en ello había [folio 188] 334

CAPÍTULO SEXTO en que se refiere la manera que tenían en su gobierno y los jueces ordinarios y superiores que había y la manera que tenían en su judicatura y con cuánto rigor guardaban sus leyes [folio 193] 339

CAPÍTULO SÉPTIMO en que se refieren algunas otras leyes que los naturales de Anauac tenían para castigar los delincuentes y para el gobierno de su república [folio 202] 347

CAPÍTULO OCTAVO de las leyes y costumbres que los indios de Anauac tenían en las guerras y cómo se habían en ellas y con los que prendían [folio 206] 351

CAPÍTULO NUEVE en que se prosigue y acaba la materia de la guerra y la honra que hacían al señor y al que prendía la primera vez en la guerra [folio 213] 358

CAPÍTULO DIEZ que trata el modo y manera que estos naturales tenían de hacer esclavos y de la servidumbre a que eran obligados y cuáles se podían vender y cuáles no [folio 215] 361

CAPÍTULO ONCE de las ceremonias que los naturales de Anauac tenían en se casar así los señores como los demás [folio 221] 366

CAPÍTULO DOCE en que se refiere la manera que tenían los naturales /XVI v./ de Anauac en criar sus hijos así los señores y principales como los demás y en los doctrinar y castigar [folio 225] 371

CAPÍTULO TRECE en que se refieren algunos consejos que los padres daban a sus hijos y las madres a sus hijas [folio 230] 375

SEGUNDA PARTE DE LA SEGUNDA Y PRINCIPAL

CAPÍTULO PRIMERO en que se refiere cuántas maneras había de tributarios en Anauac y en qué tributaban y el orden que se tenía en imponer y repartir los tributos y cómo y por quién se recogían y para qué eran y cuándo y por qué se hacía suelta de ellos y cómo daban el servicio personal y quién era libre de tributos [folio 242] 391

CAPÍTULO SEGUNDO en que se declara qué es angaria y perangaria y cómo corrían los indios la posta y cómo no son ellos solos los que se cargan porque entre otras naciones se ha usado y se usa cargarse los hombres [folio 251] 400

CAPÍTULO TERCERO en que se refiere el orden que se tuvo en el imponer de los tributos a los naturales de Anauac luego como se ganó la tierra y lo que se ha tenido y tiene después acá y cuánto paga de tributo cada indio y en qué lo paga y de las consideraciones que se han de tener en el hacer de las tasaciones [folio 256] 405

TERCERA PARTE

En el proemio de la tercera parte se trata si el Evangelio ha sido predicado en todo el mundo [folio 264 número 13 CUM SEQUENTIBUS] 413

CAPÍTULO PRIMERO en que brevemente se trata de la vida de Hernando Cortes [folio 279] .... 431 -

CAPÍTULO SEGUNDO cuándo y por quién y a cuya costa se descubrió la costa de la Nueva España [folio 281] y cómo

/XVII/ Diego Velazquez gobernador de la isla de Cuba hizo compañía con Hernando Cortes para proseguir este descubrimiento y lo que en ello hizo Cortes [folio 184 (*sic*, 284) número 5 CUM SEQUENTIBUS] 434

CAPÍTULO TERCERO cómo llegado Cortes a la punta de Sant Anton hizo luego alarde, y nombró capitanes y repartió la gente en once compañías y lo que allí hizo y proveyó para su jornada, y se refieren algunas cosas en su loor [folio 288] 441

CAPÍTULO CUARTO en que se prosigue y declara lo que Hernando Cortes hizo y proveyó para su viaje a la Nueva España y los sucesos que en él hubo, y cómo estando en la isla de Acuçamil se vino para él Jeronimo de Aguilar que le sirvió de lengua con una india que llamaron Marina [folio 295] 448

CAPÍTULO QUINTO en que se prosigue el viaje que Hernando Cortes hizo desde la isla de Acuçamil y lo que fue descubriendo y conquistando [folio 301] 454

CAPÍTULO SEXTO en que se refiere lo que sucedió otro día después de ganado Potoncham [folio 305] 458

CAPÍTULO SÉPTIMO en que se trata lo que Cortes hizo y ordenó aquella noche y la batalla que tuvo otro día con los indios y del milagro que en ella se vio estando a punto de ser vencidos [folio 308] 461

CAPÍTULO OCTAVO en que se dice cómo Cortes envió a llamar al señor de aquella tierra llamado Tabasco y cómo vino y se dio por amigo de los cristianos y le hizo Cortes ciertas preguntas y quebraron sus ídolos y adoraron la cruz [folio 310] 464

/XVII v./ CAPÍTULO NUEVE cómo Hernando Cortes fue con su flota y gente al puerto que ahora llaman Sant Juan de Culhua y de lo que allí hizo y ordenó y cómo vino a le ver el gobernador de aquella tierra y cómo se supo que Marina sabía su lengua y cómo se dio aviso a Moctençuma de su venida [folio 314] 468

CAPÍTULO DIEZ en que se trata que el gobernador que se llamaba Tendille vino otra vez al real, a dar la respuesta de la embajada que se envió a Moctençuma y un rico presente que le envió y lo que entre ellos pasó y cómo Cortes envió

123

a buscar puerto y entró la tierra adentro por verla [folio 318] 472

CAPÍTULO ONCE en que se trata cómo Cortes se desistió del cargo que llevaba y para ello nombró primero alcaldes y regidores y ellos lo tornaron a elegir por capitán y alcalde mayor y lo que allí hizo y ordenó y cómo de allí fue a Çempoallam donde fue bien recibido [folio 321] 476

CAPÍTULO DOCE donde se dice lo que trató Cortes con el señor de Çempoallam y con el de Chiauiztlam y del orden que tuvo para levantar la tierra contra Moctençuma [folio 325] 480

CAPÍTULO TRECE de la fundación de la Villa Rica de la Veracruz y de los mensajeros y presente que envió Moctençuma a Cortes y cómo ganó un pueblo y fortaleza llamado Tiçapamcinca y del socorro de gente y caballos que le vino de Cuba y de los embajadores y presente que envió al emperador [folio 331] 486

CAPÍTULO CATORCE cómo Hernando Cortes dio con los navíos al través y la causa por que lo hizo y del modo que en ello tuvo y se traen algunos ejemplos de otros capitanes que han hecho lo mismo [folio 336] 491

CAPÍTULO QUINCE en que se trata cómo Hernando Cortes dejó algunos españoles en la Villa Rica y con los demás fue a Cempoallam con intento de ir a Mexico y porque tuvo nueva que habían visto ciertos navíos en la costa tornó al puerto y lo que allí hizo y cómo después volvió a Çempoallam e hizo con el señor y con los demás que derribasen los ídolos y lo que hizo para seguir su camino para Mexico [folio 340] 496

CAPÍTULO DIECISÉIS cómo Hernando Cortes tuvo noticia que para ir a Mexico habían de pasar por Tlaxcallam y que la gente de ella era muy belicosa y de los mensajeros que les envió y de lo que le sucedió por el camino y el rencuentro que tuvo con ellos [folio 344] 501

CAPÍTULO DIECISIETE en que se refiere la batalla que con los nuestros tuvieron otro día los de Tlaxcallam y cómo los vencieron y lo que después sucedió y cómo Moctençuma se envió a ofrecer por vasallo del emperador y que daría el tributo que se le señalase y cómo algunos trataron de se volver al puerto y lo que les dijo Cortes [folio 349] 507

124

CAPÍTULO DIECIOCHO cómo vino Xicotencatl capitán general de Tlaxcallam a hablar a Cortes y a le pedir perdón de lo pasado y le ofreció su amistad y ayuda por sí y por los demás señores y principales de la provincia y cómo se fue Cortes a Tlaxcallam y del recibimiento que allí se le hizo [folio 357] 515

CAPÍTULO DIECINUEVE en que se refiere lo que Cortes hizo y trató en Tlaxcallam y la respuesta que le dieron sobre dejar sus ídolos y la causa de la enemistad con los mexicanos, y cómo determinó Cortes de ir a Mexico [folio 363] 521

CAPÍTULO VEINTE cómo Cortes fue a Cholollam y cómo tenían /XVIII v./ ordenado de matar a él y a los españoles y del aviso que de ello se le dio y lo que más pasó [folio 365] 524

CAPÍTULO VEINTIUNO en que se refiere lo que sucedió a Hernando Cortes antes de entrar en Mexico [folio 373] ... 532

CAPÍTULO VEINTIDÓS en que se trata de la entrada de Cortes en Mexico y del recibimiento que Moctencuma le hizo [folio 375] 535

CAPÍTULO VEINTITRÉS cómo habiendo Moctençuma dado a Cortes las joyas de oro, y plata y lo demás que se ha dicho y sentádose en un estrado junto al de Cortes le hizo una plática y lo que a ella le respondió Cortes [folio 379] 539

CAPÍTULO VEINTICUATRO en que se trata cómo Cortes prendió a Moctençuma y le echó unos grillos y la causa que para ello tuvo y lo que sobre esto pasó entre los dos y lo que los señores dijeron sobre ello, y como él rogó a Cortes que se fuese de su tierra y lo que más pasó sobre ello [folio 386] 547

CAPÍTULO VEINTICINCO de las señales y pronósticos que Moctençuma y los naturales tuvieron antes de la destrucción de su señorío [folio 395] 556

CAPÍTULO VEINTISÉIS en que se trata cómo Diego Velazquez envió a Pamphilo de Narvaez en busca de Hernando Cortes y lo que de ellos sucedió [folio 398] 560

CAPÍTULO VEINTISIETE en que se trata cómo Hernando Cortes fue contra Narvaez y lo prendió y lo que más pasó en ello [folio 407] 570

CAPÍTULO VEINTIOCHO cómo se juntaron muchos señores a hacer una fiesta en la plaza que está delante de las /XIX/

125

casas donde estaba detenido Moctençuma y cómo Pedro
de Alvarado y los demás que Cortes dejó en su guarda los
mataron y cómo se alzaron por esto los indios contra ellos
y les dieron guerra y vino Cortes en su socorro y lo demás
que en esto pasó [folio 412] 576

CAPÍTULO VEINTINUEVE en que se trata cómo habiendo venido Cortes a socorrer a Pedro de Alvarado y a los que con
él estaban continuaron los indios la guerra y cómo salió a
la azotea Moctençuma a les hablar y le dieron una pedrada
de que murió y cómo Cortes y su gente se salieron de
Mexico una noche con muy gran trabajo y muerte de algunos [folio 416] 581

CAPÍTULO TREINTA donde se trata cómo Cortes y los suyos
fueron muy bien recibidos y curados por los de Tlaxcallam
y cómo en su comarca conquistó y ganó Cortes algunos
pueblos y cómo vino Alderete por tesorero del rey y con él
alguna gente y caballos [folio 419] 585

CAPÍTULO TREINTA Y UNO en que se trata cómo los de Mexico
enviaron por un hijo de Moctençuma que se criaba en
Xilotepec y lo hicieron rey y cómo después lo hizo matar
Quatemuça y la causa que hubo para ello [a fojas 421] ... 587

CAPÍTULO TREINTA Y DOS cómo Cortes se tornó a Tlaxcallam
y determinó de ir a Mexico y para ello mandó hacer trece
bergantines por estar aquella ciudad fundada en la laguna
y cómo vinieron dos navíos de Santo Domingo y trajeron
ochenta caballos y yeguas y algunos españoles y cómo los
de Tlaxcallam trajeron los bergantines y cómo se intentó
un motín contra Cortes y cómo se descubrió y lo que en
ellos se hizo [a fojas 422] 590

/XIX v./ CAPÍTULO TREINTA Y TRES cómo Cortes nombró
capitanes para los bergantines y cómo señaló a ellos y a
los que habían de ir por tierra las partes y lugares donde
habían de estar para cercar por todas partes a Mexico y
qué gentes de los indios amigos acudió en su ayuda y lo
que Quatemuça señor de Mexico hizo y proveyó para su
defensa y lo demás que se hizo y se proveyó para esta guerra y lo que en ella sucedió [a fojas 426] 594

CAPÍTULO TREINTA Y CUATRO en que se trata de la calidad y
fertilidad de la gobernación de Quahutimallam y cómo en

ella hay mucho bálsamo y cacao y se pone la declaración de este nombre Quahutimallam y la nobleza de la ciudad de Santiago que está poblada de españoles [a fojas 438] 607

CAPÍTULO TREINTA Y CINCO de una espantosa tempestad que destruyó muy gran parte de la ciudad de Santiago de Quahutimallam [a fojas 441] 610

CAPÍTULO TREINTA Y SEIS en que se refiere lo de la provincia de Nicaragua y de Leon y del Ralexo y de Granada [folio 444] 614

CAPÍTULO TREINTA Y SIETE en que se trata dónde moran y de dónde vinieron los indios de Nicoya y los de Nicaragua y de las cosas que sus alfaquíes les dijeron y del volcán que allí hay [folio 447] 618

CUARTA PARTE

CAPÍTULO PRIMERO en que se trata de los primeros religiosos que fueron a la Nueva España a entender en la doctrina y conversión de los naturales de ella y por cuyo mandado y cuántos fueron [folio 457] 633

CAPÍTULO SEGUNDO en que se trata cuándo partieron /XX/ de Castilla los doce frailes primeros que fueron a entender en la Nueva España en la doctrina de los naturales de ella y cómo se llamaban [folio 462] 638

CAPÍTULO TERCERO en que refiere la vida de fray Martin de Valençia que fue por prelado de los once primeros frailes de San Francisco que fueron a Nueva España [folio 477] 651

CAPÍTULO CUARTO en que se refieren algunas cosas que el padre fray Martin de Valençia intentó e hizo en su vida y del edificio de Mitlam que quiere decir infierno y de otras tierras que descubrieron de nuevo los frailes de San Francisco [folio 494] 666

CAPÍTULO QUINTO en que se refiere la cruel muerte y martirio que padeció fray Juan de Esperança y cómo padeció tres géneros de martirio y cómo cinco días después de su muerte fue hallado su cuerpo sin corrupción alguna [folio 500] 672

CAPÍTULO SEXTO del martirio que padeció fray Antonio de Cuellar y cómo fue muy llorado de los indios y cómo a los frailes menores Dios les dio ser los primeros en el martirio y doctrina de aquellas partes [folio 505] 677

CAPÍTULO SÉPTIMO de la cruel muerte que padeció un niño de su propio padre porque le amonestaba que fuese cristiano y dejase la idolatría y embriaguez [folio 509] 681

CAPÍTULO OCTAVO de la muerte y martirio que padecieron otros dos niños de Tlaxcallam [folio 515] 687

CAPÍTULO NUEVE en que se refiere el suceso de fray Luis Cançer y los demás que fueron con él a la Florida y es relación que de ellos dio uno de los que con él fueron [folio 521] 692

/XX v./ CAPÍTULO DIEZ en que se refiere lo que sucedió a fray Domingo de Bicoya otro su compañero de la Orden de Santo Domingo en la provincia de la Verapaz estando allí doctrinando y predicando a los naturales de ella [folio 539] 708

CAPÍTULO ONCE en que se refieren algunas cosas que don Esteban de Salazar monje de la Cartuja dice de algunos religiosos de las tres órdenes que hay en la Nueva España que son San Francisco que fue la primera y Santo Domingo y San Agustin [folio 547] 715

CAPÍTULO DOCE en que se refiere el orden que tuvieron los doce primeros frailes de San Francisco que fueron a la Nueva España en doctrinar los naturales de ella y cuándo se puso el Santísimo Sacramento en aquella tierra y la solemnidad que se hacía donde se ponía y cómo se celebran las fiestas [folio 553] 720

CAPÍTULO TRECE en que se dice cómo comenzaron los mexicanos y otros pueblos a venir a la doctrina y al bautismo y los pueblos de la laguna dulce y se refiere una revelación hecha en España que se cumplió en aquella tierra y cómo un cacique de Cuitlauac yendo muy de mañana en una canoa oyó un canto celestial y que era éste muy buen cristiano [folio 561] 727

CAPÍTULO CATORCE cómo se comenzó a enseñar la doctrina cristiana en Tlezcuco y su tierra y en otros pueblos y cuándo comenzaron las procesiones y de la mucha gente que se bautizó [folio 563] 730

CAPÍTULO QUINCE de la gracia y lumbre que nuestro Señor comunica a aquellos naturales y cómo y cuándo comenzó en aquella tierra el sacramento de la penitencia y del fervor que los indios tienen /XXI/ en lo buscar con otras cosas a este propósito muy notables [folio 575] 742

CAPÍTULO DIECISÉIS del buen ejemplo que daban los viejos y cómo hacían penitencia y daban libertad a sus esclavos y restituían lo que poseían con mal título y cómo cumplían la penitencia y cómo se confesaban por figuras y de dos mancebos que estando para morir fueron llevados en espíritu a las penas del infierno y la gloria [folio 581] 748

CAPÍTULO DIECISIETE de las opiniones que hubo sobre el administrar el sacramento de la eucaristía a los indios y de algunos milagros que sobre esto han sucedido y del trabajo que se pasó en el examen que se hacía para los matrimonios y de la gran devoción de aquella gente [folio 587] 754

CAPÍTULO DIECIOCHO del sentimiento que hicieron los de Xochimilco y otros pueblos cuando supieron que en un capítulo los dejaban sin frailes y de la diligencia que pusieron para los haber [folio 596] 763

CAPÍTULO DIECINUEVE de algunas profecías que fray Torivio aplica a la conversión de los indios y de la devoción que tienen a la cruz y al nombre de Jesus [folio 605] 773

CAPÍTULO VEINTE de la ayuda que los niños discípulos de los frailes menores les dieron en enseñar la doctrina cristiana y en destruir la idolatría [folio 615] 782

CAPÍTULO VEINTIUNO en que se refiere un hecho notable que hicieron los niños de Tlaxcallam el primer año que se comenzaron a enseñar que mataron al que se llamaba dios del vino [folio 619] 787

/XXI v./ CAPÍTULO VEINTIDÓS cómo las niñas se recogieron y enseñaron y cómo ellas también enseñaban a las mujeres y se refieren dos buenos ejemplos de castidad y la pura confesión que hacen los indios [folio 625] 794

CAPÍTULO VEINTITRÉS cómo la Nueva España fue donde primero se comenzaron a doctrinar los naturales de las Yndias y se refiere una plática que un principal hizo a los de su pueblo al principio de su conversión [folio 629] 799

PRIMERA PARTE

/1/ De la Relaçion de la Nueva España en que se trata de las naciones y gentes que la poblaron y de su idolatría y sacrificios, y de
sus templos, y por quién y dónde se pobló Mexico, y de la gran
población que hay en su comarca, y circuito, y de las sierras y
montes que tiene a vista, y de sus ríos y fuentes. Y de la gran
riqueza de estos montes y de toda aquella tierra, y cuándo y por
quién se pobló la ciudad de los Angeles, y de los mercados que en
aquella tierra se hacen por los indios con otras cosas notables que
en ella hay y se crían y cogen, y de la grandeza y términos de
Tlascallam, y de los señores que en ella había y de la manera de su
gobierno y sucesión en los señoríos, y del reino de Michiuacan y
Guxacam y Cohautimallam, y Nicaragua con otras provincias
comarcanas.

CAPÍTULO PRIMERO

En que se trata cuándo se descubrió la Nueva España llamada Anauac y por qué la llamaron por este nombre, y de los libros que los naturales de aquella tierra tenían en que escribían sus antigüedades por figuras y caracteres en lugar de letras.

La Nueva España llamada Anauac por los naturales de ella se descubrió el año de mil quinientos diecisiete y en los años siguientes se conquistó como lo trata Gonzalo Hernandez de Oviedo en la *Historia general* que escribió de las Yndias y Francisco Lopez de Gomara en la que escribió de la conquista de aquella tierra /1 v./ donde dicen quién fue el que la descubrió, y quién la conquistó, y por cuyo mandado y a cuya costa donde se podrá ver, y porque los naturales de aquella tierra tenían gran curiosidad en el imponer de los nombres a cada cosa y que fuesen conformes a la calidad y propiedad de ella, será bien que digamos la significación de este nombre Anauac por donde se verá así en esto como en otras cosas que adelante se dirán cuán propiamente ponían los nombres a cada cosa los naturales de Anauac y según se dice en el capítulo segundo del Genesis el primero que puso nombre a todas las cosas fue Adam, y Pythagoras decía según lo refiere Tulio en el primero libro de las *Questiones tosculanas* que fue suma sabiduría, y Platon en *Cratylo* dice que no es de cualquier hombre poner nombre a las cosas sino del que estuviere dotado de ingenio divino, para que conformen con aquello a que se imponen, porque el propio oficio de los nombres es significar según Prisciano la sustancia y calidad de aquello a que se imponen y esto guardó Adam en los nombres que impuso a todas las cosas como lo dice Philo en el libro *De mundi opificio* página 30 IN PARVIS y en el libro 1 *Legis allegoriarum* página 50 dice que Adam quiere decir tierra donde también dice por qué habiendo puesto nombre a todas las cosas, no se lo impuso a sí, la razón dice que es porque el entendimiento del hombre puede comprender todas las cosas, y que a sí mismo no se puede conocer

133

y que así como el ojo ve las otras cosas y a sí no se ve, así el entendimiento entiende las otras cosas y a sí no se /2/comprende y Aulo Gelio en el capítulo cuarto del libro X dice que P. Nigidio enseña que los nombres, no se ponen acaso sino con una fuerza y razón de naturaleza y Platon como lo refiere Jacobo Carpentario en el *Comentario sobre Alcinoo* tomo primero página 167 dice que en el imponer de los nombres se ha de procurar en cuanto fuere posible que respondan y representen la naturaleza de aquello a que se imponen donde lo trata largamente. Y por esto dice el emperador Justiniano en el *Est et aliud Instituta de donationibus*, versículo SED NOS. Qué trabajo que los nombres fuesen convenientes a las cosas / y siempre como dice Tulio al fin del libro 5 *De finibus bonorum et malorum* se ha de tener atención principalmente a que los nombres se impongan conforme a lo que contiene aquello a que se imponen, y Servio en el *Comento* del libro 6 de las *Eneydas de Virgilio* dice que los nombres se han de dar a las cosas no de una parte sino del todo / esto guardaban y guardan bien los indios como largamente se dijo en la *Summa de los señores* de aquella tierra y en la de los *Tributos* y se verá claro en lo que en esta Relaçion se tratare y por la significación de Anauac que quiere decir tierra grande cercada o rodeada de agua porque es compuesto de ATL que quiere decir agua y NAUAC dentro o en rededor y no quiere decir isla porque a ésta llaman TLATELLI, sino tierra grande, y más propiamente mundo como parece por la etimología y declaración del vocablo y así en nuestra lengua /2 v./ castellana decimos de una tierra grande que es un mundo y a todo el mundo llaman ÇEMANAUAC de ÇEM que es dicción congresiva o copulativa, y ANAUAC que quiere decir todo lo que está debajo del cielo sin hacer división alguna según la significación verdadera de esta dicción ÇEM. Y porque todo el mundo está entre agua o cercado de agua lo llaman ÇEMANAUAC / en esto casi quieren sentir lo que Homero antiquísimo poeta y autor gravísimo, que decía ser el mundo isla como lo refiere Pomponio Mella en el 3 libro y Tulio al fin del libro 2 *De natura Deorum* parece que quiere sentir lo mismo y Estrabon en el 6 de su *Geographia* dice que la tierra que se habita es isla cercada del océano y el real Propheta dice en el salmo 23 y 135 que el mundo está fundado sobre las aguas y sobre la mar y los ríos y como el glorioso San Geronimo dice en una *Epistola a Fabila* que comienza IN SEPTUAGESSIMO SEPTIMO PSALMO y es CXXII IN ORDINE IN MANSIONE SEPTIMA. Y en las *Questiones* o tradiciones hebraicas sobre el capítulo 1 del Genesis dice que toda congregación de aguas saladas o dulces se dice en hebreo MARIA y así consta claramente por la letra del mismo capítulo 1 del Genesis en cuanto dice que llamó Dios a todas las congregaciones de las aguas MARIA / pero pues no es este lugar para nos extender más en su declaración ni yo tengo suficiencia para ello quédese para /3/ quien mejor que yo lo sepa dar a entender y con esto tornemos a nuestro intento.

Los naturales de la Nueva España tenían cinco libros de caracteres y figuras en lugar de letras a los cuatro de ellos dice fray Torivio que no se ha de dar crédito porque trataban de sus fiestas y ceremonias y de otras cosas supersticiosas y que fueron inventados para ello por el demonio / al primero que es de los tiempos y años. Y sucesos de ellos dice que se puede dar crédito porque tenían aquellas gentes mucho orden y manera en contar los tiempos y años, y los días y fiestas, y que escribían y figuraban las historias y hazañas vencimientos y victorias de sus guerras y el suceso de los señores y principales, y de los temporales y pestilencias y en qué tiempo, y de qué señor acaecieron y los que poblaron y sujetaron aquella tierra, hasta que los españoles entraron en ella / a este libro dice que llamaban *Xiuchtonalamatl* que quiere decir libro de la cuenta de los años.

Por manera que se puede decir que este libro por lo que en él se contenía era como los anales de los romanos, que eran los libros en que se escribían los sucesos de cada un año como lo hacían los indios en aquel su libro, y también contenía historia porque escribían en él los sucesos y victorias de sus guerras, y cómo y por qué razón, y por cuyo mandado se hacían, aunque hay /3 v./ diferencia entre anales e historia como lo nota Aulo Gelio en el capítulo 18 libro 5 pero Tulio en el libro 2 *De oratore* dice que historia ninguna otra cosa era sino una confección o ayuntamiento de anales porque los acontecimientos que se escribían en cada un año se llamaban anales y después se juntaban y se hacían de ellos historias. Y según dice Alexander ab Alexandro en el capítulo 8 libro 2 *Genialium dierum* página 63 los que escribían los anales se llamaban minores pontifices y fray Torivio dice que los de Anauac tenían historiadores que escribían las historias por caracteres y figuras que les servían por letras y que éstos eran de los sacerdotes de los ídolos y así lo dice fray Geronimo Roman en el capítulo 5 libro 1 de la *Republica de las Yndias.*

Estando yo por oidor en la Real Audiencia de los Confines que reside en la ciudad de Santiago de Cuhuatimallam que comúnmente llaman Guatimala oí decir a un oidor que visitó la provincia de Champoton que se hallaron en aquella tierra letras con que escribían los naturales de ella sus historias y todo lo demás para que sirven las letras y decía otras cosas notables de aquella tierra y de los naturales de ella, y que había edificios antiquísimos y de gran suntuosidad y obra maravillosa como los había en la tierra de Guatimala y de Nueva /4/ España. Y aun en todas las Yndias en los templos de los ídolos y en las casas de los señores, y yo vi algunos aunque muy arruinados pero todavía parecía y se mostraba en ellos su grandeza y obra maravillosa.

Algunas cosas refieren fray Torivio Motolinea y fray Andres de Olmos de las ceremonias con que se hacían los sacrificios y en qué días y fiestas, y lo que en cada uno de aquellos cuatro libros se contenía y ponen los nombres de ellos y fray Andres pone su origen y refiere muchas vanidades, y supersticiones que todas son cosas de burla, como inventadas por tan malo y perverso autor, con que tenía ciegas aquellas gentes, atónitas y engañadas, como su ministro Simon Mago tenía a los de Samaria con otras tales invenciones y burlerías como se refiere en el capítulo 8 de los Actos de los Apostoles. Y por Eusebio Cesariense en el capítulo 1 libro 2 de la *Historia ecclesiastica* y en el capítulo 12 dice que en tal manera tenía engañados a los romanos que lo tenían por Dios y que a él y a una ramera que traía consigo les hicieron estatuas y se postraban ante ellas y las adoraban y les ofrecían víctimas e incienso. Y Nicephoro en el capítulo 6 y en el capítulo 27 libro 2 de la *Historia ecclesiastica* dice lo mismo que Eusebio y en el capítulo 36 dice que disputando con San Pedro dijo: tú tienes en mucho y por muy gran /4 v./ cosa haber subido tu Cristo a los cielos pues yo estoy determinado de hacer lo mismo y que extendió las manos y lo comenzaron a llevar en alto los demonios a quien se había encomendado. Y que San Pedro acongojado oró en su corazón a Dios y que lleno de espíritu mandó a los que llevaban aquel mal hombre que se apartasen y lo dejasen y que luego vino la cabeza abajo para el suelo y se hizo pedazos y que como esto vio la gente que antes lo honraba con divinos hono-

136

res comenzaron a clamar y decir uno es el Dios que Pedro y Pablo predican.

Tornando a nuestro propósito dice fray Geronimo Roman en el capítulo XI libro 1 de la *Republica de las Yndias Oçcidentales* que la gente de ellas fue tan devota y tan servidora de sus ídolos que ninguna otra lo fue tanto ni tan sujeta al demonio y a sus mandamientos como se podrá ver por los sacrificios que tenían porque dice que fueron los más bravos y terribles que se pueden imaginar y véase lo que dice al fin del libro 1 de la *Republica de las Yndias* y adelante se referirán algunas cosas sobre esto aunque no todas las que refieren fray Torivio y fray Andres que cierto son cosas horrendas y no conviene traerlas a la memoria, sino procurar desarraigarlas de ella como cosas muy dañosas al cuerpo y al ánima y reprobadas por derecho divino y humano, como largamente /5/ lo dijimos en la *Suma de los señores* de aquella tierra y en la de los *Tributos* porque como dice Tulio en la epístola 3 del libro 4 de las *Epistolas familiares* los que hacen algo a ejemplo de otros piensan que lícitamente lo hacen y aun de suyo añaden y acrecientan otras muchas cosas y como él mismo dice en el libro 3 *De natura Deorum* trayéndolo a la memoria, parece que se da autoridad para pecar y antes de él dice Platon en el libro 2 *De Rrepublica* que no se deben decir aquellas cosas que causan mal ejemplo aunque sean verdaderas para evitar el daño que puede haber en las decir y que por esto no se deberían admitir poetas en las repúblicas porque fingen muchas cosas que causan mal ejemplo y que se deberían callar aunque fuesen verdaderas por el daño que hay en decirlas y lo refiere San Agustin en el capítulo 14 libro 2 *De çivitate Dei* y allí Luis Bibes en sus *Scholios* y por esta autoridad de Platon estuvo movido Caligula emperador a mandar destruir las obras de Homero como lo dice Suetonio en su *Vida* partícula 34 y Seneca dice en el capítulo 27 del libro 1 de la *Vida bienaventurada* que en estas tales cosas no hacen los que las dicen sino quitar a los hombres la vergüenza de pecar y en el libro 3 de sus *Proberbios* o *Doctrinas* dice algunas cosas hay que es major callarlas aunque pierda el hombre su negocio que decirlas desvergonzadamente y el gran Basilio en sus *Morales* capítulo 3 sobre el 18 de San Matheo página 359 columna primera dice que aunque por la Sagrada Scriptura se permita alguna cosa o palabra se ha de callar cuando de aquello /5 v./ toman otros osadía y se les da ocasión para pecar o para estar tibios o flojos en obrar virtud, y el rey don Alonso el Sabio dice en la ley 46 título 5 Partita X y allí sus comentadores a los hombres desentendidos no se deben enseñar los secretos y poridades porque estan más aparejados para las reprender que para creerlas y hace a este propósito el capítulo IN MANDATIS 43 DISTINTIONE porque más fácilmente nos inclinamos a seguir lo malo que lo bueno como se dice en el capítulo 6 Genesis y lo dijimos largamente en otra parte y los pitagóricos decían que no era lícito tratar con todos de una manera las cosas divinas ni aun la filosofía y así lo amonesta Platon en una *Epistola* que escribió a Dionisio y lo refiere Jacobo Carpentario *Sobre Alcinoo* tomo 2 página 106 y lo trata en la digresión 3 *De Deo* página 230 tomo 1 y fray Estevan de Salazar en el capítulo 1 del *Discurso* 2 sobre el Credo dice que el rey Tarquino mandó coser en un cuero y echarlo en el río a Marco Tulio Duumviro porque siendo sobornado dio a trasladar un libro que tenía a su cargo de los secretos de la religión como lo dice Valerio Maximo aunque él no lo cita en el capítulo 1 del libro 1 partícula 14 título I y Solino en el capítulo 1 dice que el propio nombre de Rroma no era lícito manifestarlo y porque Valerio Sorano se atrevió a manifestarlo le dieron la muerte, lo mismo dice Plinio casi al fin del capítulo 5 libro 3 y lo refiere Luis Vives en los *Scholios* capítulo 9 libro 7 *De çivitate Dei*. Y Alexander ab Alexandro dice en el /6/ capítulo 22 libro 2 *Genialium dierum* que no era lícito nombrar al dios so cuya tutela y amparo estaba Roma donde refiere lo de Valerio Sorano.

CAPÍTULO SEGUNDO

En que se trata de las gentes que poblaron la Nueva España según se pudo colegir de las pinturas que de ello tenían.

Fray Geronimo Rroman al fin del capítulo 1 del libro primero de la *Republica de las Yndias Oçcidenta*les refiere las diligencias que hizo para la escribir y los memoriales y cartas que hubo y libros que leyó para ello y en el capítulo XI dice que tiene por cosa dudosa que algún particular tenga en el mundo tantos memoriales como él tiene de aquellas gentes pero todavía le faltaron algunos que no debieron venir a su noticia pues dice en el capítulo 16 del libro 2 que si se hubieran conservado las pinturas y libros que los indios tenían con sus figuras y señales que les servían de lo que nos sirven las letras con que conservaban sus memorias que por ellos se pudiera saber quién fueron los que poblaron aquella tierra la primera vez y quién la aumentó por donde parece que no vio el libro que escribió fray Torivio Motolinea ni lo que escribió fray Andres de Olmos que tratan de esto / y de ellos y de la memoria que me dio don Pablo Nazareo cacique de Xaltocan casado con hija de hermano de Motençumaçim sacaremos quién fueron los que poblaron aquella tierra y los que reinaron en ella y lo que cada uno ganó y acrecentó a su señorío.

/6 v./ Viniendo pues a nuestro intento dice fray Torivio que lo que se ha podido colegir de aquel libro que trata de los tiempos y años es que tres maneras de gentes hay en aquella tierra a los unos llaman chichimecas que fueron los primeros en ella y dice don Pablo en aquella su *Relacion* que en tiempo de éstos se llamó aquella tierra CHICHIMECUM y fray Geronimo Rroman dice en el capítulo 2 del libro primero de la *Republica de las Yndias* que ésta fue gente famosa y noble y adelante se dirá de ellos los segundos pobladores dice fray Torivio que fueron los de Culhua, y los terceros los mexicanos. Y también hay otros que llaman otomíes. Y que lo que se ha podido alcanzar es que los chichimecas tenían uno a quien reconocían por mayor y que cada uno de ellos no tenía más

139

que una mujer y no parienta, y que no tenían sacrificios de sangre ni ídolos y que tenían por dios al sol y lo llamaban y se encomendaban a él y que le ofrecían aves y culebras que las hay en aquella tierra grandísimas y muy mansas y que no tenían casa de piedra ni de adobes sino chozas pajizas y que se mantenían de caza cruda o seca al sol, y algunas veces asada y que comían alguna fruta, y raíces, y yerbas, y que carecían de muchas cosas y que vivían brutalmente, y que los de Culhua y los mexicanos trajeron aquella tierra muchas cosas que antes no las había en ella y la enriquecieron con su industria y diligencia desmontándola y cultivándola porque /7/ estaba antes hecha montañas. Y vivían como salvajes y que los mexicanos trajeron el vestir y el calzar y el maíz y algunas aves y comenzaron a hacer edificios de adobes y de piedra y que casi todos los canteros son de Mexico y de Tlezcuco y que de allí salen a edificar por toda la tierra, y que de muchos oficios que había entre aquellas gentes fueron inventores los mexicanos.

El maestro Çervantes de Salazar en uno de sus diálogos que andan con los de Luis Vives intitulado *Mexicus exterior* refiere muy particularmente las gentes que hay en aquella tierra y dice que en la Nueva España hay diversas provincias, usos, y costumbres y diversas lenguas y trajes muy diferentes unos de otros como son mexicanos, otomíes, huastescas, matlalcincas, cutlutles [*sic*], tarascos, yopes, mixtecas, mixes, epanos [*sic*], nahuas, y que todos universalmente tenían al sol por dios, y que el demonio se les aparecía en diferentes figuras de animales de donde venían a caer en graves errores y torpes y abominables suciedades / otros hay que llaman totones, otros chontales, y otros guachichiles, y hay otras naciones y lenguas muy diversas y diferentes unas de otras y que con dificultad se deprenden por las extrañas maneras que tienen en la pronunciación que importa mucho para se entender y aun por ventura hay en esto tanta dificultad como en la caldea que según dice San Geronimo en el *Prologo sobre Daniel* que aunque /7 v./ entendía y leía en aquella lengua nunca la pudo hablar por la dificultad que hay en su pronunciación, por donde se ve claro el trabajo grande que los religiosos que entienden en la doctrina de aquellas gentes han pasado. Porque en esto han tenido y tienen gran cuidado y han compuesto artes y vocabularios para la lengua mexicana y no sé si han hecho lo mismo para otras lenguas.

140

Fray Andres de Olmos dice que CHICHIMECTL en singular y chichimeca en plural viene de CHICHI que quiere decir cosa amarga y Gonçalo de las Casas en lo que escribió de estas gentes dice que algunos dicen que fue nombre impuesto por los mexicanos en ignominia de los indios que andaban vagos sin tener casas ni sementeras y que es compuesto de CHICHI que quiere decir perro y de MECATL que quiere decir soga o cuerda o ramal. Y que esto dijeron porque estas gentes andan a la contina con el arco en la mano, y que así traen la cuerda arrastrando como el perro pero dice que ésta es ficción porque los indios nunca tuvieron perros aunque ahora los tienen que los han habido de los españoles. Y que unos perrillos que tenían y tienen son mudos y los criaban y crían para comer y que ésta sea ficción consta claro pues como se ha dicho los chichimecas estaban en aquella tierra antes que los /8/ mexicanos y también constará por lo que se dirá adelante y así no pudieron ellos ponerles el nombre.

Dice fray Torivio que hasta el año de mil quinientos cuarenta que fue cuando él escribió aquel *Libro* había según se halla por lo escrito novecientos sesenta y cuatro años que eran moradores en aquella tierra los chichimecas, aunque se cree haber más tiempo porque no se halla que esta gente tuviese libros (por ser muy bárbara) en que lo pudiesen tener escrito y por memoria porque eran como salvajes hasta que vinieron los de Culhua que comenzaron a hacer memoriales por caracteres y que habitaban en cuevas y en los montes.

Todavía hay gentes en aquellas partes que viven como vivían los chichimecas y yo los he visto y junté muchos en pueblos y les hice hacer casas y los saqué de barrancas y quebradas, y de sierras y montañas muy ásperas andando visitando la tierra de Guatimala siendo allí oidor y saqué de entre ellos gran cantidad de ídolos, y también vi otros que vivían de esta manera en la Nueva España siendo allí oidor pero no tuve comisión para los juntar en pueblos: y ésta entre otras es una de las causas por que conviene que los oidores visiten la tierra de su distrito para que hagan juntar los indios en pueblos para que mejor puedan ser /8 v./ doctrinados y para sacarlos de lugares tan sospechosos y aparejados para sus idolatrías y sacrificios y para remediar muchos agravios que a todos en general se hacen como está santísimamente proveído por muchas cédulas y provisiones reales.

Los segundos pobladores de Anauac dice fray Torivio que fueron los de Culhua y que vinieron treinta años después que los chichimecas estaban en aquella tierra y que no se sabe de cierto de dónde vinieron y que éstos poblaron y cultivaron la tierra y fue gente de más razón y pulicía que los chichimecas y comenzaron a hacer casas y pasados más de ciento setenta años que estaban en la tierra se comenzaron a comunicar con ellos los chichimecas y a contraer matrimonios los unos con los otros porque antes no habían querido o no osaban tratar con ellos.

Fray Andres de Olmos dice que preguntando él a un viejo principal de Tlezcuco de la venida de sus pasados aquella tierra le satisfizo algo más que otros diciendo que lo que había oído y entendido de los antiguos era que habían venido de lejos tierras en doce o trece capitanías y unos se adelantaron y anduvieron más que otros. Y que llegaron primero los chichimecas a tierra de Tlezcuco y la habitaron y vivían en chozas o cn cuevas y que no sembraban ni cocían ni asaban la carne que comían hasta que /9/ después vinieron otras gentes que llamaron Culhua y que de ellos tomaron el sembrar y el cocer, y asar la carne, y que después los mexicanos trajeron los ídolos y que antes no tenían los chichimecas sacrificios y que chichimecas cundieron y poblaron la tierra y eran muy diestros de arco y flecha como ahora lo son tanto que si tiran a un venado o a un ave o a otra cosa al ojo y le dan en la frente no lo tienen por buen tiro, y los hay en diversas partes y viven de la caza y andan desnudos como salvajes a otros dice que oyó decir que habían pasado un brazo de mar y que por esto le parece que en uno de tres tiempos y de una de tres partes vinieron aquellas gentes o de tierra de Babilonia, cuando la división de las gentes en la torre que allí fundaban los descendientes de Noe o cuando los hijos de Ysrrael entraron en la Tierra de Promisión o que vinieron de tierra de Sichem y que lo que más parece cuadrar y conformar con el nombre es lo de Sichem aunque las letras estén corruptas, como es común y ordinario como parece en Cuhuanauac que los españoles llaman Cuernavaca, y en otros muchos nombres y que no hay quien dude venir de los hijos de Noe, y que venidos los mexicanos con sus ídolos y alguna pulicía y ayuntados por casamientos con los chichimecas se corrompieron las lenguas y fueron tomando la de los mexicanos que prevalecían por guerras y victorias.

/9 v./ Los terceros pobladores que fueron como ya se ha dicho los mexicanos dice fray Torivio que según se halla por los libros y memoriales de aquellas gentes el año de mil quinientos cuarenta que fue cuando él lo escribía había setecientos años pocos más o menos que vinieron a la Nueva España y que no se ha podido saber de cierto de dónde trajeron su origen y que algún tiempo se tuvo que habían venido de un pueblo que se dice Teoculhuacam que los españoles llaman Culiacam y que por esto los llamaron mexicanos de Culhua y que hay de Mexico a este pueblo doscientas leguas y algo más y que después que se descubrió se ha entendido ser de otra lengua diferente de la mexicana y que no se halló memoria por donde pareciese haber sido los mexicanos de aquel pueblo porque la lengua mexicana es de los nahuas y que algunos quieren decir que son los mismos que los de Culhua, y que la lengua consiente en ello porque es toda una, pero que sean de ellos o no, los de Culhua se tienen por primeros que los mexicanos. Y que de éstos no vinieron señores principales ni de linaje señalado, sino que había entre ellos algunos que mandaban como capitanes y que los de Culhua pareció gente de más cuenta y que los unos y los otros vinieron a la laguna de Mexico los de Culhua por la parte de oriente y comenzaron a poblar y a edificar un pueblo que se dice Tulançinco /10/ diecisiete leguas de Mexico hacia el norte y vinieron poblando hacia Tlezcuco que es a la vera de la laguna cinco leguas de Mexico de travesía por agua y ocho por tierra y que está Tlezcuco a la parte del norte, y Mexico al occidente la laguna en medio y que algunos dicen que Tlezcuco se dice Culhua por respeto de los de Culhua que allí poblaron.

Fray Andres de Olmos dice que los de Tlezcuco afirman ser ellos los primeros pobladores de aquella tierra y ser chichimecas y que hay algunos de la misma lengua aunque por la mayor parte son casi una lengua con los mexicanos y ayuntados con ellos por casamientos.

El señorío de Tlezcuco dice fray Torivio que fue muy grande y semejante al de Mexico y que de allí vinieron a edificar a Couatlicham poco más de una legua a la vera de la laguna entre el oriente y mediodía y que de allí fueron a Culhuacam a la parte del mediodía y que tiene a Mexico al norte a dos leguas y que en Culhuacam estuvieron muchos años. Y que donde es ahora Mexico eran ciénagas y manantiales y había un poco enjuto como isleta y que allí comenzaron los de Culhua a hacer unas casillas de paja y que la cabecera y el señorío estaba en Culhuacam donde residía el señor principal.

/10 v./ Los mexicanos dice que vinieron por la parte de Tullam que es hacia el norte respecto de Mexico y que fueron poblando hacia el poniente y poblaron Azcapuçalco poco más de una legua de Mexico y de allí fueron a poblar a Tlacopam que los españoles llaman Tacuba, hasta Chapultepec que está una legua de Mexico que es donde nace la gran fuente de agua que entra en aquella ciudad y que de allí poblaron a Mexico donde tenían la cabecera de su señorío y la de Culhua como se ha dicho estaba en Culhuacam que los españoles llaman Cuyuacam.

CAPÍTULO TERCERO

En que se refiere otra opinión que hay sobre el origen de los pobladores de Anauac y los que tenían y adoraban por dioses, y cómo creían que el ánima es inmortal y que hay infierno y gloria.

Fray Andres de Olmos dice que los primeros pobladores de Anauac según se lo dieron por pintura unos indios vinieron de una cueva o pueblo llamado CHICOMOSTOTL que quiere decir siete cuevas que está hacia la tierra de Gelisco y que poco a poco vinieron poblando tomando y dejando sus nombres conforme a los sitios o tierras que hallaban.

Esto declara mejor y más largo fray Torivio Motolinea y dice que los naturales de aquella tierra demás de poner por memoria /11/ las cosas ya dichas especialmente el suceso y generación de los señores y linajes principales y cosas notables que en sus tiempos acaecieron por figuras que era su modo de escribir, había también entre ellos personas de buena memoria que sabían relatar el suceso de los tiempos y linajes de los señores y que halló uno o dos de éstos a su parecer muy hábiles y de buena memoria que le dieron noticia del principio y origen de los naturales de aquella tierra según sus libros y pinturas. Y cuanto al lugar dijeron que los de Anauac traen su principio de un pueblo llamado CHICOMOSTOTL que quiere decir siete cuevas y que comenzaron a contar de un viejo muy anciano de quien ellos tienen principio llamado Iztacmizcoatlh y que de su mujer llamada Ylamcuey tuvo seis hijos. Al primero llamaron Gelhua, al segundo Tenuch, al tercero Ulmecatlh, al cuarto Xicalamcatlh, al quinto Miztecatlh, al sexto Otomitlh, y que de éstos proceden grandes generaciones casi como de los hijos de Noe.

Del primogénito llamado Gelhua o Xelhua con X al principio porque entre otras letras de que carecen aquellas gentes es la G. Éste dice que pobló a Cuauhquecholam, y a Yçucam, y a Epatlam y a Teupatlam, y a Teoacam, y a Cuztatlam y a Teotitlam y otros pueblos.

/11 v./ Del segundo hijo llamado Tenuch vienen los tenuchca que son los mexicanos que se llaman mexica, y tenuchca en plural. Del tercero y cuarto hijos llamados Umecatlh y Xicalamcatlh, descienden muchas generaciones y pueblos porque poblaron donde ahora está edificada la ciudad de los Angeles que está veintidós leguas de Mexico y en Totomiuacam, y andando el tiempo tuvieron guerra con otros pueblos que destruyeron a Uçilapam, y a Cuetlaxcoapam, que es donde está poblada la ciudad de los Angeles y mucha parte de Totomiuacam porque se juntaron contra ellos muchos pueblos y gentes como en otro tiempo se juntaron con intento de destruir a Rroma los teutónicos, y cimbros y tigurinos, y ambrosianos, que son pueblos de Alemania la alta y de Galia y mataron en una batalla ochenta mil romanos y otros sus amigos y prendieron muchos y robaron el campo y todo el despojo lo echaron en el río Rroyne y mataron los caballos y ahorcaron los presos y después fue contra ellos el cónsul Mario y los desbarató y mató doscientos mil de ellos y prendió ochenta mil y sus mujeres con temor de ser deshonradas se mataron todas. Esta historia cuenta Paulo Orosio en el libro 5 y Valerio Maximo en el 6 en el capítulo *De pudiçicia* y Plutarco en la *Vida de Mario y Lucio Floro* /12/ en el libro 68 y San Geronimo en la *Epistola a Gerónçia viuda* que comienza IN VETERI VIA, y Alonso de Fuentes en la *Suma* de los hechos notables de mujeres aunque yo no la he visto ni creo que se haya impreso.

Los de Xicalancam o xicalancas fueron también poblando hacia Cuaçaçualco que es hacia la costa del norte y en la misma costa estaba un pueblo de mucho trato donde se solían ayuntar muchos mercaderes para sus contrataciones y se dice Xicalanco donde venían de muchas partes y de muy lejos y otro pueblo del mismo nombre hay en la provincia de Maxcalçinco cerca del puerto de la Veracruz que poblaron los xicalancas y aunque están ambos en una costa hay mucha distancia del uno al otro.

Del quinto hijo llamado Mixtecatlh vienen los mixtecas y la tierra que habitan la llaman Mixtecapam y es un gran reino, desde el primer pueblo que se llama Acatlam que es hacia la parte de Mexico al postrero que se dice Tututepec que es a la costa del Mar del Sur hay casi ochenta leguas, en esta Mixteca hay muchos pueblos y aunque es tierra de muchas montañas y sierras está toda poblada de mucha gente, hace algunas vegas y valles y ninguna

146

pasa de una legua es tierra muy doblada y rica hay en ella minas de oro y de plata, y muchos morales y allí se comenzó a criar seda y se cría mucha y sale tan buena como /12 v./ la de Granada, es tierra muy sana y de muy buen temple, y se solía criar todo el año seda y en un mismo tiempo estaba la semilla reviviendo y había gusanitos negros y blancos de una dormida, y de dos, y de tres, y de cuatro, y otros hilando y otros en capullo y palomicas que echaban simiente, y para avivar la simiente no era menester ponerla en los pechos ni entre ropa como en España y en ningún tiempo se mueren los gusanos con frío, ni con calor, ni con truenos, y todo el año hay hoja verde en los morales por la templanza de la tierra y se podía criar seda en cantidad dos veces en el año, y poca casi siempre, las casas donde la crían son grandes y hay en ellas muy gran cantidad de zarzos y había españoles que tenían siete y ocho casas de a doscientos pies en largo y muy anchas y muy altas en que cabían diez y doce mil zarzos y cuando el gusano ha hilado quedan todas llenas de capullos de seda, todo esto dice fray Torivio y que él lo vio y que por esto lo osa afirmar y que cuando lo vio era por enero.

Al tiempo que yo escribía esto en Granada vino a ella un vecino de Mexico y me dijo que ya no se criaba la seda todo el año sino una vez como en Granada no sé si ha sido la causa por negligencia de los que entienden en ello o por falta de servicio como lo hay después que se quitaron los /13/ esclavos, y el servicio personal o si es tal a falta en la semilla porque era necesario renovarla y llevarla de Castilla, y que por no enviar por ella se pasan con la de allá que no es tan buena como la de Castilla y esto creo debe ser la causa de no haber tanta cría de seda como solía.

Gonzalo de las Casas que es un caballero vecino de Truxillo donde tiene un buen mayorazgo y estuvo muchos años en Mexico y en la Mixteca tiene un muy principal repartimiento ha escrito un *Libro* muy curioso de la cría de la seda y de su origen y principio y de los morales y de las calidades del gusano y de todo lo demás a esto perteneciente y lo hizo imprimir y yo lo he visto y él es el que me dijo que no se cría ya la seda más que una vez por año.

Al fin de esta Mixteca dice fray Torivio que está el rico y fertilísimo valle de Uaxayac que los españoles llaman Guaxaca de que se le dio título al marqués del Valle donde tiene muchos vasallos y en el medio de este valle en una ladera está fundada la ciudad de Antequera abundantísima de todo género de ganados y muy proveída de mantenimientos, especialmente de trigo y maíz. Y dice fray Torivio que vio vender allí la fanega del trigo a tomín de TEPUZTLE que es un real y que no se tiene en aquella tierra en tanto como medio en España /13 v./ y que hay buenas frutas de las de Castilla en especial granadas muchas y muy buenas / y muchos y muy buenos higos, y membrillos muy buenos y los higos duran casi todo el año y pasan muchos y que es la tierra muy natural para higueras y se crían muy grandes y que hay peras y otras frutas de Castilla y de la tierra y todo solía valer muy barato pero ya tiene más precio que solía el trigo y todo lo demás como ha sucedido en todas las Yndias y en España y aun en todo el mundo.

Del sexto hijo llamado Otomitlh descienden los otomíes que es una de las mayores poblaciones de Nueva España todo lo alto alrededor de Mexico está lleno de ellos y hay otros muchos pueblos todos de otomíes, el riñón de ellos es Xilotepec, y Tullam y Otumbam, de este sexto hijo dice que salieron los chichimecas y que estas dos generaciones son de más bajo talento y la más vil gente de toda la Nueva España y los más hábiles para recibir la fe y que han venido muy bien al bautismo.

Este viejo Mizcohuatlh dicen que tuvo otra mujer llamada Chimalmatlh y que de ella tuvo un hijo llamado Queçalcoatlh y que salió hombre honesto y templado y que comenzó a hacer penitencia de ayunos y disciplinas y a predicar la ley natural /14/ y que enseñó por ejemplo y por palabra el ayuno, y que desde aquel tiempo comenzaron algunos en aquella tierra ayunar y que no fue casado y que vivió honesta y castamente. Y dicen que comenzó el sacrificio de sacarse sangre de las orejas y de la lengua, no por servir al demonio según se cree sino por penitencia contra el vicio de la lengua y del oír. Y que después el demonio lo aplicó a su culto y servicio y que un indio llamado Chichimecatl ató una cinta o correa al brazo de este Queçalcoatlh en lo alto cerca del hombro que llaman en su lengua ACULLI, y que por aquel hecho lo llamaron Aculhua y que de éste dicen que vienen los de Aculhua y que a este Queçalcoatlh tuvieron los de la Nueva España por uno de los más principales de sus dioses y le llamaban dios del aire y que por todas partes le sacrificaban y le edificaban templos y levantaron su estatua y pintaron su figura.

Fray Andres de Olmos refiere algunas vanidades que los indios decían sobre el origen de sus dioses. Y que algunos dudaban serlo especialmente cuando no les sucedían las cosas a su voluntad como lo hacían los romanos cuando las respuestas de Apollo o por mejor decir del demonio que hablaba en aquella figura no salían conformes a lo que querían. Y así dice Tullio en el libro 2 *De divinatione* oh Apollo yo no entiendo estos tus oráculos y respuestas porque creo /14 v./ son falsas y si alguna vez salen verdaderas es acaso y otras veces las das tan obscuras que no se puede tomar de ellas significación alguna que sea cierta, y en el primero libro *De natura Deorum* refiere algunas opiniones que hubo sobre los dioses unos decían que no los había otros decían que los había pero que de ninguna cosa tenían cuidado como fueron los epicúreos y lo trata Latantio Firmiano en el capítulo X del libro 5 y en el capítulo IV y X *De ira Dei* y los estoicos dijeron que de todo tenían cuidado y que no había más que un solo dios como también lo trata Latantio en el capítulo XI *De ira Dei* y en el libro primero que es *De falsa rreligione* y Tulio al principio del libro primero *De natura Deorum* dice que es tanta la variación, y diferentes opiniones que hubo sobre esto entre los filósofos que sería cosa molesta referir sus pareceres y sentencias, y más adelante dice que ninguna cosa hay de que en tanto grado estén diferentes y no conformes no solamente los indoctos pero aun también los doctos y lo trata muy doctamente Latantio en las partes que se han citado, y como San Geronimo dice en la *Epistola a Tessifonte* que comienza NON AUDATER, los filósofos son patriarcas de los herejes y Latantio en el capítulo 21 *De opificio Dei* dice que son perniciosos y graves para perturbar la verdad y San Geronimo en la /15/ misma *Epistola* dice que con su mala doctrina macularon la pureza de la Iglesia y los estoicos dijeron que no había más que un Dios y que de todo tiene cuidado como se ha dicho y lo dice Servio sobre el 4 de las *Eneydas* y dice que le aplicaban diversos nombres según sus potencias y OPERATIONES.

Virgilio en el libro primero de las *Eneidas* burla de los dioses de los gentiles como allí lo nota Augustino Dato en su *Comento* y sintió que no había más que un dios y Ovidio asimismo al principio del libro primero y en la fábula segunda del libro 15 *Methamorphoseos* y en otras partes sintió lo mismo y San Juan Chrysostomo en la *Homelia* 7 sobre el capítulo 1 ad Corinthios 1

149

dice que Platon sabía que los dioses de los gentiles eran falsos pero que por no desagradar al pueblo iba con ellos a les hacer sacrificios / lo mismo dice San Augustin de Seneca en el capítulo X Libro 6 *De civitate Dei* y Josepho libro 2 *Contra Apion* dice que aunque Pithagoras y Anaxagoras y casi todos los filósofos sabían que aquellos dioses eran falsos no osaban decir la verdad y contra ellos disputa largamente Latantio en el libro primero que intituló *De falsa rreligione* y Naaman como se dice en el capítulo 5 libro 4 REGUM pidió licencia al profeta Eliseo para llevar dos acémilas cargadas de /15 v./ tierra y que no haría más sacrificios a los dioses ajenos sino al Señor y que le rogase por él porque cuando el rey iba al templo de Ramom a lo adorar llevaba las manos puestas sobre sus hombros y que el Señor le perdonase por ello, y los padres de aquel que nació ciego y el Señor le dio vista no osaron decir cómo veía su hijo aunque decían había nacido ciego por miedo de los judíos, y dijeron qué edad tenía que se lo preguntasen a él / y Tulio en el libro primero de las *Tosculanas questiones* y en el primero *De legibus* dice que no hay gente tan fiera ni tan indómita que no sepa que hay Dios aunque ignoren a quién han de tener por tal / Aristotiles y el mismo Tulio libro 2 *De natura Deorum* dicen que si hubiese algunos hombres que habitasen debajo de la tierra y saliesen de allí a lo que nosotros habitamos y que vista la hermosura del cielo y los cursos ordenados de las estrellas, dirían ser aquélla obra de Dios y Latantio en el capítulo 2 del libro primero intitulado *De falsa rreligione* dice que ninguno hay tan rudo ni de tan fieras costumbres que mirando al cielo aunque no sepa por providencia de qué Dios se rige todo lo que se ve que no entienda haber alguna providencia divina que lo sustenta y gobierna porque como dice el real Prophéta en el salmo 18 los cielos dan a entender la gloria de Dios y demuestran /16/ las obras de sus manos y como dice el glorioso San Chrysostomo en la *Homelia* 9 AD POPULUM ANTIOCHENUM no lo dan a entender hablando, sino callando, calla el cielo, pero la hermosura de su vista, su grandeza, y altitud y el permanecer tanto tiempo es como voz que oímos no con los oídos, sino que se nos demuestra a la vista claramente que es un sentido más cierto que el oír y a todos causa grande admiración y lo declara allí muy bien Cornelio Jansenio y el autor de la *Glosa incognita* lo entiende de la publicación del Evangelio hecho por los apóstoles y por los discípulos de Cristo donde dice que según Aristotiles

Rhetorica 2 tres cosas hacen más creíbles las palabras de alguno que son prudencia, bondad, y benevolencia, porque si esto falta aunque diga verdad si es ignorante o falto de virtud, no es amigo de verdad, ni de justicia, y si le falta benevolencia aunque sea prudente y virtuoso, si no es amigo, no pensamos que quiere lo que nos conviene, como hay algunos que más predican por ostentación y vanagloria y por ser tenidos por muy letrados, que para provecho de los oyentes empero cuando concurren prudencia, virtud, y amistad, o benevolencia damos crédito a sus dichos pero quédese esto para quien mejor que yo lo sepa declarar porque como dice Tulio en el libro primero de las *Tosculanas questiones* /16 v./ podemos sentir y entender bien una cosa y no podemos darla bien a entender a otros / y a este propósito, podrá ver el curioso lector lo que doctísimamente escribe el cientísimo y muy religioso varón fray Estevan de Salazar monje de la Cartuja en el capítulo 2 del *Discurso* cuarto de los veinte que con gran ingenio y clarísimo juicio escribió sobre el Credo o *Symbolo de los apostoles* tan llenos de gran erudición y doctrina como de su rara habilidad y muchas letras se esperaba porque demás de ser muy eminente teólogo y muy resoluto es muy docto en las lenguas latina, y griega y hebrea y muy visto y leído en ellas y en todo género de buenas letras y muy aficionado a su estudio, y también lo trata singularísimamente en la primera de sus *Rrepublica*s el muy docto y muy curioso varón fray Geronimo Rroman dignísimo cronista de la religión del glorioso y divino doctor San Agustin y dignísimo religioso de su muy religiosa orden y en el libro primero de la *Rrepublica gentilica* y largamente tratan de ello Francisco Sonnio en el libro que escribió *Demostrationum rreligionis christiane ex verbo Dei* y fray Thomas Ucauxamis en el libro *De fide et simbolo* y antes que ellos Latantio Firmiano en los libros *Divinarum institutionum* donde doctísima y elegantísimamente lo trata. Y Tullio en los libros *De natura Deorum* y Plinio /17/ en el capítulo 7 del libro 2 de la *Natural historia*. Donde estos dos aunque gentiles dicen cosas notables aunque envueltas con muchos errores y Juan Bocatio escribió un libro *De genealogia Deorum* y la llama divina obra de su peregrino ingenio el licenciado Juan Costa en el diálogo quinto *Del gobierno de si mismo* y que agradó tanto este su libro a los florentinos que le pusieron una estatua pública por premio de lo bien que en él había trabajado.

Para prueba que estos dioses son falsos refiere Latantio Firmiano en el capítulo 4 del libro 2 de las *Divinas instituciones* lo que Tulio refiere de Dyonisio Siracusano en el libro 3 *De natura Deorum* y Valerio Maximo en el título *De neglecta rreligione* capítulo 8 que burlaba de los dioses y que después de haber despojado el templo de Proserpina yéndose a Siracusas como llevase buen viaje dijo a los suyos no veis amigos cuán buena navegación dan los dioses a los sacrílegos, y que habiendo quitado a Jupiter Olympio una ropa de oro le mandó dar una de lana diciendo que era buena para invierno y verano, y que la de oro era pesada para el verano y fría para invierno y que habiendo quitado a Esculapio la barba que tenía de oro, dijo que no convenía que el hijo tuviese barbas estando la figura de su padre sin ellas en todos los templos. Y que habiendo /17 v./ mandado quitar de todos ellos las mesas de plata en que estaba escrito que eran de los buenos dioses, dijo que él quería usar de la bondad de ellos y que unas joyas que los ídolos tenían en sus manos se las tomó diciendo que no se las quitaba sino que las tomaba porque era necedad no querer tomar los bienes que nos dan aquellos a quien los pedimos con ruegos / y dice Tulio que ni Jupiter Olympio lo hirió con rayo, ni Esculapio lo mató con grave enfermedad. Y que murió en su cama, y dejó el reino que con tiranía había alcanzado a su hijo, casi como justa y legítima herencia y dice Latantio que demás de haber despojado aquellos dioses falsos burlaba de ellos con dichos juglares donde refiere otras cosas con que prueba que aquellos dioses no tenían más que la materia de que eran hechos y que tuvo más poder que ellos Tulio para hacer castigar a C. Verres por los despojos que hizo, y sacrilegios que cometió en los templos de Çiçilia, pues ellos no fueron para se vengar de él, ni tenían poder para ello. Y Plutarcho en la *Vida de Licurgo* dice que pidiendo limosna a un lacedemonio para los dioses, dijo no hago yo limosna a dioses que son más pobres que yo y se podrían referir otras muchas cosas por donde consta que muchos de los gentiles burlaban de sus dioses y los tenían por falsos como se podrá ver por los autores que se han referido y por otros que ellos alegan.

/18/ Fray Andres de Olmos dice que hubo en Tlezcuco dos caciques el uno llamado Neçaualcoyoatcim y el otro Neçaualpilhtcinth y que el uno de ellos y no dice cuál daba a entender que no estaba satisfecho de aquellos que adoraban por dioses y que daba para

152

ello muy vivas razones y que era tan avisado y de tan vivo ingenio que atinó a lo del bisiesto pareciéndole que las fiestas se alargaban y no venían a un tiempo y que por razón natural aborrecía el pecado nefando y mandaba matar a los que lo cometían y que los naturales de aquella tierra oraban delante sus ídolos no para pedir perdón de sus culpas sino para que no se supiesen porque de ello no les viniese algún daño y pedían buenos temporales y que tenían que había infierno y que no sabían en que parte estaba y que todos iban allá donde habían de tener diversas penas según sus delitos y que habían de penar para siempre y que no tenían que había gloria.

Fray Torivio dice que muchos de los naturales tenían que había infierno y que estaba en la tierra y que había en él nueve casas, o nueve moradas y que a cada una de ellas iba su manera de pecadores, los que morían por muerte natural causada por enfermedad decían que /18 v./ iban a lo bajo del infierno, y los que morían de bubas o heridas iban a otra parte, y los niños a otra, y los que morían en guerra o sacrificados ante los ídolos a la casa del sol no dentro ni al cielo porque ninguno decían que llegaba a este lugar, a la casa del sol llamaban TONATIHUIXCO que es la faz o nacimiento del sol al oriente y que cuando los indios cantaban en sus regocijos decían cantemos y holguémonos, que después de muertos en el infierno lloraremos y véase lo que dice fray Geronimo Roman casi al fin del capítulo 6 del libro 3 de la *Republica de las Yndias*.

En lo que decían que en el infierno había nueve casas conforman con lo de Virgilio en el 6 libro de la *Eneyda* donde dice que en el infierno hay nueve círculos o divisiones, o casas, y declara los que iban a cada una de ellas y allí sus comentadores y véase Luis Bibes en los *Scholios* al capítulo 19 del libro 1 *De civitate Dei* de San Agustin.

Muchas cosas tenían los naturales de Anauac en que parece que conformaban con los israelitas como se verá en el discurso de esta Relacion, de donde algunos toman ocasión para creer que son descendientes de los que se dividieron por el mundo cuando los romanos destruyeron /19/ a Jerusalem y así esto que dice fray Torivio que decían en sus cantares en alguna manera conforma con lo que se dice en el capítulo 22 de Esayas que decían aquellos de quien allí va tratando comamos y bebamos que mañana moriremos y lo refiere San Pablo 1 ad Corinthios capítulo 15 y parece que sentían que no había más que nacer y morir y de esta opinión eran los saduceos que negaban la resurrección como se dice en el capítulo 22 de San Matheo y 12 de San Marcos, y 20 de San Lucas, y 2 de los Actos de los apóstoles y San Geronimo libro 2 *Adversus Jovinianum* dice MANDUCA ET BIBE SI TIBI PLACET, CUM YSRRAELE LUDE CONSURGENS ET CANITO MANDUÇEMUS ET BIBAMUS, CRAS ENIM MORIEMUR, MANDUCET ET BIBAT, QUI PER CIBOS EXPECTAT INTERITUM: QUI CUM EPICURO DICIT: POST MORTEM NIHIL EST. ET MORS IPSA NIHIL EST. Y según lo que dice fray Torivio que decían aquellas gentes en sus cantares sentían la inmortalidad del ánima, y que había infierno. Y Zenom estoico tuvo y enseñó lo mismo y que estaban los malos apartados de los buenos porque éstos estaban en quietud y deleite y los otros en penas y obscuridad y Epicuro dijo que éstas eran ficciones de los poetas y fue uno de sus errores como lo prueba Lactantio Firmiano en el libro 7 que intituló *De divino premio* capítulo 7 IN FINE.

/19 v./ Por manera que alcanzaron aquellas gentes que algunos tienen por bárbaras lo que no alcanzaron muchos de los más sabios de los gentiles que dijeron no haber infierno y Lucreçio decía que no lo hubo ni lo puede haber y Pythagoras sintió lo mismo como lo refiere Ovidio en la fábula 3 libro 15 *Methamorphoseos* y Seneca en el libro *De consolatione ad Martiam* dice que es fábula decir que hay infierno, y que es ficción de los poetas que nos espantan con vanos miedos y Tulio en la *Oracion pro Cluençio* dice lo mismo y en el libro 1 de las *Questiones tosculanas* parece que así lo siente. Que haya infierno tenemos muchas autoridades de la Sagrada Scriptura para ello y San Lucas en el capítulo 16 de su Evangelio refiere lo que Cristo dijo que el rico avariento fue sepultado en el infierno y en el *Simbolo de los apostoles* y en el de Athanasio se dice que Cristo descendió a los infiernos y resucitó al tercero día y lo prueba largamente fray Estevan de Salazar en el *Discurso* XI sobre el Credo. Y antes que él Francisco Sonnio en el capítulo 1 TRACTATU QUARTO *Demonstrationum rreligionis christiane* página 279 IN PARVIS y fray Thomas Bauxamis *De fide et Symbolo* folio 150 CUM SEQUENTIBUS IN PARVIS y afirmar que no hay infierno es herejía y es uno de los artículos de la /20/ fe creer que hay infierno so pena de ser hereje el que no lo creyere y lo trata fray Alonso de Castro *Adversus hereses* IN VERBO INFERNUS.

154

Prosiguiendo fray Torivio el origen y principio de los de Culhua dice que sobre esto hay en diversos lugares diversas opiniones porque éstos fueron los principales señores de aquella tierra / los de Tlezcuco dice que en antigüedad y señorío eran como los mexicanos y que se llamaba Culhuac y que toda la provincia se llamaba Aculhuacam y que les quedó este nombre de un capitán valiente hombre natural de la misma provincia que se llamaba Aculli y que también se llama de este nombre ACULLI, el hueso que va del codo al hombro, y también el hombre, este capitán dice que era como otro Saul. Hombre valiente y alto de cuerpo que del hombro arriba sobrepujaba a todos los de su pueblo y que fue esforzado y animoso y muy nombrado en las guerras y que de él se llama la provincia de Tlezcuco Aculhuacam y que a uno de aquella provincia llaman Aculhua y en plural Aculhuaque.

Fray Andres de Olmos dice que los de Tlezcuco le dijeron que procedían de un hombre que nació en tierra de /20 v./ Aculma que está cinco leguas de Mexico y dos de Tlezcuco / que se decía Aculmizth y que de éste tomó nombre el pueblo y se dice Aculhua y que ACULLI quiere decir hombro y ACULMA en el hombro.

Los tlaxcaltecas dice fray Torivio que son de los nahuas que es la misma lengua que la de Mexico, y Tlezcuco y que dicen que sus antecesores vinieron de la parte del noroeste que es entre el occidente y septentrión y que para entrar en aquella tierra navegaron ocho o diez días y que tenían dos *saetas de los más antiguos* que allí vinieron, muy guardadas y que cuando iban alguna guerra las llevaban dos capitanes los más principales y más esforzados para las tirar a sus enemigos y que procuraban tornarlas a cobrar y que por ello se ponían a muy gran riesgo. Y si con ellas herían alguno tenían por cierta la victoria y les ponía grande ánimo, y esperanza de prender a muchos y si no herían con ellas se retiraban lo mejor que podían porque tenían por cierto les había de ir mal en aquella guerra y que los ancianos de aquella provincia decían que vinieron los nauales que es la más principal gente y lengua de la Nueva España / de la parte del noroeste como está dicho /21/ según lo que ellos señalaban y que lo mismo decían otros y que le parece que los pobladores de tan gran tierra y tan poblada como es la Nueva España tuvieron principio del repartimiento y división de los hijos de Noe y que considerados ciertos ritos y costumbres de aquellas gentes juzgan algunos ser de generación de moros y que otros por algunas causas y razones y por la condición de aquellas gentes dicen ser descendientes de judíos y que la mayor y más principal parte afirma que son gentiles y que ésta es la más común opinión y que parece más verdadera y para respuesta de los que dicen que descienden de judíos véase lo que dice fray Geronimo Rroman en el capítulo 9 libro 12 de la *Rrepublica de las Yndias Occidentales* y no he podido hallar qué gente era la de los nauales ni su principio y origen más de lo que se ha dicho de ellos y de su *lengua*.

Fray Torivio Motolinea y fray Andres de Olmos eran como se ha dicho de los más antiguos religiosos que había en aquella tierra y muy buenas lenguas y que tuvieron particular cuidado y diligencia en averiguar la descendencia de aquellas gentes, y de los que poblaron aquella tierra y en su tiempo estaban las pinturas de todo ello vivas, y enteras y alcanzaron muchos viejos muy ancianos y que se las dieron a entender y de quien se pudieron informar de lo que /21 v./ se ha dicho y así por esto como por ser ellos muy buenos religiosos es razón que se les dé crédito especialmente que en nada difieren el uno del otro o si difieren algo es muy poco y no en lo sustancial, y no es nuevo haber algunas cosas en que no conforman los historiadores, y adelante se dirán otras cosas que hacen a propósito de lo que se ha dicho.

CAPÍTULO CUARTO

En que se trata quién fueron los inventores de las primeras letras y cómo y en qué escribían los antiguos y dónde se inventó el pergamino y el papel y de algunas maneras de cifras que se usaron, a dónde y por quién se inventó el arte de imprimir.

Porque en la lección de las cosas de Yndias se suele tomar poco gusto y dice Tulio en el libro 2 *Tosculanarum questionum* menosprecio la lección que no deleita / y Horatio en *Arte poetica* dice que la lección ha de enseñar y deleitar al lector / y Seneca en la epístola 45 dice que la lección cierta aprovecha y la varia deleita y por esto he procurado y procuraré ir entremetiendo en esta Relacion algunas cosas, que a mi parecer no dejarán de dar contento al lector porque la variedad como dice Quintiliano en el capítulo 20 libro 1 *Institutione oratoriarum,* recrea y repara los ánimos, y es tan cierto y verdadero este dicho que cuando estamos hartos de cosas muy buenas otras no tales nos agradan y alivian el fastidio que con lo otro se ha recibido y Chichtoveo al fin del tratado /22/ que intituló *De vera nobilitate* dice que la variedad suele adornar y dar gracia a cualquier obra, y dice Erasmo en el *Dialogo çiceroniano* que deberíamos procurar la variedad, porque tiene tanta fuerza en las cosas humanas que aun de las muy buenas no habemos de usar siempre, y en la centuria 7 chiliadis 1 adagio 64 JOCUNDA VICISITUDO RERUM refiere muchos dichos y sentencias a este propósito y a esta causa pues se ha dicho que los naturales de Anauac no tenían letras y que escribían con figuras y caracteres. Será bien decir cómo escribían en los primeros siglos, y en qué y con qué, y quién fue el primer inventor de las letras y del arte de imprimir aunque lo habemos ya dicho en otra parte y después de lo haber escrito hallé que Pedro Mexia lo trata en el capítulo 1 y 2 de la 3 parte de la *Silva de varia leçion* y fray Geronimo Rroman en el capítulo primero y los siguientes del libro 7 de la *Republica gentilica* y Alexandro ab Alexandro en el capítulo 30 libro 2 *Genialium dierum* refiere algunas cosas nota-

157

bles a este propósito y Angelo Policiano en el capítulo 72 çenturia prima MISCELLANEARUM.

Las primeras letras se llaman elementa porque ELEMENTUM en latín quiere decir el primer principio de cualquier cosa (y así) justamente se llaman ELEMENTA porque son el primer principio de todas las ciencias y de ellas se hacen las sílabas y de las sílabas las dictiones /22 v./ y letra se dice de LITERA porque muchas veces lo que se escribe se borra otros dicen que LITERA se dice cuasi LEGITERA porque se lee y enseña el camino en lo que está escrito otros lo declaran en diversas maneras como son Servio y Prisciano y otros gramáticos y Ascensio en el comento *De litera Pythagorae* que está entre los opúsculos de Virgilio y tienen tanta fuerza las letras que sin hablarnos ni vernos con los ausentes nos entendemos por ellas como lo dice San Geronimo por autoridad de Turpilio Comico en la *Epistola 42* que comienza TURPILIUS COMICUS.

Quién haya sido el primer inventor de las letras hay diversas opiniones en el capítulo primero de los Juezes se dice que Dabid se llamaba antiguamente Cariathsepher que quiere decir ciudad de letras pero no dice que allí se hubiesen inventado, y si lo dijera quitada era la duda.

Plinio en el capítulo 12 libro 5 dice que los fenicios fueron los primeros inventores y en el capítulo 56 libro 7 dice que fueron los asirios y Quinto Curtio libro cuarto de la *Historia de Alexandro* dice que si se da fe a la fama los tirios enseñaron o deprendieron las primeras letras y Lucano en el tercero de la *Farsalia* dice que se cree que los fenicios fueron los primeros que se atrevieron a venir a escribir las ciencias en piedras por figuras de aves y de fieras porque aún no se había hallado el papel que se hacía de hojas de juncos /23/ y Cornelio Taçito dice que los egipcios fueron los primeros que escribieron por figuras de animales que llaman letras jeroglíficas que son las que se escriben con figuras de animales como lo dice Philon judeo en el libro 1 *De vita Mosis* página 6 y Erasmo en el adagio FESTINA LENTE columna 3 centuria 1 chiliadis 2 columna 408 y dice Cornelio Taçito que de los egipcios tomaron las letras los fenicios especialmente Cadmo, y llevó esta manera de escribir a Grecia y que los inventores de las letras fueron Rhadamantho de las asirias y Anubis y Menon de las egipcias, y Hercules egipcio de las de Frigia, y que Palamedes acrecentó el número de ellas y después Symonides y de las latinas unos dicen que fueron inventores Beroso, y Tricodemo, y otros Charmente de Arcadia otros dicen que los hebreos y San Geronimo en la *Prefaction a los libros de los Rreyes* dice que Esdras halló las letras de que ahora usamos y que hasta entonces eran unos mismos los caracteres de los samaritanos, y de los hebreos donde Mariano Victorio en sus *Scholios*, dice que la lengua hebrea es fuente de las demás y San Geronimo en la *Epistola a Damaso* que es 142 en orden y comienza ET FACTUM EST ANNO QUO MORTUUS EST OZIAS REX dice que la lengua hebrea fue la primera y que en ella se escribió el Testamento Viejo y el maestro Siliçeo arzobispo de Toledo en un libro que intituló *De divino nomine Jesus* en el capítulo 3 /23/ dice que el primer alfabeto lo dio y enseñó Dios a los hombres en tiempo de Adam en la forma que ahora usamos del abecedario y pone veintidós letras de él y que la A era triangular y en el capítulo primero dice que la H no es de todo punto letra sino una manera de aspiración y en el mismo capítulo tercero dice que la A era la primera letra y la O la última del alfabeto como aún ahora lo guardan los griegos y que la forma de la A que Dios enseñó era como se ha dicho triangular de esta manera Δ. Tiraraquello en el tratado *De Nobilitate* capítulo 72 en capítulo XI cita un autor que dice que Adam escribió libros de la agricultura.

El caracter y figura de la A que ahora usamos que es en esta forma A dice Tulio en el libro primero *De divinatione* que la imprime el puerco hincando el hocico en tierra y en el libro tercero *De natura Deorum* y Lactantio Firmiano en el primero capítulo sexto de las *Divinas institutiones* dice que hubo cinco Mercurios y que el quinto que es el que honran los feneates se dice haberse ido huyendo a Egipto por haber muerto a Argos, y que les dio leyes y letras y que lo llaman Thoyth. Y Lactantio dice que lo llaman Thoth. Y Marsilio Fiçino en el argumento a sus libros o *Dialogos* que tradujo de griego en latín dice que lo llaman Theut y que los griegos lo llaman Trismegisto que es tres veces máximo porque fue gran filósofo, gran sacerdote y gran rey porque era costumbre de los /24/ egipcios según dice Platon, elegir sacerdotes de los filósofos, y de los sacerdotes reyes y que éste les enseño las letras que eran caracteres en figuras de animales, y de árboles y en el capítulo Moyses distintione 7 en el Decreto se dice que este Mercurio Trismegisto fue el primero que dio leyes a los egipcios y de él trata muy doctamente Juan Bocaçio en el capítulo 20 libro 3 de

Genealogia Deorum y Jacobo Carpentario en la digresión tercera *de Deo* sobre el capítulo 9 de Alcinoo página 236 tomo 1 dice que Platon tomó mucho del griego Mercurio Trismegisto que fue pocos años después de Moysen y lo escribió en sus libros y que en Phedro dice que fue tenido por dios entre los egipcios y que fue inventor del arte de contar y de la geometría y de la astronomía y que en Philebo dice que éste artificiosamente apartó y distinguió las letras e hizo arte para leer / los pelasgos dice Solino en el capítulo 7 que fueron los primeros que llevaron las letras a Latio que es la campiña de Rroma / Nicephoro en el capítulo 43 libro XI de la *Historia ecclesiastica* dice que Ulphilas obispo de los godos que fue en tiempo de Valente emperador inventó las letras góticas lo mismo dice Socrates en el capítulo 27 libro 4 y Gozomeno capítulo 37 libro 6 de la *Historia ecclesiastica* y en el capítulo 13 libro 7 de la *Historia tripartita* se dice que se llamaba Unlphilas.

El primero que escribió en el mundo se cree que fue Enoch. Porque Judas apóstol hermano de Santiago lo cita en su *Canonica* y antes de él no se sabe de otro que haya escrito según se dice en la respuesta 26 del Almirante en sus *Quinquagenas* y que Tubal o Jubal fue muy entendido en las artes mecánicas y escribió la música en piedra o ladrillo.

/24 v./ Estrabon en el libro *De situ orbis* dice que los antiguos escribían en ceniza y parece increíble por no poder servir para cosa alguna y así dice Pedro Bobistan en el *Discurso de la exçelençia y dignidad del hombre*, quién no se reirá ahora de la barbarie, miseria, y pobreza de los antiguos / y dice que después escribían en cortezas de árboles, y después en piedras, y en hojas de laurel y después en planchas de plomo, y después en pergamino, y al fin en papel, en las piedras dice que escribían con hierro, en las hojas de laurel con pincel, en la ceniza con el dedo, en las cortezas de árboles con cuchillo, en el pergamino con cañas, en el papel con plumas, y que la primera tinta fue un licor de un pescado que llaman jibia, después zumo de moras, después hollín, y que después del bermellón se hizo tinta de goma y agallas y caparrosa y porque aquel punzón o instrumento con que escribían lo llamaban STILLUM quedó de allí decir buen STILO en escribir.

Job en el capítulo 19 dice quién me dará que mis palabras se escriban en cortezas y en planchas de plomo o en piedra con punzón de hierro de esta autoridad se colige cómo en los muy antiguos tiempos solían escribir en cortezas de árboles y en piedras guijarreñas, y en hojas de metal o de plomo con punzones de hierro.

/25/ Plinio en el capítulo XI del libro 13 dice que Marco Varron dice que después que se edificó en Egipto la ciudad de Alexandria se halló el uso de escribir en hojas de palma y después en cortezas de árboles y que en esto se solía escribir antes de los tiempos de Troya y según se halla en Homero se usó el escribir en tablillas. Y dice cuándo se halló el pergamino y se comenzó a escribir en él y que tomó nombre de Pergamo porque allí se halló primero que según él dice en el capítulo 30 libro 5 es ciudad clarísima en Assia. Y dice en el capítulo XI que en Egipto nace el papiro que es cierto género de juncos en que solían escribir antiguamente de donde tomó nombre el papel en que ahora escribimos y pone las propiedades de aquellos juncos y las cosas en que sirven que parece que conforman con el maguey de la Nueva España de quien se dirá adelante y dice otras cosas a este propósito en aquel capítulo y en el siguiente y según dicen Suidas y Volaterrano capítulo 4 libro 13 Anthopno Aspasio Biblo fue el primero que halló el papel y lo hacía de las telillas de las cañas y porque se llaman en latín BIBLOS se llamó el biblo y de esta manera se hace el papel en la China y en sus comarcas y es tan delicado que no se puede escribir en él de ambas partes ni es durable y yo he visto cartas en que lo dicen algunos de los que allá están y del papel que /25 v./ se hace en la Nueva España se dirá en otra parte cuando se trate del árbol que llaman maguey y los españoles le llaman cardón.

San Geronimo en la *Epistola 42* que comienza TURPILIUS COMICUS dice que cuando aquellos hombres rudos y de Ytalia a quien Ennio llamó cascos que según allí dice Erasmo y Mariano en sus *Scholios* quiere decir antiguos buscaban su comida a manera de fieras porque se mantenían con bellotas como allí lo dice Erasmo / antes que se hallase el uso del pergamino escribían en tablillas o en cortezas de árboles donde dice San Geronimo a quien llamaban tabelarios y a quien librarios. Y dice Erasmo por qué se dicen los libros códices y en la epístola siguiente, que comienza NON DEBET CHARTA se dice que habiendo Tholomeo estorbado e impedido sacar por la mar el papel que se hacía en Egipto el rey Attalo envió a Rroma el pergamino donde dice Mariano Victorio que esto hizo porque Tholomeo con envidia, por que en otras par-

tes no se pudiesen hacer librerías había estorbado la navegación y /
que como Eumenes hubiese hallado la invención del pergamino
en Pergamo el rey Attalo su hermano envió gran cantidad de ello a
Roma.

Antiguamente se hacía papel de las cortezas interiores de los
árboles y porque en latín aquella corteza se dice LIBER toman /26/
de allí nombre los libros, y porque también escribían en unas hojas que hacían de juncos que en latín se llaman BIBLOS tomó de
aquí nombre Biblia la Sagrada Escriptura como más principal, y
llamamos bibliotecas a las librerías. Y porque sería muy largo no
se refiere, por qué se llaman los escribanos tabularios y tabelliones
y Alexandro ab Alexandro al fin del capítulo 27 libro primero
Genialium dierum refiere diversos tabellarios y nombres de ellos.
También antiguamente solían escribir como se ha dicho con caracteres o figuras de animales y de árboles y de esta manera escribían los naturales de la Nueva España y se entendían muy bien por
las pinturas que les servían y les sirven de escritura y escriben de
una faz y van cosiendo unas tiras con otras y de esta manera escribían los antiguos como consta de lo que dice Juvenal al principio
de la primera *Satyra*, y allí sus comentadores sobre el verso
SCRIPTUS ET IN TERGO NOM DUM FINITUS ORESTES. Y porque aquellas tiras las iban rodeando o arrollando o revolviendo lo llamaban
volumen como lo declara Laurentio Vala en el capítulo 43 libro 6
de sus *Elegançias* y de aquí se dicen en las audiencias tiras y rollo
del proceso por aquellas tiras en que /26 v./ antiguamente solían
escribir y rollo porque se iban arrollando, y para notar alguna cosa
prolija se dice que es escrita en ambas páginas como se nota en
aquella primera *Satyra* de Juvenal y Plinio hablando de la fortuna
dice en el capítulo 7 del libro 2 la fortuna sola se suele invocar,
y nombrar, en ella piensan, y a ella alaban, y la acusan y arguyen, y
la deshonran, llamándola mudable, ciega, vaga, inconstante, in-
cierta, vana, y que da favor a quien no lo merece y le atribuyen
todos los sucesos y ella sola entre todos los mortales es la que
hinche ambas páginas, aunque Erasmo lo declara de otra manera
en el adagio 15 chiliadis 2 centuria 4 los de la China no tienen
letras y lo que escriben es por figuras y caracteres como lo dice
Bernandino De Scalante en el capítulo XI de la *Navegaçion de la
China* y que tienen más de cinco mil caracteres diferentes y
que lo señalan con gran liberalidad y presteza y que hacen los

renglones comenzando de alto para bajo muy iguales y con mucho concierto.

Dionysio Syracusano siendo echado del señorío de Syracusas en Çiçilia enseñó en Corintho muchachos a leer y escribir como lo dice Tulio en el libro tercero de las *Tosculanas questiones* porque no /27/ podía sufrir estar sin algún mando, lo mismo dice en el libro 9 de las *Epistolas familiares* en la epístola 18 a Papirio Peto y Justino en el libro 21 y Philo judio *De vita viri civilis sive* de Joseph página 467 tomo 1 IN PARVIS de quien también hace mención Valerio Maximo libro 6 título 1 *De varietate casuum* capítulo 12 y Petrarca en el diálogo 81 de los *Remedios contra adversa fortuna*.

Aulo Gelio en el capítulo 9 libro 17 refiere algunas maneras de cifras que usaron los antiguos y que un histeo estando en Persia con el rey Dario quiso escribir algunas cosas ocultas a un su amigo llamado Aristagoras y que usó de una manera extraña y fue que a un esclavo suyo que había días que estaba malo de los ojos le hizo raer el cabello y en la cabeza le escribió lo que quiso so color de que lo hacía para medicina y cura de su mal de ojos. Y después que le hubo crecido el cabello le mandó que fuese a Aristagoras y que le dijese que le rayese el cabello como él lo había hecho y que ido le dijo lo que su señor le había mandado y que Aristagoras considerando que no sin causa le había enviado aquel recado le hizo raer la cabeza /27 v./ y vio y leyó las letras / otras maneras se refieren en aquel capítulo muy diferentes de las cifras que ahora se usan y Dion Niçeo en la *Vida de Augusto Çesar* dice que en su tiempo Mecenas halló ciertas letras para escribir con gran brevedad y Plinio en el capítulo 21 libro 7 dice una cosa admirable y es que uno escribió la *Yliada* de Homero en pergamino tan delicadamente que cupo en una nuez siendo como son 24 libros y así para notar una cosa de prolijidad se dice que lo es más que la *Iliada* de Homero como lo dice Erasmo en el adagio 51 chiliadis 4 centuria 5.

Diversas maneras se han usado en el escribir por que los hebreos y los egipcios comenzaban a escribir de la parte de la mano derecha hacia la izquierda, los griegos y los latinos, de la izquierda a la derecha como ahora se usa otros escriben casi a la redonda porque donde acaban el primer renglón vuelven a proseguir hacia la parte contraria como si comienza de la parte de la mano izquier-

163

da vuelven hacia la derecha y si comienzan de la derecha vuelven hacia la izquierda con otro renglón tomando este modo del que se tiene en arar y de aquí toman nombre los versos según San Ysidoro libro 6 *Etimologiarum* otra manera pone Pogio libro 4 de *Fortunae* /28/ *varietate* que es escribiendo de arriba para abajo como lo dice Giraldo diálogo primero *Historiae poetiçae*. Y de esta manera dice Alexandro ab Alexandro capítulo 30 libro 2 *Dierum genialium* que escriben los etiopes y refiere lo que se ha dicho de los egipcios y de los griegos / y los moriscos de Granada comenzaban de la parte de la mano derecha para la izquierda y así vi yo que lo hacían estando en Granada y las plumas con que escribían eran de cañas delgadas o de carrizos o de alatón morisco.

El arte de imprimir de que Pedro Mexia trata en el capítulo segundo de la tercera parte de la *Silva de varia leçion* y fray Geronimo Roman en el capítulo 2 del libro 7 de la *Rrepublica gentilica* dicen que la inventó un alemán llamado Juan Cutembergis el año de 1442. Otros dice fray Geronimo que lo llaman Juan Mentlino natural de Argentina. Y Erasmo en los *Scholios* a la epístola XI de San Geronimo que comienza IN VETERE VIA y allí Mariano Victorio IN VERBO MAGUNTIACUM dicen que se halló esta invención en Maguntia y Mariano dice que el inventor se llamó Theodorico Gresmundo y dice Erasmo que fue muy docto varón y muy elocuente y Gonçalo de Yllescas en el libro 6 de la *Historia pontifical* al fin del capítulo 13 donde pone la vida de Eugenio 4 dice que se halló esta divina invención el año de mil cuatrocientos cuarenta /28 v./ por un caballero llamado Juan Gutembergo / Michael Buchingero en la *Historia ecclesiastica* en la vida del papa Pio segundo dice que se inventó en Germania en el año de mil cuatrocientos cincuenta y dos aunque otros dicen que en tiempo del emperador Federico tercero y refiere unos versos que hizo en su loor Beroaldo que son los siguientes OH GERMANIA MUNERIS REPERTUX QUO NIHIL VTILIUS DEDIT VESTUTAS LIBROS SCRIBERE QUE DOÇES PREMENDO y que otros dicen que en los caytanos que son pueblos que están en las últimas partes hacia el Oriente cuasi al paralelo de Traçia de que los portugueses tienen noticia de que hace mención Paulo Jobio obispo de Noçera en sus *Historias* cuyas palabras son éstas ET QUOD MAXIME MIRANDUM VIDETUR, HABENT CATAYNI SUOS TYPOGRAPHOS ARTIFICES, LIBROS HISTORIARUM, MORE NOSTRO IMPRIMENTAS, QUORUM LONGUISSIMA FOLIA INTRORSUS

QUADRATA SERIE (ETIAM SUORUM SACRORUM ÇEREMONIAS CON-
TINENTES) COMPLICANTUR. CUJUS GENERIS VOLUMEN A REGI
LUSITANIAE CUM ELEPLANTE DONO MISSUM. LEO X PONTIFEX
HUMANTER, NOBIS OSTENDIT, HUIC FULÇIENDA EJUS EXEMPLA,
ANTE LUSITANORUM TRAJECTUM PER SCYTHAS, ET MOSCOS, AD
INCOMPARABILE LITERARUM PRESIDIUM, AD NOS PERVENISSE. Y
en Mexico me dijo un español llamado Guydo /29/ de Lavazares
que había estado en aquella tierra que vio en ella imprimir libros
y que valen muy barato y yo he visto cartas que se han escrito de
allá que dicen lo mismo y Bernardino de Escalante en el capítulo
XI del *Discurso de la navegaçion* que los portugueses hacen a los
reinos y provincias del Oriente y de la noticia que se tiene de las
grandezas del *reino de la China* dice que tienen imprentas de que
usaron mucho antes que en Europa y que escriben los renglones
de alto abajo con mucho concierto y en el capítulo 16 refiere una
relación que se dio al rey don Phelipe nuestro señor por un capitán
que se halló en la conquista de las islas del Poniente que llaman
Filipinas en que dice que en la China tienen molde y que impri-
men libros de tiempo inmemorial lo mismo dice Julian del Castillo en el discurso primero del libro primero de la *Historia de los
reyes godos.*

Pedro Bobistan francés en un libro que escribió en su lengua
intitulado *Breve discurso* de la excelencia y dignidad del hombre
dice que un alemán inventó la manera del imprimir en el año de
mil cuatrocientos noventa y tres donde muy encarecidamente alaba esta invención. Pero Andres Marguesius en una *Epistola dedicatoria ad Guilfermum Pellicerium* /29 v./ MOSPELIESEM EPISCOPUM que
está al principio de la impresión de Plinio en marca menor dice
que ha sido y es CORRUPTUX LIBRORUM. Si no se tiene muy gran
diligencia en la corrección de la imprenta porque de otra manera
se yerran tanto que los muy eruditos varones no lo pueden corregir ni enmendar y es cierto pues así lo vemos en muchos libros y
que para los corregir y enmendar se pone gran diligencia en buscar
los que hay escritos de mano y esto se verá por Erasmo y por Mariano
Victorio en los *Scholios* a las epístolas del glorioso San Geronimo
donde en muchas partes dicen que se aprovecharon de libros de
mano para enmendar muy muchas cosas que estaban depravadas.

En un libro aunque de poca autoridad se dice que el arte de
imprimir lo inventó un noble ciudadano muy rico que se llamaba

Pedro Huest natural de Maguncia que es en Alemania y que se divulgó el año de mil cuatrocientos veinticinco y que el primer libro que se imprimió en el mundo fue el de San Agustin *De civitate Dei* y el de Lactantio Firmiano y que en el año de mil cuatrocientos treinta y seis en una diferencia que hubo entre dos arzobispos el que no poseía tuvo /30/ formas con ciertos ciudadanos y le abrieron una noche la puerta de San Symon y Judas y entró en la ciudad con gente y mató muchos y entre ellos a este memorable varón Pedro Huest / no es menos digna de loor la invención de la tapicería que se labra en Flandes y de las sedas en Granada y del vidrio en Venecia. Y de las porcelanas en la Yndia de Portugal que todo es de tanta admiración como la imprenta y no se puede dar bien a entender si no es viéndolo.

CAPÍTULO QUINTO

En que se trata cómo y con qué se sustentaban los primeros hombres que hubo en el mundo y se refieren otras cosas antiguas que conforman con la costumbre y manera de vivir de los chichimecas y de los demás pobladores de Anauac.

Porque en alguna manera parece que los chichimecas que fueron de los primeros que poblaron a Anauac conforman en su modo y manera de vivir con la de los primeros hombres que hubo en el mundo y con la de algunos menos antiguos, así fieles como infieles será bien para dar algún gusto al lector referir lo que sobre esto he leído y para ello he deseado ver un libro que escribió un fraile de San Francisco llamado Pineda en que según he oído trata desde la creación de Adam hasta nuestros tiempos porque podrá ser que allí trate de lo que /30 v./ yo pretendo tratar en este capítulo y no lo he podido hallar, si aquel religioso tratare tan bien de esto no será inconveniente haberlo yo tratado pues como dice el divino Agustino cuantos más autores hubiere de una misma cosa tanta más autoridad y crédito tendrá.

Digo pues que los primeros hombres que hubo en el mundo vivían de la forma y manera que los chichimecas y comían las carnes crudas, hasta que la necesidad maestra de todas las cosas les enseñó como lo dice Marco Varron *De lingua latina* a las asar, y después a las cocer en sola agua y con esto vivían sanos y recios y muchos años y el glorioso San Geronimo libro segundo *Contra Joviniano* dice que los nómadas y trogloditas y los escitas y hunos comen las carnes crudas y los ictiopófagos que andan derramados por la ribera del mar Bermejo se sustentan con sólo pescado que asan poniéndolo sobre piedras que están hirviendo con el calor del sol donde refiere otras gentes que comen gusanos y langosta donde Erasmo y /31/ Mariano Victorio en sus *Scholios* declaran que es la langosta que comía en el desierto San Juan Baptista y refiere San Geronimo otras naciones que se sustentan con leche de camellos y que siendo él mozo vio en Françia que los scottos británicos

167

comían carne humana aunque hay por los campos cantidad de ganado y que cortan a los pastores las asentaderas y a las mujeres las tetas para comer porque éste tienen por el mejor de todos los manjares y que no tienen mujeres propias sino comunes como bestias y usan de la que quieren para sus lascivias y lujurias en que parece que siguen la opinión de Platon en su *Rrepublica* que mandó que las mujeres fuesen comunes para que todos tuviesen cuidado de criar los hijos y lo reprende singularísimamente Lactantio Firmiano en el capítulo 21 y 22 libro 3 *Divinarum institutionum* y Jacobo Carpentario in prefactione *in comparationem Aristotilis cum Platone* folio 9 IN FINE CUM SEQUENTIBUS. Dice que los platónicos procuran defender a su maestro y dicen que aquella comunidad que dice Platon que ha de haber en la república no se entiende del concúbito y ayuntamiento sino del cuidado /31 v./ que en común se ha de tener de todas las mujeres y de los hijos y dice que así parece que lo declara Platon en el principio del *Timeo* y esto parece que aprueba Carpentario. Pero Lactancio no lo entiende así, como parece en las partes que se han citado.

San Geronimo refiere otras bestialidades y muy grandes crueldades que usan aquellas gentes / y otras que usan con los viejos echándolos a los perros y que tienen por infeliz al que muere de su muerte natural y Erasmo en sus *Scholios* dice que todavía hay entre los jasones algunos que comen las carnes crudas en especial las de puerco. Y Pomponio en la *Descripçion de Bretaña* y Estrabon en el libro cuarto de su *Geographia* refieren lo de las mujeres comunes / y Plinio y Solino tratan lo mismo que se ha dicho en algunas partes y de ello se tratará más largo en otra parte.

Comiendo pues los primeros hombres como se ha dicho tan pocos y tan ruines manjares vivían muchos años y muy recios y sanos porque con poco se sustenta naturaleza como parece en muchas partes de la Sagrada Escriptura y según /32/ dice Hesiodo en los primeros siglos los hombres estaban muchos años so el imperio de sus madres como las indias tienen algunos años a sus hijos y casi todos andan desnudos y duermen en el suelo, y comen poco y a poca costa, y pocos manjares y algunos no de buen gusto para los que no los usan, y con esto andan contentos, recios, y sanos, y viven muchos años porque como dice San Geronimo en la *Epistola a Rustico monje* que comienza NIHIL CHRISTIANO FELICIUS y es 4 en orden el poco comer aprovecha al cuerpo y al ánima, y la curiosidad que en otras gentes hay en inventar manjares y diferencias de potajes más para dar sabor al gusto que para sustentar esta flaca y miserable vida en que vivimos con tanta multitud de enfermedades, causadas las más, y las más veces del comer demasiado trae tras similares de inconvenientes, necesidades y trabajos que nos ponen en términos que deseamos la muerte, porque ésta es fin y remate de tantas miserias como todos los hombres en general padecen.

Porque se ha dicho que los indios y otras gentes viven muchos años será bien referir lo que Lactançio Firmiano y el glorioso San Geronimo dicen para declaración de tan larga vida cómo algunos vivían porque hay algunos que quieren estrechar los años a meses y que eran años lunares y lo reprueba Lactançio al fin del capítulo 13 /32 v./ libro segundo de las *Divinas instituciones* donde dice que como en la Sagrada Scriptura se dice que algunos vivieron gran multitud de años y no lo ignorase Marco Varron trabajó declarar por qué los antiguos vivían hasta mil años y dice que los egipcios tienen los meses por años. Este argumento dice Lactantio que es falso porque en aquel tiempo ninguno pasó de mil años. Y el que ahora llega a cien como muchas veces acontece viven a la cuenta de Marco Varron mil doscientos años y que autores graves refieren algunos que han vivido ciento veinte años y porque Marco Varron ignoró, por qué y cuándo se abrevió la vida del hombre, la disminuyó él con saber que podrían vivir mil cuatrocientos meses que son ciento veinte años lunares como él los hace. Y sobre esto hace un capítulo Pedro Mexia que es el segundo de la primera parte de la *Silva de varia leçion* donde declara bien lo que Lactancio dice y cita a San Agustin en el libro 15 *De civitate Dei* donde dice que lo trata más largo y mejor que Lactantio y es San Agustin en el capítulo 9 aunque él no lo señala.

El glorioso San Geronimo en las *Questiones o traditiones* sobre el Genesis dice que muchos se engañaron en pensar que acortó y limitó Dios la vida del hombre en ciento /33/ veinte años porque no puso límite a la vida en este término, sino que dio ciento veinte años aquellos de quien hablaba para hacer penitencia pues vemos que después del Diluvio vivió Abraham ciento setenta y cinco años, y otros más de doscientos y trescientos años y porque aquéllos no hicieron penitencia no los esperó Dios el tiempo de los ciento veinte años sino que quitó de ellos veinte y envió el Diluvio a los cien años del tiempo señalado que les había dado para hacer penitencia lo mismo dice Origenes en la HOMELIA 2 in *Cantica cantorum* columna 4 y véase el capítulo PREDIXERAT párrafo DENIQUE DE PENIT DIST / esto servirá para declaración de lo que dice Pedro Mexia en el capítulo 7 de la cuarta parte de la *Silva de varia leçion* y Alexo Venegas en el libro que intituló *Agonia de la muerte* donde trata de la vida del hombre. Por la opinión de Marco Varron que dijo que los años eran lunares hace lo que se dice en el capítulo 27 del libro primero de los Reyes que David cuando se fue al rey Achis por huir de Saul que lo perseguía para lo matar estuvo en aquella tierra cuatro meses y en el capítulo 29 se dice que yendo el rey Achis con su ejército contra los isrraelitas iba David con él con su gente y dijeron los sátrapas /33 v./ dónde iban aquellos hebreos y que les respondió el rey Achis y dijo ya no sabéis que David que fue siervo de Saul rey de Ysrrael ha muchos días o años que está conmigo, y que nunca he hallado en él maldad, y que no consintieron los sátrapas que fuese con ellos pero contra esto hace lo que se dice de Salamon y Achaz que engendró siendo de once años como lo dice y declara San Geronimo en la *Epistola a Vita* que es 132 en orden y comienza ZENON NAUCLERUS donde también dice que oyó que un muchacho de diez años preñó al ama que lo había criado y lo mismo otro de nueve años como lo dice San Gregorio en los *Dialogos* y lo refiere Plaça en el capítulo 32 libro primero de *De delictis* número 8 por manera que no se puede decir que los años de Salamon y Achaz eran lunares y en otra parte se dirá esto más largamente y con esto tornemos a nuestro propósito.

Vivían asimismo los hombres en aquellos primeros siglos como salvajes y vivían en cuevas* como ya se ha dicho. Y lo dice Diodoro Siculo en el libro primero. Y las yerbas y los árboles según dice Virgilio *Georgicorum* libro primero y Ovidio libro primero *Methamorphoseos* les daban el mantenimiento voluntariamente y sin trabajo y San Geronimo en el *Libro segundo contra Joviniano* /341/ dice que en el siglo dorado vivían los hombres con frutas que la tierra producía sin ser forzada para ello, porque no la araban, ni

---

* En la encuadernación del manuscrito original (probablemente realizada en el siglo XIX), se acortaron considerablemente los márgenes, por lo que gran parte de una nota al margen resulta ilegible: "Sobre esto es vulgar [...] dad de los ejércitos de [...] gentiles pues en la Sagrada Scriptura consta que [...] Caín hizo ciudad, [...] que me parece que nu [...] dos hubieron como [...] vajes, véase a la A [...] SECUND LANCE [...] en el HOIG [...]."

la cavaban, ni sembraban ni se pasaba el trabajo que ahora se pasa con tantas maneras y diferencias de labores para que dé fruto, y con todo esto nunca faltan millares de inconvenientes por donde viene a dar tan poco fruto. Como cada día lo vemos como lo trata Virgilio en el primero libro de las *Georgicas* y Platon in libro *De Rregno* y Filostrato libro 6 capítulo 4 de la *Vida de Apollonio* donde todos dicen otras cosas a este propósito. Aulo Gelio capítulo 4 libro 9 refiere algunas cosas extrañas de los escitas y de otras gentes que habitan en las partes septentrionales. Y que los sauramatas no comen sino de tres a tres días. Y que en los extremos de la Yndia hay unas gentes que tienen el cuerpo lleno de plumas como aves y que ninguna cosa comen y que se sustentan con el olor de flores que llegan a sus narices que debe ser como los SUCHILES que son unos manojitos de flores olorosas que traen los indios en Nueva España en las manos y todo el día los andan oliendo especialmente cuando van camino y con cargas y con aquello dicen que no sienten tanto el trabajo ni el calor porque como dice Marsilio Fiçino en el capítulo 18 /34 v./ libro segundo *De vita* los buenos olores recrean y sustentan el ánimo donde da la razón de ello.

San Geronimo en la *Epistola a Eusthochio* que comienza AVDI FILIA ET VIDE y es 22 en orden dice que los monjes de Egipto ni aun estando enfermos no comían cosa cocida y que siempre bebían agua y los primeros cristianos de Alexandria en tiempo de San Marcos evangelista que entendía en su doctrina no comían hasta que era puesto el sol, y no bebían vino, ni lo gustaban y su comida era pan con sal, y una yerba que llaman hisopo y agua. Como más largamente lo refiere Philon judío doctísimo varón, en el libro *De vita contemplativa* y lo refiere Eusebio en el capítulo 16 del libro segundo de la *Historia ecclesiastica* y San Geronimo refiere otras cosas maravillosas de la gran abstinencia de los monjes en aquella su *Epistola a Eustochio* y allí Erasmo y Mariano Victorio en sus *Scholios*. Y los hijos de los profetas hacían unas casillas o chozas en que habitaban y comían puchas o poleadas que hacían de harina de cebada o de habas, y yerbas silvestres como lo refiere San Geronimo en la *Epistola a Rrustico monge* que comienza NIHIL CHRISTIANO FOSELICIUS y es 4 en orden y se dice en el capítulo 6 libro 4 REGUM.

/35/ De los romanos dice Plinio en el capítulo 8 libro 18 que mucho tiempo no comieron pan y que se mantenían con puchas o poleadas que se hacían con harina y agua y Estrabon en el libro 4 y Diodoro Siculo en el 6 dicen que los de Liguria habitan en una tierra muy áspera y estéril y que pasan la vida limpiamente, con un continuo trabajo y se sustentan de la caza y duermen en tierra y viven sin aparato alguno y que son de agudo ingenio, y de los escitas dice Seneca que la mayor parte de ellos se visten de pieles de zorras y de ratones porque no las pasa el sol y porque son blandas y Antonio Bonfinio al fin de la década primera libro primero *De las cosas de Ungria* dice que tienen por casas los carros en que andan y que es gente antiquísima y pastores y guardas de sus ganados y que no sabían qué cosa era avaricia y se ayudaban los unos a los otros en sus labranzas (como lo hacían los naturales del Nuevo Rreyno de Granada) y dice que ninguno tenía cosa propia si no era un cuchillo y un vaso para beber y que todo lo demás era común, y que era gente de admirable simplicidad sin malicia, ni ambición que se contentaban con poco y que eran muy más continentes que nosotros. Y que con estas buenas costumbres se aventajaban a las otras naciones y que como por nosotros /35 v./ se comenzó a navegar aquella mar, y los escitas marítimos se corrompiesen y ensuciasen con nuestras costumbres, luego fueron todos hechos una oficina de deleites, y una tienda de vicios y reinó en ellos grandemente la maldad y avaricia y se tornaron tan malos que mataban a los extranjeros y hacían grandes robos y se dieron a la lujuria y a otros grandes vicios y se hicieron afeminados y holgazanes, corrompieron y quebrantaron las buenas costumbres y Quinto Curtio en el libro 4 de la *Historia de Alexandro* trata de ellos y dice que es gente belicosísima y acostumbrados a robar. Y en el libro 7 dice que no son de rudo ingenio como lo son otros bárbaros donde refiere una muy docta oración que uno de sus legados hizo al gran Alexandro y entre otras cosas notables le dijo tú que te jactas y glorias que andas a perseguir los ladrones eres ladrón de todas las gentes adonde has llegado / y Justino en el libro segundo dice que guardaban justicia más por su natural inclinación que por leyes / y que ningún delito castigaban tan rigurosamente como el hurto y dice que es gente antiquísima y que así como las otras gentes aman el oro y la plata ellos lo aborrecían y que se mantenían con leche y con miel /36/ y que esta su continencia era causa de su justicia y de sus buenas costumbres y que ninguna cosa ajena deseaban porque la codicia reina donde se aman

172

las riquezas donde trata largamente de ellos / con lo que aquel legado de los escitas dijo a Alexandro confirma lo que refiere San Agustin en el capítulo cuarto libro cuarto *De civitate Dei* que habiendo prendido a un pirata le preguntó y le dijo qué te ha movido a inquietar el mar le respondió lo que a ti a inquietar el mundo donde Luis Vives en sus *Scholios* dice que lo refiere Tulio en el libro tercero *De oratore* y dice que preguntándole qué maldad le había movido a inquietar el mar con un navichuelo le respondió lo que a ti a inquietar todo el mundo / otros dicen que le dijo a mí porque ando con un navío a ganar mi vida me llaman pirata y a ti que con gran flota robas el mundo te llaman Alexandro Magno.

Aunque Quinto Curtio y Justino alaban los escitas y Antonio Bonfiçinio diga que solía ser gente de admirable simplicidad y sin malicia y que ya se han hecho muy malos como se ha dicho pero siempre debieron ser tan malos como son ahora según parece por el capítulo cuarto libro segundo de los Machabeos donde encareciendo la sinjusticia que se hizo contra /36 v./ unos judíos se dice que absolvieron a Menalao que era reo de toda maldad y condenaron aquellos míseros que si fueran acusados ante los escitas los absolvieran y dieran por libres, salvo si no decimos que no se entiende esto de todos los escitas porque hay muchos géneros de ellos como lo dice Plinio en el capítulo segundo libro 7 y en el capítulo 17 libro 6 y el capítulo 12 libro cuarto donde dice que el nombre de escita pasó y se extiende hasta los sármatas y germanos y Solino en el capítulo 14 y 24 hace mención de estos sármatas y escitas y Quinto Curtio en el libro 7 dice que los escitas albios habitan en Europa y Pedro Mexia en los capítulos diez y once de la primera parte de la *Silva de varia leçion* hace mención de los escitas de Assia y de Europa y de las amazonas que descendían de ellos y con esto tornemos a nuestro propósito.

Anacharsis gran filósofo natural de Scythia en una *Epistola* que escribió a Hanon según lo refiere Tulio en el libro quinto de las *Tosculanas questiones* dice mi vestido es el de los escitas mi calzado los callos que tengo en las plantas de los pies, mi cama es la tierra mi comida es que siempre como con hambre leche, queso, y carne esto dice porque ninguna salsa hay mejor para el gusto /37/ que el hambre como en otra parte se ha ya dicho y es de tal calidad nuestro vientre y apetito que cuanto más nos damos a la gula tanta más hambre tenemos porque como dice Aulo Gelio en el capítulo 3 libro 16 se nos ensanchan con la comida las partes interiores del vientre y apetecen comer para no estar vacías y si comemos poco se estrechan y con poco se hartan e hinchan. Y de los escitas refiere que cuando por alguna causa se han de pasar sin comer algunos días más de lo acostumbrado se ciñen con unas fajas anchas y aprietan fuertemente el vientre para que el hambre no les fatigue porque estando el vientre tan apretado no hay en él espacio vacío o si le hay es poco, y así no sienten el hambre o les da poca pena.

Virgilio en el primer libro de las *Georgicas* y Ovidio libro primero *Methamorphoseos* y Juvenal *Satyra* 6 y Plinio capítulo 56 libro 7 y en el proemio libro 16 y Hesiodo libro primero de las *Georgicas* y Alexandro ab Alexandro en el capítulo XI libro 3 *Genialium dierum* dicen que los primeros hombres se mantenían con bellotas y habitaban en cuevas y según dice Virgilio libro 8 *Eneydos* vivían sin tener cuenta más que con el día presente y no tenían casas ni pueblos y vivían derramados por los montes no salían de la tierra que habitaban ni tenían trato con otra gente alguna hasta que como dice Tullio libro primero /37 v./ *Rethoricorum* y en la *Oration pro Sestio* atraídos con buenas razones por hombres sabios y prudentes los juntaron en pueblos y les dieron leyes, y manera de vivir como hombres y Horatio en el *Arte poetica* dice que Amphion se dice que edificó la ciudad de Thebas moviendo las peñas con el son de su arpa atrayéndolas con ruegos y palabras blandas adonde quería y así lo declara Solino en el capítulo XI donde dice que con la dulzura de sus palabras compelió y atrajo Amphion los hombres que habitaban entre aquellos montes y peñascos con costumbres, y condiciones rústicas, a que viviesen juntamente en obediencia de las leyes civiles y esto es lo que se pretende en lo que está santamente proveído por cédulas y provisiones reales que los indios se junten en pueblos atrayéndolos a ello con buenas palabras y razones dándoles a entender que así conviene a su salud y a su cristiandad y pulicía divina y humana y para que mejor sean doctrinados y enseñados en las cosas de nuestra santa fe y para les hacer justicia, y desagraviarlos de los agravios que recibieren y que esto es lo que les conviene como más largo se dijo en la *Suma de los tributos* y en la de los *Señores de Nueva España* y para lo que se ha dicho véase Lactantio Firmiano en el capítulo X libro 6 *Divinarum institutionum*.

/38/ San Geronimo en el *Libro segundo contra Joviniano* dice que Josepho en el libro 18 *De las antiguedades* refiere tres sectas opiniones, o diferencias que había entre los judíos que eran fariseos, y saduceos, y esenos, y que a estos postreros alaba grandemente porque se abstenían de las mujeres, y del vino, y de las carnes, y ayunaban tan de ordinario, que habían vuelto el ayuno en costumbre natural, y que de la vida de éstos escribió Philon varón doctísimo un libro y trata de ellos en el libro que intituló *Quod liber est quisquis virtuti studet* página 222 tomo 2 y Plinio en el capítulo 17 libro quinto y Solino en el capítulo 47 y Clithoveo capítulo 3 *De laude monastiçae religionis* donde dicen cosas maravillosas de su religión y manera de vivir y dice San Geronimo que Dantes Çiziçeno, y Asdepiades Cypro que fueron en tiempo que reinaba en Oriente Pigmaleon escriben que no se comía carne y que Eubulo que escribió la *Historia de Mithra en muchos libros* dice que los persas tienen tres maneras de sabios y que los primeros son doctísimos y muy elocuentes y que ninguna cosa comen más que harina y hortaliza, y que Bardesanes babilonio divide en dos sectas los gimnosofistas unos llaman brahamanes otros samaneos que son de tanta abstinencia que se mantienen o con frutas de los árboles cerca del río Ganges o con harina de cebada /38 v./ y que cuando el rey los va a visitar los adora porque piensa que la paz de su reino consiste en sus preces y oraciones y que Euripides refiere que en Creta los sacerdotes de Jupiter no comían carne ni cosa alguna cocida. Y que Genocrates filósofo escribe que en el templo de Eleusina en Athenas había tres preceptos, honrar los padres, reverenciar los dioses, no comer carne y dice que deja de referir para confusión nuestra la gran abstinencia y templanza de Pithagoras y de Socrates, y de Antisthenas y de otros porque sería largo, y necesario hacer de ello libro particular donde refiere otras cosas singulares. Y en la *Epistola* que escribió a Paulino que comienza FRATER AMBROSIUS y es 103 en orden dice que Apolonio con deseo de saber y deprender cosas nuevas habiendo andado por muchas partes fue a los brahamanes por oír a Hiarcas, donde en sus *Scholios* dice Mariano Victorio que son pueblos o más propiamente sabios y allí Erasmo dice en el número 13 que son pueblos de la Yndia de quien los autores escriben cosas increíbles y que son de vida temperadísima y que no tienen animal alguno de cuatro pies, ni agricultura, ni hierro, ni casa,

175

ni fuego, ni oro, ni plata, ni pan, ni vino, y que con la templanza de los aires viven muchos años sin comer más que algunas frutas de los árboles y con /39/ beber agua y que son grandes celadores de la piedad, y de la justicia, y lo guardan inviolablemente y que el gran Alexandro fue a su tierra solamente por los ver.

La Yndia dice Plinio en el capítulo 17 libro 6 que es la tercia parte de todas las tierras y de innumerable multitud de pueblos y que la gente de Alexandro Magno en lo que anduvo por ella contó y escribe cinco mil pueblos y que es así de creer porque solos los indios entre todas las gentes nunca salen de sus fines y términos y que tienen dos estíos y dos cosechas cada año y que es tierra saludable y Solino en el capítulo 64 dice que hay en ella cinco mil ciudades grandes y nueve mil pueblos y que algún tiempo se creyó que ella era la tercia parte del mundo y que no es de maravillar que hubiese en ella tanta copia de gentes y de pueblos porque solamente los indios jamás se parten de su tierra natural y que es tierra saludable y que tiene dos estíos en el año y se cogen dos veces las mieses y que no se escribe cosa de ella de que se haya de dudar porque con el poder de Alexandro Magno fue diligentemente investigada, y que después siendo toda andada por muy gran diligencia de otros reyes ha llegado de todo punto a nuestro conocimiento. Y dice Plinio en el capítulo 2 libro 7 que en la Yndia se engendran animales grandísimos y que son indicio /39 v./ de serlo los perros que son mayores que los de otras partes y que hay árboles de tanta longura y alteza que una saeta no los puedé sobrepujar y que esto lo hace la fertilidad de la tierra, y la templanza del cielo y la abundancia de aguas, y él y Solino ponen su descripción y sus términos y dice Tulio que la gente de esta tierra anda desnuda especialmente los que son tenidos por sabios y que sin dolor alguno sufren las nieves del monte Caucaso, y la fuerza del invierno y si se llegan al fuego, no hacen sentimiento ni muestra de dolor aunque se tuesten y se quemen, y que cada uno tiene muchas mujeres y que cuando él muere hay entre ellas contienda en juicio sobre a cuál de ellas amó más su marido, y la que sale con la victoria en presencia de los suyos y con alegría de ella la ponen en el fuego con su marido y las que en esto son vencidas quedan tristes y corridas.

En lo que dice Plinio que se crían en la Yndia grandísimos animales y que tienen dos estíos y dos cosechas cada año como lo dice él y Solino parece que contradicen a lo que se ha referido que dice Erasmo que no tienen animal de cuatro pies ni agricultura pero como aquella tierra es grandísima como se ha dicho podrá ser que en una parte lo haya y en otra no.

/40/ Los filósofos de la Yndia que llaman gimnosofistas dice Plinio en el capítulo 2 libro 7 que desde que sale el sol hasta que se pone lo están mirando sin mover los ojos y que con ser tierra arenosa y que está ardiendo con el sol están todo el día de pies sobre ella a veces sobre el un pie y a veces sobre el otro lo mismo dice Solino en el capítulo 64 y dice Apuleyo libro primero *Floridorum* que en tanta manera aborrecían la ociosidad que cuando se juntaban a comer preguntaban a los mozos qué bien habían hecho o deprendido en provecho del género humano aquel día. Y al que respondía que ninguno lo echaban fuera sin comer porque aborrecen en gran manera los flojos y perezosos. Y dice Guido Bitur que a todos los que ninguna cosa habían hecho en esta vida los sepultaban como a bestias porque como dice Seneca en la *Epistola 78* NON EST DIÇENDA VITA QUANDIU VIXERAS, SED SOLUM QUANDIU BENE VIXERIS, y dice Alexandro ab Alexandro en el capítulo 21 libro quinto que con estas disciplinas y castigos los incitaban a la virtud y Erasmo en los *Scholios* a la epístola a Paulino que es 103 como se ha dicho dice que habitan desnudos en las selvas sin deleite alguno que son los que suelen corromper la vida de los mortales de quien también dice que escriben los autores cosas maravillosas.

Hieremias en el capítulo 35 dice que los rachabitas no bebían vino, ni edificaban casas /40 v./ ni sembraban, ni plantaban viñas y que habitaban en tiendas y tabernáculos como se lo mandó su padre Jonadab hijo de Rrechab para que viviesen muchos años sobre la faz de la tierra y fueron por ello alabados por Dios como se dice en el mismo capítulo y lo nota San Geronimo en la epístola a Paulino *De institutione monachi* que comienza BONUS HOMO por manera que la vida y modo de vivir de los chichimecas y de los demás naturales de Yndias era casi conforme a la de estos rachabitas y de los demás que se han referido aunque en el beber del vino hay entre ellos muy gran disolución, y están ya muy llenos de vicios en especial los que son ladinos y que tratan con mestizos y mulatos y que andan entre ellos y viven de su sudor y les venden vino y otras mil bujerías de que ninguna necesidad tienen como se dijo en la *Suma de los señores* y en otras partes y también hay algunos españoles que se han dado a estas granjerías entre los indios sin que basten penas ni provisiones para se lo impedir. Y por esto conviene y es muy necesario que los oidores anden por su tanda a visitar los pueblos de su distrito como está proveído y se ha ya dicho.

Está tan arraigado este vicio de comer y beber demasiado y se ha hecho tan familiar /41/ y común casi entre todas las naciones que apenas hay gente que no esté tocada de él ni cosa que no la haya inficionado, y lo que peor es que se ha vuelto en gloria, y entre los partos se tiene por gran hazaña y cuanto más se bebe tanto más crece la sed como lo dice Plinio en el capítulo 22 libro 14 donde también dice que sólo el hombre bebe vino, y lo hace beber a las bestias. Y que hay algunos que parece haber nacido para destrucción del vino y que no hay parte en el mundo donde no se use la embriaguez y ella es tan mala que saca al hombre de juicio y lo torna furioso, no sabe tener secreto, acorta la vida, y muda el color, daña la vista, y los ojos, hace temblar las manos y perderse la memoria, hace dormir sin reposo, y soñar desatinos, y visiones, y cosas furiosas, y da mal olor en el huelgo y aliento y dice Plinio en el capítulo primero libro 23 que esto debemos al vino que entre todos los animales sólo el hombre lo bebe sin sed y en el capítulo 26 libro 15 dice que procuran aumentar el sabor de los manjares mezclando unas cosas con otras por que no parezca que hay cosa alguna que no haya nacido para su vientre, y como se dijo en los *Discursos de la vida humana* ha habido algunos que han señalado en fiestas y regocijos premio a los grandes bebedores y a los inventores de nuevos manjares y potajes y como dice Pedro Bobistan francés en un libro que escribió en su lengua que intituló /41 v./ *Teathro del mundo*, cargó naturaleza a los hombres de un hambre canina, y de tan insaciable apetito de comer que nunca nos cansamos buscando viandas exquisitas para henchir el vacío y si a dicha hallamos alguna cosa a nuestro gusto no nos podemos abstener hasta hartar y sobrecargar la naturaleza engullendo siempre tanto que se engendran de ello mil catarros, flemas, y apoplejías y otras muchas enfermedades, lo que no hacen los otros animales porque se contentan con lo que les dio naturaleza comiéndolo como está, sin lo guisar, ni disfrazarlo, para contentar el apetito, y henchir el buche, y junto con esto les dio una complexión tan regalada, y contentadiza que nunca comen ni beben más de lo que han menester para vivir, y el hombre aunque tuviese todos los frutos de la tierra, las frutas de los árboles, las raíces, y yerbas, y todos los peces de la mar y aves del cielo, y carnes de la tierra, no le bastarían, antes para asolar, consumir y destrozar todo lo criado, lo disfrazan, afeitan, disimulan, guisan, empanan, y hacen mudar gusto, y sustancia y querrían si pudiesen trocar el accidente para con tales regalos y atraimientos apetites y salsas comer y engullir más de lo que pide nuestra naturaleza hasta sobrecargar la nao y dar con ella al través hinchen los estómagos de escabeches y potajes de manera que no hay sentido /42/ que haga su oficio ni que pueda aprovechar al cuerpo, y la golosina demasiada que hoy reina hace a muchos perder la vergüenza del todo y arrojarse a todo género de vicios hasta hacerse ladrones y homicidas porque como decía Diogenes según lo refiere San Geronimo en el *Libro segundo contra Joviniano*, la destrucción de las ciudades y las guerras, las enemistades, y los vicios, nacen y se causan del comer demasiado y con muy justa causa llaman los profetas a los glotones y panzudos vientres perezosos, y son comparados a los brutos animales, porque el ánima que es la mejor parte del cuerpo por estar embalsamada con caldillos y potajes está como en una cárcel tenebrosa y obscura ahogada y emponzoñada. Y como dice San Geronimo en el mismo *Libro segundo contra Joviniano* no puede vivir mucho tiempo porque con la demasiada sangre que se cría con tantos manjares está como envuelta en cieno, y ninguna cosa buena ni del cielo puede pensar, porque siempre está pensando en los manjares y deleites y los cinco sentidos no la pueden servir por estar sepultados como en entrañas de animales. Los antiguos romanos eran de tan gran templanza que tenían puesta tasa en lo que se había de gastar y comer en los convites según dice Aulo Gelio en el /42 v./ capítulo 24 libro segundo y no se podía comer más que hortaliza, y farro, y vino de la tierra y no se podía traer otro de fuera donde refiere algunos que pusieron tasa en esto y en el capítulo 7 libro 18 dice Plinio que trescientos años usaron comer tan solamente farro que es lo que llamamos escandia y creo que es lo que llamamos acemite que es trigo molido y así molían el farro en pilas o morteros antes que se hallasen las piedras para hacer harina y en el capítulo 8 dice que esto comían en Ytalia y que luengo tiempo vivieron los romanos

179

con puchas y sin pan y de la templanza y poco comer de los antiguos trae muchos ejemplos Alexandro ab Alexandro en el capítulo XI libro 3 y cómo poco a poco se fue perdiendo esta buena costumbre.

Paulo Diacono en su *Historia* dice que cuatro viejos se desafiaron a beber dos a dos y que cada uno había de beber tantas veces como tenía años, y que el uno tenía cincuenta y ocho, y otro de sesenta y cuatro, otro de ochenta y siete, y el otro noventa y dos y que aunque se lee lo mucho que bebieron no se lee si comieron algo y de algunos se dice que han muerto después de estar rellenos de vino.

/43/ Los indios en algunas partes se han dado tanto al beber así de su vino como de lo de Castilla que muchas veces beben hasta se emborrachar y se matan unos a otros y cometen muy grandes vicios, y pecados y en algunas partes remotas y donde aún no son cristianos cuando están rellenos que no pueden beber más *se lo hacen* envasar por el asiento.

De algunos años a esta parte se ha usado en España una manera de beber que llaman brindar y de aquí se llevó a Nueva España aunque se usó poco tiempo y es un vicio muy antiguo según parece por lo que refiere Tulio en el libro primero de las *Tosculanas questiones* y Valerio Maximo en el libro tercero capítulo segundo, *De fortitudine,* PARTICULA: AC NE THERAMENIS donde dicen que teniéndolo preso los tiranos de Athenas y habiéndolo condenado a muerte, dándole a beber para ello un vaso de ponzoña lo tomó en la mano y sonriéndose dijo a los que allí estaban que dijesen al que lo mandaba matar cómo él le bebía y en el capítulo que comienza A CRAPULA DE VITA ET HONESTATE CLERICORUM se hace mención de este vicio y manera de beberse unos a otros y Bernardino de Scalante en el capítulo nono en el libro que escribió de la *Navegacion de la China* /43 v./ dice que usan en sus banquetes de grandes cortesías y comedimientos los unos con los otros en el brindarse. De la embriaguez dice muchas cosas notables Tiraquello *De penis temperandis* causa 6 y *Plaça de delictos* capítulo 30.

CAPÍTULO SEXTO

En que se trata cuándo y dónde y por quién se fundó Tenuzchitlam Mexico, y por qué se nombra por dos nombres con su declaración, y de su población y mercados y de lo que en ellos se vende y de algunas cosas notables que hay en esta ciudad y en la laguna donde está fundada.

Dicho sea como el año de mil quinientos cuarenta que fue cuando fray Torivio escribió aquel su *Libro* había setecientos años que los mexicanos estaban en Anauac y aquel año había doscientos cuarenta que se fundó Mexico y noventa y seis que era señorío por sí y que no reconocía superior y donde fundaron esta gran ciudad de Tenuchititlam Mexico había una piedra que los naturales de aquella tierra llaman TETL y de ella salía un árbol que llaman nopal y a la fruta llaman NUCHTL que en las islas llaman /44/ tuna y en la composición se pierden algunas letras de cada nombre y el vocablo queda en Tenuchtlitlam que quiere decir fruta que sale de piedra y nombraron y llamaron al pueblo Tenuchtlitlam Mexico que según su etimología en aquella lengua algunos lo interpretan fuente o manantial porque en ella y alrededor de ella hay muchos manantiales por donde parece esta interpretación no ir muy fuera de camino, pero los naturales dicen que aquel nombre Mexico lo trajeron sus primeros fundadores que se llamaban MEXITLI este nombre dicen que lo tomaron de su principal ídolo que tenía dos nombres el uno era Uitzillipuchtli y el otro Mexitli y de este Mexitli se llamaron MEXITI y al sitio y pueblo llamaron Tenuchtlitlam Mexico esto dice fray Torivio en el capítulo 18 y 19 de la tercera parte de aquel su *Libro*.

Fray Andres de Olmos en aquella su *Rrelacion* dice que Mexico se nombra Tenuxtitlam que quiere decir piedra en que está una tuna o tunal que es la mejor fruta de aquella tierra y que éstas eran las armas de aquella ciudad pero que el nombre más usado es Mexico tomado de MEXISTLI que quiere decir mastuerzo que lo debía de haber allí cuando poblaron porque hay mucho en aquella tierra y que según su manera de componer o formar los /44 v./ vocablos la CI volvieron en XI y el TLI en CO para denotar lugar y que al vecino le llaman MEXICATL y en plural MEXICA.

Después andando el tiempo y multiplicándose los vecinos dice fray Torivio en aquel capítulo 18 que se dividió esta ciudad en dos barrios al más principal llamaron Mexico y a los moradores de él MEXICA en plural y que en este barrio residía el gran señor de aquella tierra que se decía Motecçuma y nombrándolo con más cortesía y crianza le decían Motecçumaçim que quiere decir hombre que está enojado o grave y en este barrio como más principal fundaron los españoles su ciudad y también hay en él muchas casas de indios aunque fuera de la traza.

Al otro barrio llaman Tlatelulco que quiere decir isleta porque allí estaba un pedazo de tierra más alto y más seco que lo demás que era manantiales y carrizales todo este barrio está poblado de indios son muchas las casas y muchos más los moradores / ahora los indios dicen y nombran Sanct Francisco al barrio de Mexico porque fue la primera iglesia de aquella ciudad y de toda la Nueva España y porque de allí les salió la doctrina y enseñanza de la fe.

Al otro barrio llaman Sanctiago que es la principal y mayor iglesia del Tlatelulco y es de tres naves y a la misa que se dice a los indios de mañana cada día se hinche /45/ de gente y por de mañana que abren la puerta están ya los indios esperando porque como no tienen mucho que se vestir ni con que componerse en esclareciendo se van para la iglesia / hay también otras muchas iglesias y en este barrio está el colegio de los indios y con ellos frailes menores enseñándoles cristiandad y ciencia llámase Santa Cruz han tomado los indios costumbre en toda aquella tierra de nombrar primero el santo que tienen en su principal iglesia y después el pueblo y así dicen Sancta Maria de Tlaxcala Sanct Miguel de Huexoçinco Sanct Antonio de Tezcuco y así de los demás.

En cada barrio de éstos hay una gran plaza donde se hace mercado o feria cada día y se ayunta muy gran multitud de gente a comprar y vender / a estos mercados llaman los indios TIANQUIZTLI y en ellos se venden cuantas cosas hay en la tierra y en el capítulo 24 de la cuarta parte dice que en estos mercados señalaban a cada oficio su asiento y lugar y cada mercaduría tenía su sitio. Los pueblos grandes que llaman cabecera de provincia tenían entre sí repartido por barrios las mercaderías que habían de vender y así los del un barrio vendían el pan cocido, otro barrio vendía el CHILI, los del otro barrio vendían sal otros malcocinado otros frutas otros hortaliza otros loza / todos podían vender ÇENTLI cuando el pan se coge y todo el tiempo que está en mazorca que se /45 v./ conserva mejor y más tiempo llámanlo ÇENTLI y después desgranado TLOLI cuando lo siembran y desde que nace hasta que está de una braza llámase TOCTLI una espiga que echa antes de la mazorca en lo alto llámanla MIYAUATL, ésta la comen los pobres y todos en año falto hasta que las mazorcas están para comer.

Cuando la mazorca está en leche llámanla XILOTL, cocidas las dan como fruta a los señores cuando está formada la mazorca con sus granos tiernos y cruda o asada que es mejor o cocida llámanla ELOTL cuando está dura y bien madura llámanla ÇENTLI y éste es el nombre más general del pan de aquella tierra los españoles tomaron el nombre de las islas y llámanle maíz.

A una parte se vende en estos mercados el pan en mazorca y en grano y allí junto las otras semillas como son frijoles, CHIAM, que es como zargatona y sacan de ella aceite como de linaza y usan de ella molida para sus brebajes, y con ella mezclan la semilla de los genizos y bledos, las aves están a su parte los gallos por sí, y luego las gallinas y lavancos, palomas, tórtolas, y codornices a su parte y tienen su lugar donde se venden las liebres, y conejos, y venados cuarteados y allí cerca los perrillos que ellos crían para comer, y tuzas que son como conejos pequeños y andan debajo de la tierra como topos o ratones grandes / a otra parte /46/ se vende el pescado que barren de la laguna y arroyos hasta sacar las lombrices y cuantas cosas se crían en el agua.

En la laguna de Mexico se crían unos como limos muy molidos y a cierto tiempo del año que están más cuajados los cogen los indios con unas redecillas muy menudas hasta henchir los ACALES o barcas y a la ribera sobre tierra o sobre arena hacen unas eras muy llanas con su borde de dos o tres brazas en largo y poco menos en ancho y allí lo echan a secar y hacen una torta de dos dedos y en pocos días se seca hasta que queda de un dedo en grueso y cortada aquella torta como ladrillos anchos lo comen muchos indios y se detiene y sustenta algunos días y anda por mercadería en todos los mercados de la tierra como entre nosotros los quesos / con la salsa de los indios que es hambre es bien sabroso y sabe algo a sal y creo que a este cebo vienen a la laguna de Mexico grandísima multitud de aves y son tantas que por muchas partes en el invierno está cubierta el agua de ellas y toman muchas los indios y se venden en los mercados bien barato porque como son de agua no son muy sabrosas / ya no acuden tantas alrededor de Mexico después que les tiran con arcabuces y se han alejado y metido más adentro en la laguna ni vienen tantas como solía.

Véndese en estos mercados mucha ropa que es trato principal la más de ella es de algodón /46 v./ y la demás de METL o maguey y de las hojas de un género de palmas hacen unas mantas gruesas de que los españoles hacían mantas para los caballos y otras cosas porque son como las palmas de que los egipcios y africanos hacen hilo de la corteza delgada y de las hojas moscadores, y vestidos, sogas y esteras, como lo refiere Mariano en los *Scholios* de la epístola 114 de San Geronimo que comienza SI AUT FISCELLAM que es como el maguey de que adelante se dirá.

A otra parte están los herbolarios con raíces y yerbas medicinales con que curan naturalmente en breve porque tienen hechas sus experiencias y a esta causa han puesto a las yerbas y raíces el nombre de su efecto y para qué es apropiada a la que es buena para el bazo llaman medicina del bazo / y a la que lo es para el pecho llaman medicina del pecho / y a la que hace dormir medicina del sueño y así de las demás añadiendo siempre yerba, cerca de éstos están otros con seda de pelo de conejo en lana y en hilo de algodón en madejas teñidas de todos colores y lo mismo de hilo de algodón y éstos venden los colores / otros venden unos como rosarios de palo, y de hueso, y de piedra, de diversos colores, y de azabache y contezuelas que echan al cuello y en las muñecas, véndese piedra alumbre aunque no purificada y es tan buena que sin la beneficiar hace mucha /47/ operación y hay sierras y montes de ello en unos buena y en otros mejor.

Véndese en estos mercados madera las vigas por sí y allí junto la tablazón y las latas y a su parte leña / y en otra parte plumajes y plumas de muchos colores y oro, y plata, y estaño, y herramientas de cobre y CACABATL. Finalmente se vende en aquellas plazas cuantas cosas se crían en la tierra y en el agua que los indios pueden haber y todas sirven de moneda porque se truecan unas por otras que propiamente es permutación que es manera antiquísima de contratar y la más digna como más largamente lo trata Andres Tiraquellus *De utroque rectractu titulo de retractu linagier* párrafo 30 número 16 CUM SEQUENTIBUS. Y en unas provincias según dice fray Torivio se usan más por monedas unas cosas que en otras y la moneda que más generalmente corre por todas partes son unas como almendras que llaman CACAUATL. En otras partes usan unas mantas pequeñas que llaman PATOLQUACHTLI y los españoles corrompiendo el vocablo las llaman patoles / en otras partes dice que se usa mucho de unas monedas de cobre casi de hechura de TAU de anchor de tres o cuatro dedos unas más delgadas que otras y que donde hay oro tienen por moneda unos canutillos de él / ya usan también de los reales que se labran en la casa de la moneda de Mexico y los llaman tomines.

/47 v./ En el capítulo 25 de la cuarta parte de aquel *Libro* dice fray Torivio que para aquella paupérrima gente es muy gran remedio el contratar porque en ello hallan provecho los pobres y los ricos / los pobres suelen criar una gallina y algunos pollos con que comienzan a ir a los mercados y los muy pobres venden leña menuda y algunos gruesa y cañas que en muchas partes las hallan a mano y cuando tienen para comprar una carga de fruta van por ella a tierra caliente y llevan algunas cosas que allá no hay para las vender y dar por la fruta y de esta manera aunque no sin mucho trabajo sacan de que pagar su tributo y viven del trabajo de sus manos y comen su pan con dolor y con sudor de su rostro porque su asnillo es su mismo cuerpo y ellos le tratan como él merece que es conforme a lo que se dice en el capítulo 33 del Ecclesiastico porque llevan la carga a cuestas como el asno y un bordón en la mano y unas tortillas para su comida de TLAXCALLI que se llama así el pan amasado durísimas y con ellas y agua fría pasan su miseria / en la tierra del Peru cargan carneros grandes y en cierta parte de la Tierra Nueva cargan perros y aquellos pobres desventurados no alcanzaron animales que pudiesen cargar y se cargan ellos mismos / pero ya se ha multiplicado en aquella tierra los caballos y rocines y algunos indios los alcanzan y los cargan para sus tratos y granjerías.

/48/ En los grandes pueblos como Mexico y Tlezcuco y Tlaxcallam cada día tienen mercado y se ayunta gran número de gente y la frecuencia del vender y comprar es de medio día para abajo en otros pueblos hay mercado de cinco a cinco días y en otros de veinte en veinte y ya los han comenzado a hacer de ocho a ocho días y lo más general es de cinco a cinco días y los mercaderes y tratantes se andan de mercado en mercado como en España de feria en feria y llevan de unas partes a otras lo que en ellas no hay por manera que por todas partes corren las mercadurías.

En Mexico en un gran campo que está fuera de la ciudad frontero de la iglesia de San Hypolito se hace mercado los jueves y viernes en que se juntan cien mil personas de indios, españoles, mulatos, mestizos, y negros y es grande la cantidad de indios que a este mercado acuden así por tierra con sus mercaderías como por la laguna en canoas en que traen gran cantidad de leña y yerba y todo género de mantenimientos.

Dice fray Torivio en aquel capítulo 25 que es muy de notar el gran número de aves que en muchos mercados se venden y compran especialmente en el mercado de Tepeyacac que los españoles llaman Tepeaca y que éste es un gran pueblo que está cinco leguas de la ciudad de los Angeles al oriente y que son tantas las aves que cada cinco días se venden que van los caminos llenos /48 v./ de indios cargados de ellas en sus jaulas ligeras y bien hechas y que informándose de los más pláticos en este mercado le dijeron que se venderían en él de cinco a cinco días más de ocho mil aves y que de éstas son muchos gallos y gallinas de la tierra que son aves grandes y gallinas y pollos de Castilla y de esto es la mayor cantidad que allí se vende y se han multiplicado en gran manera aunque el año de mil quinientos treinta y nueve vino por ellas una muy gran pestilencia y anduvo por muy gran parte de la Nueva España y en la casa que entraba no dejaba ninguna y en muchas casas pasaban de doscientas, y trescientas, y en otras cuatrocientas, y quinientas, y algunas hubo de ochocientas y de mil porque se crían en gran cantidad y lo que ponía admiración era que andando buena la gallina o estando sobre los huevos o sobre los pollitos de repente se caía muerta sin se menear y vemos que para matar una gallina después de arrancada la cabeza da muchos saltos y en aquella pestilencia en cayendo no se meneaba más y hubo casa en que mató además de las gallinas doscientos capones porque en aquella tierra se hacían a cientos ya no se crían tantas ni se dan tan bien como solían.

Dice que se crían patos y ánsares grandes y otras menores que llaman ánades o lavancos blancos y palomas blancas de las /49/ calzadas y que todo esto se ha llevado de España y ha multiplicado

186

mucho así por la bondad de la tierra como por ser muchos los que las crían y que valen barato y lo mismo los huevos de ellas pero ya en esto y en todo lo demás han subido los precios.

En Acapetlayocan que es un pueblo de indios en la provincia de Tochimilco nueve leguas de la ciudad de los Angeles entre el poniente y el mediodía dice que se hace también mercado de cinco a cinco días donde se venden otras tantas aves como en el de Tepeyacac que está al oriente de aquella ciudad y que en otros mercados se venden también muchas aves en especial en Otompan y en Tepeapulco y que de todos ellos llevan muchas aves a vender a la gran ciudad de Mexico mercaderes que tratan en ello porque allí tienen más precio.

Asimismo dice en aquel capítulo 25 que ya que ha comenzado a hablar de aves no quiere callar una cosa maravillosa que Dios muestra en un pajarito muy pequeñito de que hay muchos en la Nueva España y lo llaman UIÇIÇILIM y en plural UIÇIÇILTIM y que su pluma es muy preciosa en especial la del pecho y cuello aunque es poca y menuda y que puesta en lo que los indios labran de oro y pluma se muestra de muchos colores mirada derecha parece como pardilla vuelta un poco a la vislumbre parece naranjada y otras veces como llamas de fuego y aunque este pajarito es muy pequeñito /49 v./ tiene el pico largo como medio dedo y delgado y que como él y su pluma es extremado también lo es su mantenimiento porque solamente se ceba y mantiene de la miel o rocío de las flores y anda siempre chupándolas con su piquillo volando de unas en otras y de un árbol en otro sin se sentar sobre ellas y que por el mes de octubre cuando aquella tierra se comienza agostar y se secan las yerbas y flores y le falta el mantenimiento busca lugar competente donde pueda estar escondido en alguna espesura de árboles y en algún árbol secreto pega sus pies en una ramita delgada encogidito y está como muerto hasta el mes de abril que con las primeras aguas y truenos como quien despierta de un sueño torna a revivir y sale volando a buscar sus flores que en muchos árboles las hay desde marzo y aun antes / algunos han tomado de estos pajaritos hallándolos por los árboles y los han metido en jaulas de caña y por el mes de abril revivían y andaban volando dentro hasta que los dejaban salir fuera y dice que él mismo vio estar estos pajaritos pegados por los pies en un árbol de la huerta del monasterio de Tlaxcalan y que cada año crían sus hijos y que él ha visto muchos nidos de ellos con sus huevos y que un día estando un fraile predicando la resurrección general trajo a comparación lo de este pajarito y pasó uno volando por cima de la gente chillando porque siempre va haciendo ruido y que lo vio él porque estaba presente al sermón.

CAPÍTULO SÉPTIMO

En que se trata de las frutas de España que se han dado en aquella tierra y se venden entre los indios y de las palmas que muy en breve se han dado en ella y del cacao y cómo se planta y cría y del árbol cardón llamado METL o maguey y de muchas cosas que de él salen y se hacen así de comer, y beber, calzar, y vestir, como para otras muchas cosas en que sirve y de sus propiedades y de las hojas y de las palmas que no son menos que las de maguey.

/50/ Dice fray Torivio en el capítulo 26 de la cuarta parte de aquel *Libro* que la fruta que en más cantidad se ha dado en aquella tierra y corre por todos los mercados fueron melones que fue la primera fruta y que los hay casi todo el año y que no se dan sino en tierra caliente porque en la fría las aguas y las heladas los destruyen hanse dado pepinos y cohombros y se dan legumbres y hortaliza tan buena como la mejor de España.

Hay todo el año en las plazas frutas verdes de la tierra muy diferentes de las de España que suceden unas a otras que son plátanos, guayabas, aguacates, anonas, zapotes, y XIQUIÇAPOTES, mameyes, tunas, ciruelas, cerezas, por manera que nunca falta fruta verde y de la de España que dura más tiempo porque se cría en diferentes tierras frías y templadas, hay todo el año naranjas y limones y limas y en algunas partes cidras muy grandes, y muy hermosas toronjas /50 v./ higos verdes que duran nueve meses y en algunas partes hay uvas por cuaresma y en otras por Navidad y en otras por agosto. Y septiembre hay duraznos, y albaricoques, y peras, y manzanas, y perones, y en muy diferentes tiempos conforme a la calidad y temple de la tierra, valía en Mexico un ciento de duraznos muy gruesos y muy buenos un real, y cincuenta membrillos que los hay muchos y muy buenos otro real de que se hacen muchas conservas de azúcar, hay granadas, muchas y muy buenas, calabazas, ajos muy gruesos, y cebollas grandes y muy buenas, y nabos muy gruesos, y berenjenas y todo género de verdura y hortaliza mucha y muy buena lechugas, escarolas, cardos, habas, garbanzos, y en algunas partes espárragos, y hongos, y turmas de

189

tierra, hay en algunas partes nueces, y castañas mejores que las de España y otras frutas de España y de la tierra que no me ocurren a la memoria.

Andando yo visitando la tierra de Guatimala siendo allí oidor vi en algunos pueblos de indios huertas de árboles de duraznos en cantidad y como los árboles estaban cargados de hoja muy verde y de duraznos que se dan allí muy buenos y gruesos y la mitad de cada uno blanca y la otra mitad colorada y los árboles muy cargados de ellos era cosa muy hermosa de ver.

Una yerba hay en las huertas de Mexico así en las casas como en el campo y echa al cabo en lo alto una rosa redonda y abierta /51/ del tamaño de un plato pequeño y las hojas de que se hace la flor son pequeñas y parejas como cortadas a tijera y de diversos colores dicen que se trajo de la Florida y que la hay en España en algunas partes aunque yo no la he visto esta rosa anda con el sol a la mañana está hacia oriente y va siempre mirando al sol y la noche se vuelve hacia la tierra y va dando la vuelta con el sol y torna a parecer a la mañana mirando al oriente y Aulo Gelio en el capítulo 7 del libro 9 refiere por cosa maravillosa que las hojas de las olivas hacen lo mismo y que él lo vio y experimentó ser así aunque no todos los días como ésta / alguna virtud oculta debe de haber en lo uno y en lo otro que no lo alcanzan los hombres / en otras partes vi una yerba que tiene la hoja delgada y tan larga como el dedo y huele a vaca fiambre y en tocándole con la mano tiembla y por esto la llaman la yerba tembladera y a la que anda con el sol llaman la yerba de la maravilla y otros la llaman la yerba del sol y dicen que hay otras yerbas y hojas de árboles que asimismo andan mirando al sol.

Otra yerba hay en aquella tierra que llaman AMOL que lavan con ella la ropa blanca y hace espuma como el jabón y es como aquella yerba llamada BORITH de que hace mención Hieremias en el capítulo segundo donde dice San Geronimo que nace en Palestina en lugares húmedos y que usan de ella los bataneros para limpiar los paños y lo declara Erasmo y Mariano en sus *Scholios* /51 v./ en la epístola 47 que comienza RETULIT MIHI otras cosas hay notables de yerbas medicinales y árboles y piedras y aves y Su Majestad envió a la Nueva España un médico muy docto para que se informase de todo esto y lo escribiese y otros hacen lo mismo en el Peru y en otras partes y les da salario por ello y el doctor Monardes y el licenciado Fragoso médicos y otros han escrito libros de ello y andan impresos.

Dice fray Torivio en el capítulo 26 que se acuerda haber oído muchas veces en España que quien planta palma no goza del fruto y que si en otras partes es regla cierta que en aquella tierra de Anauac por experiencia parece lo contrario porque él plantó los huesos de dátiles en Quahuanauac que es una de las principales villas del Marquesado el año de mil quinientos treinta y uno y que el año de cuarenta y uno habían echado muy hermosas flores que es un racimo grande hermoso y despedida la flor queda la fruta y en otras partes se han cogido dátiles en brevísimo tiempo especialmente en un pueblo de indios que se dice Chietlam donde plantaron palmas otros frailes. Y que hay diez o doce especies de ellas como se dirá adelante cuando se trate de las sierras y montes de aquella tierra y de lo que en ellas hay y se cría.

En algunas partes de la Nueva España y en el Xoconuxco y en Guatimala se crían áboles de cacao que como dice fray Torivio en el capítulo 21 de la tercera parte la tierra donde se dan es muy buena y que por ser como es comida y bebida y moneda en aquella tierra quiere decir qué cosa es y cómo se cría.

/52/ El cacao dice que es una fruta de un árbol mediano y que lo plantan de su fruto que son unas almendras casi como las de Castilla aunque lo bien granado es más grueso y en sembrándolo ponen junto a él un árbol que crece en alto y le va haciendo sombra que es como madre del cacao y así la llaman, da su fruta en unas mazorcas como piñas y señalan sus tajadas como pequeños melones comúnmente tiene cada mazorca treinta granos o almendras poco más o menos cómese verde cuando comienzan a cuajar las almendras y es sabroso y también lo comen seco aunque pocos granos y pocas veces y se usa de estas almendras generalmente por moneda y corre por toda la tierra una carga tiene tres números que los indios llaman XIQUIPILLI, este número XIQUIPILLI es de ocho mil almendras y una carga son veinticuatro mil / donde se coge vale cinco o seis pesos la carga aunque ya vale mucho más y llevándolo la tierra adentro va creciendo el precio y sube y baja según es el año y cuando hay grandes fríos se coge poco porque es muy delicado y es general POTU o bebida que molido y mezclado con maíz y con otras semillas también molidas se hace y tiene buen sabor y se usa en toda la tierra y en unas partes se hace mejor que en otras.

En el capítulo 21 de la cuarta parte dice que del árbol cardón que en lengua mexicana se llama METL y en lengua de la isla Española maguey se hacen y salen muchas cosas y es /52 v./ como sávila aunque muy mayor y tiene sus ramas o pencas verdes tan largas como vara y media o dos de medir como una teja muy larga en medio es gruesa y va adelgazando los lados / al nacimiento tiene un palmo o más de grueso va acanalada y adelgázase tanto en la punta que fenece en una púa como punzón de estas pencas tiene treinta o cuarenta unas más otras menos según su grandor porque en unas tierras se hacen muy grandes en otras medianas y en otras pequeñas y cuando está hecho y tiene su cepa crecida córtanle el cogollo con cinco o seis pencas que allí son tiernas, la cepa que hace encima de la tierra de donde proceden aquellas pencas será del tamaño de un buen cántaro y dentro de aquella cepa le van cavando y haciendo una concavidad tan grande como una buena olla y hasta gastarla del todo y hacer aquella concavidad tardarán dos meses unos más otros menos según el gordor y cada día van cogiendo en aquella concavidad un licor que allí se recoge y destila y luego como se saca es como aguamiel y cocida lo beben los españoles y dicen que es saludable y de mucha sustancia cocido en tinajas como se cuece el vino y echándole unas raíces que los indios llaman OCPATLI que quiere decir medicina o adobo del vino hácese tan fuerte que a los que lo beben en cantidad los embeoda y de esto usan los indios, tiene mal olor y peor el resuello de los que lo beben y bebido templadamente dicen que es saludable /53/ y da mucha fuerza todas las medicinas que se han de beber se dan a los enfermos con este vino de este licor hacen buen arrope y miel que aunque no tiene tan buen sabor como la de abejas es buena para guisar de comer y aun dicen que mejor y muy sana también hacen de este licor unos panes pequeños de azúcar aunque no es tan blanco ni tan dulce como el que se hace de cañas hacen también de este licor vinagre unos lo aciertan y saben hacer mejor que otros.

De las pencas de este árbol se saca hilo para coser y para hacer cordeles, y sogas, y maromas, cinchas, y todo lo demás que se hace del cáñamo y se hacen alpargatas, y mantas, y capas.

Las púas sirven de punzón porque son agudas y recias y suplen por clavos y entran por una pared y por un madero razonablemente y comúnmente sirven de tachuelas cortándolas pequeñas y aquella púa la sacan con su hebra y sirve de hilo y aguja.

Las pencas por sí aprovechan para muchas cosas en un pedazo ponen los indios el CENTLI que muelen que es maíz para hacer tortillas que es su pan y como lo muelen con agua y ha estado en mojo es menester cosa limpia en que caiga y en otro pedazo lo echan después hecho masa.

De estas pencas hechas pedazos se sirven los AMANTECAS que son los que labran de pluma y oro y encima ponen un pedazo de algodón engrudado /53 v./ tan delgado como una muy delgada toca y sobre él labran todos sus dibujos y es de los principales instrumentos de su oficio los pintores y otros oficiales se aprovechan mucho de estas pencas y los oficiales que hacen cosas de barro se aprovechan de ellas para lo llevar de una parte a otra.

Si a este árbol no lo cortan para hacer vino y lo dejan espigar echa un pimpollo tan grueso como la pierna de un hombre y crece dos y tres brazas y echa su flor y semilla y se seca y a falta de madera sirve para hacer casas sácanse buenas latas y las pencas suplen por tejas sécase todo hasta la raíz después que ha echado aquel pimpollo y la flor y la simiente y también después que le han cogido aquel licor que se ha dicho y aprovechan las pencas para hacer lumbre y hacen muy buen fuego y la ceniza es como de encina y muy buena para lejía y muy fuerte y mejor que la de sarmientos.

Es muy saludable para cuchilladas o llagas frescas tomada una penca y echada en el fuego o en las brasas exprimen el zumo y caliente es mucho bueno / para el que pica la víbora toman de este METL cuando están tiernos del tamaño de un palmo y la raíz que es tierna y blanca y mezclado el zumo con zumo de asenjos de aquella tierra aprovecha mucho y dice fray Torivio que él lo vio experimentar.

/54/ Hay otros METLES de color blanquizcos y es tan poca la diferencia que pocos lo saben diferenciar y de este sale mejor el vino que se ha dicho que beben algunos españoles y también el vinagre es mejor / cuecen las pencas por sí y la cabeza por sí y tiene un sabor de diacitrón no bien hecho lo de las pencas está muy lleno de hilos y no se ha de tragar sino mascarlo y chuparlo y lo llaman MEXCALLI y si las cabezas están cocidas de buen maestro y en algunas partes que son mejores que en otras tienen tan buenas tajadas que muchos españoles lo quieren tanto como diacitrón está toda la tierra llena de estos cardones si no es en tierra muy caliente y la que es templada tiene más de estos postreros y éstas son las viñas de los indios, y las cercas y vallados de sus heredades están llenos de ellos.

Hácese de este METL o cardón buen papel es el pliego tan grande como dos del nuestro y se hace mucho de ello en Tlaxcalan y corre por gran parte de la Nueva España otros árboles hay en tierra caliente de que también se hace papel y se gasta en gran cantidad, el árbol se llama AMATL y así llaman las cartas y al papel y a los libros de los españoles aunque tienen por sí su nombre / este papel de METL se comenzó a hacer en Tlaxcalan después que los frailes franciscanos tomaron allí casa es de buen lustre y suave para escribir pero no tan durable como el que se hace del árbol llamado AMATL.

CAPÍTULO OCTAVO

En que se pone la topografía o descripción de la tierra y del asiento de la ciudad de Mexico y de las plazas y mercados y templos que allí había y de su manera y edificio y de los ídolos y ministros de ellos.

/54 v./ Aunque en algo anticipemos el tiempo y orden será bien decir lo que Hernando Cortes que conquistó aquella tierra primer marqués que fue del Valle dice en la *Segunda epistola* que escribió al emperador nuestro señor de gloriosa memoria y lo que dice fray Torivio Motolinea de la calidad de aquella tierra y de su fertilidad y abundancia y por referir lo que cada uno de ellos dice no se podrá dejar de tratar algunas cosas dos veces y por eso no se ha de tener por vicio pues dos y tres veces se puede referir lo que conviene y es necesario para declaración de lo que se trata especialmente cuando se añade algo o se refiere por diversos respectos como largamente lo dice Andreas Tiraquellus en el tratado *De utroque rectractu en el titulo de rectrac linagier* párrafo 21 glosa única número 5 CUM SEQUENTIBUS donde refiere a Platon IN Philebo ET IN Gorgia y en el libro 8 *De legibus* y en los *Discursos de la vida humana* y en la *Summa de los tributos* donde citamos también a Platon en otras partes como dice Plauto no daña repetir una cosa dos veces.

Dice Hernando Cortes en aquella su *Epistola* que para contar de la grandeza y cosas /55/ extrañas y maravillosas de la gran ciudad de Tenuchtitlam Mexico y del señorío y servicio de Motecçumaçim señor de ella y de los ritos y costumbres que aquella gente tenía y del orden de la gobernación así de aquella ciudad como de las otras que eran de este señor sería necesario mucho tiempo y muchos y muy expertos relatores y que no podía él referir de cien partes una de lo que se podría decir y que como pudiere dirá algunas cosas que vio que serán de tanta admiración que casi no se podrán creer porque los que las ven no las pueden comprender y que si alguna falta hubiere en su relación será más por corto que por largo así en esto como en todo lo demás y que es justo en la cuenta que de ello se da a su príncipe y señor decir muy claramente la verdad sin interponer cosas que las disminuyan ni acrecienten y que antes que comience a relatar las cosas que de aquella gran ciudad y de las otras dirá para que mejor se pueda entender la manera de Mexico y dónde está fundada porque ésta es la principal ciudad del señorío de Motecçumaçim y que también dirá de algunas otras ciudades.

Toda aquella provincia dice que es redonda y cercada de muy altas y ásperas sierras y que lo llano de ella tendrá en torno hasta setenta leguas y que en aquel llano hay dos lagunas que casi lo ocupan todo porque tienen en torno más de cincuenta leguas /55 v./ la una de ellas de agua dulce y la otra que es mayor de agua salada y que por una parte las divide una cuadrillera pequeña de cerros muy altos que están en medio de esta llanura y al cabo se van a juntar las dos lagunas en un estrecho del llano que se hace entre estos cerros y las sierras altas que tendrán un tiro de ballesta y por la una laguna y la otra las poblaciones que hay en rededor de ellas contratan las unas con las otras en sus canoas por el agua sin ser necesario ir por tierra y porque la laguna salada crece y mengua por sus mareas como la mar todas las crecientes corre el agua de ella a la otra dulce tan recio como un río caudal y a las menguantes va la dulce a la salada.

Esta gran ciudad está fundada en esta laguna salada y desde tierra firme hasta el cuerpo de ella por cualquier parte hay dos leguas / tiene cuatro entradas de calzadas hechas a mano tan anchas cada una como dos lanzas jinetas, es tan grande la ciudad como Cordova y Sevilla, las calles principales son muy anchas y derechas y algunas de éstas y todas las demás son la mitad de tierra y la otra mitad es agua por donde andan en sus canoas y todas las calles de trecho a trecho están abiertas por donde atraviesa el agua de las unas a las otras y en todas éstas aberturas que algunas son muy anchas hay sus puentes de muy anchas /56/ y muy grandes vigas juntas y recias y bien labradas y tales que por muchas de ellas pueden pasar diez de caballo juntos a la par aunque ya no son tan buenas ni tan anchas las que hay.

Tiene esta ciudad muchas plazas donde hay continuo mercado y trato de comprar y vender tiene otra plaza tan grande como dos veces la de la ciudad de Salamanca toda cercada de portales alrededor donde hay ordinariamente más de sesenta mil ánimas comprando y vendiendo hay todos los géneros de mercaderías que en toda la tierra se hallan así de mantenimientos como de vituallas, joyas de oro, y de plata, de plomo, de cobre, de estaño, de piedras, de huesos, de conchas, de caracoles, y de plumas, véndese cal, piedra labrada y por labrar de diversas maneras, hay calle de caza donde se venden todos los linajes de aves que hay en la tierra así como gallinas, perdices, codornices, lavancos, dorales, garcetas, tórtolas, palomas, pajaritos en canuelas, papagayos, buharros, águilas, halcones, gavilanes, cernícalos, y de algunas aves de éstas de rapiña, venden los cueros con su pluma cabeza y pico y uñas, venden conejos, liebres, venados, y perros pequeños que crían para comer castrados, hay calle de herbolarios donde hay todas las raíces y yerbas medicinales que en la tierra se /56 v./ hallan, hay casas como de boticarios donde se venden las medicinas hechas, así potables como ungüentos y emplastos, hay casas de barberos donde lavan y rapan las cabezas, hay casas donde dan de comer y beber por precio, hay hombres como los que llaman en Castilla ganapanes para traer cargas, hay mucha leña, carbón, braseros de barro, y esteras de muchas maneras para camas y otras más delgadas para asiento y para esterar salas, hay todas las maneras de verduras que se hallan especialmente cebollas, puerros, ajos, mastuerzo, berros, borrajas, acedias, cardos, tagarninas, hay frutas de muchas maneras en que hay cerezas, y ciruelas, que son semejables a las de España, venden miel de abejas, y cera, y miel de unas plantas que llaman en las islas maguey que es muy mejor que arrope y de estas plantas hacen azúcar y vino que asimismo venden, hay muchas maneras de hilado de algodón de todos colores en sus madejitas, que parece propiamente alcaicería de Granada en las sedas aunque esto otro es en mucha más cantidad, venden colores para pintores cuantas se pueden hallar en España y de tan excelentes matices cuanto puede ser, venden cueros de venado con pelo y sin él teñidos de diversos colores y blancos, venden mucha loza en gran manera buena, y muchas vasijas de tinajas grandes y pequeñas, jarros, ollas, ladrillos /57/ y otras infinitas maneras de vasijas todas de singular barro y todas o las más vidriadas y pintadas, venden mucho maíz en el grano y en pan y hace mucha ventaja así en el grano como en el sabor a lo de todas las islas y tierra firme, venden pasteles de aves, y empanadas de pescado, y mucho pescado fresco y salado crudo y guisado, y huevos de gallinas y de ánsares

197

y de todas las otras aves que se han dicho en gran cantidad, y tortillas de huevos finalmente en estos mercados se venden todas cuantas cosas se hallan en toda la tierra que demás de las que se han dicho son tantas y de tantas calidades y diferencias que por no ocurrir a la memoria y por su prolijidad no se refieren y también por no les saber los nombres.

Cada género de mercaduría se vende en su calle sin se entremeter una mercadería con otra y tienen en esto mucho orden todo se vende por cuenta y medida y no se ha visto vender cosa alguna por peso.

En esta gran plaza dice que había una muy buena casa como de Audiencia donde estaban siempre sentados diez o doce personas que eran jueces y libraban todos los casos y cosas que en el mercado acaecían y mandaban castigar los delincuentes, había en la plaza otras personas que andaban contino entre la gente mirando lo que se vendía y las medidas con que /57 v./ se medían y que se había visto quebrar algunas que estaban falsas / en alguna manera parece que confirma esto con lo que dice Luis del Marmor de la ciudad de Fez y de su gobierno en el libro cuarto de la *Descripçion de Africa.*

Hay en esta gran ciudad muchas mezquitas o casas de sus ídolos y de muy hermosos edificios, por las colaciones y barrios de ella y en las principales hay personas religiosas de su secta que residen continuamente en ellas y para ello hay buenos aposentos demás de las casas donde tienen sus ídolos y los aposentos / los religiosos se visten de negro y nunca cortan el cabello ni lo peinan desde que entran en la religión hasta que salen y todos los hijos de las personas principales así señores como ciudadanos principales están en aquella religión y hábito desde la edad de siete u ocho años hasta que los sacan para los casar y esto es más ordinario en los primogénitos que han de heredar las casas que en los otros / no tienen acceso a mujer ni entra ninguna en las casas de religión tienen abstinencia en no comer ciertos manjares y más en algunos tiempos del año que en otros.

Entre estas mezquitas hay una que es la principal que no hay lengua humana que sepa explicar la grandeza y particularidades /58/ de ella porque es tan grande que dentro de su circuito que es todo cercado de muro muy alto se podría muy bien hacer una villa de quinientos vecinos / tiene dentro de este circuito todo a la redonda muy gentiles aposentos en que hay muy grandes salas y corredores donde se aposentan los religiosos que allí están, hay cuarenta torres muy altas y bien obradas y la mayor tiene cincuenta escalones para subir al cuerpo de ella y es más alta que la torre de la iglesia mayor de Sevilla son tan bien labradas así de cantería como de madera que no pueden ser mejor hechas ni labradas en ninguna parte porque toda la cantería de dentro de las capillas donde tienen sus ídolos es de imaginería y zaquizamíes y el enmaderamiento es todo de mazonería y muy pintado de cosas monstruosas y otras figuras y labores todas estas torres son enterramientos de señores y las capillas que en ellas tienen son dedicadas cada una a su ídolo a quien tienen devoción hay tres salas dentro de esta gran mezquita donde están los principales ídolos de maravillosa grandeza y altura y de muchas labores y figuras esculpidas así en la cantería como en el enmaderamiento dentro de estas salas están otras capillas que ellas y las puertas son muy pequeñas y sin claridad alguna y allí están solamente aquellos religiosos y no todos y dentro de ellas /58 v./ están los bultos y figuras de los ídolos aunque también como se ha dicho hay muchos ídolos principales y en quien ellos tienen más fe y creencia y dice que los derrocó de sus sillas y los hizo echar por las escaleras abajo y que hizo limpiar las capillas donde los tenían porque todas estaban llenas de sangre de los sacrificios y que puso en ellas imágenes de nuestra Señora y de otros santos y que no poco lo sintieron Motecçuma y los demás y que le dijeron primero que no lo hiciese porque si se sabía por las comunidades se levantarían contra él porque tenían que aquellos ídolos les daban todos los bienes temporales y que dejándolos maltratar se enojarían y no se los darían y les secarían los frutos de la tierra y moriría la gente de hambre y que les hizo entender con las lenguas cuán engañados estaban en tener su esperanza en aquellos ídolos hechos por sus propias manos de cosas no limpias y que supiesen que había un solo Dios universal Señor de todos / el cual había creado el cielo y la tierra y todas las cosas, y todos los hombres y que éste es sin principio e inmortal y que a Él habían de adorar y creer y no a otra criatura ni cosa alguna y que les dijo todo lo demás que en este caso supo para los desviar de sus idolatrías y atraerlos a conocimiento de Dios Nuestro Señor /59/ y que todos especialmente Motecçuma le respondieron que ya le habían dicho que ellos no eran naturales de aquella tierra aunque había muchos tiempos que sus predecesores habían venido a ella y que bien creían que podían estar errados en algo de aquello que tenían y creían por haber tanto tiempo que salieron de su naturaleza y que él como más nuevamente venido sabría mejor las cosas que debían de tener y creer que no ellos y que se las dijese e hiciese entender que ellos harían lo que él les dijese que era lo mejor y que Motecçuma y muchos de los principales de la ciudad estuvieron con él hasta quitar los ídolos y limpiar las capillas y poner las imágenes con alegre semblante y que les defendió que no matasen ni sacrificasen criaturas a los ídolos como lo acostumbraban a hacer porque demás de ser muy aborrecible a Dios estaba prohibido y mandado por las leyes que el que matase a otro le maten por ello y que de allí adelante se apartaron de ello y que en todo el tiempo que estuvo en aquella ciudad nunca vio matar ni sacrificar criatura alguna en que imitó a los romanos que siendo informados que cierta gente bárbara sacrificaban hombres a sus dioses mandaron parecer ante sí a sus magistrados para los castigar por ello y ellos alegaron en su defensa que era costumbre antigua de sus /59 v./ mayores / y los perdonaron y les mandaron que no lo hiciesen de allí en adelante como lo refiere Plutarco en el capítulo 83 de sus *Problemas*.

Los bultos y cuerpos de los ídolos en quien aquellas gentes creían dice que eran de mayor estatura que un grande hombre y que eran hechos de masa de todas semillas y legumbres que ellos comen molidas y mezcladas unas con otras y que las amasaban con sangre de corazones de cuerpos humanos y que los abrían vivos por los pechos y que les sacaban el corazón y con la sangre que salía de ellos amasaban aquella harina y hacían la cantidad que bastaba para hacer aquellas estatuas grandes y que después de hechas les ofrecían más corazones y les untaban las caras con la sangre de ellos y que para cada cosa tenían su ídolo dedicado al uso de los gentiles por manera que para pedir favor para la guerra tenían un ídolo y para sus labranzas otro y así para cada cosa de las que querían o deseaban que se hiciese bien tenían sus ídolos que honraban y servían que es conforme a lo que refiere Plinio en el capítulo séptimo del libro segundo donde refiere muchas vanidades y dioses que tenían algunas gentes.

CAPÍTULO NOVENO

En que se prosigue la manera de los templos y edificios de ellos y algunos sacrificios que se hacían a los ídolos.

/60/ La manera de los templos que estas gentes tenían para sus ídolos dice fray Torivio en el capítulo 30 de la primera parte de aquel su *Libro* que nunca fue vista ni oída y que fueron infinitos y muy grandes y que al templo llamaban TEUCALLI y que es compuesto de TEUTH que quiere decir dios y de CALLI que quiere decir casa y ayuntado y compuesto quiere decir casa de dios.

En todos los pueblos de aquella tierra dice que en lo mejor del lugar hacían un gran patio cuadrado cerca de un tiro de ballesta de esquina a esquina en los grandes pueblos y cabeceras de provincias y en los medianos de un tiro de arco y en los menores era menor el patio y que estos patios los cercaban de pared dejando sus puertas a las calles y caminos principales y que los hacían todos de manera que fuesen a dar al patio del templo y que por honrar más los templos hacían los caminos por cordel muy derechos de una y de dos leguas y que era muy de ver desde lo alto cómo venían de todos los pueblos menores y barrios todos los caminos derechos al patio por que nadie se pasase sin hacer su acatamiento y reverencia al ídolo o algún desangradero de las orejas o de otra parte y que en lo más principal del patio hacían una cepa cuadrada /60 v./ y que midió una de un pueblo que se dice Tenayucam y halló que tenía cuarenta brazas de esquina a esquina y que todo este compás henchían de pared maciza y subiendo la obra se iban metiendo adentro de manera que cuando iban arriba habían ensangostádose y metídose adentro siete u ocho brazas de cada parte por causa de los relejes que iban haciendo al principio de la obra de braza y media o dos en alto y a la parte del occidente dejaban las gradas por donde subían y en lo alto hacían dos grandes altares llegándolos hacia oriente que no quedaba más espacio de cuanto se podía andar por detrás / el un altar a la mano derecha y el otro a la izquierda y cada uno por sí tenía sus paredes y casa

201

cubierta como capilla en los grandes TEUCALLES o templos había dos altares y en los otros uno y cada uno de estos altares de los pueblos grandes y medianos tenían tres soberados uno sobre otro de mucha altura y cada capilla de éstas se andaba a la redonda / delante de estas capillas a la parte del poniente a donde estaban las grandes había harto espacio y allí se hacían los sacrificios y la cepa era tan alta como una gran torre sin los otros tres soberados que cubrían el altar el de Mexico dice que le dijeron los que lo habían visto que tenía más de cien gradas y que él las vio y contó algunas /61/ veces pero que no se acuerda cuántas eran y que el de Tezcuco tenía cinco o seis gradas más que el de Mexico / en estos patios de los pueblos principales había otros doce o quince TEUCALLES o templos harto grandes unos mayores que otros pero no tanto como el principal que era muy mayor que los demás unos tenían el rostro y gradas hacia oriente otros a poniente otros al mediodía otros a septentrión y en cada uno de éstos no había más que una capilla y un altar y para cada uno había sus salas y aposentos donde estaban los TLAMACAZQUES o TLENAMACAQUES que eran como él lo dice en el capítulo 25 los que los españoles llamaron PAPAS y que él los llama verdugos de otros y de sí mismos porque eran los que sacrificaban a otros y a sí mismos porque se sacrificaban muchas veces de muchas partes de su cuerpo éstos estaban en aquellos aposentos y los que servían / y que era mucha gente la que en esto se ocupaba y en traer leña y agua porque ante todos estos altares había braseros de lumbre que ardían toda la noche y en las salas también había lumbre todos aquellos TEUCALLES, salas, y patios estaban muy encalados y muy limpios y había algunos huertecillos de árboles y flores y en los más de estos grandes patios dice que había otro templo que después de levantada aquella cepa sacaban una pared redonda alta y cubierta con su capitel este templo era del dios del aire que llamaban Queçalcouat y que éste tenían por principal dios los de Cholollam y que /61 v./ en este pueblo y en Tlaxcalan y Huexoçinco había muchos de éstos / este Queçalcouatl decían los indios que fue natural de Tullam y que de allí salió a edificar las provincias de Tlaxcalan, y de Huexoçinco, y de Cholollam y que después se fue hacia la costa de Coaçacoalco donde se desapareció y siempre esperaban que había de volver y que cuando vieron venir a la vela por la mar los navíos de Hernando Cortes y de los españoles que conquistaron aquella tierra decían que ya venía su dios Queçalcouatl y que traía por la mar TEUCALLES pero cuando desembarcaron decían que eran muchos dioses esto decían por los españoles y en su lengua decían MIEQUETETEUTH.

En el capítulo 13 de la primera parte de aquel su *Libro* dice que tenían en los patios o TEUCALES o casas de los templos muchos braseros de lumbre delante de los altares de los ídolos y algunos muy grandes y de diversas maneras y que tenían unas casas o templos redondos unos grandes y otros menores según era el pueblo y hecha la boca como de infierno y en ella pintada la boca de una gran sierpe con terribles colmillos y dientes y en algunas partes los dientes eran de bulto y que era grandísimo temor y espanto verla en especial la que estaba en Mexico y que en estos lugares había siempre lumbre de día y de noche e indios diputados para traer leña y otros /62/ que velaban poniendo siempre lumbre y poco menos hacían en las casas de los señores.

En la cuarta parte de aquel libro al fin del capítulo 30 nombra quince pueblos que no tenían más tributo que reparar las casas del señor de Tlezcuco y los templos y para ello traían la cal, y la piedra, y madera y todos los materiales y servían de traer leña medio año a la casa del señor. Y que entre noche y día se gastaba una hacina de un estado en alto y de diez brazas en largo que tenían más de cuatrocientas cargas de indios / otros dieciséis pueblos dice que servían otro medio año de traer leña para la casa del señor y que en los templos se gastaba mucha más y casi toda era leña de encina y de roble y que en los templos y en la casa del señor se gastaba entre día y noche más de mil cargas sin otras muchas cargas de cortezas de árboles secas que hacen buena lumbre y en extremo muy buena brasa / otros pueblos había que servían de lo mismo en los templos de Mexico y de otros pueblos principales y en las casas de los señores y fray Torivio pone los nombres de todos.

Prosiguiendo fray Torivio lo de los templos dice en el capítulo 31 de la primera parte que no se contentaba el demonio con los /62 v./ TEUCALES ya dichos que había en los pueblos sino que también a un cuarto de media legua y en cada barrio tenían otros patios pequeños donde había otros tres o cuatro TEUCALES y en algunos cinco o seis y en otros uno y en los mogotes y cerrejones y lugares eminentes y por los caminos y entre los maizales había otros muchos pequeños y todos estaban blancos y encalados y en desollándose algo había quien luego lo encalaba y que parecía muy bien y abultaban en los pueblos en especial los de los patios principales y que eran muy de ver y que dentro de ellos había harto que mirar y que a todos los de la tierra hicieron ventaja los de Tlezcuco y Mexico.

Los de Cholollam dice que comenzaron un templo en extremo muy grande que sola la cepa de él tenía de esquina a esquina un tiro de ballesta y desde el pie a lo alto había de ser buena la ballesta que allá llegase y aun señalaban los naturales de Cholollam que tenía la cepa mucho más y que era mucho más alto que lo que se ha dicho éstos dice que quisieron hacer otra locura semejante a los que edificaban la torre de Babilonia como se cuenta en el capítulo XI del Genesis que comenzaron aquel TEUCAL para lo levantar más alto que la más alta /63/ sierra de aquella tierra y que a siete o a ocho leguas tienen sierras en la Nueva España que son el volcán y la sierra blanca que siempre tiene nieve que está entre Huexoçinco y la sierra de Tlaxcallan que es muy alta y que como éstos quisiesen salir con su locura confundióles Dios como a los que edificaban la torre de Babel no multiplicando las lenguas sino con una tormenta y tempestad de agua y nieve de donde cayó una gran piedra en figura de sapo y que desde allí cesaron en su edificio y que era tanto de ver que si no pareciese la obra ser de piedra y adobes ninguno creería sino que era cerrejón o sierra y que en lo alto de este edificio estaba un TEUCAL que desbarataron los frailes y en su lugar pusieron una cruz y que la quebró un rayo y que pusieron otra segunda y tercera y acaeció lo mismo y dice que él lo vio la tercera vez porque moraba en el monasterio que allí hay y que esto fue el año de mil quinientos treinta y cinco y que por esto que sucedió desbarataron de lo alto y cavaron tres estados y que hallaron algunos ídolos pequeños y muchas cosas que se habían ofrecido al demonio y que por aquello confundían a los indios diciéndoles que por aquellas idolatrías enviaba Dios sus rayos y no permitía que su cruz estuviese donde estaban sus ídolos ocultos.

/63 v./ En el mismo capítulo treinta y uno dice que cuanto más mira y se acuerda de la muchedumbre y grandeza de los templos que el demonio tenía en aquella tierra y señorío e idolatrías y gran servicio que le hacían le pone espanto y admiración porque no se contentó de ser adorado como Dios sobre la tierra pero que también se mostraba ser señor de los elementos pues en todos cuatro le ofrecían sacrificios y que en la tierra era lo contino y general y en el agua los niños que le ofrecían y ahogaban en ella en la laguna de Mexico que como lo dice en el capítulo veinte y fray Andres en su *Rrelaçion* llevaban en una canoa un niño y una niña y en medio de la laguna los ofrecían al demonio sumergiendo juntamente con ellos la canoa y que esto hacían cada año donde dice la causa por que se hacía este sacrificio y otros que allí refiere y que tuvo principio este sacrificio de los niños así en Mexico como en otros pueblos que los sacrificaban de una sequía que no llovió cuatro años y que no quedó cosa verde y que los ministros de estos sacrificios o carniceros del demonio que en su lengua se llaman TLENAMACAQUE que eran los mayores sacerdotes de los ídolos a manera de los nazareos y que criaban muy grandes cabellos y muy feos y sucios porque nunca los cortaban ni los lavaban /64/ ni peinaban y así andaban enguedejados y que se tiznaban muchas veces de negro y que no solamente parecían ministros del demonio mas el mismo demonio y que la cabellera que criaban llamaban NOPAPA, que quiere decir mis cabellos MOPAPA tus cabellos, y PAPA sus cabellos TOPAPAM nuestros cabellos, y que de este nombre de los cabellos tomaron algunos españoles este vocablo PAPA y que llamaron a estos verdugos crueles del demonio PAPAS.

En el aire también dice que hacían sus sacrificios al demonio porque como él lo dice en el capítulo diecinueve en un pueblo llamado Quahutitlam en un día que se decía Yzcali dedicado al dios del fuego levantaban seis grandes árboles como mástiles de navío con sus escaleras y encima degollaban dos mujeres y en cada uno en lo alto ataban un cautivo de guerra y abajo estaba alrededor mucha gente con flechas y arcos y en bajando los que los habían atado disparaban en ellos las flechas y medio muertos los hacían caer de aquella altura y del gran golpe que daban se machacaban y quebrantaban los huesos y hacían en ellos otras crueldades que allí refiere.

En el fuego hacían también sacrificios porque como él lo dice en el mismo capítulo 19 ataban de pies y manos algunos esclavos y cautivos de guerra y los /64 v./ echaban en un gran fuego que para ello tenían aparejado y a medio quemar los sacaban fuera y hacían en ellos muy grandes crueldades y en el capítulo 31 refiere muchos y muy crueles sacrificios que hacían que no hay para qué referirlos ni para qué tratar de ellos.

En el capítulo 26 de la cuarta parte dice que los mercaderes tenían costumbre de hacer por los caminos sus ofrendas al demonio de incienso y de papel y rosas y que cuando no las tenían odoríferas cogían algunas yerbas del campo y se las ofrecían en los oratorios que había en los caminos en lo alto de las cuestas y de las sierras y acabados de subir ponían su ofrenda y descansaban un poco y donde les tomaba la noche hincaban su bordón y delante de él sacaban unas gotas de sangre de las orejas. Que aun cuando aquellas miserables gentes iban cargados y muy cansados aquel enemigo del género humano les añadía trabajos a trabajos y les hacía que le sacrificasen / los bordones que llevaban eran unas varas negras como cañas delgadas y dice que ya se tiene entre los indios todo esto por muy abominable y con esto volvamos a referir lo de los templos.

Fray Andres de Olmos dice en aquella su *Relaçion* que hacían los templos /65/ a manera de una serreceta o montón de tierra alto o bajo según el pueblo de abajo ancho e iban ensangostando en cuadra y algunos con sus andenes en rededor hasta le alzar como querían y por delante le hacían sus gradas de piedra y que algunos tenían más de cincuenta y encalados alrededor y que dentro eran de tierra y de barro y piedra y en lo alto hacían su sala o soberado con cal una o dos como querían y que así vio que era el de Tlezcuco y lo vio derribar y que allí ponían con mucha veneración sus ídolos, o joyas o sacrificios y que así lo vio él en Talmanalco y que de en medio sacaron una pileta de piedra con su tapa y dentro había lo que ha dicho / y dice que en Cholollam tenían tantos templos grandes y pequeños como días hay en el año y que el patio del templo principal estaba cercado de salas muy grandes y muy de ver donde habitaban los sacerdotes y ministros del templo y que siempre había lumbre delante de los ídolos en que ponían trozos redondos que llamaban leña virgen porque decían que ésta querían más sus dioses y dice que se note la metáfora pero él no la pone.

Fray Torivio dice en el capítulo 24 de la primera parte que tenían a Cholollam /65 v./ por gran santuario y que le dijeron que allí había trescientos sesenta y cinco templos tantos como días hay en el año y que él vio muchos pero que no los contó y que tenían muchas fiestas y que a ellas venían gentes de muy lejos y que cada pueblo tenía sus salas y aposentos dentro de Cholollam donde se aposentaban y que en esta provincia y en la de Tlaxcallan y Huexoçinco como estaban cercados de provincias sujetas a Mexico que eran sus enemigos se arrimaban al sacrificio y que también entre sí mismos tenían crueles y continuas guerras y tenían por costumbre no sólo defenderse y ofender sino que también procuraban haber cautivos para los sacrificios a sus ídolos en los templos en que se hacían muchas ceremonias y crueldades como allí las refiere.

A Utlatam que es en la gobernación de Guatimala tenían también los naturales de aquella tierra por gran santuario y había en él y alrededor de él muchos y muy grandes templos que ellos llaman CUES de maravilloso edificio y yo vi algunos de ellos visitando aquella tierra siendo allí oidor en el Audiencia Real que reside en Guatimala aunque estaban muy arruinados y en este pueblo /66/ tenían también CUES otros pueblos comarcanos y el más principal de éstos era el de un pueblo que llaman Chiquimulam que era de un señor principal y que tenía otros muchos pueblos y vasallos aunque cuando allí estuve lo vi y estaba muy pobre y miserable como también lo están los señores de Utlatam que eran tres como adelante se dirá.

La religión de los templos dice fray Andres que era por cuatro años si no era cuando hacían voto perpetuo y que cuando querían salir los que estaban por cuatro años para se casar les cortaban los cabellos en señal que dejaban la religión y que los sacerdotes los traían hasta la rodilla y eran como los nazareos que nunca se cortaban el cabello como se dice en el capítulo 6 de los Numeros y en el 16 de los Juezes y algunos criaban las uñas largas y andaban negros y sucios y que no se lavaban ni peinaban y que en ciertos días no se rascaban sino con un palillo y al que en este tiempo tenía acceso con mujer lo mataban y que a los que se huían los castigaban muy cruelmente con espinas o púas de maguey y con otros castigos crueles y dice que del señor del pueblo era poner los sacerdotes y dar el modo para se sustentar y que /66 v./ algunos pueblos tenían heredades y que los del templo las labraban e iban a las guerras y adelante se dirá esto más largo cuando se trate cómo criaban sus hijos los señores y los demás y dice que hacían sus ofrendas de incienso y otras cosas a la mañana y a medio día y a la tarde y a media noche con mucha devoción y que en Atotonilco

207

había un templo donde los malhechores que a él se acogían eran libres que debiera ser como el asilo que se edificó en Roma de que trata Plutarco y Cornelio Tacito en el libro 18 y Dionisio en el segundo donde dicen muchas cosas de aquel templo llamado asilo.

A las espaldas del templo principal dice el mismo fray Andres que había casas de mujeres religiosas muy encerradas y que dentro las guardaban viejas y de fuera viejos que eran puertas vivas porque no las usaban muertas y que su religión era también por cuatro años si no eran las que hacían voto perpetuo y las demás dice que salían para se casar con licencia y que labraban y cosían y tenían su concierto en su manera y modo de vivir y mucho silencio y gran recogimiento y mortificación y siempre los ojos en tierra y que cuando salían a poner incienso y ofrenda a sus ídolos aunque fuese /67/ a media noche iban las guardas con ellas con mucha vigilancia mirando y velando sobre ellas para que ninguna se descuidase en volver ni alzar los ojos alguna parte y que iban en procesión y que por el mismo orden salían los sacerdotes de la otra parte y que todos ofrecían y echaban su copal que es como incienso en el fuego ante sus ídolos sin alzar los ojos y si algún descuido o desacato sentían las guardas en alguna era muy cruelmente castigado porque también ellos tenían viejos que los guardaban y que hecha la ofrenda se volvían en procesión como vinieron a sus aposentos y que las mujeres labraban muchas y diversas cosas para ofrecer a sus ídolos los ayunos dice que eran hasta medio día y después era a su voluntad comer o no y si algunos de los que estaban en religión caía en el pecado de la carne le castigaban muy cruelmente y que se sustentaban del trabajo de sus manos si no se lo daban sus padres o parientes.

Fray Torivio en el capítulo 26 de la primera parte también dice que a las espaldas de los templos principales había una sala de mujeres no cerrada porque no acostumbraban puertas pero que eran muy guardadas y que unas prometían de servir un año, y otras dos, y otras tres, y otras /67 v./ más o menos según su devoción y otras hacían voto perpetuo en algunas enfermedades y que la mayor parte eran doncellas y que también había viejas que por su devoción querían vivir allí siempre y éstas eran guardas y maestras de las mozas y que por estar en servicio de los ídolos eran muy miradas y guardadas y que en entrando les cortaban el cabello y que por más honestidad dormían siempre vestidas y para se hallar más prestas al servicio de los ídolos y que todas dormían en una sala y su ocupación era hilar y tejer mantas de labores para servicio de los templos y que a media noche iban con sus guardas y maestras a echar incienso en los braseros que estaban delante de los ídolos y que en las fiestas principales iban en procesión las mujeres a una banda y los ministros a otra todos con gran silencio sin hablar palabra ni alzar los ojos y que a ellas sus parientes aunque pobres les daban la comida y lo demás para hacer mantas y para llevar a ofrecer ante los ídolos por la mañana comida caliente guisada porque decían que aquel calor recibían los ídolos y lo demás lo comían los ministros y que tenían una maestra que a tiempos /68/ las congregaba y tenía capítulo y penitenciaba las que hallaba negligentes y castigaba con mucho rigor a la que se reía hacia algún hombre y si averiguaba que alguna había tenido acceso con varón ambos morían por ello y que ayunaban todo el tiempo que allí estaban y comían a medio día y a la noche hacían colación y que en las fiestas comían carne y no ayunaban y que barrían y limpiaban los patios delante de los templos y que lo alto barrían y limpiaban los ministros de ellos y que en algunas partes barrían con plumajes y que al barrer iban hacia atrás sin volver las espaldas a los ídolos y que tenían diversos fines porque unas servían por ser buenas otras por alcanzar larga vida otras por ser ricas y que si alguna cometía secretamente el pecado de la carne tenía que sus carnes se habían de podrecer y hacían penitencia para que el demonio encubriese su pecado y no fuese difamada ni castigada por ello y que en algunas partes bailaban ellas por sí ante sus ídolos y que las llamaron los españoles monjas.

CAPÍTULO DÉCIMO

En que se trata la penitencia, ayunos, y sacrificios que hacían los sacerdotes y ministros de los templos y otros particulares por su devoción y quién y cómo los servían y daban de comer.

/68 v./ Para que se entienda cuán ciegos y engañados tenía el demonio padre de toda maldad y mentira a estas gentes demás de lo que parece por lo que se ha dicho se referirán unos sacrificios de grandísima crueldad que en sus propias personas hacían según lo dice fray Torivio en el capítulo 25 de la primera parte de aquel su *Libro* habiendo referido en los capítulos antes de él otros muchos y diversos sacrificios que hacían con muy gran crueldad y diversas ceremonias todas como de gente tan ciega y engañada.

Dice en aquel capítulo 25 que había demás de los que antes ha referido muchos y particulares sacrificios que hacían comúnmente los TLAMAZCAQUES o TENAMACAQUES a quien los españoles llamaban PAPAS que se sacrificaban muchas veces de muchas partes de su cuerpo y que algunas veces hacían en lo alto de las orejas con una navaja de piedra negra un agujero y por allí sacaban una caña tan gorda como el dedo y tan larga como el brazo y que agujeraban la lengua por medio y sacaban por ella unas pajas largas y otros unas puntas de maguey que son como clavos de herrar sin cabeza y que unos sacaban más y otros menos y que aquello que sacaban ensangrentado lo ponían y ofrecían delante sus ídolos y que en Teuacam, y en Teutlitlam y en Cuzcatlam /69/ que eran provincias de frontera y que por muchas partes tenían guerra hacían muy crueles sacrificios de los cautivos y esclavos y de sí mismos porque se hendían el miembro genital y hacían una abertura tan grande que pasaban por ella una soga unas de diez brazas, otras de quince, y otras de veinte según la devoción del penitente y si alguno desmayaba decían que aquel poco ánimo era por haber pecado con mujer porque los que hacían este desatinado y bestial sacrificio eran mancebos por casar no teniendo atención al grandísimo dolor que sentirían pues vemos que algunos desmayan de

210

una sangría y que cuando Simeon y Levi hijos de Jacob mataron a Sichen y a Emor su padre y a todos los varones de la ciudad y ellos y sus hermanos la destruyeron en venganza del estupro de su hermana Dina fue el tercero día después que se habían circuncidado cuando estaban con grandísimo dolor de las llagas como se dice en el capítulo 34 del Genesis pues qué sería el que padecían aquellos desventurados por servir al demonio y que con tanto dolor y trabajo ganaban el infierno / la demás gente del pueblo dice que se sacaban sangre de los brazos y de las orejas y del pico de la lengua y que los que eran más devotos así hombres /69/ como mujeres traían las lenguas y las orejas harpadas y en alguna manera conforma con lo que hacían los de Teutitlam y los de Cuzcatlam lo que dice Lactantio en el capítulo 21 del libro primero de las *Divinas instituçiones* de un sacrificio que hacían a Bellona y los sacerdotes de Baal se sacrificaban con navajas y lancetas y se sacaban sangre como se dice en el capítulo 18 del libro tercero de los Reyes y cuatrocientos cincuenta de ellos hizo matar Elias.

En Tlaxcallam, Huexoçingo, y Cholollam dice que ayunaban los ministros del templo y todos los de su casa ochenta días y que demás de esto tenían sus cuaresmas y ayunos antes de las fiestas del demonio con sólo pan de maíz y sal y agua y que unas cuaresmas tenían de diez días y otras de veinte y otras de cuarenta y la de Panquecaliztli en Mexico era de ochenta días de que algunos enfermaban / y aunque estuviesen muy malos no dejaban el ayuno / y al pueblo y hasta los muchachos mandaban ayunar y ayunaban dos y cuatro y cinco días y hasta diez y que estos ayunos no eran generales sino que en cada provincia ayunaban como tenían la devoción.

En la provincia de Teuacam dice que había ciertos pueblos donde el demonio tenía /70/ devotos que siempre velaban y se ocupaban en oraciones, ayunos, y sacrificios y que este perpetuo servicio repartían de cuatro a cuatro años y que aquellos devotos llamaban MONAHUXIHUÇAHUQUE que es un vocablo compuesto de tres dicciones que son cuatro, y año, y ayunar, y que así aquéllos se llamaban ayunadores de cuatro años y entraban en la casa del demonio como quien entra en treintanario cerrado y daban a cada uno una sola manta de algodón y un MAXTLE que es como toca de camino con que se cubrían y tapaban sus vergüenzas y que no tenían más ropa de noche ni de día aunque de invierno hace allí frío y que

211

dormían en tierra y por cabecera una piedra y que no comían en aquellos cuatro años ni carne, ni pescado ni sal, ni ají, o chile, ni comían cada día más que una vez a medio día una tortilla de maíz que pesaría dos onzas y bebían una escudilla de ATULLI que es cierta poción que hacen de maíz y que no comían ni bebían otra cosa y que de veinte en veinte días que son sus días festivales podían comer lo que quisiesen y que cada año les daban un vestido de la manera que se ha dicho.

Su ocupación y morada dice que era estar siempre en la casa y presencia del demonio y se repartían de dos en dos para velar /70 v./ toda la noche sin dormir y se ocupaban cantando muchos cantares y a tiempos se sacrificaban y sacaban sangre de diversas partes del cuerpo que ofrecían al demonio y que cada noche ponían cuatro veces incienso y de veinte en veinte días se hacían un agujero en lo alto de las orejas y sacaban por allí sesenta cañas unas tan gruesas como dos dedos y otras más de una braza en largo y ensangrentadas las ponían en un montón entre los ídolos y acabados los cuatro años las quemaban y si alguno moría luego entraba otro en su lugar y decían que había de haber gran mortandad y morir muchos señores y principales.

Si algunos de aquellos que ayunaban aquellos cuatro años se hallaba que había tenido acceso con mujer dice que se ayuntaban muchos ministros del demonio y mucha gente del pueblo y lo sentenciaban a muerte y se le daba de noche delante de toda la gente dándole en la cabeza con unos palos gruesos y después lo quemaban y echaban los polvos por el aire porque no hubiese memoria de tal hombre ni tan enorme hecho porque por tal lo tenían ellos.

A éstos dice que les aparecía muchas veces el demonio o ellos lo fingían y decían al pueblo lo que él les decía o lo que a ellos se les antojaba y lo que querían y mandaban /71/ sus dioses y lo que más veces decían que veían era una cabeza con largos cabellos y que holgaba mucho Motecçuma de oír estas revelaciones porque le parecía que los que aquéllos hacían era servicio muy acepto a sus dioses.

Fray Andres dice en aquella su *Rrelaçion* que algunos tenían que sus dioses eran puros hombres puestos en el número de los dioses por algunas hazañas que habían hecho en su vida que es conforme al error que en esto tuvieron los gentiles como largamente lo refiere Tullio en el libro tercero *De natura Deorum* y Lactantio en el primero de las *Divinas instituçiones* otros dice que no tenían a los hombres por dioses sino los que se volvían o se mostraban y aparecían en alguna figura en que hablasen o hiciesen alguna otra cosa en que pareciese ser más que hombres y que le dijo un cacique de Amecaamecam que a su padre le apareció el demonio en figura de mona y se le ponía sobre un hombro y si lo volvía a mirar se pasaba al otro y que otros decían que aparecía en figura de fantasma o persona muy alta y que el que tenía ánimo se asía de él y no le dejaba hasta que le prometía que con su ayuda pudiese prender en guerra algunos por /71 v./ donde valiese y tuviese de comer y que estando en Cuahunauac se averiguó haber aparecido el demonio a un indio en figura de señor vestido y compuesto con joyas de oro y que lo llamó en un campo por su nombre y le dijo que dijese a un principal que cómo le había olvidado y dejado tanto tiempo y que dijese a su gente que fuese al pie de un monte a le hacer una fiesta porque él no podía entrar en el pueblo por una cruz que allí estaba y con esto desapareció y el indio lo dijo al principal y fueron a hacer aquella fiesta donde se sacrificaron e hicieron sus ofrendas y que un discípulo se lo descubrió y que por ello los prendió y castigó con misericordia por ser nuevos en la fe.

En muchas cosas como se ha dicho parece que conformaban los naturales de Anauac con los israelitas y también en otras muchas con los gentiles así en lo que se ha dicho de creer que los hombres que se habían señalado y hecho algunas hazañas eran colocados entre los dioses y tenidos y reverenciados por tales como es lo que dice Tullio en el libro primero *De legibus* y lo refiere Lactantio al fin del capítulo 15 del libro primero de las *Divinas instituçiones* y Dionisio en el libro segundo que Rromulo después de su muerte apareció /72/ a Proculo Julio en un campo y le dijo que hiciese saber a los romanos cómo él estaba en el cielo y que era dios y que le llamasen Quirino y le hiciesen templo en aquel lugar donde le apareció y en el libro tercero de sus *Oficios* dice el mismo Tullio que hizo matar a su hermano Remo so color que había entrado de noche por los muros en Rroma estando prohibido y que no convenía que quedase sin castigo y que lo tomó por ocasión para quedarse solo en el reino y que por esta ambición y codicia perdió la piedad y humanidad y con todo esto le hicieron templo y lo tenían por dios por lo que aquel romano les dijo y con haber visto y sabido que aquel que apareció al indio en Culhuanauac le dijo que no

213

podía entrar en el pueblo por la cruz que allí estaba por donde habían de entender que era demonio y que pues temía la cruz a ella y no a él habían de honrar, no dejaron de ir a le hacer los sacrificios que él mandó siendo como eran llenos de muy gran crueldad y tiranía y Numa Ponpilio que sucedió en el reino a Rromulo teniendo que había sido más que hombre lo honraban con sacrificios en que los unos y los otros /72 v./ estaban muy ciegos y engañados del demonio y es cosa de muy grande admiración que siendo los romanos gente tan valerosa y que gobernaban casi todo el mundo como señores de él y que entre ellos había hombres sapientísimos y lo mismo entre los griegos y los demás gentiles se dejasen engañar y estar sujetos a tan sucio tirano como es el demonio príncipe de toda maldad y mentira y que les hiciese creer que los hombres que entre ellos habían vivido y visto que se sustentaban con lo que los demás y que tenían enfermedades y trabajos como ellos y que habían sido adúlteros, y ladrones, y homicidas, y que eran mortales pues los habían visto nacer y morir entre ellos que creyesen que eran colocados entre los dioses y que como tales los reverenciasen y adorasen, y que castigasen y tuviesen por blasfemos a los que así no lo hacían y no paró en esto su engaño sino que hubo algunas naciones que tuvieron por dioses algunos animales y otras sucias sabandijas como lo refiere Tullio en el libro tercero *De natura Deorum* y en el quinto de las *Tosculanas* y Herodoto y Appion y Plinio y Juvenal en la *Satyra* 15. /73/ Y San Geronimo en el *Libro segundo contra Joviniano* y fray Geronimo Rroman en el libro primero de la *Rrepublica gentilica*. Y los indios como ya se ha dicho a los animales en cuya figura les aparecía el demonio / y en el capítulo segundo del libro 7 de la *Historia tripartita* se refieren algunos hombres viciosísimos que los gentiles tuvieron por dioses y en el capítulo 19 del libro tercero de la *Historia ecclesiastica* de Socrates y latísimamente Eusebio *In oratione De laudibus Constantini* y Euagrio en el capítulo XI del libro primero de la *Historia ecclesiastica* / y fray Thomas Veauxa carmelita doctor parisiense en el libro segundo *De fide et symbolo* refiere grandes errores que tuvieron los gentiles en los que tenían y adoraban por dioses en la foja 80 columna 2 y en el libro primero foja 42 columna 1 IN PRINCIPIO dice Oenomao filósofo refiere treinta mil dioses que tenían los griegos donde refiere muchas cosas a este propósito.

Otros muchos y muy crueles sacrificios refiere fray Torivio que se hacían en Mexico y en Tlaxcallan y en otros muchos pueblos adonde mataban a muchos y les daban muy crueles muertes y algunos desollaban y se vestían sus cueros para bailar y los ministros del demonio se sacaban sangre de muchas partes de su cuerpo y se hendían /73 v./ las lenguas y pasaban por aquel agujero trescientos y cuatrocientos palillos tan gruesos como un cañón y tenían ayunos de ochenta días y otros de ciento y otros de ciento sesenta y no comían más de una tortilla a medio día que pesaba una onza y bebían un poco de agua y tenían ayunos señalados para los señores y para los del pueblo y no se ayuntaban con sus mujeres y de veinte a veinte días hacían aquel sacrificio de sus lenguas y en el ayuno que tenían de ochenta días / y estaban sentados por su orden en el templo arrimados a la pared y no se levantaban sino a hacer sus necesidades y los sesenta días primeros no dormían más que dos horas a prima noche y otra hora después de salido el sol y todo el demás tiempo velaban y ofrecían muchas veces todos juntos incienso a sus ídolos de día y de noche y a la media noche se lavaban y se tiznaban y paraban negros y muchas veces se sacaban sangre de las orejas con puntas de maguey y si alguno se dormía o cabeceaba andaban muchos entre ellos muy solícitos y les picaban con aquellas púas diciéndoles veis aquí con qué despertéis y os saquéis sangre de las orejas y así no os dormiréis y si alguno se ponía a dormir fuera del tiempo señalado /74/ le herían cruelmente y le sacaban sangre y se la echaban sobre la cabeza y le quebraban el incensario como muy culpado y no digno de ofrecer incienso en aquella fiesta y le tomaban las mantas y las echaban en la servidumbre y en los otros veinte días no se sacrificaban tanto y dormían algo más y decían que padecían grandísimo trabajo en resistir al sueño y no se acostar y que sentían gran quebrantamiento y había muchas mujeres que por devoción proveían y aderezaban la comida para estos penitentes.

Otras muchas ceremonias y crueldades refiere fray Torivio y fray Andres pero basta lo dicho para que se entienda la crueldad grandísima que aquella misérrima gente usaban consigo y con otros y el trabajo que el demonio les daba en tenerlos sentados sin tomar el sueño necesario para la vida humana y les hacía que sacrificasen sus hijos niños y niñas y como dice Lactantio de otros sacrificios de los gentiles semejantes a éstos en el capítulo 21 del libro primero qué se puede decir que baste para encarecer estas crueldades y que sacrificasen niños inocentes sin ningún respeto de piedad en que se mostraban más crueles que fieras pues /74 v./ éstas aman sus hijos y ellos los mataban en edad que suelen ser más amados de sus padres / qué pudieran hacer aquellos dioses estando airados pues cuando no lo estaban hacían que los honrasen con tantos sacrificios humanos. Mejor les estuviera como él dice vivir a manera de animales sin tener ni honrar dioses tan crueles y tan malos y tan amigos de sangre humana y donde se ha dicho y en otras partes de aquella su obra exagera y abomina tan crueles sacrificios y tan malos y perversos dioses como adoraban en aquellos ídolos que tenían en cuyas figuras les hablaba el demonio y los traía tan ciegos y engañados y como dice Solino en el capítulo 33 donde trata de la Gallia que el sacrificar hombres es más para injuriar que para honra de la religión.

CAPÍTULO ONCE

En que se prosigue lo de la idolatría y se pone y declara la causa por que se han referido los sacrificios y ayunos de los naturales de Anauac y cómo tenían cierta manera de orar y de confesión ante sus ídolos.

Fray Andres en aquella su *Rrelaçion* dice de dónde tuvieron principio las idolatrías /75/ y ayunos que hacían los de Anauac y es una invención diabólica y muy desatinada y fuera de toda razón y por esto se deja de referir y dice que tenían cierta manera de orar puestos en cuclillas como se ponen los moros por que no se sabían hincar de rodillas y lo que pedían en su oración era buenos temporales y que no fuesen sabidas sus culpas y delitos por que no les viniese algún mal de ello y que no pedían perdón porque no esperaban gloria porque decían que todos iban al infierno donde habían de penar para siempre y que también tenían alguna manera de confesión y penitencia en particular ante sus ídolos para los aplacar y alcanzar lo que pretendían y que algunas veces era para malos fines y Seneca aunque gentil dice en una *Epistola a Luçilo* que primero habemos de pedir a Dios buen juicio y limpieza en el ánima y después sanidad en el cuerpo porque según dice Tullio en el libro primero *De natura Deorum* todos los necios son muy miserables y en el tercero de las *Tosculanas* dice que son locos y en otras partes dice lo mismo y por esto dice Juvenal en la *Satira X* que habemos de rogar a Dios que nos dé sano entendimiento y sanidad en el cuerpo y Socrates decía según lo refiere Platon en el diálogo intitulado /75 v./ *Alçibiades* el segundo que no habemos de pedir a Dios más de que nos dé aquello que nos conviene y lo refiere y exagera Valerio Maximo en el capítulo segundo del libro 7 porque como allí dice muchas veces pedimos aquello que nos está mal y de que nos arrepentimos después de lo haber alcanzado y Persio en la segunda *Satyra* burla de los que piden a Dios desatinos y burlerías y como allí dice Antonio de Lebrixa en su *Comento* es tan grande la desvergüenza de algunos hombres que piden a Dios cosas que habrían vergüenza de las pedir a otros hombres y no la tienen en pedir a Dios aquello que les pesaría que otros hombres lo supiesen y que así vivamos con los hombres como si Dios estuviese presente y así hablemos con Dios como si los hombres lo oyesen donde refiere otras cosas a este propósito de Attenodoro autor grave y como dice Oraçio habemos de estar fuertes como muro de acero para no hacer cosa que nos pese que otros la sepan como más largo lo dijimos en otra parte.

Fray Torivio en el capítulo primero de la primera parte de su *Libro* dice que todas las fiestas sacrificios y ceremonias cesaron desde el principio de la guerra que tuvieron con los españoles en que tenían tanto en qué entender que no podían acudir a lo demás aunque después tornaron a ello como se dirá en la cuarta parte de esta Relaçion y dice que luego como se tomó /76/ la ciudad de Mexico escondieron sus ídolos con sus joyas y riquezas y el oro que había en los templos y que de ello pagaron los tributos.

Hanse referido algunas de las muertes sacrificios y crueldades que estas míseras gentes hacían en sí y en otros con otros muchos que se han dejado de referir y lo refieren fray Torivio y fray Andres para que conozcan el gran bien y merced que han recibido en los haber librado Nuestro Señor de todo ello mediante la diligencia que se ha puesto por los reyes de Castilla y por sus vasallos en los haber sacado del poderío de tan tirano y cruel señor y haberlos traído al conocimiento de la ley evangélica en que tantos y tan grandes beneficios han recibido para la salvación de sus ánimas como constará de lo que se dijere en la cuarta parte de esta Relaçion donde se tratará de su conversión y doctrina por donde entenderán que han sido muy dichosos los que han venido al gremio de la Santa Madre Iglesia y al señorío de la corona real de Castilla y que son muy infelices los que se están en su infidelidad aunque les parezca tener más libertad porque ésta la tienen para sus vicios y pecados y para sus idolatrías y las demás abominaciones que se han dicho con otras muchas que se han dejado de referir por ser cosa muy prolija y que da fastidio / y no hay comparación del oro y plata y otras riquezas que de aquellas tierras se han traído a estos reinos con todas las demás que han habido /76 v./ los españoles que en aquellas partes viven a la inmensa riqueza que en lugar de esto aquellos naturales han habido con la ley evangélica que se les ha enseñado y enseña por sus ministros así clérigos como frailes que en ello entienden sin cesar con un trabajo muy grande que pasan y sufren en deprender su lengua y en la doctrina y en los sermones y confesiones y en el examen que hacen para los matrimonios que es muy necesario y un trabajo de muy gran pesadumbre y fastidio por los grandes inconvenientes que en ello hay y se podría decir lo que dice Plutarco en el libro *De la fortuna y virtud de Alexandro* que han sido mucho más dichosos los que han sido vencidos y atraídos a la sujeción de la corona real de Castilla que los que están fuera de ella porque éstos están en sus idolatrías y vicios enormes / y los otros impuestos y enseñados a vivir como hombres de razón y no como brutos animales como antes vivían y podrán decir lo que dijo Themistocles ya hubiéramos perecido si no nos hubiéramos perdido porque fue pérdida de incomparable ganancia si por su malicia no dejaren de conocer y gozar de tan gran bien.

Asimismo se han referido las penitencias y ayunos que aquellas gentes ciegas y cautivas del demonio hacían para confusión nuestra y de mí el primero pues si alguno se da una /77/ liviana disciplina piensa que hace muy gran penitencia y si ayuna un día en el año a pan y agua lo tiene por muy gran hazaña y en las cuaresmas vigilias y cuatro témporas si no solos los sacerdotes y religiosos en los demás hay pocos que ayunen y de éstos algunos comen demasiado y muchos manjares y a las noches hacen colación con diversas conservas y otros regalos y los que no las tienen con otras cosas que es más que cena y aun algunos comen carne en estos días de ayuno con muy poca ocasión y pudiéndose pasar sin comerla sabiendo como todos sabemos y debemos saber la obligación que tenemos para ayunar estos días y el mérito que de ello se saca para el ánima y salud del cuerpo como se dijo en los *Discursos de la vida humana* / vergüenza cierto y muy grande es para nosotros ver con cuánto rigor guardaban estas míseras gentes sus ayunos y con cuán poca comida se pasaban tantos días y muchos todo el año siendo lo que comían demás de ser poco y no de buen gusto de muy poca sustancia.

Estos ayunos también los había en la costa de Tierra Firme en ciertos tiempos señalados del año a que ellos llaman COYMA que es como cuaresma y yo estuve en el Cabo de la Vela al tiempo de este su ayuno y me venían a ver /77 v./ algunos indios de los que aún no estaban de paz y también de los que servían y estaban encomendados a españoles que aún no eran cristianos ni se les había tratado de ello y si les daba algo para que comiesen no lo querían recibir y decían que estaban en COYMA y andando visitando los pueblos de la sierra de Çoloma que es tierra de Guatimala siendo allí oidor me dijeron que los de aquella tierra solían tener ciertos ayunos en tiempo de su infidelidad y que tenían algunas oraciones que decían de noche y que se levantaban muchas veces a orar y para despertar dormían sentados y arrimados a la pared o cruzadas las piernas una sobre otra y en cansándose o en cabeceando despertaban y acudían a decir sus oraciones y un fraile de la Orden de San Francisco que escribió un libro del viaje de Jerusalem refiere con cuánto rigor guardaban los turcos sus ayunos y que algunas veces llamó algunos muchachos pequeños donde no los viesen en los días que ayunaban y les daba confites y otras cosas para los tentar y no lo querían recibir porque decían que era día de ayuno y el glorioso San Geronimo en el *Libro segundo contra Joviniano* dice que Cheremon filósofo estoico y varón elocuentísimo dice que los antiguos sacerdotes de Egipto pospuestos todos los /78/ negocios y cuidados del mundo estaban siempre en el templo y contemplaban la naturaleza de todas las cosas y las causas y razones de ellas y de las estrellas y que nunca comunicaban con mujeres ni veían sus hijos ni parientes después que se daban al servicio del culto divino ni comían carne ni bebían vino y que pocas veces comían pan por no fatigar el estómago y por evitar tentaciones de la carne de que suelen causar estos manjares y el vino y el pan que comían que era pocas veces era bazo y con ello una yerba que llamaban hisopo molida porque es purgativa y ayuda con su calor a la digestión y que su comida ordinaria era hortaliza y en ella echaban un poco de aceite para ablandar su aspereza y evitar el hastío y que no comían huevos porque decían que eran carnes líquidas ni leche porque decían que era sangre mudado el color y su cama eran hojas de palma que llaman bayas y por cabecera un madero y se pasaban dos y tres días sin comer cosa alguna donde refiere otras muchas cosas a este propósito y dice que lo refiere para confusión nuestra.

CAPÍTULO DOCE

En que se refieren algunas cosas notables que hay en Mexico y sus alrededores y los grandes edificios que ahora hay y había en tiempo de su gentilidad, y el de la universidad que allí hay.

/78 v./ Ya que se ha dicho quién fundó a Mexico y de su grandeza en tiempo de su gentilidad será bien decir la grandeza asimismo que hay en ella después que se edificó y pobló de cristianos y de la grande abundancia de mantenimientos y otras riquezas que en ella y en su comarca hay pues viene a propósito tras lo que se ha dicho.

Fray Torivio en el prólogo de la cuarta parte de aquel su *Libro* dice que se pudieran decir grandes cosas de la bondad y calidad de la Nueva España y de su fertilidad porque es abundantísima de todos mantenimientos así de los que en ella había como de los que se han llevado de Castilla y que los ganados se han multiplicado tanto que están los campos llenos y que en ella se hallan todos los géneros de metales y que es tierra de la mejor templanza del mundo esto dice en general de aquella tierra pero más en particular se dirá lo que en ella hay.

La muy grande y muy insigne ciudad de Mexico está muy bien trazada y muy bien edificada de muy largas y anchas y muy derechas calles y lo más de ello empedrado y convino que fuesen anchas y derechas porque la defensa y fortaleza de la ciudad está en la gente de a caballo hanse hecho y cada día se hacen muchos edificios /79/ de muy buenas grandes y fuertes casas y muchas iglesias y monasterios y hospitales hanse hecho algunas iglesias parroquiales la iglesia mayor está bien servida y proveída de ornamentos e instrumentos de música y cantores hay tres curas que sirven por semanas en el bautizar y en administrar los sacramentos y para los entierros se juntan todos tres y los sacristanes y la demás clerecía y todos los sacerdotes entienden en las confesiones / hay sacristán del altar mayor y lo es un clérigo y es buen cargo y preeminente porque tiene en su poder toda la plata / la cruz es muy grande y pesada y toda ella dorada y por esto no tiene

221

manga hay una custodia que decían costó más que veinte mil ducados y su mesa y pilaretes y chapitel de plata ricamente labrado y un palio encima y sus varas de plata para lo llevar en las procesiones y lo demás va en sus carretones o ruedas porque es grande su peso.

La iglesia vieja está entre dos plazas y acabada la que ahora se hace ha de ser claustros y cementerio y edificios pertenecientes a la iglesia y en esto ha de entrar el primer cimiento que se había hecho para la iglesia nueva la que se labra /79 v./ es muy mayor que la vieja y de muy costo edificio / el cimiento que primero se había abierto para ello costó ochenta mil pesos y se dejó por no se poder proseguir por aquel orden a causa del agua que no se podía agotar aunque a la contina andaban trabajando en ello con sus bombas y se mudó a otra parte y se hace de estacada el cimiento por un orden sutil y de buen ingenio con que se hincan las estacas y todas quedan parejas a raíz del agua y de allí adelante sobre la faz de la tierra se ha de hacer un plantapié de argamasa que tome todo el edificio de la iglesia porque con el peso se sumen los edificios en la laguna y que de que se poder sumir y también porque no lleguen los cuerpos de los difuntos en las sepulturas al agua / ha de ser por la traza de la de Sevilla y muy insigne edificio y templo.

Hay en ella su arzobispo y dignidades canónigos, racioneros, y capellanes algunos son personas doctas y todas muy honradas y de calidad / cerca de la iglesia está la casa arzobispal tiene algunos obispos sufragáneos.

A la parte del oriente frontero de la iglesia junto a las casas arzobispales la calle en medio está la casa real de muy suntuoso /80/ edificio y dio Su Majestad por ella al marqués del Valle cincuenta mil ducados y después se ha labrado en su circuito la cárcel de Corte, y Casa de Fundición, y Casa de Moneda, y Casa de Armas tiene tres puertas a la plaza principal, por la primera se sirve el virrey y Audiencia / por la segunda la cárcel, y por la tercera los oficiales de la Real Hacienda, tiene otra puerta por donde se sirve la Casa de la Moneda, tiene cuatro patios grandes en el primero que es de la Audiencia Real hay tres salas grandes, las dos donde hacen audiencia los oidores en lo civil, y en la otra los alcaldes del crimen, tienen en este patio aposento los secretarios de lo civil en que tienen sus oficios y el sello y el repartidor y salen a este patio dos piezas de la cárcel con sus rejas por donde negocian los presos y por la sala del crimen hay puerta a la cárcel por donde salen los presos a se visitar y al ver de sus procesos.

En el segundo patio vive el virrey y tiene tres salas de armas en que hay muchas ofensivas y defensivas de picas, rodelas, ballestas, y arcabuces, y mucha y muy buena artillería en sus carretones y todo género de munición y mucha pólvora y muy buena y hay persona con salario que tiene cargo de la artillería y de todo lo demás y de lo requerir y hacer limpiar cuando conviene.

/80 v./ En este patio tienen los secretarios de gobernación sus oficios y los secretarios del crimen y está la capilla donde se dice misa al virrey y oidores cada día y tienen su capellán para ello / a las espaldas de este cuarto sale un corredor muy grande de veinte arcos sobre una grande y hermosa huerta donde suele salir el virrey a dar audiencia a los negociantes.

El tercero y mayor patio es donde viven los oficiales de la Real Hacienda hay sus salas por sí donde quintan el oro y plata y su Audiencia donde oyen los oficiales en lo que toca a sus oficios, hay sala del Tesoro y de los oficios de cada oficial de la Real Hacienda.

El otro patio es el de la Casa de la Moneda donde vive el tesorero de ella tiene sus piezas distintas y apartadas donde se labra moneda y sus hornazas donde se refina la plata y su sala donde se recibe y paga.

La traza de esta casa es cuadrada por una parte tiene una acequia de agua de quince pies en ancho y un estado en hondo y otro medio desde el agua a la tierra de manera que desde la superficie al fondo hay estado y medio hase de hacer esta cava por toda la redonda y quedará muy fuerte la Casa Real / ha de tener sus puentes levadizos está por sí todo este edificio sin que haya otro alguno que junte con él y es muy buen edificio fuerte y costoso.

/81/ Demás de la plaza principal tiene otra a la parte de la acequia donde se han de hacer las fiestas y a la parte contraria hacia la Casa de la Moneda hay otros solares donde se han de hacer otras casas para renta.

El virrey es gobernador y capitán general de aquella tierra y presidente de la Audiencia Real donde hay ocho oidores para dos salas en lo civil y tres alcaldes de corte para lo criminal para otra sala hay sus fiscales, relatores, cancilleres, y registro, porteros, e intérpretes, y dos abogados, y dos procuradores de pobres, y todos con buenos salarios, hay abogados y procuradores, y receptores, y secretarios, y alguacil de corte que pone tres tenientes y un alcalde para la cárcel y cuando los nombra los presenta en la Audiencia para que los confirme y reciban, y los oficiales de la Real Hacienda, tesorero, contador, y factor entran en el cabildo de la ciudad y tienen voz y voto y el primer asiento por su antigüedad entre ellos.

Hay un corregidor en la ciudad con muy buen salario aunque la ciudad pretende que no lo haya porque hay dos alcaldes ordinarios y su cabildo de regidores personas /81 v./ de mucha calidad y tiene su cárcel por sí y su alcalde para ella y alguacil mayor y pone tres tenientes y el alcalde de la cárcel y cuando los nombra los presenta en la Audiencia para que los confirme y apruebe el nombramiento y hay sus procuradores por sí y cierto número de escribanos públicos y de provincia para los alcaldes de corte en lo civil.

La casa del cabildo de la ciudad tiene unos corredores sobre la plaza principal y en lo alto muy buena sala del Ayuntamiento y en lo bajo hace audiencia el corregidor y alcaldes ordinarios y está allí la cárcel pública y tiendas de que tiene muy buena renta la ciudad y la carnicería, y la platería está en una casa donde solía estar primero la fundición y también es renta de la ciudad.

A la parte del occidente de estas casas reales están otras muy principales del marqués del Valle que éstas y las otras solían ser de Motecçuma como él lo escribe en sus *Epístolas* que escribió al emperador / está en medio la Iglesia Mayor y las dos plazas y en su traza alrededor hay otras muchas casas y tiendas que rentan siete y ocho mil ducados y cada día valen más y esta /82/ renta dicen que dejó don Hernando Cortes a un hospital y colegio que mandó hacer / en las casas principales vivía el virrey y en ellas se hacía audiencia y estaban los oficios de los secretarios y en otras accesorias vivían los oidores y el fiscal y estaba la cárcel de corte / todo lo tiene ahora el marqués y de ello mucha renta y cada día vale y renta más y va labrando en los solares que allí tiene en el mismo circuito otras casas y tiendas de que tendrá mucha renta porque están en lo mejor de la ciudad y en el trato de ella.

Hay en esta ciudad muchos y muy honrados vecinos y muy ricos que tienen muy gruesas haciendas en heredades, y minas, y ganados, y muy principales casas y mucho servicio, y ricas vajillas de plata, y algunos tienen pueblos de indios en encomienda / hay muchos caballeros e hijosdalgo y personas de mucha calidad y algunos tienen hábito de Santiago / hay muchos oficiales mecánicos de todos oficios así españoles como indios y entre ellos hay oficiales de la plumería de que hacen riquísimas imágenes que no los hay en ninguna ciudad ni aun en el /82 v./ mundo otros como ellos, hay muchos mercaderes ricos y prósperos y de muy gran trato aunque de algunos años a esta parte han venido en quiebra por la falta de las minas y de los indios que han muerto infinidad de ellos en una gran pestilencia que les vino y duró mucho como en otra parte se dirá son casi en general todos los vecinos muy liberales, caritativos, y limosneros aunque muchos de ellos están en gran necesidad por lo que se ha dicho y ayudan a los hospitales y monasterios y les dan camas, y paño, y lienzo, para se vestir y trigo y carneros y otras cosas necesarias para su sustento y aconteció una vez que un vecino muy rico y honrado envió tanto trigo y carneros a un monasterio que no lo quisieron recibir y tomaron muy poco de ello y no digo la cantidad aunque la sé porque fue excesiva y este vecino daba cada año paño para vestir los frailes de San Francisco / y todos los vecinos y sus mujeres que son personas principales y muy honradas y de calidad se precian de visitar los hospitales y enfermos que en ellos hay y consolarlos y llevarles algunos regalos y por días o semanas les llevan la comida a los pobres guisada de sus /83/ casas y les sirven y dan de comer por sus manos y llevan las hilas hechas para las llagas sin lo fiar ni enviar con criados porque de esta manera es la obra más meritoria y más grata al Señor universal y padre de los pobres y por esto el glorioso doctor San Geronimo dice en la epístola a Paulino *De institutione monachi* que comienza BONUS HOMO y es 13 en orden que dé la limosna por su propia mano sin la fiar de otros porque es rara la fe y fidelidad en los hombres y como él mismo lo dice casi al fin de la epístola a Pamachio que comienza SANCTO VULNERE y es 25 en orden la buena obra si se hace por manos de otro se disminuye y el glorioso San Chrysostomo sobre el capítulo 5 de la epístola de San Pablo a Thymoteo en la *Homelia* 14 dice que los oficios y obras de misericordia que se hacen con los pobres no se han de cometer a los criados sino hacerlas cada uno por sí mismo y que tomemos ejemplo en lo que Cristo dice por San Juan capítulo 13 si yo lavé vuestros pies siendo señor y maestro vuestro os habéis de lavar los unos a los otros los pies porque como dice el mismo San Chrysostomo ninguno, aunque esté constituido en gran dignidad y aunque sea de muy ilustre y generoso linaje no /83 v./ sobrepuja tanto a los pobres cuanto Cristo a sus discípulos y cuando servimos al pobre a Dios servimos porque dice el mismo Dios por San Matheo capítulo 18 y San Marcos capítulo 25 el que recibiere a un pobrecillo en mi nombre a mí recibe y lo que hacéis con uno de estos pequeñuelos conmigo lo hacéis y Flaçilla mujer del emperador Theodosio tenía tanto cuidado y caridad con los pobres que por sí misma iba a sus casas y proveía a cada uno de lo que tenía necesidad y andaba por los hospitales y con sus propias manos servía a los enfermos y fregaba las ollas, y los platos y escudillas, y les ponía y quitaba los servicios y les daba limosna y les guisaba lo que habían de comer y hacía todo lo demás que las siervas y criadas suelen hacer y entre otras muy grandes virtudes de que es alabada es esta caridad tan grande que tenía con los pobres y se pone por la más principal como se refiere en el libro siete de la *Historia tripartita* capítulo 31 y es el capítulo 18 del libro quinto de la *Historia ecclesiastica* de Theodoreto y lo refiere y encarece fray Domingo de Soto doctísimo varón y de muy gran religión y vida en el capítulo XI del *Tratado* que hizo en favor de los pobres que andan mendigando de puerta en /84/ puerta y esto dice que escribió para gloria de los que se emplean en tan santa y piadosa obra y a este propósito trae otras cosas fray Grabiel de Toro en su *Tratado de Thesoro de misericordia de pobres* en el capítulo 19 y 20 y 21 y en el capítulo cuarto del libro cuarto de los Reyes se dice que habiendo ido aquella mujer Sunamitide con gran fatiga a decir a Eliseo cómo su hijo era muerto y a le pedir socorro mandó a su siervo Giezi que tomase su báculo y fuese y lo pusiese sobre la faz del muchacho difunto y que la madre no quiso ir sin que él propio fuese con ella y que Giezi tomó el báculo y se adelantó y lo puso sobre la faz del difunto como el Profeta se lo mandó y como vio que no resucitaba salió al camino a lo decir al Profeta y en entrando él donde estaba el difunto oró e hizo lo que allí se refiere y resucitó al muchacho y lo dio a su madre vivo por manera que fue necesario que él propio pusiese la mano en la obra para que el Señor le oyese como más largo se dijo en otra parte con otras cosas que allí se refieren a este propósito para incitar a proseguir su intento aquellas personas generosas que se ocupan en lo que se ha dicho porque por ello les dará Dios la paga muy aventajada en este /84 v./ mundo y en el otro y les dará gracia para que perseveren y acaben en bien porque según dice el glorioso San Agustin en el sermón 45 AD FRATRES IN EREMO no se acuerda haber leído que muriese mal quien bien se ejercitó en esta vida en las obras de piedad.

Hay asimismo en la gran ciudad de Mexico cuatro monasterios dos de San Francisco y otro de Santo Domingo y otro de San Agustin* y el de Santo Domingo y San Agustin son de muy suntuosos edificios y tienen muy lucidas y agraciadas iglesias la de San Agustin es de madera mosaica dorada y de azul añil y en lugar de tejas tiene planchas de plomo por manera que todo lo alto donde había de estar tejado está emplomado y de la misma manera está lo alto de la iglesia de Santo Domingo y tienen ambas una misma traza y en muchos pueblos de indios hay asimismo muy suntuosas iglesias y muy proveídas de todo lo necesario para el culto divino de cálices y cruces de plata todo muy costoso y muchos instrumentos de música y muy ricos y costosos retablos y lo mismo hay en las iglesias de los monasterios de Mexico y en Santo Domingo hay una imagen de nuestra Señora /85/ que dio Gonçalo Çerezo vecino de Mexico y alguacil mayor de la Audiencia Real de plata que costó siete mil ducados / en todos estos monasterios hay muchos y muy honrados religiosos de muy buena vida y ejemplo y los más de ellos muy doctos y muy buenos predicadores que predican a los españoles y a los indios en muy diferentes lenguas y salen a ello los días de fiesta a los pueblos que tienen de visita donde aún no hay monasterios en que hacen grandísimo fruto y servicio a nuestro Señor / la casa de San Francisco estaba muy vieja y según dicen la hizo derribar toda doña Beatriz de Andrada mujer que fue de don Francisco de Velasco hermano del virrey don Luis de Velasco y la ha sacado de cimiento toda y la labra a su costa y para ello dicen que da los tributos de la parte que tiene en encomienda de la provincia de Xilotepec que dicen que valen más de doce mil ducados y no tiene más que la mitad porque la otra mitad la tiene don Pedro de Quesada nieto de Juan Xaramillo primer marido de doña Beatriz de Andrada por quien hubo la mitad de la encomienda de Xilotepec.**

---

* "Y un colegio de agustinos que se llama San Pablo." [Nota al margen.]
** "Hay también monasterios de franciscos y carmelitas descalzos." [Nota al margen.]

En Mexico asimismo hay una casa de la Compañía del Nombre de Jesus que tiene buena renta para se sustentar y su estudio hay entre ellos personas de gran religión y de /85v./ buena doctrina vida y ejemplo y un vecino les dio la casa para su morada que es muy buena de gran valor que se llamaba Villaseca.

Hay un monasterio de monjas intitulado de la Concepción que tendrá de renta más de ocho mil ducados de muy gran clausura y recogimiento y de muy gran virtud y ejemplo sujetas al ordinario y porque eran muchas las monjas se dividió e hizo otro monasterio y les dieron dos mil ducados de renta de la que ellas tienen de la Orden de Santa Clara / hay otro monasterio / y el marqués don Hernando Cortes dejó mandado fundar otro y renta para ello sin éstos se han comprado unas casas principales para otro monasterio que por no tener entera relación de ello ni quien me la dé no me declaro más.*

Hay demás de esto un colegio que llaman de las Huerfanas o niñas recogidas y otro de los niños de la doctrina sin el colegio que hay para indios en el Tlatelulco que lo tienen a cargo los frailes menores y ha habido entre ellos muy buenos latinos y retóricos y lógicos y en todos les enseñan buenas costumbres y doctrina los que están por superiores y puestos para ello y todos tienen renta y grandes indulgencias y jubileos para los que les ayudan con sus limosnas / las que se crían en el /86/ colegio de las niñas no son monjas ni tienen religión ni voto de ello sino que están allí hasta que son de edad para casar y para esto les juntan ajuar y buenas dotes de limosnas que es mucho porque de ordinario hay algunas para casar como adelante se dirá.

Hay muchos hospitales uno que se intitula de la Concepción que es a cargo del marqués del Valle de buenos edificios y se va cada día labrando más y tiene buena renta que le dejo don Hernado Cortes / otro que llaman de las Bubas que fundó don fray Juan de Çumarraga de la Orden de San Francisco primer obispo y después arzobispo que fue de Mexico tiene renta y muchas limosnas y se hacen en él grandes curas hay otro que se intitula de los Indios que

---

* "Hay en Mexico los monasterios de monjas siguientes: La Madre de Dios que es el de la Concepción Regina Celi Santa Clara Jesus Maria San Hieronimo y una casa de mujeres arrepentidas y otras de emparedadas y el colegio de las doncellas que por todos son ocho sujetos al ordinario si no es el de Santa Clara que lo rigen frailes franciscos." [Nota al margen.]

se labra a costa de Su Majestad / otro que se fundó de limosnas para los enfermos del mal de San Lazaro / y otro para los locos de buenos edificios / en el monasterio de San Agustin se labraba otro colegio y en el monasterio de Santo Domingo de la ciudad de los Angeles otro y dejó renta para ello un vecino de Mexico.

Hay algunas cofradías que celebran devotamente /86 v./ sus festividades la principal es la del Santo Sacramento y Caridad que tiene en sí cosas dignas de tales títulos y de ser sabidas y publicadas ponen el aceite y cera con que se sirve todo el año el Santísimo Sacramento en la iglesia mayor dan seis hachas y doce velas de cera que le acompañan cuando sale fuera y toda la cera que se gasta en el monumento el Jueves Santo y en la fiesta de Corpus Christi con su ochavario y en dos fiestas de nuestra Señora que es la Visitación a Santa Ysabel y la de SPECTATIO PARTUS que comúnmente llaman de la *O* que se celebra ocho días antes de Navidad y en ellas se encienden más de doscientas hachas sin otro gran número de velas y en el primer domingo de cada mes que se saca el Santísimo Sacramento en procesión por la iglesia dan seis cirios grandes y velas a la clerecía en todo esto se gasta gran número de cera y comúnmente vale la libra a seis reales y algunas veces a ocho y a más y cada día va creciendo el precio de ella.

Tiene asimismo esta cofradía a cargo el Colegio de las niñas o de las huérfanas en que hay de ordinario cuarenta /87/ y más a costa de la cofradía sin otras huérfanas de padres ricos que estan allí a su costa para las criar y doctrinar y algunas veces hay más de cien mujeres con una madre que las rige gobierna y doctrina tienen clausura y torno y capellanes y frecuentan las confesiones como en un monasterio y cantan los divinos oficios ponen en común lo que se gana por su trabajo de coser y labrar y muchos meses acontece ganar cien y ciento veinte ducados y más / dota las huérfanas colegiales la cofradía y algunas dan a mil pesos y a otras a mil quinientos conforme a su calidad y a la que menos dan es trescientos pesos y cada año casan cinco y seis.

Asimismo tiene cargo esta cofradía de los pobres vergonzantes en especial de los que van de España en cada flota y envían un canónigo o dignidad de la iglesia mayor que por caridad quieren tomar este trabajo a que los vaya a recibir hasta Perote que es un hospital que está en el camino cuarenta leguas de Mexico y allí les llevan todos los regalos de dietas y conservas y ropa blanca que han menester y los avían como les den /87 v./ cabalgaduras a hombres y mujeres y la caridad paga los fletes por tierra y a las veces los de la mar / si quedan mujeres viudas o algunos huérfanos tiene cuidado esta cofradía de los acomodar y les buscan casa donde los reciban y a las huérfanas les dan promesa y asiento de casarlas y así se hace.

Pagan también la botica por los pobres vergonzantes de la ciudad de Mexico y los visten y proveen las necesidades ordinarias.

Tiene asimismo cargo de procurar por los presos pobres y pagar deudas por ellos y el Jueves Santo cuando el arzobispo hace el lavatorio a doce pobres los visten y dan a cada uno cuatro reales.

Tienen cuatro cetros o varas para regir las procesiones de plata y sale uno delante el Santísimo Sacramento y tienen un pendón con cruz de plata para lo mismo y otro con un crucifijo que sacan el Jueves Santo y dos candeleros grandes de plata que ponen con los cirios todos los domingos y fiestas delante del altar mayor.

Son muchas las limosnas y mandas de difuntos que se hacen a esta cofradía por ver cuán bien lo gastan y tiene de renta más de cinco mil pesos en censos y siempre los mayordomos son mercaderes ricos /88/ y al cabo del año han puesto de su casa más de dos mil pesos que se les deben por las muchas limosnas y gastos que hay.

Hay otra cofradía de la Veracruz que es de sangre en que salen más de cuatrocientos disciplinantes el Jueves Santo y en la procesión de ellos treinta crucifijos y más cada uno del tamaño de un hombre y son tan livianos que el Cristo no pesa cada uno doce libras gástanse dos pipas de vino en lavatorios y vale cada una cien pesos de minas que son ciento veinte ducados y a las veces más.

Hay otra cofradía del Nombre de Jesus constituida en el monasterio de San Agustin también de disciplinantes y demás del gasto ordinario en la disciplina y misas casa esta cofradía tres y cuatro huérfanas cada año y les da a cada una en dote y ajuar más de quinientos pesos.

En el monasterio de Santo Domingo hay otra cofradía y cada sábado se dice una misa muy solemne a nuestra Señora donde se enciende mucha cera y los más de los sábados hay sermón está anexa a esta cofradía otra de los juramentos que es de muy loable costumbre porque todas las veces que uno jura se pena en lo que le parece /88 v./ y lo da a la cofradía y el cofrade es obligado a reprender al que viere jurar.

Los negros tienen dos cofradías: la una en Santo Domingo y la otra en la iglesia mayor donde se juntan las fiestas a recibir doctrina y dan muchas ofrendas en sus bautismos y casamientos porque todos los que se hallan presentes ofrecen un real y más cada uno y se hacen entre ellos limosnas con que se rescatan.

Los indios tienen su cofradía en especial una de disciplinantes y otra de la misa de nuestra Señora los sábados en la de los disciplinantes es tanta la gente que se va disciplinando y otros alumbrando que antes que acaben de salir de San Francisco donde está constituida son los delanteros de vuelta con ser el trecho que andan muy grande y van quince y veinte por hilera juntos en los crucifijos que sacan en ella exceden a todos los de la cristiandad en el número.

Hase fundado en esta gran ciudad de Mexico con loable principio una insigne universidad donde se han hecho y cada día se hacen muchos maestros y doctores en todas facultades y no pocos bachilleres /89/ y licenciados todos muy dignos y beneméritos y de muy rara y loable habilidad y todos muy buenos latinos y algunos retóricos porque para todo hay muy buenos preceptores asalariados y algunas cátedras y renta para ellas y para ello les hace Su Majestad merced cada año de alguna buena cantidad de dineros algunos son muy buenos escribanos y muy buenos jinetes y diestros en armas porque para todo tienen habilidad y se dan bien a ello y se darían mucho más al estudio y con más voluntad si las prebendas de la iglesia mayor se diesen a hijos de vecinos y si hubiese beneficios patrimoniales y se proveyesen por oposición y examen y con esto serían todos doctos pues tienen tan buen aparejo como se ha dicho y harían gran fruto así entre españoles como entre indios porque el premio y la honra cría y sustenta las artes y es gran premio de la virtud la honra y casi todos saben muy bien la lengua de los indios.

Hase hecho otro edificio muy bueno y costoso para traer agua a la ciudad que es diferente y mejor que la que viene por otro edificio de la fuente que llaman /89 v./ de Chapultepec de que adelante se hará mención y para este edificio se ha impuesto sisa en el vino que se vende por menudo en la ciudad y se arrienda cada año en veintisiete y veintiocho mil pesos y más y además de esta agua entra en la ciudad otro caño muy grueso por un edificio antiguo que se reparte por muchas calles y casas y por esta parte tiene muy hermosa salida llena de huertas a una parte y a otra que dura una legua en todo puede ser que haya habido mudanza o falta pero lo que se ha dicho es conforme a lo que yo vi y duró después algunos años según he sido informado de todo ello y lo mismo se entienda lo demás que aquí se trata.

CAPÍTULO TRECE

En que se refiere la grande abundancia que hay en Mexico de mantenimientos y de todo lo demás necesario para su provisión y lo que de allí se saca para otras partes y de otras provincias sus comarcanas.

La gran ciudad de Mexico está muy bien proveída de todo lo necesario así de lo que hay en la tierra como de lo que se lleva de España andan ordinariamente /90/ muchas arrias que van y vienen al puerto de la Veracruz y a otros pueblos que proveen la ciudad de muchas cosas y muchas carretas que hacen lo mismo y cada día entran gran multitud de indios cargados con bastimentos así por tierra como por la laguna en canoas o barcas que ellos llaman ACA-LLES y asimismo hay muchos indios que tienen caballos de carga en que ordinariamente de todos los pueblos comarcanos traen bastimentos a Mexico y son en tanta cantidad que en sólo un pueblo que se llama Tacuba que está dos leguas de Mexico se han contado tres mil caballos de carga que traen leña y maíz del valle de Toluca sin otros muchos que andan en este trato del pueblo de Azcapuçalco y de Cuyoacam y de los demás que hay alrededor de Mexico y todo se gasta y consume y es tanto que pone admiración y la causa es porque todos gastan muy largo porque están sus casas muy llenas de gente de servicio.

Todo el año se venden en la plaza menudos de puerco en gran cantidad lomos, costillas, longanizas, morcillas, testuzos, espinazos, porque siempre matan /90 v./ puercos que los hay muchos y grandes y muy gruesos porque a la redonda de la ciudad son sierras frías donde se hace la cecina de verano y en el invierno en todas partes.

Mátanse en el rastro más de cien mil carneros por año valía un carnero en canal cuatro reales y menos / en la carnicería se matan once y doce mil novillos y no se mata hembra porque se tiene por enferma valía una libra de dieciséis onzas un maravedí y cuando más cara valía es una arroba una real por manera que un cuarto trasero llega a valer cinco o seis reales y demás de esto se vende

233

cada día de ordinario muy gran cantidad de aves y corderos vivos y cabritos muertos en especial los sábados.

Los indios venden cada día muy gran cantidad de yerba verde que dicen pasan de dos mil reales lo que se compra cada día para provisión de los caballos y mulas y arrias de la ciudad, dan doscientos manojos por un real hay muy hermosos caballos, cuartagos, y mulas, de rúa y de arria y para carros /91/ y muy buenas acémilas, y lo hace el maíz que es muy buen pienso y muy mejor y más recio que la cebada y se coge ya también y mucho trigo y todo el año comen verde la hoja de la caña del maíz a su tiempo que es muy mejor que el alcacel y también se da seca y la tienen por mejor que la paja aunque también hay mucha de ella / después del verde de la hoja se da un junquillo muy bueno que lo hay siempre verde en la laguna de que está cercada la ciudad, hay mucha gente de caballo muy ricamente enjaezados y muy buenos jinetes y sus personas muy bien aderezadas y tienen tantas y tan buenas armas y caballos que ninguna ciudad por grande que sea en España le hará ventaja y por ventura aquella ciudad la hace en esto y en otras muchas cosas a todas las de Europa y es tanto el ganado que hay y se da tan bien que hay vecino que hierra cada año quince y veinte mil cabezas y otros más y menos y el que no pasa de dos mil se tiene por hacienda pobre y hay gran multitud de yeguas, ovejas, cabras, y puercos y es muy gran cantidad la cría de todo esto.

/91 v./ Porque son grandes las particularidades que hay en la provisión de la ciudad de Mexico y lo que a ella viene de otras partes y se saca de ella para otras será bien referirlo para que se entienda claramente la grandeza y abundancia de aquella generosa y muy populosa ciudad que creo en las Yndias ni aun en todo el mundo no hay otra que tantas particularidades tenga para ser tenida por la mejor ciudad que hay en todo lo poblado aunque Luis del Marmol refiere muy grandes particularidades de la ciudad de Fez en la *Descripçion de Africa* y aunque algunas cosas se digan dos veces se han de sufrir cuando viniere a propósito repetir lo que antes se hubiere dicho para mejor declaración de ello pues según Platon grandísimo filósofo se puede y debe hacer así a quien agradó tanto este dicho o proverbio que en muchas partes lo refiere y trae a la memoria como se ha ya dicho y se dijo más largamente en la *Suma de los tributos*.

Una de las cosas de que en aquella ciudad y en toda la Nueva España hay gran trato y con que vive gran /92/ cantidad de indios y españoles es el cacao que es una fruta como almendras que sirve en toda la tierra de moneda y bebida como ya se ha dicho gástase en esto cada año muy gran cantidad de pesos de oro porque de la provincia y reino de Guatimala se traen cada año más de treinta mil cargas de ello y de la provincia de Xoconuzco se traen más de cuarenta mil y de Acapulco y costa de la Mar del Sur más de diez mil y uno con otro vale a treinta pesos la carga y siempre vale más la de Guatimala y Xoconuzco porque es lo mejor de ello y también acontece tener más subido precio porque como se ha dicho todas las cosas crecen en valor y no se puede decir precio cierto de ellas.

Hay asimismo en aquella ciudad y en toda la Nueva España gran cantidad de lana y muy buena y fina y muchos obrajes en que se labran muchos paños finos y muy buenos y otros no tales de todos colores y frazadas, y cobertores de cama blancos y de grana y muchas mantas, y ropa basta, y sayal, y jerga en gran cantidad porque de esto se gasta mucho en los carros y arrias y en las estancias, y /92 v./ minas y se saca mucho de lo dicho para Guatimala, Nicaragua, Peru, y Honduras y para otras partes.

Críase como se ha dicho en la Mizteca y en otras partes de la Nueva España gran cantidad de seda y se labran terciopelos, tafetanes, rasos, y damascos, de que se saca gran cantidad para el Peru y otras partes de todos colores y lo mismo mucha seda en hebra y en cordonería, y colonias, tocas, y otras muchas cosas que de ello se labra y hay gran cantidad de grana o cochinilla que se saca para estos reinos y para otras partes y todo vale mucho.

El ganado vacuno que hay es muy gran cantidad como se ha dicho y es mucha la corambre que de ello se trae a estos reinos y a otras partes y mucha corambre de venados y muy gran cantidad de sebo.

Hay muy gran cantidad de algodón de que se labran mantas delgadas y bastas, y tocas y otra mucha ropa que gastan los indios y los negros y también los españoles.

De todo lo dicho se trae asimismo gran cantidad y miel, y cera, de las provincias de Yucatam y Campeche y de otras partes donde lo hay todo en abundancia.

/93/ Asimismo hay en toda aquella tierra abundancia de todos metales de oro, plata, cobre, y plomo, y en algunas partes azogue, y salinas, y dicen que también hay hierro y se gasta gran cantidad de sal en las cenizas y corambres y en las minas y se labra muy gran cantidad de reales en la Casa de la Moneda que hay en Mexico y son tan subidos de ley que muchos tienen por trato y granjería sacarlos en especial extranjeros para otras partes porque en ellos se gana mucho.

Hay mineros de piedras muy ricas para arasa y para la orina, e ijada, y riñones, y de sangre, y en algunas partes hay esmeraldas y otras piedras buenas de que se hacen ricas joyas y se hallan en algunas partes de mar perlas, y aljófar, y hay muchas y muy buenas yerbas medicinales como más largamente lo tendrá escrito el protomédico que para esto envió Su Majestad aquella tierra con salario que por ello se le da como ya se ha dicho.

Añil lo hay en muchas partes en especial en tierras calientes y secas y se da por el campo de su natural y en algunas partes hay brasil y también se ha dado jengibre y esto se da solamente en las tierras calientes y es tan bueno como lo de la Yndia de Portugal y en la flota que vino de Nueva /93 v./ España el año de mil quinientos setenta y ocho se trajo cantidad de añil y alguna simiente de ello y se sembró en Sevilla y en dos meses estaba nacido y de un palmo y más en alto y un vecino de Mexico que la trajo que se llama Pedro de Ledesma fue con ello Almeria para lo sembrar en aquella tierra donde se cree se dará bien o en Murçia.

Lábrase en la Nueva España mucho papel que se hace de unas cortezas de árboles y se hacen buenas piezas de vidrio y hay gran abundancia de materiales para pólvora y se hace mucha y son tantas las cosas que hay que sería para no acabar quererlas referir todas y adelante se irán refiriendo algunas cuando viniere a propósito tratar de ellas.

CAPÍTULO CATORCE

En que se refieren algunas cosas notables que hay en Mexico que comienzan en
C que son en más abundancia y las mejores que hay en el mundo.

Algunos curiosos tenían notadas algunas cosas aunque no muchas
que comienzan en C que son las mejores que hay en el mundo y en
más abundancia y de esto he tomado yo ocasión a notar otras muchas que son calles, porque las hay /94/ muy hermosas por ser
como son muy llanas y muy largas y derechas y muy anchas y
todas por una misma medida y si no me acuerdo mal tiene cada
calle doce varas de medir en ancho y las más y casi todas las que
atraviesan son tan anchas y tan buenas como las principales y todas o las más están empedradas / otra C es casas que como se ha
dicho las hay muchas y muy buenas y muy grandes y fuertes y de
muy buenos edificios y aposentos altos y bajos y con buenos patios y algunas o las más tienen agua de pie y huertas y no hay
tejados sino azoteas / otra C es camas que las hay muy ricas de
todas sedas y de grana y de otros paños de color muy finos y con
ricas guarniciones y flecaduras de oro y seda y la madera muy
bien labrada y muchas de ellas doradas y en esto entra y se entiende todo lo demás que hay en las casas de servicio que es mucho y
muy rica tapicería y vajillas de plata y muchas piezas de ellas doradas y mucho y muy gran homenaje o muebles.

Otra C es capas, calzas, calzado, camisas, y ricos aderezos de
ciudad y para de camino y todos doblados /94 v./ los que tienen así
hombres como mujeres los vestidos de los hombres son honestos
con sólo repulgos sin guarnición y si algunos la traen los tienen
por forasteros y recién idos de España / las calzas son en común de
terciopelo y de otras sedas y muy ricas / las mujeres de cualquier
estado que sean se traen más costosas y galanas y muy bien aderezadas y acompañadas.

Otra C es caballos que como se ha dicho los hay muchos y muy
buenos y muy hermosos y de muy buena obra y para mucho a
causa del buen pienso que tienen y acontece en un regocijo que en

un caballo pasan las carreras a la entrada que son muchas y largas porque la plaza es larga y después hallan el caballo tan recio y tan entero y sabroso que no quieren tomar otro para el juego de cañas aunque los llevan consigo porque todos o los más tienen tres y cuatro caballos de rúa y algunos más y muy bien aderezados y hay muchos y muy buenos para de camino que sufren un camino muy largo y de muchas jornadas de sierras y tierra fragosa y muy áspera y acontece día caminar veinte leguas /94 bis/ y más a paso llano y algunos caballos regalados y hay muchos de andadura muy mejores que en España y muy buenos cuartagos y en todos ellos hay algunos de muy hermosos pellejos.

Otra *C* es zacate* que es yerba verde que como se ha dicho entra cada día en Mexico gran cantidad de ella por la laguna y por tierra para el pienso de los caballos y mulas de rúa que son en gran cantidad sin otra infinidad que hay para carga y carros que cada día entran y salen con provisión para la ciudad.

Otra *C* es carros por ser muchos y tan ordinarios y algunos decían que montan por año el dinero que se saca del zacate más de doscientos mil pesos y otros decían muy muchos más / otra *C* es carnes que las hay todo el año las mejores del mundo de vaca, y carnero, y puerco, y corderos, y cabritos, y todo género de aves así caseras como de caza porque son infinitas las aves que ordinariamente hay en la laguna de Mexico que en algunas partes cubren el agua aunque ya no acuden tantas después que se llevaron aquella tierra arcabuces como se ha dicho y al tiempo que comienzan a granar los maizales vienen grandísima cantidad de /94 v. bis/ ánsares, y grullas, y se tiene por cierto que vienen de la parte del norte y con ellas viene un género de patos que llaman golondrinos y no pasan a tierra caliente y cuando los inviernos son fríos vienen en más cantidad que cuando son templados asimismo vienen unos halcones que comúnmente llaman neblíes, y sacres, porque los borníes, y baharíes, y azores son naturales y crían en la Nueva España son mayores que los de España y si se trajesen a ella serían muy estimados pero hasta ahora no se ha tomado ningún azor pollo sino todos mudados / hay tres géneros de gavilanes que son también naturales en aquella tierra los mayores son del tamaño de azores torzuelos de acá y otros más chicos y son más domésticos

---

* *Çacate* en el original, usual en el siglo XVI. [N. del e.]

que los de acá / algunos dicen que las ánsares y grullas vienen de setenta y cinco y ochenta grados y algunos dicen que más debajo del norte de donde se reparten para todo el mundo y dicen que no se han hallado en la equinoccial aunque de la otra parte del sur las hay y que deben de venir del polo Antartico, comúnmente vienen /95/ por familias y se apartan siempre unas de otras de diez y doce juntas que debe de ser cada nidada y aunque pastan muchas juntas en los rastrojos si no las espantan para que salgan juntas se van y levantan cada bandilla por sí dícese que debajo de los polos es tierra llana y llena de lagunas y que todas se hielan al invierno y así no les queda lugar a estas aves donde poder estar porque todo está helado y lleno de nieve y muy obscuro y que al verano se deshiela y nace mucha hierba y grandes junciales y así les es muy acomodado para sus crías / hácese de estas ánsares muy buena cecina y las abren por las espaldas y tienen muy hermoso pecho de que se sacan unas lonjas tamañas como la mano y es muy sabrosa y buena comida y se hace también buena cecina de unos patillos que se crían en la laguna con otra infinidad de géneros y diferencias de aves las ansares y grullas son mayores que las de España.

Pues se ha dicho de las aves que se toman y cazan en la laguna será bien decir lo que fray Torivio dice al fin de la cuarta parte de aquel su libro donde dice que no es de callar una nueva y extraña montería de una leona que los indios de Tezcuco mataron en la laguna de Mexico mediado el mes de junio que venían /95v./ muy de mañana de Mexico y que vieron en medio de la laguna un bulto que cuando estaba quedo parecía pato como otros muchos que allí había y que cuando se movían hacía ruido y turbaba el agua y que los indios fueron a ver qué era en su canoa y llegado cerca reconocieron que era león y muy admirados se acercaron más y se mostró contra ellos tan feroz que tuvieron por bien de se desviar y que se levantó sobre los pies y dio un bramido tan recio que los hizo desviar más que de paso y que los indios a muy gran prisa fueron a dar noticia al pueblo de lo que habían visto y se juntaron de presto cuatro canoas que son sus barcas y llevaron sus varas de punta que echan con tiradera y salen como dardos y cercaron la leona y la flecharon y le dieron tanta prisa que después de cansada se llegaron a ella y le dieron tantos palos con los remos y varales que la mataron y la llevaron al monasterio de Tlezcuco como cosa de admiración y la desollaron y adobaron el pellejo sin se le quitar el pelo ni la cabeza ni los pies ni las manos con sus uñas que lo saben bien hacer y lo presentaron al virrey don Antonio /96/ de Mendoça por ser del león tomado en agua halláronle en el vientre pluma de ánades y juncia y dice que parece contra toda razón engolfarse león y cebarse de aves de agua como ave de rapiña y que pacía yerba como otros animales y que decían los indios que andaba más de legua y media metida en el agua de la laguna.

Asimismo refiere allí que por el mes de noviembre hizo el virrey una montería en un pueblo llamado Xilotepec tan extremada que por ser cosa de admiración dudaba muchas veces si la escribiría porque las cosas que ponen grande admiración no se deben escribir porque parecen increíbles y que a esta causa ha dejado de contar otras cosas pero que se atrevió a escribir ésta porque se hallaron muchos españoles presentes a ello y dice que señalado lugar y día y para que la montería fuese más de ver y gozasen muchos de ella se señaló en un campo grande y muy llano y en él se hicieron unos aposentos y una casa bien cumplida para el virrey y todos sus criados y la demás gente que con él iba que no era poca y se hacen con brevedad estos aposentos por ser de maderos hincados en el suelo y cubiertos /96 v./ con otros y todo alto y bajo forrado con yerba y rama con que queda el aposento cerrado y abrigado y el día de la caza muy de mañana comenzaron a batir y a hacer cerco más de cinco leguas a la redonda y que los indios que batían eran más de quince mil y que antes de medio día se vinieron a juntar hombro con hombro y que como el virrey vio que traían gran multitud de caza mandó abrir por dos o tres partes y por allí salieron grandes manadas de venados y otros animales y tornando a cerrar vinieron a dejar de cerco en través una plaza de media legua y entonces estaban los indios doblados de tres en tres y se comenzó la montería antes de medio día y algunos españoles andaban a caballo alanceando venados y otros tiraban con arcabuces y ballestas y muchos indios flecheros y muy diestros y muchos perros y todos tenían tanto en qué meter las manos que no se podían valer y que hasta los cocineros andaban con los asadores matando la caza que se les venía a meter por las puertas y a ratos descansaban todos y tornaban de nuevo a su montería y a puesta de sol hallaron /97/ que habían muerto seiscientos venados chicos y grandes y entre ellos había muchos y muy grandes ciervos como los de España y había muchos berrendos que son tan ligeros que parece que vuelan y que hubo entre los muertos otros muchos venados que no vinieron a montón y que se mataron más de cien COYUTLES que son como lobos pequeños, y zorrillos, y liebres, y conejos, muy gran multitud y que quedaron todos muy bien cansados de matar tanta multitud de animales y que era tanta la vocería de los indios que muchas aves que andaban volando en aquel circuito y algunas bien altas cayeron en tierra y que de ellas tomaron muy gran número y de esto da la razón Pedro Mexia y su *Silva de varia liçion* que es que con las voces rompen el aire y no se pueden sostener en él las aves que andan volando y por esto repican cuando hay temor de alguna tempestad y con el sonido de las campanas se rompen y esparcen los nublados.

La manera que los indios tienen para montear dice fray Torivio que cercada la caza a la parte que los venados acuden levantan muy gran grita y con los pies hacen gran polvareda /97 v./ y como los venados van huyendo a la otra parte los indios que allí están hacen lo mismo y tornan los venados a huir y que de esta manera los van cercando y apretando hasta que quedan en poco trecho y como van cansados y flechándolos los más grandes de ellos rompen por los indios y hacen calle y como hacen hilo y acuden allí muchos los indios los desjarretan y matan con sus coas que son unos palos de encina y que de esta manera toman muchos y toda esta caza así de aves, como de venados, y liebres, y conejos, es todo muy grueso y muy sabroso y en algunas partes hay unas liebres berrendas y muy mayores que las de España.

En algunas partes de aquella tierra y en la comarca de Mexico hay unas aves que llaman codornices y de ellas hay tres géneros unas tienen las hembras el plumaje como las de Castilla y tienen el pecho y parte de la cabeza negro y son poco menores que las de España / otras hay más pequeñas y tienen el pecho bermejo y parte de la cabeza y estos dos géneros tienen las alas y cobertores del cuerpo pardos con pintas blancas y algunos las tienen por mejores que las perdices de Castilla porque están siempre gordas y la carne más blanca y no tan salvajina.

El otro género de codornices tienen su coguja como las cogujadas de Castilla y toda /98/ la pluma parda con pintas blancas éstas solamente las hay en tierra caliente y andan siempre juntas en bandas / es carne más dura y no tan blanca como las demás.

Otro género de perdices hay que son tan grandes como las de España y del mismo plumaje y tiene las zancas más largas y los picos colorados y no es tan buena carne como la de las codornices de todas éstas toman en cantidad los indios y las tienen vivas en jaulas a vender a los mercados a Mexico y a otros pueblos y todo lo que se ha dicho es otra *C* que es caza y es en gran abundancia como se ha visto.

Volviendo a las cosas que comienzan en *C* es otra las cocinas porque en ninguna parte las hay tan bien proveídas de todo lo necesario para su servicio y es mucho lo que en ellas se gasta para comida y cena y colaciones que son otras tres *C* y todo muy ordinario / otra *C* es conservas porque cada año se hacen de todo género de ellas en muchas casas de los vecinos muchas y muy buenas así para sus necesidades y enfermedades como para los monasterios y hospitales porque tienen cuidado de los proveer de ellas.

Otra *C* es las calzadas que hay con sus puentes para pasar de unas calles a otras que son muy largas y anchas / otra *C* es /98 v./ canoas que son las barcas de los indios que hay y andan infinidad de ellas en la laguna proveyendo la ciudad de bastimentos y de leña, de agua, y yerba y otras cosas para servicio de sus casas así de españoles como de indios.

Otra *C* y la más principal es caridad que es muy grande la que en todos los vecinos hay como ya se ha dicho en lo de las cofradías y pocos años ha que hicieron los vecinos de Mexico una cosa muy notable y de muy gran calidad y de muy generosos ánimos aunque están casi todos en general adeudados y con necesidad por la gran baja que ha habido en los tributos de los pueblos de indios por haber venido en gran disminución porque al fin del año de quinientos setenta y cinco dio en ellos una muy gran pestilencia que duró muchos días en que había pueblos donde cada día enterraban doscientos y otros más y menos según el grandor del pueblo y dicen que murieron un millón y más de ellos a cuya causa habido gran baja en todas las cosas y con estar los vecinos en gran necesidad hay en ellos gran caridad y esta que se ha dicho que hicieron pocos años ha fue que un oficial de la Real Hacienda en las cuentas que le tomaron /99/ le alcanzaron en cien mil pesos y por ellos fue preso y los vecinos principales se obligaron a pagar la deuda dentro de cierto tiempo unos por doscientos pesos y otros por trescientos y a más y a menos conforme a su posibilidad / obra cierto digna de gran loor y se puede creer que su intención fue servir a Dios porque el deudor era caballero y casado con hija de conquistador muy honrado y el vecino muy antiguo en Mexico y se le vendió toda su hacienda para lo que bastó de la deuda y Dios les dará por ello el premio muy cumplido en esta vida y en la otra porque la obra fue buena y de gran mérito.

Otra C es cera que es cosa maravillosa la que se gasta en todas las iglesias de Mexico y de sus pueblos en los divinos oficios y con velas dobladas y gruesas y en las cofradías y en lo demás que se ha dicho pero lo que más admira es la grandísima cantidad que se gasta el Jueves Santo en la procesión de los disciplinantes y son sinnúmero los indios que se disciplinan y los que van en la procesión que ellos hacen por sí que con ser las calles tan anchas como se ha dicho van tan llenas de ellos que no pueden hender por ellas /99 v./ y cada indio de los que acompañan a los que se disciplinan lleva su candela de cera encendida y todos llevan sus hijos aunque pequeños consigo unos a sus cuestas y otros de la mano y cada uno de ellos y la madre lleva su candela encendida y lo mismo otra infinidad de muchachos que son grandecillos y van con sus padres y como las calles son muy anchas y derechas y van llenas de gente de pared a pared y con tantas lumbres es cosa muy de ver y lo mismo es en la procesión que hacen antes que sea de día la mañana de Pascua de Resurrección que se cree que en cuatro ciudades de las principales de España no va en todas ellas juntas tanta gente en ninguna de estas fiestas y procesiones como la que se junta en Mexico estos dos días y lo mismo en otros actos de fiestas y regocijos.

Otra C es carta porque es sinnúmero el papel que gastan los indios y los españoles así de lo que se hace en la tierra como de lo que se lleva de España y seda, y paño, y lienzo, es grandísima cantidad la que se gasta y muy mayor la del vino que todas son cosas de notar para la grandeza y abundancia de aquella insigne ciudad y que causa admiración /101/ [sic]* a los que lo ven y tienen noticia de ello otra C es corambre que es muy grande la cantidad que se hace de todo género de ganado y de venados y se gasta mucho de ello en aquella tierra y se trae a España.

---

* En este punto el autor equivocó la foliación, omitiendo la foja 100; el error no fue corregido, y nosotros respetamos la foliación original. [N. del e.]

Esto es lo que me ha ocurrido a la memoria de lo infinito que hay que decir de aquella generosa ciudad y para que vaya acompañado con testimonio de quien lo vio todo aunque muchos años antes referiré lo que dice fray Torivio en aquel su *Libro* en el capítulo dieciséis y diecisiete de la tercera parte de él, que es lo que se dice en el capítulo siguiente.

CAPÍTULO QUINCE

En que se trata de la nobleza de la ciudad de Mexico y de las muchas poblaciones que hay en su circuito y muchas iglesias que en sí y en sus rededores tiene y de un río que salió cerca de la ciudad que la hizo reedificar un estado más alta de lo que antes estaba.

La Nueva España dice Motolinea en el capítulo dieciséis que es toda muy llena de sierras tanto que puesto uno en la mayor vega o llano mirando a una parte y a otra verá sierra o sierras /101 v./ a seis y a siete leguas si no es unos llanos poblados de gente pobre de que adelante se hará mención y en algunas partes de la costa de la Mar del Sur, y que especialmente va una cordillera de sierras sobre la Mar del Norte que atraviesa por todo lo descubierto en aquellas partes que son más de cinco mil leguas y pasan adelante y que esta tierra se ensangosta y queda de mar a mar en dieciocho leguas que es lo que hay desde el Nombre de Dios que es un pueblo que está en la costa de la Mar del Norte hasta otro que está en la costa de la Mar del Sur que llaman Panama y según dicen algunos se hace otra angostura entre Teguantepec y Cuaçuaqualco que es la Nueva España y por todo lo que corre por ella va lleno de árboles de liquidámbar que es como estoraque y aun tiene mejor olor y así debe de ser lo de más adelante.

Pasada aquella angostura que hay desde el Nombre de Dios a Panama hacen aquellas sierras dos piernas la una prosigue la costa de la Mar del Norte y la otra va la vuelta de la tierra del Peru en tan altas y ásperas sierras y montañas que no se le igualan los Alpes ni los montes Perineos /102/ y se cree que no hay otras tan grandes en el mundo y que se pueden llamar aquellos montes los mayores y más ricos que en él hay porque como se ha dicho por esta cordillera sin la que vuelve al Peru están descubiertas más de cinco mil leguas y pasan adelante y después se dirá de su riqueza por que tornemos a lo de Mexico y su comarca.

Mexico dice fray Torivio en aquel capítulo dieciséis está cercada de montes y alrededor de sí tiene una muy hermosa corona de sierras y la ciudad en medio y de los montes que en rededor de sí hay le viene grande auxilio y se saca de ellos mucho aceite de abeto que es muy medicinal para dolores fríos / en la iglesia mayor reside el pontífice con sus dignidades canónigos, y racioneros, curas, y capellanes está muy servida y muy adornada de ornamentos e instrumentos de música, hay cuatro monasterios dos de San Francisco uno de Santo Domingo y otro de San Agustin y hay otras muchas iglesias / en los monasterios hay muchos y muy devotos religiosos que como guardas velan encima de los muros /102 v./ sin cesar de día ni de noche de alabar y bendecir el altísimo nombre de Dios hay muchos predicadores que en lengua española y en otras muchas predican la fortaleza y sabiduría de Dios a las gentes para que todo espíritu y toda lengua alabe a su creador.

En lo temporal asiste y representa la persona real el virrey y Audiencia Real que reside en Mexico rigiendo y gobernando la tierra y administrando justicia / tiene esta ciudad su cabildo muy honroso que en toda buena pulicía la ordena hay en ella muy nobles caballeros y muy virtuosos, vecinos liberalísimos en hacer limosnas / tiene muchas y ricas cofradías que celebran las festividades de Dios y de nuestra Señora y de sus santos consuelan y recrean los pobres y enfermos y honran los difuntos / tiene un solemne hospital de la advocación de la Concepción de nuestra Señora de grandísimas indulgencias que ganó para él don Hernando Cortes primer marqués que fue del Valle / tiene mucha hacienda y mucha renta fundó este hospital el marqués para su entierro y para el /103/ de sus compañeros que con él ganaron aquella tierra está la ciudad llena de mercaderes y oficiales tanto como cualquiera de las más nobles de España.

En el capítulo diecisiete dice fray Torivio que está Mexico en lo material muy bien trazada y mejor edificada de muy buenas grandes y fuertes casas / es muy proveída de todo lo necesario así de lo que hay en la tierra como de las cosas de España y que andan ordinariamente más de cien arrieros desde el puerto que llaman de la Veracruz proveyendo aquella ciudad y asimismo muchas carretas y cada día entra gran multitud de indios cargados de bastimentos así por tierra como por agua en ACALLES o barcas que en lengua de las islas llaman canoas y que todo se gasta y consume en Mexico y que es tanto que pone admiración porque dicen que se gasta más que en dos y aun en tres ciudades de España de su tamaño y que lo

246

causa estar todas las casas muy llenas de gente y que todos gastan muy largo.

Dicen que hay muy hermosos caballos y que lo causa el maíz y el verde que todo el año comen así de cañas de maíz que es muy mejor que alcacer y dura mucho tiempo /103 v./ y después les dan un junquillo muy bueno que siempre lo hay en la laguna y que hay en aquella ciudad más de mil de caballo ricamente enjaezados y sus personas muy bien aderezadas y muy buenos jinetes y de tan buenos caballos que ninguna ciudad de España les hará ventaja y que tiene muchos ganados de yeguas, y vacas, ovejas, cabras, y puercos, y que entra en ella por una calzada un grueso caño de muy buena agua que se reparte por muchas calles y que por esta calzada tiene muy hermosa salida llena de huertas por una parte y por otra de más de una legua.

Toda la tierra de Mexico aguas vertientes de aquella corona de sierras que se ha dicho que tiene alrededor dice que está todo muy poblado de más de cuarenta pueblos sin otros muchos medianos y pequeños y que en aquel circuito había edificados y poblados de religiosos más de veinte monasterios y que todos tenían bien en que entender en la conversión y aprovechamiento de los naturales y que en aquellos pueblos hay muchas iglesias muy adornadas y que hay pueblo que tiene más de diez /104/ iglesias y en cada una su campana o campanas no pequeñas y que habrá en aquel circuito quinientas iglesias entre chicas y grandes y que si los indios tuvieran libertad para edificar y no les hubieran ido a la mano hubiera más de mil porque cada barrio y cada principal quería tener su iglesia porque para edificar es gente rica porque todos trabajan y traen la piedra a cuestas y hacen la cal y el ladrillo y los adobes y las paredes y acarrean las vigas y la tablazón y labran la madera y son albañiles, y encaladores, y canteros y entre ellos hay quien lo pone en perfección y que ninguna clavazón gastaban en sus edificios y que por eso no dejaban de ser fuertes y que están estas iglesias de dentro hermosas, limpias, y devotas, y de fuera enlucidas y almenadas y que de todas partes parecen muy bien y adornan y dan buena vista a Mexico.

Parte de las laderas o alto de los montes dice fray Torivio que son de las buenas montañas que hay en el mundo y que hay en ellas cedros, y sabinos y muchos cipreses y muy grandes y que /104 v./ hay tantos que muchas iglesias y casas son de madera de ciprés, hay otros árboles que llaman pinos o hayas y muy grandes encinas y madroños y en algunas partes robles y que de estas montañas bajan arroyos y ríos y en lo bajo y en laderas salen muchas y muy grandes fuentes y que de toda esta agua y la lluvia se hace una gran laguna y que Mexico está situada en parte de ella y a la orilla a la parte del occidente y que por la mitad del agua va una calzada que la divide y que la una parte es de agua dulce y la otra de muy mala agua y que entra en ella la dulce porque está más alta y que en aquella calzada hay cuatro o cinco ojos con sus puentes por donde entra el agua dulce a la salada.

Al principio dice que estuvo Mexico fundada más baja que ahora está y que toda o la mayor parte la cercaba agua dulce y que dentro de sí tenía muy frescas arboledas de cedros y cipreses y sauces y árboles de flores porque los señores los estiman más que los frutales porque en ellos se crían aves y holgaban de gozar de su canto y de /105/ tirarles con cerbatanas porque eran grandes tiradores de ellas y que dos leguas de Mexico hacia el mediodía se abrió una boca grande y por ella salió tanta agua que aunque duró pocos días hizo crecer tanto la laguna que subió sobre los edificios bajos y sobre el primer suelo un estado o poco menos y los más de los vecinos se retiraban hacia la parte del occidente que es tierra firme y salían por aquella boca muchos peces negros grandes y tan gruesos como el muslo de un hombre y esto causó grande admiración porque en la laguna salada no se crían peces y en la dulce son tan pequeños que no pasan de un palmo esto fue veinte años antes que los españoles entrasen en aquella tierra.

Aquel agua debe de ser algún río que anda debajo de aquellos montes porque ha salido otras dos veces entre dos sierras nevadas que están a vista de Mexico hacia la parte del oriente y mediodía la una vez fue poco antes que los españoles entrasen en la tierra y la otra después de entrados y fue tanta el agua la primera vez que señalan los indios ser dos tanta que /105 v./ el río grande de la ciudad de los Angeles que por las más partes se pasa por puente y también salían aquellos grandes pescados como cuando se abrió cerca de Mexico y virtió el agua a la otra parte de la sierra hacia Huexoçinco.

Entre estas dos sierras nevadas está el puerto que solían pasar yendo de la ciudad de los Angeles para Mexico y ya no se sigue porque se han descubierto otros muy mejores caminos a la una de estas sierras llaman los indios sierra Blanca porque siempre tiene nieve, a la otra llaman sierra que echa humo y aunque ambas son muy altas la del humo parece ser más alta es redonda desde lo bajo y el pie boja muchas leguas de muy hermosa templada tierra que de todas partes tiene, en especial la que tiene al mediodía y diez leguas alrededor de aquel volcán dicen que es la mejor tierra de toda la Nueva España y que vale tanto como toda ella junta en esta sierra o volcán en la corona en lo alto de ella hay una gran boca por donde solía salir grandísimo golpe de humo algunos días salía tres y cuatro veces habrá de Mexico a lo alto de este volcán doce leguas y cuando salía humo /106/ se parecía tan claro como si estuviera muy cerca salía con gran ímpetu y muy espeso y después que subía en tanta altura y gordor como la torre de la iglesia mayor de Sevilla cesaba y declinaba a la parte que el viento lo llevaba / el año de mil quinientos veinticinco cesó este humo no sin grande nota de los españoles y de los naturales algunos querían decir que era boca de infierno y torna ya a salir humo como solía otra sierra está sobre el camino de la Veracruz a vista del mar océano que casi es como ésta que se ha dicho y nunca solía salir humo de ella y desde el año de mil quinientos cuarenta y cinco sale mucho y muchas veces.

Dice fray Torivio en el capítulo dieciocho de aquella tercera parte que no piense nadie que se ha alargado en lo que ha dicho y referido de Mexico porque antes ha quedado corto y ha tocado una pequeña parte de lo mucho que se podría decir porque cree que en toda Europa hay pocas ciudades que tengan tal asiento y tal comarca y tantos pueblos alrededor de sí ni tan bien situados y que tiene Mexico frontero de sí a la parte del oriente la laguna /106 v./ en medio el pueblo de Tlezcuco a cuatro o cinco leguas de traviesa por la laguna que es lo que tiene de ancho y que la ciudad de Tlezcuco era la segunda casa principal de la tierra y el señor de ella el segundo y que sujetaba quince provincias hasta la de Tuça-pam que está a la costa de la Mar del Norte y que había en Tlezcuco grandes edificios de templos y de casas de señores y que fue cosa de ver la casa del señor principal con su huerta cercada de mil cedros grandes y muy hermosos y que está ya asolada y que tenía otra que se podía aposentar en ella un ejército con muchos jardines y un muy grande estanque que por debajo de tierra solían entrar a él con sus ACALLES o canoas y que es tan grande la población de aquella ciudad que dura más de legua y media en ancho y más de seis en largo donde hay muchas parroquias e innumerables moradores.

El marqués don Hernando Cortes en la *Segunda epistola* que escribió al emperador nuestro señor de gloriosa memoria dice que cuando iba para la ciudad de Mexico le salió a recibir un gran señor de parte de Motecçuma y muy cercano deudo y que tenía su señorío /107/ junto con el de Motecçuma a que llaman Aculhuacam y que la cabeza de él es una muy gran ciudad que está junto a la laguna salada y que está a seis leguas de Mexico por agua y diez por tierra y que aquella ciudad se llama Tlezcuco y que sería de hasta treinta mil vecinos y que hay en ella maravillosas casas y mezquitas y oratorios muy grandes y muy bien labrados y que hay muy grandes mercados y que demás de esta ciudad tiene otras dos la una a tres leguas que se llama Aculma y la otra a seis que se dice Otuccupa que tendrá cada una de ellas tres o cuatro mil vecinos y que tiene aquel señorío otras aldeas y poblaciones en mucha cantidad y muy buenas tierras y labranzas y que confina este señorío por la una parte con el de Tlaxcallan.

A la parte del occidente dice fray Torivio que tiene Mexico a una legua la ciudad de Tlacopam donde residía el tercero señor de la tierra y que tenía sujetas diez provincias.

A la parte del septentrión o del norte a cuatro leguas dice que está el pueblo de Quahutitlam donde residía el cuarto señor de la tierra señor de muchos pueblos y que entre este pueblo y Mexico hay grandes poblaciones.

/107 v./ A la parte del mediodía dice que está a dos leguas Coyuacam que era el quinto señor de la tierra y que tenía muchos vasallos y que este pueblo es muy fresco y que en él estuvieron los españoles después que ganaron a Mexico hasta que tornaron a edificar aquella ciudad porque de la conquista quedó todo lo más y mejor destruido y que dos leguas más adelante también hacia el mediodía está la gran población de Xuchimilco y de allí hacia el oriente están los pueblos que llaman de la laguna dulce y Tlalmanalco con su provincia de Chalco donde hay infinidad de gente y que de la otra parte de Tlezcuco hacia el norte está lo muy poblado de Otumban y Tepeapulco y Çempoalan.

El señor de Azcapulçalco a una legua de Mexico al noroeste de Mexico dice que fue gran señor y sujetó muchos vasallos y era de los principales señores de la tierra y en el capítulo diecisiete dice que en otro tiempo fue cabecera del señorío a quien tributaron Mexico y Tlezcuco y que tiene Mexico alrededor de sí otros muchos pueblos y muchos más pasados aquellos montes porque por la parte más ancha hacia Mexico aguas vertientes [*sic*] a la otra parte hay seis leguas y todo muy poblado y de muy hermosa tierra.

/108/ Los señores de las provincias y principales pueblos dice que eran como señores de salva y que sobre todos eran los señores de Tlezcuco y Tlacopam y que éstos con todos los otros lo más del tiempo residían en Mexico y tenían corte a Motecçumaçim porque se servía como rey y que era muy tenido y en extremo obedecido y que celebraba sus fiestas con tanta solemnidad y triunfo que estaban los españoles admirados de ello y de ver la ciudad y los templos y de los pueblos de a la redonda y del servicio de Motecçuma y de su casa y de la de los otros señores y de la multitud de servidores y de su solicitud y de la muchedumbre de gente que era como yerbas del campo y que todos los españoles estaban como fuera de sí y que les parecía como cosa de encantamiento y que decían que cómo habían estado tan grandes cosas y tan admirables encubiertas a los hombres que pensaban que tenían noticia de todo el mundo y adelante se dirá más largo de la grandeza de Motecçuma.

En el capítulo dieciocho dice fray Torivio que ha tenido noticia que en aquella tierra en unas grandes sierras que están cuatro o cinco leguas de un pueblo que se dice Teocam hacia /108 v./ el norte había grifos y que de allí bajaban a un valle llamado Auacatlam que está entre dos sierras de muchos árboles que llaman AUAÇATL y que se llevaban los hombres a las sierras y se los comían y que de temor de tan fieras aves se despobló aquel valle y que decían los indios que tenían las uñas fortísimas como de hierro y que se llamaban QUEÇALCUITLACHTL y que este nombre viene de un animal como león y que es lanudo y el vello tira a pluma y que son fieros y tienen tan fuertes dientes que los venados que toman comen hasta los huesos y que la sierra donde andaban los grifos se llama todavía Cuitlachtlpetl y que había más de ochenta años que no se tenía noticia de ellos y que después que supo de aquellos grifos entendió la divisa y pintura que había visto en algunos escudos y armas de algunos señores de aquella tierra que tienen en su escudo un ave grande que lleva en las uñas volando un ciervo y que por aquella figura y pintura se puede sospechar que

251

hubo en aquellas tierras grifos y que los señores sus antecesores mataron algunos de ellos y los tomaron por armas /109/ o que los hubo en sus tierras y les veían llevar ciervos volando.

En el capítulo veintitrés de la misma tercera parte dice que en tierra de Rrio de la Plata hay altísimas sierras y que se hallan en ellas grifos y que donde están está tan blanco de los huesos de los hombres y animales que comen que de lejos parece como sierra nevada y que la gente que por allí habita tienen sus guaridas entre los árboles y palenques espesos para se guarecer y defender de tan crueles y espantosas bestias y que en oyendo el ruido del vuelo que es muy grande se esconden y que es tan grande y espantoso el ruido que hacen con las alas cuando vuelan que parece ruido de un gran raudal de algún gran río y también dicen que hay grifos en tierra del Peru de la misma manera de estos que se han dicho y tienen también sus guaridas los que por allí habitan donde se meter cuando oyen el ruido que hacen cuando vienen volando.

Algunos he oído decir que no es posible haber aves de tanta grandeza /109 v./ porque no se podrían sustentar en el aire por su peso yendo volando en especial con las presas que han dicho que hacen y que las llevan por los aires a las sierras / pero quien hubiere leído lo que dice Petrarca en el prólogo del libro segundo de los *Rremedios contra prospera y adversa fortuna* no le parecerá esto increíble porque dice que hay cerca del mar Yndico un ave de grandeza nunca oída que llaman roco que lleva un navío colgado del pico hasta las nubes y que de allí lo deja caer y se hace pedazos el navío y cuantos van dentro cosa como él dice que en sólo oírla pone espanto.

También he oído decir que en aquella tierra hubo gigantes y se han hallado huesos de ellos muy grandes y yo vi algunos que se hallaron cerca de Mexico y oí decir que otras veces se habían hallado en otras partes y que algunos dudaban si eran huesos o piedras formadas a manera de huesos porque tenían tanto parecer de lo uno como de lo otro y que habían /110/ hecho quemar un pedazo de ellos y se quemó como hueso y que otros decían que no era posible ser huesos de hombres ni de animal terrestre sino de animales marinos porque se había hallado un hueso o testuz de la corona de la cabeza con el convexo de los sesos que era tamaño como una gran rodela y que el cóncavo de los sesos era mayor el baso del hombre que de ningún animal aunque fuese muy mayor la cabeza porque se iba en hocico y colodrillo y por esto algunos juzgaban ser hueso de hombre o animal marino y los indios cuentan algunas cosas que parecen consejas y dicen que por la Mar del Sur vinieron unos gigantes que para darles de comer era menester que para cada uno moliesen cien indias maíz para hacer tortillas y que los repartieron por la tierra para que los mantuviesen y se han hallado de estos huesos en muchas partes también dicen que se han hallado en el Peru y en la Yndia Oriental y en algunas partes de España y Marco Antonio Sabelico en el primer libro hace mención de muchos huesos semejantes a éstos /110 v./ y algunos creen que eran de hombres antes del diluvio y en San Francisco de Mexico dicen que había una muela del tamaño de una grande olla y yo vi una tamaña como un membrillo grueso y la nuca de la rodilla tan grande como la cabeza de un muchacho de cinco o seis años y fray Andres de Olmos dice que vio ciertos huesos del pie de un palmo de alto y que algunos decían que en tiempos pasados habían ido aquellas partes unos hombres barbudos y muy altos de que se admiraron los naturales de aquella tierra porque ellos acostumbran pelarse las barbas.

CAPÍTULO DIECISÉIS

En que se refieren algunas cosas preciosas que hay en aquellos montes que están a vista de Mexico.

Razón será dice fray Torivio en el capítulo veintiuno de la tercera parte de aquel su *Libro* decir de aquellos grandes montes que se han dicho y de los ríos que de ellos salen en que hay mucho oro y plata y todos metales y piedras de todas maneras /111/ especial turquesas y otras que se dicen CHALCHIUITL las finas de éstas son esmeraldas y en la costa de estos montes está la isla de las perlas aunque lejos hay pastel y las semillas de ello se llevó de España y se hace en aquellos montes en extremo bueno y se coge más veces y de más paños que en ninguna parte de Europa aunque se dice que ya no lo hay y que se ha dejado perder por descuido hay mucho y muy buen brasil y se darían muchos nogales, y avellanos, y naranjos, porque de las pepitas que se quedan en los arroyos donde algunos se paran a comer han nacido naranjos y hay montes de ellos tan espesos que no se pueden entrar.

Nogales los hay en la Nueva España en cantidad y donde mejor se han dado es en Tlaxcallan y en un pueblo que se llama Tollançinco y los hay en algunas huertas de Mexico y en un pueblo que se llama Coyoauacam y tienen las nueces la cáscara más blanda que las de España y se parten fácilmente y los cascos de dentro muy buenos y no tan presos ni encarcelados como las nueces de Castilla y también hay castaños /111 v./ en algunas partes y llevan muy mejores castañas que las de España y más limpias de dentro y se saca con facilidad el fruto de ellas hay en aquellos montes y en otras partes nogales naturales de la tierra y como son salvajes y no los labran está la fruta muy encarcelada y trabajosa de sacar y la cáscara es dura / en la Florida dicen que hay muchas y que se hace aceite de las nueces con que guisan de comer.

La tierra que alcanzan estos montes en especial lo que llaman Nueva España hasta el golfo Dulçe es preciosísima y si la hubieran plantado de plantas que en ella se hacen se darían muy bien y en aquellos montes se hacen muchos valles y laderas y quebradas en que se harían extremadas viñas y olivares y en algunas partes de Mexico se han puesto olivos y llevan buenas aceitunas y las curan verdes y negras para comer y en otras partes hay viñas y se coge cantidad de uvas en muchas partes de estos montes hay parras silvestres que sin labrarlas se hacen muy gruesos y largos vástagos /112/ y sarmientos y cargan de muchos racimos y se hacen razonables uvas para comer y de ellas se hace vino y vinagre hay también mucho algodón y muy bueno y mucho cacao, y la tierra donde se da ha de ser muy buena.

En estos montes se hallan árboles de pimienta y difiere de la de la Yndia de Portugal que no es tan fina ni requema tanto aunque es pimienta natural también hay canelas y es más blanca y más gordilla, hay muchas montañas de árboles de liquidámbar muy hermosos y muchos de ellos muy altos tienen la hoja como de hiedra al licor que de ellos se saca llaman liquidámbar los españoles, y los indios lo llaman XUCHIOÇOCOTLH es de suave olor y medicinable y muy preciado entre los indios y para lo cuajar porque no lo quieren líquido lo mezclan con su misma corteza y hacen unos panes envueltos en unas hojas grandes y usan de ello para olores y para curar algunas enfermedades.

Hay dos géneros de árboles de que sale y se hace el bálsamo y los hay en gran cantidad en estos montes de los unos que llaman XILOXUCHITL hacen los /112 v./ indios el bálsamo y lo hacían antes que los españoles fuesen aquella tierra y es algo más odorífero que el que hacen los españoles y no torna tan presto danse estos árboles en la ribera de los ríos que salen de estos montes hacia la Mar del Norte y no se dan a la otra banda, y lo mismo es del árbol de que se saca el liquidámbar y de los árboles de que los españoles sacan el bálsamo aunque éstos y los de liquidámbar se dan también por lo alto de aquellos montes / este bálsamo es muy preciado y curan con él muchas enfermedades.

De género de palmas dice que hay diez o doce y que él las ha visto todas y que algunas llevan dátiles y que si los curasen y adobasen serían muy buenos porque los indios como gente pobre los comen sin los curar y los hallan buenos porque los comen con hambre.

También hay palmas que llevan dátiles en tierra de chichimecas y de ellas hacen pastas y se mantienen con ellas una temporada y con los dátiles en tanto que duran.

También dice que hay cañafístolos silvestres y que se harían buenos si los /113/ injertasen y que no curan de ellos porque en otras partes de aquella tierra los hay y que los primeros que los plantaron en la isla Española fueron los frailes menores y que ellos los plantaron en la Nueva España y casi todos los árboles frutales, e impusieron a los españoles a que los plantasen y les dieron plantas para ello y les enseñaron a injertar.

Asimismo dice que hay montañas de ruiponce y que algunos dicen que hay ruibarbo y que hay otras muchas raíces y yerbas medicinales con que los indios se curan de diversas enfermedades y tienen conocida y experimentada su virtud.

También dice que hay unos árboles medianos que echan muchos erizos como los castaños aunque no tan grandes ni tan ásperos y que dentro de ellos están llenos de grana colorada y que los granos son tan grandes como semilla de culantro y los pintores la mezclan con otra que es muy buena que llaman NOCHIZTL de que hay mucha.

Dice que hay morales y moreras y que las moras que dan son más menudas /113 v./ que las de Castilla y que en aquellas montañas hay mucha cera y miel en especial en Campech que hay tanta como en Zafi y en Africa.

Estos montes dice que tienen en sí tres diferencias o calidades porque en el medio es tierra templada y en la cumbre fría y que en estos altos hay pinales y la madera de ellos en extremo buena y hermosa porque cuando la labran parece madera de naranjos o de boj / de lo alto bajando la costa del norte es tierra muy fría y muy fértil y lo más del año llueve o mollizna [sic] y en los altos hay nieblas muy continuas y muchos géneros de árboles que aún no se conoce su virtud y que como son de diversos géneros hacen muy hermosas y frescas montañas y que es propia tierra para ermitaños y contemplativos.

Dice que ha notado y visto por experiencia que las montañas y tierra que está hacia el norte y gozan del viento aquí lo es más fresca y más fructífera que la tierra adentro hacia el sur y poniente y que es tierra seca y que no llueve sino al tiempo de las aguas y muy menos que en /114/ otras partes de la Nueva España y así es muy grande la diferencia que hay de la una parte a la otra y que en muy poco espacio hay dos extremos muy grandes.

En esta parte seca dice que se hallan diferentes árboles de los que hay en la otra parte como es el GUAYCAM y zarza que llaman parrilla y que con el agua de ella que la hay en cantidad curan la enfermedad de bubas y también con el GUAYACAM y que hay otros árboles que llaman COPALQUAHUITL y que punzándolo da un licor que en saliendo se cuaja y se hacen unos panes como ojivas blancos y transparentes de que se hacían las ofrendas comúnmente a los ídolos y era mucho el trato de ello y que parece incienso y que algunos lo llaman mirra y que mezclado con aceite se hace muy buena trementina y que hay árboles que llevan goma arábiga y lo llaman los indios MIZQUICOPALLI.

Hállase otro COPALLI que lo tienen por natural incienso y difiere poco de lo de Castilla aunque es el más duro y lo llaman los indios XOLOCHIOPALLI que quiere decir copal o incienso en grano arrugado.

Entre otras frutas que hay en estos montes y en toda la Nueva España dice que es una que llaman AUAÇATL y que en el /114 v./ árbol parece y está colgando como grandes brevas y en el sabor tiran a piñones y que hay cuatro o cinco diferencias de ellos los comunes y generales por toda la tierra y que los hay todo el año dice que son los que se han dicho que son como brevas / otros dice que hay tan grandes como calabazas pequeñas, otras dice que son como grandes peras y se tiene por la mejor fruta de la Nueva España y que son en dos maneras los unos tienen el hueso muy grande y poca carne los otros lo tienen menor y más carne y todos estos tres géneros dice que son buenos y que se dan en tierra caliente otros dice que hay muy pequeñitos poco mayores que aceitunas cordobesas y que los indios se abstenían de esta fruta por ser de sustancia en sus ayunos y que las comen los perros y gatos mejor que si fuese carne el árbol dice que es como grandes perales la hoja ancha y muy verde y que huele muy bien y con ella hacen agua los barberos y los demás para lavatorios y que dura todo el año la hoja y que se hace de esta fruta buen aceite para comer y para arder y es tan sana que se da a los enfermos.

En esta parte que se ha dicho dice que hay un género de árboles que se llaman /115/ TEPEMIZQUIQUAUITL y a la fruta llaman TEPEMIZQUITL y que son árboles grandes y la fruta como brunos bien dulces aunque tienen una poca de leche que se pega a las encías y comiendo muchas da alguna pena y que de ellas se hacen pasas como de ciruelas y que la flor que echa un año viene a otro la fruta porque tarda un año más en se formar y madurar y que cargan mucho de ella los árboles y que no los hay en muchas partes de la Nueva España y que hay muchos en el valle de Teouacam y que todo el año tienen hoja y que es árbol y fruta de tierra templada más caliente que fría y que en toda la tierra caliente en la Nueva España hay otro árbol que llaman TEÇONTCAPOQUAUITL y a la fruta llaman TEÇONTÇAPOTL los españoles los llaman mameyes que es nombre de las islas y en se formar y madurar la fruta tarda dos años y que los árboles son mayores que nogales y la fruta grande y de dentro colorada y la cortan a la larga como tajadas de melón y que los buenos parecen y saben como carne de membrillo y que en tierra caliente hay muchos y la fruta que llevan es mucha y corre por todas partes.

/115 v./ Dice que hay sierras de yeso muy bueno en especial en un pueblo que llaman Cozcatlam y que lo hay en toda la tierra y que la piedra es blanca y la llaman los indios TIZATL y que también hay fuentes de sal viva y que los manantiales son blancos y están siempre haciendo unas venas muy blancas y sacada el agua la echan en unas eras pequeñas así encaladas y dándole el sol en breve se hace muy buena sal.

En la costa que es tierra caliente conforme a las islas dice que hay todas las cosas que hay en ellas y otras muchas que allá no hay así de las naturales como de las que se han llevado de España y que se dan muy bien las cañas de azúcar y los indios han plantado muchas y las comen y venden todo el año por los mercados como fruta y que si hubiese de decir y particularizar las cosas que hay en aquellos montes sería para no acabar y que toda la tierra es capaz para producir y criar todo lo que hay en Asia y en Europa y en Africa y que por esto se puede llamar otro nuevo mundo.

Dice fray Torivio que se puede llamar aquella tierra otro nuevo mundo /116/ a Bretaña que es Yngalaterra llama Solino otro mundo capítulo 34 y Virgilio en la primera égloga la pone fuera de los términos del orbe o redondez del mundo donde dice Servio en su *Comento* que los poetas llaman aquella isla otro mundo y Oracio llama a los britanos últimos y extremos del orbe y cierto se pueden llamar con razón otro nuevo mundo las Yndias pues tantos años estuvieron incógnitas sin haber quien escribiese de ellas aunque dicen que los cartagineses fueron aquellas partes y poblaron en ellas y son tan nuevas y tan maravillosas las cosas que en ellas se han hallado y visto después que por los españoles se descubrieron así en los usos y costumbres de los naturales de ellas como en animales y aves de tierra, y de mar, y árboles, y frutas, y yerbas que cuadra muy bien llamarlo nuevo mundo y pues hubo filósofos que tuvieron por opinión que había muchos mundos como lo trata Plinio en su *Natural historia* no será fuera de razón llamar aquellas latísimas tierras nuevo mundo y aun hubo algunos que dijeron que eran innumerables como lo dice Lactantio en el capítulo X del libro *De yra Dei* y Xenophanes dijo que en el cóncavo de la /116 v./ luna había otra tierra y otro género de hombres que viven como nosotros como lo refiere Lactantio en el capítulo 23 del libro tercero de sus *Instituciones* y dice Tulio libro 4 *Academicarum quaestionum* que ni Xenophanes lo podrá jurar, ni tampoco él y Origenes tuvo que habría innumerables mundos no todos en un tiempo sino que unos sucederían a otros como lo refiere San Geronimo en la epístola *Ad Avitum* que comienza ANTE ANNOS que es 59 en orden y lo dice en tres partes de ella y véase San Agustin en el capítulo XI y XII y XIII *De civitate Dei* libro 12 y Luçio Marineo Siculo en el libro 19 de las *Cosas memorables de España* donde trata de los Reyes Católicos y cómo y cuándo se ganaron las Canarias y otras islas a fojas 161 dice que los romanos descubrieron las Yndias y que una moneda se halló en tierra firme con el nombre e imagen de Çesar Augusto y mejor que él lo declara el alcalde Oviedo en su *Historia general de las Yndias* y Gomara y Çarate en sus *Historias* tratan de su descubrimiento y parece que Siculo se engañó en el nombre de Colon que lo llama Pedro Colon en el número de navíos que llevó para ir a las descubrir.

También dice fray Torivio que cuando los españoles descubrieron la Nueva España que hablaron con los naturales de Campech y les preguntaron cómo se /117/ llamaba aquella tierra y que respondieron TECTETAN que quiere decir no te entiendo y que los españoles corrompiendo el vocablo y la significación dijeron Yucatam se llama y que así se llamó al principio la Nueva España y que en toda la tierra no hay tal nombre ni tal vocablo en su lengua lo mismo aconteció a los romanos que andando por Trascia preguntaron a los de la ciudad de Agilla cómo se llamaba y como eran griegos no los entendieron y pensando que los saludaban les respondieron en su lengua saludándolos asimismo / los romanos pensando que aquél era el nombre de la ciudad la llamaron Çere quitada la aspiración que fue la respuesta o salutación de los agillos según lo dice Yginio tratando de las ciudades de Ytalia como lo refiere Servio en el comento del octavo libro de las *Eneydas* de Virgilio / la gente de Yucatam dice don fray Bartolome de las Casas obispo que fue de Chiapa en la relación que escribió de *La destruiçion de las Yndias* era señalada entre todas las de las Yndias así en prudencia y pulicía como en carecer de vicios y pecados y muy aparejada y digna de ser atraída al conocimiento de Dios véase lo que dice a fojas 126 y fray Estevan de Salazar /117 v./ en el capítulo tercero del *Discurso* sexto sobre el Credo folio 182 columna 2.

CAPÍTULO DIECISIETE

En que se refiere la abundancia de aguas así de fuentes como de ríos que hay en aquellos montes y de dos notables fuentes que en ellos hay con otras particularidades de ellos y del daño que han hecho los tigres y leones que ahí se crían.

Fray Torivio en el capítulo veintitrés de la tercera parte de su *Libro* dice que en aquellos montes llueve muy a menudo y que hay en ellos muchas fuentes y manantiales a la parte del norte y del mediodía y que son tantos los arroyos y ríos que por todas partes corren que en espacio de dos leguas dice que se han contado veinticinco ríos y arroyos aunque es tierra muy doblada y que en otras partes en menos espacio se hallarán otros tantos y más.

En la Nueva España dice que hay muchas y tan grandes fuentes que donde nacen se hacen ríos y entre otras muchas hay dos de tanta admiración que todos los que las han visto las juzgan por las mejores del mundo /118/ y ambas nacen de aquellos montes y son de muy buen agua y muy clara.

A la una llaman los españoles la fuente de Uiçilapam porque nace en un pueblo que se llama Uiçilapam aunque el propio nombre de la fuente es Atliztac que en nuestra lengua quiere decir agua blanca porque lo es y muy clara y sale con grande ímpetu y allí se ha hecho un ingenio y labranza de cañas de azúcar.

La otra fuente está en un pueblo que se llama Aticpac es grande y redondo de más de un tiro de arco en ancho en el medio es muy hondable y a las orillas de a siete y a ocho estados y es el agua tan clara que se ve el fondo y las piedras de ella y sale tanta agua que se hace un grande y ancho río lleno de pescado y en el nacimiento hay muchos peces y muy buenos nace al pie de dos sierras entre unas grandes peñas y tiene encima un notable y hermoso peñol de muy graciosa arboleda que pintado no podría ser más hermoso ni más bien tallado a lo bajo muy redondo y sube en alto acopándose y acaba en punta tendrá de alto cien estados donde antiguamente solía haber grandes sacrificios y lo mismo en la fuente.

/118 v./ En lo alto de estos montes y en la ribera de los ríos y laderas de la sierra está todo poblado cuando los frailes van a predicar y bautizar por aquellos montes porque están desviados de los monasterios salen a ellos al camino gentes de muchos pueblos y los señores asimismo o envían sus mensajeros de veinte y treinta leguas y andan tras ellos rogándoles e importunándoles que vayan a sus pueblos a bautizar sus niños y a les enseñar la palabra de Dios unos pueblos están en lo alto de los montes y lo más del tiempo cubiertos de nubes y de allí han de descender a los abismos a otros pueblos y como la tierra es doblada y deleznable por el mucho barro y lodo que en ella hay dan muchas caídas y pasan grande trabajo y con todo este trabajo y dificultad los van a buscar los frailes porque la caridad y amor de Dios y del prójimo lo sufre todo / lo mismo hacen los indios de la costa que en sabiendo que los frailes andan visitando los van a recibir en sus canoas para los llevar a sus pueblos porque en muchas partes de la costa se mandan y sirven por los ríos por estar perdidos los caminos por la falta de gente porque han venido en gran /119/ disminución / y los tigres y leones han comido y muerto mucha gente después que se comenzaron a encarnizar en los que morían por los caminos y bajaban de los montes a hacer sus presas así en los caminos como en los pueblos y fue tanto el daño que hicieron que se despoblaron muchos pueblos y otros hacían cercos y palenques para se guarecer y también mataron algunos españoles aunque pocos / en otros pueblos de noche se acogían a dormir en alto y tenían sus casas fundadas sobre cuatro pilares de palo y encima hacían un suelo o desván, o barbacoa como ellos dicen cerrado por todas partes donde se subían las noches y con ellos metían sus gallinas y perrillos y si algo se olvidaba eran ciertos los tigres y leones y se lo comían después que les han enseñado y predicado la fe de Jesucristo y se han bautizado y hecho iglesias dice fray Torivio que cesó mucho el daño y crueldad de aquellas fieras y también los españoles para remediar los indios de sus pueblos les buscaron y proveyeron de buenos perros de Castilla y con ellos mataron muchos leones y tigres y es menester ayudarles para ello porque en viéndose acosados se encaraman /119 v./ por los árboles y para echarlos abajo es menester flecharlos y están tan altos algunas veces que con una lanza no alcanzan a picarles porque suben por los árboles con gran presteza y cuando los frailes van visitando por aquella tierra y duermen en el campo en despoblado hacen al derredor de sí buenas lumbres porque los tigres y leones huyen del fuego y por estos daños que solían hacer era el trato de los indios en aquella tierra por agua en ACALLES que en aquella lengua quiere decir casas de agua o sobre agua y con ellos navegan por los grandes ríos que hay en aquella costa y salen a la mar a sus pesquerías y en los ACALLES que son grandes atraviesan de una isla a otra es cada uno de estos ACALLES de sola una pieza de un árbol que los hay por allí muy grandes y muy gruesos hay también en aquellos ríos tiburones y lagartos y algunos quieren decir que estos lagartos son cocodrilos como los que hay en el río Nilo y tienen algunas cosas en que lo parecen porque tienen fija como cocodrilos la mandíbula o quijada baja y mandan la alta y salen y andan en tierra aunque no se alejan del río y en los arenales que hay en las playas hacen unos hoyos en que ponen muy gran cantidad /120/ de huevos y los tornan a cubrir con arena y allí se empollan con el calor del sol y que acuden a requerirlos algunas veces cada día y que se están un rato mirando en hito el lugar donde enterraron los huevos y por esto dicen algunos que demás del calor del sol los empollan también con su vista y véase lo que dice Plinio de las tortugas y Thomas Moro de las gallinas de *Utopia* que se halla puesto en los *Discursos de la vida humana* y en saliendo del huevo se van derechos al agua / de estos huevos aunque estén empollados comen los indios y salen a los buscar cuando llegan alguna playa / son algunos de estos lagartos de tres brazas y más en largo y del gordor de un caballo o algo menos unos mayores que otros* y donde éstos y los tiburones andan encarnizados no osan los que van en los ACALLES o canoas meter la mano en el agua porque son estas bestias muy prestas y cuando alcanzan tanto cortan y los lagartos llevan un hombre atravesado en la boca y ha sido mucho el daño que han hecho en los indios y están tan armados que ningún daño se les hace con una lanza ni con una flecha y las noches cuando duermen en el agua no se han de descuidar por temor de aquellas bestias fieras ni salir a tierra por los tigres y leones / los leones son pequeños y muy más menores /120/ que los de Africa del color leonado oscuro la cabeza redonda como gato / los tigres son de más cuerpo

* "En la India oriental son muchos y hacen gran daño a la gente." [Nota al margen.]

los brazos gruesos y cortos de color amarillo y negro, la cabeza larga y la boca muy rasgada tienen muy fuertes dientes, y uñas agudas y recias los unos y los otros cazan de noche sobre asechanza y con salto y hacen gran daño en el ganado, codician mucho los potros pequeños y las cabras y donde hallan de esto no hacen daño en ovejas ni en las vacas y también dicen que son amigos de indios y de negros y que donde los hallan aunque haya entre ellos españoles no llegan a ellos sino a los indios y a los negros y de un bofetón derriban la cabeza a un hombre y tienen tan gran fuerza que habiendo muerto un caballo lo llevan arrastrando.

También ha sido causa de la gran falta que hay de los naturales grandes pestilencias que después ha habido de que ha muerto gran multitud de ellos como se dirá en la tercera parte de esta Relaçion con otras causas que para ello ha habido. Estos ríos antes que entren en la mar hacen muy grandes esteros y muy anchas lagunas que de una parte a otra casi se pierde la tierra de vista y con temporal hace en ellos olas como en la mar /121/ y se corre riesgo y no poco yendo en aquellos ACALLES y de todos estos peligros y otros muchos dice fray Torivio que libra Dios milagrosamente a los que entienden en la conversión y doctrina de aquellas gentes y que ningún fraile han muerto aquellas bestias fieras aunque se han visto entre ellas ni han muerto en agua y que ninguna nao de las que han llevado frailes de España se ha perdido aunque sí algunas de vuelta para España en que venían frailes / estos esteros parece que son conformes a los mares mediterráneos según lo que de ellos dice Solino en el capítulo 27 y Plinio capítulo 13 libro 4.

Llegados los frailes a los pueblos los salen a recibir hasta los muchachos y se junta en el pueblo toda la gente de él y de otros comarcanos y traen los niños a bautizar y los mayores se juntan a ver misa y vísperas y la doctrina y están en montones en el patio de la iglesia cada lengua por sí diciendo el PATER NOSTER y el ave Maria y la doctrina cristiana y a las veces se ayuntan en un pueblo gentes de cuatro y cinco lenguas diferentes en que pasan los frailes muy gran trabajo y después que han bautizado y predicado y casado y estado en cada pueblo según conviene cuando se despiden sale toda la gente /121 v./ con ellos porque les tienen amor como a padres porque los aman y crían como a hijos y algunos van con ellos hasta los dejar en otro pueblo y así los van acompañando de un pueblo a otro.

264

CAPÍTULO DIECIOCHO

En que se refieren los ríos que salen de aquellos montes y cómo de ellos se hace uno muy grande y de su riqueza.

Habiendo dicho algo de los montes aunque sumariamente dice fray Torivio en el capítulo veintitrés que no será fuera de propósito decir algo de los ríos que de ellos salen que son muchos y muy grandes y que de algunos se coge agua dulce dentro en la mar porque su grandeza es mucha y entra con gran fuerza, y la tierra adentro suben por ellos muchas leguas en especial por el río Marañon y por el de la Plata que tiene más de veinte leguas de boca y dentro más de treinta de ancho y se navega por él más de cuatrocientas leguas y la gente que por allí habita es muy guerrera y valiente y todos estos ríos dice fray Torivio que solían ser muy poblados y que ahora en muchas partes están despoblados por lo que se ha dicho /122/ en el capítulo precedente en que se ha consumido mucha gente.

Aunque había mucho que decir de estos ríos dice fray Torivio que quiere decir de solo uno que no es de los mayores de ellos por donde se podrá entender que tales son los demás.

Este río dice que se llama en la lengua de los indios Papaloapam y que le cuadra bien este nombre porque beben y entran en él otros muchos ríos y la tierra que riega es de la mejor y más rica que hay en la Nueva España a este río le pusieron nombre el río de Alvarado porque cuando fueron a conquistar aquella tierra se adelantó un capitán que se llamaba Alvarado y con su gente entró por aquel río en el navío en que iba / nace este río de las montañas de Conçolihuacam entran en él grandes ríos como son el de Quyetepec, y el de Uiçila, y el de Chinantlam, y el de Quahcuezpaltepec, y el de Tuztlam, y el de Teyuçiyocam, y en todos ellos hay oro y no poco pero el más rico es el de Uiçila y por cada uno de estos ríos por ser grandes se navega con ACALLES y hay en ellos mucho y muy buen pescado y entrados en la /122 v./ madre se hace un muy grande y hermoso río y tiene muy hermosa ribera llena de grandes árboles

265

y cuando va de avenida es grande su braveza y arranca muchos árboles y antes de entrar en la mar revienta e hincha grandes esteros
y lagunas cuando va más bajo lleva dos estados de fondo y hace
tres canales a la boca o entrada en la mar la una de peña, y la otra
de lama, y la otra de arena es tanto el pescado de este río que todos
aquellos esteros y lagunas están cuajados de ello que parece que
hierven los peces por todas partes y aunque había mucho que decir de este río y de su riqueza dice fray Toribio que dirá solamente
de un estero de los muchos que tiene / éste parte términos entre
dos pueblos al uno llaman Quahucuezpaltepec y al otro Otlatitlam
que fueron muy ricos y de mucha gente es muy hondable y ancho
y aunque lleva mucha agua como va por tierra llana parece que no
corre a una parte ni a otra al mucho pescado que en él hay suben
tiburones, y lagartos, y bufeos hay en este río y esteros sábalos tan
grandes como toninas y andan a manadas y saltando sobre agua-
dos también hay de los sábalos de España y de aquel tamaño los
unos y los otros son de escama /123/ en este estero andan y se
crían manatíes y en otra parte se tratará de ellos.

En los peces de aquel estero se ceban muchas aves de muchas
maneras y diferencias hay entre ellas muchas garzas reales y otras
no tan grandes que son más pardas o más oscuras y no de tan gran
cuello hay otras aves como cigüeñas y el pico mayor y hay muchas
garcetas blancas que crían unas plumas de que se hacen muy gala-
nos penachos y es grande la multitud que de ellas hay, también hay
alcatraces y cuervos merinos algunas de estas aves sumergiéndose
en el agua sacan muy buenos peces y otras que no saben entrar
debajo del agua están esperando la pelea que los pescados grandes
tienen con los menores y de los que van huyendo saltan algunos y
de éstos se ceban y del cardumen que va a parar a la orilla y al
mejor tiempo que andan en esta pesquería bajan de los montes
gavilanes y halcones a se cebar en aquellas aves y tienen bien en
que escoger y lo uno y lo otro es tan de ver que pone admiración
porque los unos se ceban de unos y los otros de otros y cada uno
tiene su alguacil.

En la ribera y prados que por allí hay anda gran cantidad de
venados y liebres, y conejos y vienen los tigres /123 v./ y leones a
comer y se cebar en los venados y en lo demás que pueden haber
de una parte y de otra va muy gentil arboleda, hay unas como
sierpes que los indios llaman QUAHUCUEZPALI que quiere decir sierpe

de agua y en las islas las llaman iguanas andan en tierra y en el agua parecen espantosas son pintadas de muchos colores y de una vara de medir en largo algunas más y otras menos las que andan en las montañas o árboles son más pardas y menores, las unas y las otras las comen y su carne y sabor es como de conejo salen al sol y se ponen encima de los árboles en especial cuando hace día claro.

En este estero y en el río hay unas aves muy hermosas que los indios llaman TECQUECHUL su pluma es muy preciada porque es toda muy fina para las obras que los indios labran de oro y plumas son mayores que gallos de Castilla / hay muchas y diferentes maneras de patos y ánades y entre ellos unos negros y las alas un poco blancas que ni son ánades ni lavancos son muy preciados porque de ellos sacan la pluma de que tejen las mantas ricas ahora las hacen también de la pluma de los patos que se han llevado de Castilla y de lavancos y los crían para sacar de ellos la pluma /124/ y para los vender / no tienen tan buena pluma como es la de los otros de aquella tierra también se han llevado algunos del Peru que crían muy buena pluma y multiplican mucho.

Y en sus esteros y lagunas se crían y toman manatíes algunos tienen tanta carne o más que un buey y le parece en la boca y cabeza aunque tiene algo más escondida la boca y la barba más gruesa y carnuda sale a pacer a la ribera donde hay muy buena yerba y de ella se mantiene no sale fuera del agua sino a la vera y descubre medio cuerpo y se levanta sobre unos tocones que tiene como brazos algo anchos con cuatro uñas su forma y manera pone el alcalde Oviedo en la *Historia que escribio de las Yndias* los indios los toman con redes y los matan con arpones.

Aquí hace una larga digresión fray Torivio Motolinea y dice que como ha faltado la mayor parte de los naturales que eran y son los que sustentan la tierra han venido muchos españoles a estar muy pobres y aunque había mucho qué decir sobre esto y mucho que se pudiera referir de la gran prosperidad de aquella tierra se deja porque sería proceder en infinito y de lo dicho se entenderá su gran fertilidad y abundancia.

CAPÍTULO DIECINUEVE

En que se dice cómo y por qué se debería llamar la Nueva España Nueva Esperia
y cuándo y cómo y por qué se fundó la ciudad de los Angeles y de su asiento y
de los pueblos, montes, pastos, aguas, y pedreras, que hay en su comarca.

/124 v./ Ya que se ha dicho algo de lo mucho que había que decir
de Mexico y su comarca será bien que se diga algo de otras ciudades y provincias de la Nueva España que según dice fray Torivio al
fin de aquel su *Libro* entran y se incluyen en ella al oriente el puerto y ciudad de la Veracruz, al mediodía Guaxaca, Guatimala, Sanct
Salvador, Nicaragua, Yucatan, Chiapam, al poniente Michiuacam,
Cacatlam, Xalisco, al norte ártico Pango o Panuco, y la Florida, y
no pone a Tlaxcallam por ventura lo hizo por ser como era reino
de por sí y muy contrario a Mexico pero también lo era Michiuacam
y otras provincias de las que se han nombrado que puso debajo del
título y término de la Nueva España y dice que se debería llamar
Nueva Esperia porque sobre ella parece y reina la estrella y plane-
ta que llaman Esperia y Lucifer y que por esta razón nuestra España se llamó /125/ en otro tiempo Esperia y según dice Servio en el
Comento del octavo libro de la *Eneyda* de Virgilio a la mañana
cuando parece aquella estrella se llama Luçifer y a la tarde Hes-
perius y en el *Comento* del primero libro dice que hay dos Espe-
rias una en España y otra en Ytalia y cuando decimos Hesperia
solamente se entiende Ytalia y si decimos Hesperia última es España y ahora podremos decir que hay tres Hesperias Ytalia, España, y la Nueva España y antes que digamos de Tlaxcallan será
bien decir de la ciudad de los Angeles que está veintidós leguas de
Mexico.

Esta ciudad según dice fray Torivio en el capítulo 33 de la tercera parte de su *Libro* mandó edificar la Audiencia Real que reside
en la ciudad de Mexico siendo presidente en ella el obispo de Sancto
Domingo de la isla Española don Sebastian Rramires de Fuenleal
que después fue presidente de la Audiencia Real de Granada y de
la de Valladolid y obispo de Cuenca y siendo oidores el licenciado

Juan de Salmeron que después fue del Consejo Real de Yndias / y el licenciado Alonso Maldonado que fue presidente en la Audiencia Real de Guatimala y después /125 v./ en la de Sancto Domingo y el licenciado Francisco Çaynos, y el licenciado Vasco de Quiroga que fue el primer obispo de Michiuacam y dice que se edificó esta ciudad a instancia de los frailes menores para que los españoles se diesen a cultivar la tierra y a hacer labranzas y heredades al modo de España pues en la tierra había gran disposición y aparejo para ello y que no estuviesen todos esperando haber repartimientos de indios y que se comenzarían a hacer pueblos en que se recogiesen muchos españoles que andaban ociosos y darían ejemplo a los naturales de cristiandad y de trabajar al modo de España y que teniendo haciendas y heredades tomarían amor a la tierra y tendrían voluntad de permanecer en ella los que no pretendían más que disfrutarla y volverse a España y que de este principio sucedería hacerse otros pueblos como se han hecho y su motivo y celo fue santo y bueno.

Determinado que se hiciese aquel pueblo se miraron para ello muchos sitios para tomar el que más parte de bondad tuviese y así se hizo como adelante parecerá.

/126/ Comenzóse a edificar el año de mil quinientos treinta en las octavas de Pascua de Resurrección a dieciséis días de abril día de Santo Torivio que es uno de los santos de España obispo que fue de la ciudad de Astorga y este día vinieron los que habían de ser vecinos y habitadores de aquel pueblo y por mandado de la Audiencia Real se juntaron muchos indios de las provincias y pueblos comarcanos y cada pueblo procuraba de lo hacer mejor, la gente de cada pueblo venía junta y por sí cargada de los materiales necesarios para hacer luego sus casas de paja que en las islas llaman bohíos y venían cantando con sus banderas tañendo atabales y otros con danzas de muchachos y con muchos bailes y con muy gran contento y alegría y después de dicha misa en la traza del pueblo y echado los cordeles se repartieron cuarenta solares para cuarenta vecinos y en ellos los indios levantaron e hicieron casas y las acabaron aquella semana aunque tenían harto aposento y aquel año llovió mucho y como no estaba el pueblo hollado ni hechas acequias para el agua andaba por todas las casas tanta que algunos burlaban del sitio y de la población /126 v./ y es el sitio un arenal seco por cima y a poco más de un palmo tiene un barro fuerte y luego la tosca y después que por sus calles dieron paso al agua aunque llueva mucho desde a dos credos queda toda la ciudad muy limpia y aunque algún tiempo estuvo para se despoblar ahora es la mejor de la Nueva España después de Mexico y Su Majestad le dio título de ciudad y ciertos privilegios.

El asiento de esta ciudad es muy bueno y la comarca la mejor de la Nueva España porque tiene a la parte del norte la ciudad de Tlaxcallam a cinco leguas al poniente a Huexoçinco a otras cinco leguas al oriente a Tepeyacac a otras cinco leguas al mediodía tierra caliente están Yzçocam y Quahuquecholam a siete leguas / a una legua Atotomiuacam, y Calpam está cinco leguas todos estos son muy grandes pueblos y provincias al oriente tiene al puerto de la Veracruz a cuarenta leguas / Mexico al occidente a veintidós leguas el camino del puerto para Mexico es por esta ciudad y cuando los arrieros vienen con sus cargas del puerto para Mexico compran los vecinos lo que han menester y cuando ellos vuelven de Mexico cargan de /127/ harina, bizcocho, y tocinos para llevar al puerto por manera que compran en su casa lo que han menester para ella y venden lo que tienen de su cosecha.

Tiene esta ciudad las mejores montañas que hay en el mundo porque comienzan a una legua del pueblo y por partes van cinco y seis leguas de muy excelentes pinales y encinales y por una parte a tres leguas entra esta montaña en la sierra de Tlaxcallam que llaman de San Bartolome en todas estas montañas hay muy buenos pastos porque en aquella tierra los pinales aunque sean arenales están poblados de buena yerba lo que no es en otras partes de Europa y también tiene otros muy hermosos pastos y dehesas donde los vecinos apacientan mucho ganado mayor y menor.

Hay en esta ciudad y en todo su término grande abundancia de agua así de ríos y de arroyos como de fuentes y junto a las casas de la ciudad pasa un arroyo donde se han hecho algunas paradas de molinos y llevan agua de pie que anda por toda la ciudad / a media legua pasa un gran río que siempre se pasa por /127 v./ puentes hácese de dos brazos el uno viene de Tlaxcallam, y el otro de las sierras de Huexoçinco tiene otras muchas aguas de fuentes y arroyos en sus términos y junto a la ciudad y casi dentro y éstas son de dos calidades las unas fuentes y más propincuas a las casas son de agua algo gruesa y salobre y a esta causa los indios llaman aquel sitio CUETLAXCOAPAM y este nombre abraza también la ciudad porque los indios nunca mudan sus nombres y éste quiere decir cuero colorado y culebra en agua / el agua que cría culebras ni la colorada no es buena y así son aquellas fuentes / otras que están de la otra parte del arroyo a donde está el monasterio de San Francisco son muy excelentes y de agua muy delgada sana y dulce y son ocho o nueve fuentes una de ellas nace en la huerta de San Francisco y de ella bebe toda la ciudad llámanla los indios UIÇILAPAM que quiere decir pájaro sobre agua o sobre la frescura del agua y a esta causa se engañan muchos españoles que no saben la razón por que los indios llaman aquella ciudad por dos nombres unas veces dicen /128/ CUETLAXCOAPAM que quiere decir el sitio de la ciudad y otras veces dicen UIÇILAPAM y se ha de entender de aquella parte del arroyo donde está San Francisco / la causa por que las fuentes que están en la ciudad son salobres es porque todo aquello es mineros de piedra de cal / y de esta otra parte lo son de piedra de grano blanca de sillares como luego se dirá.

También tiene esta ciudad muy ricas pedreras o canteras a menos de un tiro de ballesta sacan cuanta piedra quieren así para cal como para edificar y es blanda por llevar sus vetas y los vecinos las sacan con barras de hierro y almádanas y los indios las sacaban y sacan con palo y quiebran una piedra con otra / están estas pedreras a menos de una vara de medir debajo de tierra y otras algo más y debajo de tierra está blanda y sacada de allí y puesta al aire y al sol se para muy dura y en algunas partes que están fuera de tierra es tan recia que no curan de ella / la piedra que los españoles sacan es en extremo muy buena para hacer paredes y la /128 v./ sacan del tamaño que quieren y es algo delgada y ancha para trabar la obra y llena de ojos para recibir la mezcla y en aquella tierra y en la Nueva España que es seca y cálida se hace muy fuerte argamasa y se seca más en un año que en cinco en España / de la piedra que sale menuda y todo el ripio de la que se labra hacen cal y es muy buena y tienen sus hornos junto a las pedreras y a sus casas y el monte no lejos y mucha agua que parece que todos los materiales estaban aparejados al pie de la obra para edificar aquella ciudad.

Tiene esta ciudad una pedrera blanca de buen grano y cuanto más van descopetando a un estado, y a dos, y a tres es muy mejor lábranse de ella pilares y portadas y ventanas y toda obra de sillería esta cantera está a la otra parte del arroyo en un cerrejón a un tiro de ballesta del monasterio de San Francisco y a tres tiros de la ciudad / en el mismo cerro hay otro venero de piedra más recia de que sacan los indios piedras para moler /129/ su maíz porque para esto ha de ser de más recio grano y se sacan piedras para molinos y a media legua y a legua hay también piedra cárdena de muy buen grano.

Tiene también esta ciudad muy buena tierra para hacer adobes y ladrillo y teja y para tapias y muchos vecinos han cercado sus huertas de tapias las casas tienen mucho suelo y las hay muy buenas y se van cada día labrando / las calles anchas y largas y muy hermosas por los edificios de casas que en ellas hay.

CAPÍTULO VEINTE

En que se declara la diferencia que hay de las heladas de aquella tierra a las de España y de la fertilidad del valle que llaman de Cristo con toda la vega y de los morales y seda que en él se cría y de la iglesia catedral y monasterios y edificios y otras cosas notables de la ciudad de los Angeles.

Para que se entienda y conozca mejor la bondad de esta ciudad de los Angeles y de su tierra refiere fray Torivio las razones por que no siendo tan grandes ni tan recios los fríos de aquella tierra se hielan los árboles y dice en el capítulo veinticuatro de la tercera parte de aquel su *Libro* que el invierno que /129 v./ hace en la Nueva España y las heladas y fríos no duran tanto ni es tan bravo como en España y que es tan templado que no da pena traer poca ropa en invierno ni mucha en verano y que se queman algunos árboles y hortalizas de Castilla no por causa de grandes fríos ni grandes heladas sino por venir fuera de tiempo porque por Navidad o por la Epifanía vienen diez o doce días templados como de verano y como la tierra es fértil aunque no ha pasado mucho tiempo que los árboles dejaron la hoja con aquellos días vuelven a brotar y tornan otros días de heladas que aunque no son recias por hallar los árboles muy tiernos queman todo lo que han brotado y por la bondad de la tierra acontece algunos años tornar a echar dos y tres veces hasta el mes de abril y quemarse otras tantas / en España las heladas y el invierno viene todo junto y no engaña el calor las plantas para que echen temprano antes los fríos los hacen detener y comenzado el verano sigue su calor y se crían los árboles y dan su fruto sin el peligro que corre en aquella tierra por lo que se ha dicho y los que ignoran estas razones se admiran /130/ cómo no se hielan en Castilla (los árboles con tan pequeños fríos) como son los de aquella tierra esto dice que ha dicho para que se entienda la bondad de aquella ciudad porque alcanza tierra fría y caliente que es necesario tener estos temples para sus labranzas y heredades porque unas cosas se dan en tierra fría y otras en tierra caliente.

273

A cuatro leguas de esta ciudad dice que está un valle o vega que llaman Valle de Cristo donde los vecinos de aquella ciudad tienen sus viñas y huertas de agrio y dulce y granadas y que se hacen extremadamente bien y otros árboles frutales / tienen también labranzas de pan que lo cogen todo lo más del año aunque es tierra fría no se da más que una vez y como este valle es tierra templada no le perjudican las heladas y como tienen mucha agua de pie siembran y cogen muchas veces cuando quieren y acontece estar sembrado un trigo, y otro que brota, y otro que está en porreta, y otro que echa sus espigas, y otro que está granando y otro para lo coger, y otros están segando y esto es muy común y es tan bueno el pan que se hace de aquel trigo como lo muy bueno que se hace en Castilla la Vieja del trigo candeal.

/130 v./ En tierra del preste Juan dice el que escribe su *Historia* que hay un valle donde se coge trigo todo el año y que es la mejor cosa que hay en el mundo pero tan bueno o mejor es este valle o vega de Atlisco por las muchas cosas que en él se siembran y se cogen y crían y por su gran templanza y sanidad como parece por lo que se ha dicho.

Es tan buena esta vega o valle que en toda la Nueva España no la hay mejor que ella y dicen que es mejor que la vega de Granada y que la de Origuela.

A esta vega llaman los españoles valle de Atlisco pero entre los indios tiene muchos nombres porque es grande y ATLISCO según su propia etimología quiere decir ojo o nacimiento de agua y este lugar está dos leguas encima del sitio de los españoles donde nace una muy grande y hermosa fuente y es de tanta agua que luego se hace de ella un río que va regando muy gran parte de esta vega que es muy ancha y muy larga y de muy fértil tierra tiene otros ríos y muchas fuentes y arroyos junto a esta fuente está un pueblo que se llama como ella Atlisco y Sanct Pedro de Atlisco.

Otros llaman a esta vega Quahuquechulan la Vieja porque los de Quahuquechulam /131/ la poblaron y habitaron primero donde ahora llaman Acapetlauacam que es donde se hace el mercado o TIYANQUIZCO de los indios y ésta es lo mejor de toda la vega y como los de Quahuquechulam se hubiesen multiplicado ensoberbeciéronse y fueron a dar guerra el año de mil cuatrocientos a los de Calpam que está cuatro leguas arriba al pie del volcán y tomándolos desapercibidos los maltrataron y mataron muchos de ellos / los que quedaron se retrajeron a Uexoçinco y se aliaron y confederaron con ellos y todos juntos fueron sobre los de Acapetlauacam y mataron muchos y los echaron del sitio y los que quedaron se retrajeron dos o tres leguas al río grande donde ahora se llama Couatepec.

Pasados algunos años los de Quahuquecholam o de Acapetlahuacam fueron con presentes a los de Uexoçinco y Calpam conociendo su culpa de lo pasado y que los perdonasen y los dejasen poblar su tierra y ellos lo hicieron porque eran todos parientes y venían de un abolengo y tornados a su sitio hicieron sus casas y pasados algunos /131 v./ años olvidados de lo que había sucedido a sus padres volvieron a la locura de ellos y dieron guerra a los de Calpam y ellos con los de Uexoçinco los tornaron a destruir y los echaron de la tierra y fueron a edificar a Quahuquecholam y porque éstos fueron los primeros pobladores de esta vega la llamaron Quahuquecholam la Vieja y los de Uexoçinco y Calpam repartieron entre sí lo mejor de esta vega y desde entonces la poseen / a otra parte llaman Acapetlayocam y los españoles lo llaman Tochimilco y la cabecera se llama Acapetlayocam y ésta es la más antigua de aquel valle y de donde salieron los de Uexoçinco y Calpam esta provincia está siete leguas de la ciudad de los Angeles entre Quahuquecholam y Calpam y es muy buena tierra y de mucha gente.

En esta vega siembran y cogen los indios muchas cosas que entre ellos son de mucho provecho como son frutas, y maíz, que se coge dos veces en el año y frijoles, ají, ajes, algodón etcétera hanse plantado muchos morales y hay y se han hecho muchas heredades de ellos y con esto y con la seda que se cría en /132/ otras partes de la Nueva España ha de haber y criarse en ella más seda que en toda la cristiandad y es muy buena y también se dan cañas de azúcar.

El gusano se cría tan recio que aunque lo echen por el suelo y le dejen de dar de comer dos o tres días no se muere ni aunque haga grandes truenos como en otras partes que si al tiempo que el gusano está hilando truena se queda muerto colgando del hilo y antes que se llevase la semilla de Castilla había en aquella tierra gusanos de seda y sus capullos eran pequeños y se criaban de suyo por los árboles y se puede criar dos veces en el año y dice fray Torivio que el año de mil quinientos cuarenta en principio de junio vio gusanos de dos y de tres dormidas y la razón por que se puede criar la seda dos veces en el año dice que es porque los morales comienzan a echar desde principio de febrero y están con hoja hasta agosto y que cogida la primera semilla la tornan avivar y queda tiempo porque como las aguas comienzan por abril están los árboles en crecida mucho más tiempo que en Europa y al principio /132 v./ que se comenzó a criar la seda se dio muy bien y después acá se ha disminuido por falta de semilla que se quiere renovar y llevarse de España.

En este valle se dan melones, cohombros, y pepinos, y toda la hortaliza que se da en tierra fría porque es tierra muy templada y así hace muy frescas mañanas y siempre al medio día viene por aquella vega un viento muy templado que los españoles llaman marea y es todo aquel valle como una huerta o jardín lleno de agua de rosas y frutas y por esto se llama valle de Cristo.

Antiguamente estaba muy gran parte de aquella vega hecha erial a causa de las guerras porque de todas partes tenía grandes pueblos y estaban unos contra otros de guerra y allí era el campo de ellas y era costumbre entre todos los pueblos y provincias dejar entre los términos un gran campo despoblado donde se diesen las guerras y aquel valle está todo ocupado con ganados y labranzas de españoles y de indios y echan sus mojones a los términos y por estar confusos por causas de las guerras antiguas hay sobre ello muchos pleitos entre los indios.

/133/ Otro valle hay que llaman de Ozumba donde los vecinos de aquella ciudad tienen estancias de ganado menor y valen allí las ovejas más que al doble que las de otras partes porque se crían y multiplican mucho por la bondad de la tierra y por el mucho y buen pasto que tienen y dicen que pasan de cien mil borregos los que se crían cada año y siempre se va multiplicando y es mucho lo que se paga del diezmo del ganado y de lo que se siembra y coge en estos dos valles.

En la ribera de aquel río que se ha dicho que va junto a las casas de la ciudad de los Angeles hay buenas huertas así de hortaliza como de árboles de pepita, perales, manzanos, y membrillos etcétera y de árboles de hueso duraznos, melocotones, ciruelas etcétera y es tan buena tierra que dice fray Torivio que en el sitio donde se fundó y edificó el monasterio de San Francisco había sembrado un vecino de aquella ciudad una fanega de trigo y que de ella cogió ciento aunque la sembraba cada año y en la ribera de aquel río sembraban cada año trigo y acudía a más que a cien /133 v./ fanegas y lo mismo en otras partes de la Nueva España y que esto se sembraba a mano como el maíz que hacen caballones y con las manos escarban y echan dos o tres granos y un palmo más adelante hacen otro tanto y sale una mata llena de cañas y espigas de maíz y acontecido de una fanega coger más de trescientas y que como ahora hay tanto ganado siembran con yuntas de bueyes y no acude tanto como cuando sembraban a mano.

También se sirven de carretas y son muchas las que cada día entran en aquella ciudad cargadas de trigo y de maíz y de leña y con vigas y madera para los edificios y otras obras que allí se hacen.

Lo principal que hay en aquella ciudad y en que hace ventaja a otras más antiguas que ella es la iglesia mayor porque es muy fuerte y grande de tres naves con pilares de muy buena piedra negra y de buen grano tiene tres portadas labradas con mucha obra de piedra blanca / reside en esta ciudad el obispo con sus dignidades* /134/ canónigos, y racioneros, curas, y capellanes con todo lo conveniente al culto divino y aunque en Tlaxcalan se tomó primero posesión la iglesia catedral está en la ciudad de los Angeles *y hay en ella dos monasterios* uno de San Francisco y otro de Santo Domingo donde se ha hecho un colegio como ya se ha dicho y hay un hospital intitulado de San Juan de Letran con todas las indulgencias que el de Rroma hay muchas y muy buenas casas y honrados vecinos que hacen mucha caridad a los que de nuevo van de España porque enferman y mueren muchos de ellos y todos los vecinos se ocupan en les hacer caridad y hospedarlos.**

* "Hácese ahora por mandado de Su Majestad una iglesia nueva en la ciudad de los Angeles de muy fuerte y soberbio edificio de tres grandes naves con los pilares de muy buena piedra blanca labrados y estriados, y cuatro torres en las cuatro esquinas." [Nota al margen.]

** "Hay en la ciudad de los Angeles monasterios de dominicos y un colegio que es el mejor y de mejor edificio de la Nueva España y monasterio de agustinos y franciscos. Hay asimismo un principal colegio de la Compañía de que es patrón y fundador un hidalgo vecino que se llama Melchior de Cobas Rubias también hay descalzos franciscos y carmelitas y un vecino de allí que se llama Juan Barranco fundó con muy buena renta un colegio de doncellas y un clérigo hace ahora un monasterio de monjas de la Concepcion sin otro que hay de Santa Catalina de Sena, asimismo otro clérigo funda un colegio de estudiantes." [Nota al margen.]

Tiene esta ciudad mucho aparejo para se criar y ser la fuerza de toda la Nueva España porque está en comarca y en medio para se señorear de todas partes es muy sana / las aguas muy buenas y los aires muy templados tiene muy graciosas salidas y mucha caza y muy hermosa vista porque a una parte están las sierras nevadas de Uexoçinco y la una de ellas es volcán a otra parte y no muy lejos /134 v./ está la sierra de Tlaxcallam y otras montañas en rededor y campos llanos por manera que en asiento y en vista y en todo lo que pertenece a una ciudad para ser buena no le falta cosa alguna.

CAPÍTULO VEINTIUNO

En que se declara el grandor y término de Tlaxcallam y de un río que en ella
nace y de sus pastos montes y sierras y de los cuatro señores que en ella hubo y de
sus iglesias y las lenguas que en ella se hablan.

Tlaxcallam es una ciudad de la Nueva España y el mismo nombre
tiene toda su tierra aunque hay muchos nombres particulares de
pueblos es una de las principales provincias de toda la Nueva España y la más entera y de más gente y de las que más término tiene /
de oriente a poniente tiene quince leguas de término y de mediodía al norte diez de ancho.

Nace en Tlaxcallam una fuente grande a la parte del norte cinco
leguas de la ciudad y se llama Açompam que quiere decir cabeza o
principio /135/ de agua y es así porque aquella fuente es el principio y cabeza del mayor río de los de la Mar del Sur y entra en la
mar por Çacatollam nace encima de la venta de Atlacatepec y viene rodeando por cima de Tlaxcallam y torna a dar vuelta por un
valle abajo y pasa por medio de la ciudad y riega mucha parte de la
provincia y se junta con otro brazo mayor que baja de las sierras
de Uexoçinco y pasa cerca de la ciudad de los Angeles y de allí va
a Çacatollam hay otras muchas fuentes y arroyos y algunos tan
grandes que tienen todo el año agua y peces aunque pequeños /
tiene muchos y muy buenos pastos en que los españoles y naturales apacientan mucho ganado / tiene grandes montes en especial
entre el oriente y mediodía y una muy gran sierra que comienza a
dos leguas de la ciudad y hasta lo alto hay otras dos de subida y
toda aquella montaña es de pinos y encinas / en lo alto los más de
los años hay nieve / esta sierra es redonda y tiene de cepa más
de quince leguas y casi todo el término /135 v./ de Tlaxcallam /
ármanse en aquella sierra los nublados y de allí salen las nubes
que riegan aquella provincia y así se tiene por cierta señal que ha
de llover cuando en aquella sierra se ven nubes y siempre comienzan a se mostrar desde las diez hasta medio día y de allí hasta
vísperas van unas nubes hacia Tlaxcallam y otras hacia la ciudad

de los Angeles y otras a Uexoçinco y de allí se reparte agua para toda aquella tierra y a esta causa solían los indios tener allí gran adoración e idolatría y de toda la tierra en rededor iban allí a demandar agua y eran muchos los sacrificios que se hacían.

La tierra de Tlaxcallam es fértil y se coge en ella mucho maíz, ají, y frijoles, la gente bien dispuesta y la más ejercitada que había en aquella tierra en guerras es mucha gente y muy pobre porque del maíz que cogen han de comer y vestir y pagar su tributo y sacar para otras sus necesidades.

Está la ciudad de Tlaxcallam situada en buena comarca porque tiene a la /136/ parte del occidente a quince leguas a Mexico y al mediodía a cinco la ciudad de los Angeles / al oriente a cuarenta leguas está el puerto de Veracruz.

Esta ciudad tiene cuatro cabeceras o señoríos el más antiguo y que primero fundó aquella ciudad edificó en un cerrejón que se llama Tepeticpac que quiere decir encima de sierra por que desde lo bajo por donde va el río y está ahora edificada la ciudad hay casi una legua de subida hasta lo alto y la causa por que edificaban en lo alto eran las continuas guerras que tenían y para sus defensas buscaban riscos y lugares fuertes donde pudiesen estar seguros porque no tenían muros ni puertas en sus casas aunque tenían en muchos pueblos albarradas porque las guerras eran ciertas cada año este señor tenía su gente y señorío a la parte del norte.

Después que se fue multiplicando la gente el segundo señor edificó más bajo en un recuesto o ladera cerca del río y se llama aquel lugar Ocotelulco que quiere decir pinar en tierra seca y aquí estaba aquel principal capitán de Tlaxcallam y su tierra hombre valeroso y esforzado que se llamó Maxixcaçim.

/136 v./ Éste recibió los españoles y les tomó mucho amor y les dio gran favor en todo lo que conquistaron en la Nueva España como se dirá en la tercera parte de esta Relaçion / en este barrio era la mayor frecuencia de Tlaxcallam cuando los españoles fueron aquella tierra y allí había una plaza donde cada día se hacía un grande mercado y después se bajó cerca del río / tenía este capitán grandes casas y de muchos aposentos y en una sala baja de ellas tuvieron los frailes menores su iglesia tres años después de pasados a su monasterio y allí tomó el primer obispo don Julian Garçes posesión para la iglesia catedral y se intituló Santa Maria de la

280

Concepcion tenía este señor su señorío y vasallos hacia la ciudad de los Angeles que es al mediodía.

El tercero señor edificó más bajo el río arriba en un barrio que se dice Tiçatlam que quiere decir lugar donde hay yeso porque allí hay mucha piedra de ello / aquí estaba aquel gran señor que de muy viejo era ya ciego llamado Xicotencatl / éste dio muchos presentes y bastimentos el capitán don Hernando Cortes y se hizo llevar lejos de su casa a lo recibir y después /137/ le proveyó de mucha gente para la guerra y conquista de Mexico porque tenía más vasallos que los otros señores tenía su señorío al oriente.

El cuarto señor edificó el río abajo en una ladera que se llama Quiyahuiztlam que quiere decir lluvia o agua / tenía gran señorío y muchos vasallos después de Xicotencatl y Ticatlam que el un nombre es del señor y el otro de la cabecera y barrio extiende su señorío al poniente y también este señor ayudó con mucha gente a los españoles para la conquista de Mexico y todos los de esta provincia han sido siempre fieles amigos y compañeros de los españoles en toda la conquista y así dicen los conquistadores que Tlaxcallam es digna de muchas mercedes porque si no fuera por los naturales de aquella provincia murieran todos cuando los mexicanos los echaron de Mexico si los tlaxcaltecas no los recibieran en su tierra como se dirá en la tercera parte.

En esta ciudad hay un monasterio de frailes menores razonable y la iglesia es grande y buena y los monasterios que de ellos hay en la Nueva España son suficientes aunque a los españoles les parecen /137 v./ chicos porque son menores casas que las de España hay en aquella ciudad un buen hospital y más de sesenta iglesias pequeñas y medianas y bien adornadas.

Desde el año de mil quinientos treinta y siete hasta el de cuarenta dice fray Torivio que han ennoblecido mucho su ciudad porque para edificios son ricos de gente y tienen muy buenas canteras de buena piedra algunos se han bajado a edificar a lo llano junto al río y tiene buen traza y como en Tlaxcallam hay otros muchos señores después de los cuatro que se han dicho y todos tienen vasallos edifican por muchas calles y ha de ser gran pueblo.

Cógese en esta ciudad muy buena grana de cochinilla que se cría en los tunales como ya se ha dicho y hay otros muchos colores más perfectos que en otras provincias.

281

Los de Tlaxcallam y dos o tres leguas alrededor casi todos son nauales y hablan la lengua principal de la Nueva España que es de náhuatl desde cuatro leguas hasta siete que tiene de poblado son otomíes aunque no por todas partes y ésta es la segunda lengua /138/ principal de aquella tierra / hay un barrio o parroquia de pinomes o pinoles que salieron de Tepexique.

En la tercera parte se referirá lo que don Hernando Cortes dice de la grandeza y abundancia de la ciudad de Tlaxcallan y su provincia y de otras a ella comarcanas.

CAPÍTULO VEINTIDÓS

En que se trata del reino de Michiuacam y de su fertilidad y de la calidad de la gente de él y de la significación de este nombre Michiuacam y se refieren en suma otras provincias y su fertilidad y población y cómo en el reino de Yucatam se sujetaron al señorío de los reyes de Castilla doce señores principales tomado para ello primero el consentimiento de sus pueblos y vasallos.

La provincia de Michiuacam según dice fray Bartolome de las Casas obispo que fue de Chiapa en un tratado que intituló *Brevissima rrelaçion de la destruiçion de las Yndias* que está cuarenta leguas de Mexico y que estaba llena de gente cuando se descubrió y según dice fray Torivio en el capítulo treinta y siete /138 v./ de la tercera parte de su *Libro* es uno de los reinos de la Nueva España y tierra de muy buena templanza y sanísima y que por esto algunos enfermos de enfermedades largas se van allí a vivir y a estar alguna temporada por alcanzar sanidad por la bondad y templanza de los aires y que tiene muy buenas aguas de ríos y fuentes y que algunas de ellas son de agua delgada y fría y otras de agua tibia y otras de caliente y que hay en aquella tierra grandes estanques de buen agua dulce y que se navega por ellos con canoas en que hay mucho y muy buen pescado y conforme a esto tiene el nombre porque Michiuacam quiere decir lugar de mucho pescado y que todos los nombres de aquella lengua son conformes a su propiedad.

En aquella tierra dice que se ha criado por su fertilidad y templanza mucho ganado y según he oído a otros vale el diezmo en cada un año diez mil becerros y cada día es más porque se multiplican mucho aunque los indios que por allí hay de guerra matan mucho ganado porque se mantienen de ello y lo mismo los caminantes y carreteros /139/ y arrieros, y la gente que hay en las estancias que es mucha y aun dicen que no quieren comer novillos sino terneras y aun de éstas dicen que no quieren comer sino las piernas y aunque es mucho el ganado que se mata ordinariamente es sinnúmero el que por allí hay y hay señor de ganado mayor que hierra por año como ya se ha dicho dieciocho y veinte mil cabezas y el maestro Çervantes en su diálogo intitulado *Mexicus exterior* dice que hay grandes lagunas y en ellas infinidad de pescado y que en aquel reino nacen y se crían muy hermosos caballos y muy ligeros y para mucho trabajo.

Asimismo dice fray Torivio que se han criado y multiplicado en aquella tierra muchas plantas y árboles de España así de tierra fría como de caliente y viñas y morales de que se cría seda y que se da muy bien el trigo y acude mucho y que se cría grana y que hay muy buenas montañas de buena madera y muchos cedros y cipreses y que tiene muy abundosos pastos en que los españoles tienen sus estancias y apacientan sus ganados y que hay buenas salinas y pedreras de /139 v./ piedra negra y alguna tan fina que es natural azabache y de ello salen grandes pedazos.

Aquella tierra dice que es la más rica de la Nueva España de metales así de cobre, y estaño, como de oro, y plata y que el año de mil quinientos veinticinco se descubrió una mina de plata riquísima en tanta manera que todos los españoles estaban movidos para se ir aquella tierra y que sucedió una cosa maravillosa que cayó una sierra sobre la mina y la cegó del todo por manera que nunca más se pudo hallar aunque se puso harta diligencia en la buscar y que fue permisión de Dios por que no se despoblase Mexico y su tierra por acudir todos los cristianos que eran pocos a la codicia de aquella mina y que estaban los naturales muy apercibidos para los matar y levantarse con la tierra.

La gente de este reino dice que es robusta y de mucho trabajo y de mejor parecer que los demás naturales de aquella tierra y que son belicosos y muy diestros de tirar flechas con arcos y que a cien pasos no yerran un pequeño blanco en especial /140/ los que llaman teules chichimecas y que muchos de ellos eran vasallos del señor de Michiuacam y que con una flecha pasan una rodela y unas armas de algodón y que en descubriendo el ojo lo enclavan y que cuando van a caza aunque los venados o liebres o conejos vayan a más correr los flechan y matan y si por alguna parte se sale alguna caza sin le herir ponen una vestidura de mujer al que se descuidó en ello dando a entender que no es hombre el que no es muy gran flechero.

Los mexicanos dice que aunque tuvieron mucho tiempo guerras con los de Michiuacam nunca les ganaron pueblo alguno ni bastó todo el imperio de Mexico para ello y en las fronteras tenían fuerzas y guarniciones y siempre se velaban los unos de los otros.

La ciudad dice que está situada sobre una hermosa laguna de agua dulce y que tiene mucho y muy buen pescado pequeño que los españoles llaman sardinetas porque son como sardinas y que en algunas partes es muy hondable y que se navega con canoas y que tienen muchas y muy grandes y que a tiempos* /140 v./ se levantan olas tan temerosas como en la mar.

Toda aquella tierra dice que es muy fértil y abundante de mantenimientos de los que los indios usan que es maíz, frijoles, calabazas, frutas de muchas y diversas maneras miel, cera, y que se coge y cría mucho algodón y muy bueno de que se hace muy buena ropa.

De la Nueva España se puede con muy gran razón decir lo que Tullio dice en la oración *Pro lege Manilia* de Assia que es tal y tan fértil que en la abundancia y fertilidad de los campos y variedad de frutas y muchedumbre de pastos y en multitud de cosas que de allí se sacan para otras partes y se llevan a ella exceden notoriamente a todas las demás tierras y se han dejado de referir otras muchas cosas porque como dice Tullio en la misma oración sería muy difícil querer referirlo todo y a nadie podrá faltar qué decir por lo infinito que hay de que se pueden decir grandes cosas muy nuevas y nunca antes vistas ni oídas.

Otras provincias hay en la comarca de Mexico que si se hubiesen de referir en particular lo de cada una de ellas sería /141/ proceder infinito y de algunas aunque sumariamente trata el obispo de Chiapa en aquella su *Rrelaçion* / de la de Panuco dice que era cosa admirable la multitud de gente que en ella había y en la de Tututecpec, y de Ypilçinco, y de Colima, y que cada una de estas provincias es más tierra que el reino de Leon y que el de Castilla, y la provincia de Gelisco dice que estaba llena de gente y que es de las más fértiles que hay en las Yndias y que había en ella pueblo que duraba siete leguas su población / y el reino de Yucatam de quien ya se ha hecho mención dice que estaba lleno de infinita

---

* "Y pescado blanco grande y muy bueno y sabroso y otro como truchas." "Hay en la ciudad de Mechoacam monasterios de franciscos y agustinos y un colegio de la Compañía. Hay otro colegio que fundó el primer obispo don Vasco de Quiroga varón santísimo y doctísimo el cual asimismo fundó el orfanatorio de Santa Fe junto a Mexico y otro del mismo nombre junto a Mechoacan." [Nota al margen.]

gente y que es tierra muy sana y abundante de comida y frutas y que señaladamente es abundante de miel y cera, y que tiene casi trescientas leguas de bojo y que la gente de él era señalada entre todas las de las Yndias así en prudencia y pulicía como en carecer de vicios y pecados y muy aparejada y digna de ser traída al conocimiento de su dios y donde se pudieran hacer grandes ciudades y pueblos de españoles y que allí se hizo una cosa que nunca en las Yndias se había hecho que fue que doce o quince señores persuadidos por los frailes menores que entendían en su doctrina y que tenían /141 v./ muchos vasallos y tierras y que cada uno por sí juntados sus pueblos y tomando sus votos y consentimiento se sujetaron de su propia voluntad a los reyes de Castilla recibiendo al emperador como rey de Castilla por señor supremo y universal e hicieron ciertas señales como firmas y dice que él lo tiene en su poder con el testimonio de los frailes y refiere otras cosas que en aquel reino y en las demás provincias se hicieron donde se podrá ver.

Entre las provincias que se incluyen en la Nueva España pone fray Torivio a Guaxaca de quien ya se ha dicho su fertilidad y calidad y también pone a Guatimala, y Sanct Salvador, y Nicaragua, y Chiapam, pero porque estas provincias están muy distintas y apartadas de Mexico no se trata aquí de ellas y se deja para la tercera parte donde se hará relación de su conquista y de su fertilidad y población y el maestro Çervantes en sus *Dialogos* que andan con los de Luis Vives en el sexto y séptimo refiere algunas cosas notables de Mexico y de las demás provincias que se han dicho aunque en suma porque dice que no se podrían tratar las muchas y grandes cosas de aquella /142/ tierra sin se alargar demasiadamente y que se podrán ver más largo y mejor por la *Geographia de la Nueva España* de Juanote Duram gran cosmógrafo y que presto saldría a luz pero atajólo la muerte y oí decir al virrey don Luis de Velasco de buena memoria que él la tenía escrita de mano pero no sé que se haya impreso ni la he visto y para concluir con esta primera parte se dirá del ingenio y habilidad de los naturales de Mexico y de otras tierras sus comarcanas y de los oficios que sabían antes que los españoles entrasen en ellas y de los que después han deprendido de ellos.

CAPÍTULO VEINTITRÉS

En que se trata de la condición, ingenio, y habilidad, de los naturales de Mexico y su tierra y de otras partes a ella comarcanas y cómo en breve tiempo han deprendido a leer, y escribir, y cantar, y a tañer algunos instrumentos de música y del origen de ella.

Los naturales de las Yndias están injustamente infamados de faltos de razón y de caridad y cuando de esto hay en ellos alguna muestra es cuando el miedo les tiene escandalizados y a esta causa hay /142 v./ dificultad para creer lo bueno que de ellos oímos y no hay indio por bozal que sea que en viendo algún español no le dé cuanto tiene mostrando voluntad y deseo para le agradar y servir y tienen tan buena razón que saben muy bien decir lo que pretenden tan bien dicho y sin turbarse aunque sea ante el virrey y toda la Audiencia y aunque antes no les hayan visto como si toda su vida se hubieran criado en negocios y con gente muy avisada y dice el obispo de Chiapa al principio de aquella su *Rrelaçion* que todas aquellas universas e infinitas gentes creó Dios las más simples sin maldades ni dobleces obedientísimas, fidelísimas, a sus señores naturales y a los cristianos a quien sirven más humildes, más pacientes, más pacíficos, y quietos, sin rencillas, sin rencores, sin odios, sin desear venganzas que hay en el mundo / son asimismo las gentes más delicadas, flacas, y tiernas en complexión y que menos pueden sufrir trabajos y que más fácilmente mueren de cualquier enfermedad que ni hijos de príncipes y de señores criados en regalos no son más delicados que ellos aunque sean de los que entre ellos son de linaje de labradores son también gente paupérrima y que /143/ menos poseen ni quieren poseer de bienes temporales y por esto no son soberbios, ni ambiciosos, ni codiciosos, su comida es tal que la de los santos padres en el desierto no parece haber sido más estrecha ni menos deleitosa ni más pobres sus vestidos comúnmente son cubiertas sus vergüenzas y cuando mucho se cubren con una manta de algodón que será de dos varas en cuadra sus camas son encima de una estera o en unas redes o mantas de algodón colgadas que en la lengua de la isla Española llaman hamacas son asimismo de limpios y desocupados y vivos entendimientos muy capaces y dóciles para toda buena doctrina, aptísimos para recibir nuestra santa fe católica y para ser dotados de virtuosas costumbres y los que menos impedimentos tienen para esto de cuantos Dios creó en el mundo y son tan importunos desde que una vez comienzan a tener noticia de las cosas de la fe para saberlas y ejercitar los sacramentos de la Iglesia y el culto divino que han menester los religiosos para sufrirlos ser dotados por Dios de don muy señalado de paciencia y he oído decir a muchos segla-res españoles de muchos años acá y muchas veces no pudiendo /143 v./ negar la bondad que en ellos ven que estas gentes eran las más bienaventuradas del mundo si tuvieran conocimiento de Dios esto dice el obispo y fray Alonso Maldonado de la orden de San Francisco en una petición que dio en el Consejo Real sobre nego-cios de las Yndias y naturales de ellas / dice que todas aquellas naciones son más aptas para recibir la ley de Christo que todas las del mundo y estuvo algunos años en el Peru y en la Nueva España y en otras partes de Yndias entendiendo en la doctrina y conver-sión de los naturales de ellas donde entendió su condición y mane-ra de vivir y en la segunda y cuarta parte de esta Relaçion se dirá esto más largo.

Dice fray Torivio en el capítulo veinticinco de la tercera parte de aquel su *Libro* que el que enseña al hombre la ciencia dio grande ingenio aquellas gentes como parece por las ciencias, artes, y ofi-cios que les han enseñado porque con todo han salido en más bre-ve tiempo que otras gentes y que en los oficios que otros están en los deprender muchos años ellos en sólo mirarlos y verlos hacer han quedado muchos maestros de que se admiran los españoles y esto procede de tener el /144/ entendimiento vivo y muy recogido, y sosegado, y no orgulloso, ni inquieto, ni derramado como otras naciones y que deprendieron a leer brevemente en romance y en latín y en cualquier letra de mano y lo leen con mucha facilidad y asimismo deprendieron a escribir en breve tiempo porque en po-cos días que escriben contrahacen la materia que les dan y la letra de su maestro y si les mudan otra forma de la letra ellos también la hacen.

El segundo año al principio que les comenzaron a enseñar dice fray Torivio que dieron a un muchacho de Tlezcuco una bula y la sacó tan al natural que la letra que hizo parecía a la del molde y sacó la firma y un Jesus y una imagen de nuestra Señora tan al propio que ninguna diferencia había a la del molde y que por cosa notable se envió a España.

Letras grandes quebradas y griegas y de grandes maestros y a, b, c, de molde de letra grande como las pongan en cualquiera escuela luego hay muchos que las sacan tan contrahechas que no hay quien juzgue haber diferencia de lo uno a lo otro.

Pausan y puntan muy liberalmente así canto llano como canto de órgano y han hecho muy buenos libros de lo uno y /144 v./ de lo otro con sus letras grandes al principio y ellos los encuadernan y muy bien algunos que los han impuesto en luminar luego salen con ello y lo que es más y muy de notar es que han sacado imágenes de planchas de muy perfectas figuras tanto que los que las ven se admiran porque de la primera vez las hacen tan al natural como las de las planchas.

En el tercero año les pusieron en el canto y en ello hubo mucha contradicción diciendo que no saldrían con ello porque parecían desentonados y de flaca voz y es así que no la tienen tan recia ni tan suave como los españoles y la principal causa se cree ser por andar descalzos y con muy poca ropa y los pechos desabrigados y por ser las comidas pobres y flacas pero no por eso deja de haber buenas capillas de ellos porque hay muchos en que escoger.

El primero que les comenzó a enseñar el canto dice que fue un fraile flamenco que ninguna cosa sabía de su lengua y hablaba tan en seso con los muchachos sin ellos saber un vocablo de nuestra lengua como si hablara con españoles y que estaban muy atentos oyéndole y que aunque al principio ninguna cosa entendían ni había intérprete para se lo /145/ dar a entender fue cosa admirable en cuán poco tiempo lo entendieron y salieron con el canto llano y con el canto de órgano y había muchas capillas y muchos cantores de ellas que las regían y entonaban y como son de vivo ingenio y de gran memoria saben lo más de lo que cantan de coro tanto que si estando cantando vuelven dos y tres hojas o se les cae el libro no por eso dejan el canto sino que lo van diciendo de coro con su compás y tan bien cantan los que están al revés del libro o a los lados como los que están enfrente de él.

Algunos cantores de ellos dice que han compuesto en canto de órgano villancicos en cuatro voces que es señal de grande habilidad y lo hacen antes de los enseñar a componer y contrapunto y lo que más es que algunos han compuesto una misa entera por su habilidad e ingenio / y buenos músicos españoles dicen que ninguna cosa le falta aunque no es muy prima.

Hay muchos de once y doce años que saben leer y escribir y cantar canto llano y canto de órgano y apuntar algunos cantos y otros de menos edad ayudan /145 v./ a los sacerdotes que dicen misa y sirven al altar con gran diligencia y cuidado.

En lugar de órganos tienen música de flautas concertadas que parecen órganos de palo porque son muchas y que unos ministriles que fueron de Castilla aquella tierra se repartieron por los pueblos de indios a los enseñar y decían que lo que deprendían en dos meses no lo deprendieran españoles en dos años porque en tan poco tiempo cantaban muchas misas y magníficas y motetes y un indio cantor sin maestro tañía un poco flauta y cuando la vio tañer a los que la habían deprendido se juntó con ellos y en una semana tañía todo lo que los demás y decía el maestro que en dos años no había él deprendido tanto y que en algunos pueblos tienen en sus iglesias vihuelas de arco y su música concertada de ellas y hay indios que las tañen en los domingos y fiestas.

En Tlaxcallam dice que estaba un español que tañía rabel y un indio hizo que le hiciesen otro y rogó al español que se lo enseñase a tañer y en dos o tres lecciones deprendió todo lo que el español sabía y antes de diez días sin haberlo /146/ visto tañía con el rabel tiple entre las flautas y discantaba entre ellas o sobre ellas / asimismo tañen chirimías y sacabuches y los saben hacer y hay muchos que saben tañer órganos.

Para les comenzar a enseñar latín dice que hubo muchos pareceres y contradicciones y así se les enseñó al principio con mucho trabajo porque aunque los frailes sus maestros sabían su lengua no les podían dar bien a entender las reglas y términos de la gramática y los dos o tres años aprovechaban a esta causa poco y desconfiaban muchos pero después que plugó al Espíritu Santo que es el verdadero maestro de todas las artes y ciencias de darles entendimiento han aprovechado mucho y tanto que hay muchos de ellos muy buenos latinos que hacen oraciones y razonamientos muy elegantes autorizando y moralizando lo que dicen y componen versos hexámetros y pentámetros muy buenos y con facilidad.

Los estudiantes están recogidos como frailes novicios y frecuentan la oración y tienen cuenta con la pureza de sus conciencias porque tienen su colegio /146 v./ bien ordenado donde ellos solos se enseñan porque después que se vio que aprovechaban y que salían con la gramática y en lo demás que se les enseñase los pasaron de San Francisco de Mexico al Tlatelulco junto a Santiago que es otro monasterio y allí les hicieron otro colegio que llaman Santa Cruz y hay frailes que los enseñan y tienen cuenta con los doctrinar y enseñarles buenas costumbres y hay otros maestros de ellos mismos y uno de ellos fue don Pablo Nazareo cacique de Xaltocam de quien ya se ha hecho mención y trabajó en enseñar los indios gramática muchos años porque era muy buen latino y retórico y filósofo y muy buen poeta y muy virtuoso y buen cristiano y el maestro Çervantes en el diálogo sexto que intituló *Mexicus exterior* alaba mucho al otro indio preceptor que hubo en este colegio llamado Antonio Valeriano y dice que era muy buen latino y muy elocuente y muy instruido en la doctrina cristiana.

Pues se ha dicho con cuánta facilidad los indios han deprendido a cantar /147/ y a tañer algunos instrumentos de música será bien decir algo de su origen pues como se ha dicho la variedad en todas las cosas es muy agradable especialmente aquellos que no leen lo que otros con trabajo y estudio han escrito si no hallan en ello alguna cosa que les deleite y con que puedan tomar placer y tanto mayor lo toman cuanto mayor zumbido de vanidad hay en lo que leen.

Viniendo pues a nuestro propósito dicen que Democrito gran filósofo habiendo oído muchas veces cantar un ruiseñor decía que los cisnes y los ruiseñores habían enseñado la música a los hombres y que todos los pasos más delicados de ella eran hurtados de los pájaros y ciertamente no hay hombre de tan rudo y torpe ingenio que no se arrebate con demasiada alegría oyendo la melodía y extraño canto de muchas y diversas aves y especialmente del ruiseñor porque quién habrá que no se maraville oyendo una voz tan suave y tan recia salir de un cuerpo tan pequeño y por un agujero tan estrecho y lo que más es de admirar ver que a las veces está tan embebecido en su canto que parece que antes se le acabara la vida que la voz de manera /147 v./ que muchas veces parece que le han enseñado a cantar canto de órgano algunos grandes músicos porque a veces canta por lo bajo y otras veces alza un alto muy recio y suave y cuando está harto de gorjear y cansado de cantar contrahace su misma voz con tanto artificio y armonía que parece otro pájaro y luego de repente comienza a hacer de garganta tan suaves pasos de música que él mismo se queda traspuesto con el gran gozo y suavidad que siente y hace arrebatar y salir de sí a los que lo oyen que parece que los hechiza y encanta con su arpada lengua haciéndoles estar quedos oyendo / y unas veces hace que otras aves le contrahagan y remeden y hurten los pasos de música con unos tonos largos y sin respirar y otros aspirados y breves cortando y torciendo los puntos enteros y contrapunteando y haciendo mínimas y corcheas y a veces hace temblar la voz y la muda de tantas y diversas maneras que es imposible remedarla con artificio humano como todo esto y mucho más pueden considerar y notar los que lo oyeren y hubieren oído a esta grande música y muy pequeña ave.

/148/ En el capítulo cuarto del Genesis se dice que Jubal hijo de Lamech descendiente de Caym fue padre de los que cantaban en el arpa y en el órgano por manera que la música del canto y de estos dos instrumentos de ella es antiquísima y contra lo que Plinio dice en el libro séptimo de la *Natural historia* que el primer inventor de la música fue Orpheo, y Amphion del arpa y que Antipater fue inventor de las siete cuerdas, y que Symonides añadió la octava, y que Thymeo y Tamiras usaban del arpa sin cantar a ella y que Amphion usaba de ella y del canto y lo mismo Lyno / y Horaçio en *Arte poetica* y Solino dicen otras particularidades del arpa y música de Orpheo como ya se ha dicho.

Pythagoras y sus secuaces dicen que el mundo está compuesto por la razón cuenta y armonía de la música y lo mismo dice Aristotiles de los cielos en el libro tercero *De çelo* y en el capítulo 131 del libro 20 *De propietatibus rrerum* y Macrobio en el segundo sobre el sueño de Çipion refiere esto y otras particularidades de la música y Marçiano en el libro *De musica* y Marsilio /148 v./ Ficino en el capítulo veintiuno del libro tercero *De vita*.

Fue tan grande la autoridad de Pythagoras que dice Tullio en el libro primero *De natura Deorum* que sus discípulos y secuaces para probar en sus disputas cualquier cosa no decían más que él lo dijo queriendo decir que Pythagoras lo había dicho.

Aristotiles en aquel capítulo 131 dice que con la música se deleitan las bestias y las serpientes, y los peces y lo mismo dice en sus *Problemas* y Mercurio en el capítulo o diálogo quinto *De voluntate divina* dice que la música fue enviada al mundo por la divina Majestad y que con ella se alaba y honra Dios y allí Marçilio Fiçino dice que los profetas llenos de espíritu divino alaban a Dios con instrumentos de música y es de tal calidad según lo dice Tullio en el libro segundo *De legibus* que al que está con alegría se le acrecienta y al triste la tristeza donde refiere otros efectos de la música y en el capítulo cuarenta del Ecclesiastico se dice que alegra el corazón y sólo el demonio la aborrece como se ve claro por lo que se refiere en el capítulo dieciséis del libro primero /149/ de los Reyes donde dice que David tocando su arpa alanzaba el espíritu malo que tomaba a Saul rey de Ysrrael y el delfín es muy amigo de música como lo dice Plinio en el capítulo octavo del libro 9 donde refiere cosas maravillosas de los delfines y lo mismo Solino en el capítulo veintiuno de su *Polinestor* y Aulo Gelio en el capítulo octavo libro séptimo y en otra parte se dirá algo más de su calidad y cuán amigos son de los hombres y cómo los llaman por su nombre que es Symom y acuden en llamándoles.

Aristotiles en la partícula octava y novena de sus *Problemas* dice que los eunucos y los que no tienen aptitud para el acto venéreo como son los muchachos y los viejos decrépitos tienen la voz aguda y delicada y Alexandro Aphrodiseo dice que los que naturalmente son cálidos tienen la voz sonorosa porque el calor atrae el espíritu y lo hace más recio y fuerte y Macrobio dice que los eunucos tienen la voz tan aguda y delgada que quien los oye si no los ve juzgara ser voz de mujer y Quintiliano en el libro once y los demás que se han referido tratan largamente la diferencia de las voces y por qué y cómo se causan.

/149 v./ De los antiguos fue estimada en mucho la música especialmente de los antiquísimos griegos / y grandes filósofos y príncipes se preciaban de ser músicos y de aquí es lo que dice Tullio en el primero de las *Tosculanas* que Themistocles fue tenido por indocto porque siendo rogado en unas fiestas que tocase o tañese una vihuela dijo que no lo sabía hacer y que Epaminundas que fue un valeroso capitán tebano era gran músico y que florecieron en Greçia los músicos y se daban todos a serlo porque el que no lo era no era tenido por sabio.

Los poetas dicen en sus fábulas que Diana fue gran música de flauta y que estando una vez junto a una fuente tañéndola vio en el agua los gestos y meneos que hacía con el rostro y que arrojó lejos la flauta y no quiso más tañerla porque le pareció que con ello se afeaba y lo mismo hizo Alçibiades como lo refiere Aulo Gelio en el capítulo diecisiete del libro 15 y porque como dice Tullio en la *Oraçion por Milon* no sin causa los antiguos y doctos hombres inventaron las fábulas saquemos de la moralidad de esta fábula doctrina y provecho y es que lo mismo que Diana y Alçibiades hicieron debe hacer todo /150/ cristiano y arrojar de sí los vicios y deleites porque le afean el ánima y maculan su conciencia, y oscurecen su honra y no tornar más a ellos y de esta manera tendrá quietud en su espíritu porque el que está envuelto en vicios y deleites no tiene perfecto contento ni vive con sosiego porque tantos señores tiene cuantos son los vicios que lo perturban como señores tiranos como se dirá más largo en otra parte.

Entre los indios ninguno hay que tenga buena voz y todos la tienen gruesa y ronca y lo debe causar andar como andan casi desnudos porque no traen más que la camisa y zaragüelles de lienzo y una manta de algodón y unos alpargates y la cabeza al aire y duermen en muy malas camas con poca ropa y en malos aposentos desabrigados y casi al sereno y de ninguna cosa se guardan de frío, ni calor, ni aire, ni agua, ni nieve, y comen muy ruines viandas y casi de ordinario comen pescado y frutas y todas las que tienen son muy frías y acostumbran lavarse a menudo en agua fría y en caliente en unos ruines baños y mojado todo /150 v./ el cuerpo se salen al aire y al sol que todo es muy contrario para la voz y aun para la salud.

CAPÍTULO VEINTICUATRO

De los oficios mecánicos que los naturales de la Nueva España sabían antes que los españoles entrasen en ella y de los que de ellos han deprendido en que se muestra su grande habilidad como lo refiere fray Torivio Motolinea en el capítulo veintiséis de la tercera parte de aquel su *Libro*.

En los oficios mecánicos que los indios de la Nueva España sabían antes que los españoles entrasen en ella y en los que de ellos han deprendido se han perfeccionado y han salido grandes pintores después que vieron las imágenes de Flandes y de Ytalia y no hay retablo ni imagen por muy prima que sea que no la saquen y contrahagan en especial los pintores de Mexico porque allí va a parar todo lo bueno que se lleva de Castilla y de antes no solían pintar más que una flor y un pájaro y una labor como romano y si pintaban un hombre o un caballo hacíanlo tan feo que parecía monstruo ahora /151/ hacen tan buenas imágenes como en Flandes así de pincel como de pluma de muy finos colores y asientan el oro como muy primos maestros y lo saben batir y un batihoja o batidor de oro que fue de España aunque quiso esconder el oficio y decía que era menester estar un hombre por aprendiz seis o siete años para saberlo empero los indios no tardaron tanto sino miraron todas las particularidades del oficio y contaron los golpes que daba con el martillo y dónde hería y cómo volvía y revolvía el molde y antes que pasase el año sacaron oro batido y tomaron un libro del maestro sin que él lo viese y aprovecháronse de él y después se lo volvieron también hacen guadamecíes porque los hacía este maestro y por mucho que se escondió de los indios para que no supiesen dar color de dorado y plateado los indios miraron los materiales que echaba y de cada uno tomaron un poco y se informaron dónde lo vendían y habidos los materiales hicieron y hacen guadamecíes sin que el maestro se lo mostrase.

/151 v./ Asimismo sacan muy buenas campanas que fue uno de los primeros oficios que deprendieron y las sacan muy perfectas en la medida y gordor que cada campana requiere y en las asas y en el medio y en el borde y en la mezcla del metal según que el oficio lo demanda y las hacen chicas y grandes y salen muy limpias y de buena voz y sonido.

A los plateros de aquella tierra les faltan instrumentos o herramientas para labrar de martillo pero con una piedra sobre otra hacen una taza llana y un plato y en fundir una pieza o una joya de vaciado hacen ventaja a los plateros de España porque funden un pájaro que se le anda la lengua y la cabeza y las alas y vacían un mono u otro monstruo que se le ande la cabeza y la lengua y los pies y manos y en las manos le ponen unos trebejuelos que parece que baila con ellos y lo que más es que sacan una pieza la mitad de oro y la mitad de plata, y vacían un pez que las escamas son la mitad de oro y la mitad de plata y una escama de oro y otra de plata de que mucho se admiran los plateros españoles.

/152/ Hacen fuelles aunque el maestro primero que los hacía en aquella tierra se escondía para hacerlos secretamente recatándose de los indios pero por mucho que se esconda el maestro de cualquier oficio lo sacan los indios y salen con ello muy bien.

Saben hacer todo lo que se labra de cuero y curtirlo comenzóse este oficio en Michiuacam y allí se curten bien los cueros de venado y hacen los indios todo lo que es menester para una silla de la jineta y porque no acertaban a hacer bien el fuste y un sillero tuviese uno a la puerta un indio esperó que se entrase a comer y tomó el fuste y llevólo para sacar otro por él y sacado otro día a la misma hora que el sillero comía tornó a poner el fuste en su lugar y desde a seis o siete días andaba el indio vendiendo fustes por las calles y como los indios sepan los oficios bajan los precios.

Había en aquella tierra canteros o pedreros buenos maestros y aunque no sabían geometría hacían una casa de cantería como son las salas de los señores y principales y muy grandes y buenas y las /152 v./ de los demás son en extremo paupérrimas labraban muchos edificios de cal y piedra y después que los canteros de España fueron labran los indios cuantas cosas les han visto labrar así arcos redondos escarzanos y terciados como portadas y ventanas de mucha obra y romanos y bestiones y todo lo que han visto hacen y muy buenas iglesias y casas para españoles.

El año de quinientos veinticinco se hizo la iglesia de San Francisco de Mexico y la capilla que es de bóveda la hizo un cantero español y los indios se admiraron mucho de ello y no podían creer sino que todo había de venir abajo al quitar de las cimbras y al quitar de los andamios no osaban andar debajo después acá ellos han hecho muchos templos y capillas y casas de bóvedas.

Tejen en telares de Castilla sayal, y mantas, frazadas, paños, y reposteros y muchos paños de muchas maneras y refinos y en todo entienden y ayudan y en pocos días salen maestros y hay tintes para todo ello.

Un indio principal señor de un pueblo /153/ llamado Aquahuquecholam tenía ovejas y deseaba tejer lana en telares de Castilla que fue luego como se comenzaron a usar para hacer sayal para vestir los frailes que tenía en su pueblo y mandó a dos indios que fuesen a Mexico a una casa donde había telares y buscasen si pudiesen hallar algún indio que supiese tejer para asentar telares en su pueblo y que enseñase a otros y si no que ellos procurasen deprenderlo y como no hallasen quien quisiese ir con ellos a su pueblo ni quien a ellos se lo enseñase entraron en una casa para trabajar como los demás y miraron cuanto es menester desde que la lana se labra hasta que sale tejida y cuando los otros indios maestros iban a comer y en las fiestas tomaban la medida de todos los instrumentos y herramientas así de peines, tornos, urdideros, y del telar como de todo lo demás que es menester hasta sacar el paño y en menos de treinta días llevaron los oficios en el entendimiento y vueltos a su pueblo asentaron el telar e hicieron lo demás que era menester y tejieron su sayal.

/153 v./ Hay también indios herreros, cerrajeros, freneros, cuchilleros y que saben guarnecer una espada y limpiarla y saben fundir plata y hacen una cendrada tan bien como cualquier maestro de Castilla hacen muy buenos puños de espada de vaciadizo así de oro como de plata y cuentas y joyas y saben el oficio de torneros, y de sastres, calceteros y de calzas de aguja y jubeteros, guanteros, y son buenos bordadores, carpinteros, y entalladores, y ellos lo eran de antes aunque no tenían más de una hacha que es algo más larga que el hierro de una azuela y la enastan o encajan entre dos palos atados y por una parte es cuadrada y sirve de hacha y dada media vuelta sirve de azuela tenía escoplos / y en lugar de barrenas o taladros usaban de unos punzones cuadrados y fundían todas estas herramientas de cobre mezclando algún estaño porque aunque hay más hierro y mejor que en Vizcaya no se han hecho herrerías y después que han ido herramientas de España labran los indios todo cuanto hacen los carpinteros /154/ españoles y hacen muy buenas sillas de cadera.

También labran vihuelas y guitarras bandurrias y arpas y en ellas muchas labores y bien entonadas de todas voces según se requiere para oficiar y cantar con ellas canto de órgano y han hecho chirimías y han fundido sacabuches.

En cualquiera parte hallan con qué cortar, con qué atar, con qué coser, y con qué sacar lumbre y la sacan de un palo con otro a falta de instrumento de metal cortan una piedra o con los dientes o con las manos cosen con una pluma o con una paja o con una punta de maguey, hacen cordel grueso o delgado de muchas raíces y yerbas o del maguey que lo hay casi en toda la tierra si la noche les toma en el camino hacen sus ranchos o chozas de madera y de paja y de rama en especial cuando van con españoles o con sus señores naturales.

Casi todos los muchachos saben los nombres de todas las aves, animales, árboles, y yerbas, y cuando el campo está verde que es casi todo el año conocen /154 v./ muchos géneros de yerbas y sus propiedades y raíces para comer y para medicinas todos saben labrar una piedra y un madero y hacer una casa simple, torcer un cordel y una soga y los otros oficios que no demandan mucho arte o sutiles instrumentos.

A los principios que los españoles comenzaron el vidriar loza se escondían y encerraban en casas por que los indios no les hurtasen el oficio y algunos de ellos tuvieron manera como subir a lo alto de la casa o terrado secretamente e hicieron un agujero por donde vieron cómo se hacía y en viéndolo lo deprendieron y salieron por las calles y plazas vendiendo vidriado y esto no contradice a lo que se ha referido que dice Hernando Cortes que vendían en los mercados muchas vasijas vidriadas porque no debían de ser de tan buen vidrio como el que deprendieron de los españoles.

CAPÍTULO VEINTICINCO

En que se trata del año y de los meses y semanas que tenían los indios de la Nueva España.

/155/ Porque algunos han escrito libros y tratados de las Yndias en que parece que su principal intento fue decir mal de los naturales de ellas y atribuirles en general vicios y pecados abominables procurando abatirlos y hacerlos tan sin entendimiento y tan faltos de razón que casi les quitan todo el ser que tienen de hombres por cuya redención Cristo Señor y redentor de todo el género humano padeció crueles martirios no mirando que ya que en aquellas partes hay algunas gentes bárbaras que también las hay en nuestra España en las aldeas y montañas y en las Esturias y en otras partes y aun es las ciudades y pueblos de mucha pulicía y lo mismo en otras naciones y aunque por lo dicho en esta Relaçion se podrá entender ser lo mismo en las Yndias en especial en la Nueva España de quien es lo que aquí se trata para que más claro conste del ingenio y habilidad de aquella gente se pondrá la manera que tenían en la cuenta de los tiempos y de su año y de sus /155 v./ meses semanas y días y para ello tenían unas ruedas por donde muy sutil y delicadamente se regían y contaban sus días y semanas meses y años y parece que tenían todas las maneras de contar los tiempos que tuvieron todas las naciones aunque faltaron en el bisiesto pero también faltaron en él Aristotiles y su maestro Platon y otros muchos sabios que no lo alcanzaron este calendario es antiquísimo y si los nombres de los días semanas y años y sus figuras son de animales y de otras criaturas no es de maravillar pues también los nuestros son de nombres de planetas y de dioses que los gentiles adoraban y no sería justo dejar de referir una cosa de tanto primor y tan verdadera pues sabemos que todo bien y verdad quienquiera que la diga es del Espíritu Santo / los indios que bien entendían los secretos de aquellas ruedas y calendarios no lo enseñaban ni descubrían sino a muy pocos porque por ello se sustentaban y eran /156/ estimados y tenidos por sabios aunque casi todos los adultos

299

sabían y tenían noticia del año así del número como de la casa en que andaba / del mes muchos lo sabían empero pocos sabían los nombres de los días y semanas y otros muchos secretos y cuentas que tenían si no era los maestros que había de ello y tengo en mi poder estas ruedas con todas las demás figuras que tenían para esta cuenta y son muy de ver pero dificultosas de entender y a esta causa no se ponen aquí y porque no se podrán sacar tan bien como conviene para su inteligencia.

Viniendo pues a referir lo del año y lo demás que a ello toca dice fray Torivio en el capítulo dieciséis de la primera parte que diversas naciones tuvieron diversos modos en repartir el tiempo y comenzar el año y que así fue en la tierra de Anauac muy de otra manera que las de Assia Europa y de Africa pero que aunque en aquella tierra hay muchas lenguas y generaciones todas eran conformes /156 v./ según lo que se ha entendido y alcanzado en el contar y principiar y repartir el tiempo y el año y los meses / el año que tenían era de trescientos sesenta y cinco días y en él dieciocho meses y cinco días y cada mes era de veinte días y el día primero de cada mes era solemne y muy festival entre ellos y aunque fray Torivio pone los nombres de los meses no se refieren por lo que ya otras veces se ha dicho y aunque en algunas partes diferían en los nombres de los meses todos conformaban en el número de ellos y de sus días y de los del año.

La semana era de trece días y los nombres de los días eran veinte en que se cumplía el mes y pasaban adelante contando otra semana hasta cumplir otro mes y se iban variando todos los días por todas las semanas y meses y para esta cuenta de los días meses y años y fiestas principales había maestros y estaba el calendario de todos los días del año lleno de los nombres de sus ídolos y como miraban aquellos maestros en aquel /157/ calendario para poner los nombres a los niños que nacían estaban llenos de supersticiones.

Los años los contaban de cuatro en cuatro hasta trece que casi quiere parecer a las olimpiadas e indiciones por donde contaban los gentiles y en llegando a trece comenzaban otra vez la cuenta hasta llegar a otros trece y daban cuatro vueltas de a trece años y de estas cuatro vueltas hacían una hebdómada de cincuenta y dos años y en este tiempo daban a cada casa trece vueltas en una hebdómada y cuando acababan la hebdómada y años decían los maestros al pueblo que estaba ayuntado en el patio del templo ya se acaban los años como lo dice fray Torivio en el fin de aquel su *Libro* a fojas 292 columna 1 y hacían muchas ceremonias que no hay para qué referirlas ni los nombres de los días ni la manera que tenían para poner nombres a los niños porque todo era supersticiones malas del demonio y según dice fray Torivio tenían los naturales de Anauac todas las maneras de contar los tiempos que tuvieron /157 v./ todas las naciones del mundo y Alexandro ab Alexandro en el capítulo 4 libro 3 *Genialium dierum* refiere muchas y diferentes maneras que tuvieron los antiguos en el número de los días que tenía el año.

En una provincia de la Nueva España dicen que cuando había eclipse del sol o de la luna tenían muy gran temor y daban grandes gritos y tomaban sus arcos y flechas y tiraban muchas hacia el sol y hacia la luna y no fue este desatino de sólo los indios porque Aulo Gelio en el capítulo XI libro 16 refiere a Herodoto que dice en el libro 4 que en Africa hubo una gente que se llamaron psyllos que faltándoles el agua tuvieron por cierto que el viento austro la había secado en un tiempo que ventó muy recio y muchos días y que lo tuvieron por grande injuria y que determinaron de salir a pelear con él a manera de guerra con sus armas como si salieran contra algún enemigo y que el viento austro ventó tan recio que levantó tan gran cantidad y multitud de arena que /158/ los cubrió a todos con sus armas y que allí feneció aquella gente lo mismo dice M. Antonio Sabelico en el capítulo 9 libro 4 y fray Geronimo Rroman en el capítulo 13 del primero libro de la *Rrepublica gentilica* dice que los obraces y los getas cuando tronaba y relampagueaba tomaban sus arcos y flechas y tiraban hacia el cielo y Plinio en el capítulo 8 libro 5 y Solino en el capítulo 43 dicen que los atlantes son diferentes de toda costumbre humana y que ningún vocablo propio tienen ni nombre particular y que al salir del sol lo reciben con maldiciones y también cuando se pone y que abrasados del sol en aquella región ardientísima le tienen grande aborrecimiento y Estoveo dice lo mismo de los afarantes libyes en el sermón 42.

Cuando entraron los españoles en aquella tierra se querían juntar los maestros del competo [*sic*] o filósofos para enmendar la falta del bisiesto que no habían alcanzado como no lo alcanzaron los maestros /158 v./ de las otras naciones hasta Jullio Çesar y todo lo que se ha dicho con otras cosas que se referirán son muestras y señales de la habilidad de los naturales de aquella tierra aunque hay entre ellos de más y menor habilidad como entre las otras gentes y los de Culhua son de más habilidad y calidad que los otomíes y mixtecas y que otras naciones de aquella tierra.

Las indias dice fray Torivio en el capítulo treinta y siete de aquella primera parte que son como las hebreas de quien dijeron al rey Pharaon las parteras que sabían parir por sí y así lo saben y si es primeriza va una parienta o vecina a le ayudar y si paren dos hijos de un vientre la madre los cría ambos aunque no tienen regalos ni comidas de paridas y en esto parece que siguen el consejo de Phauorino excelente filósofo que por muy buenas razones reprueba la costumbre que algunas mujeres tienen en dar a criar sus hijos a otras como lo refiere Aulo Gelio en el capítulo primero del libro doce y es muy mala costumbre como /159/ se dice en el *Decreto* por autoridad de San Agustin en el capítulo AD EJUS VERO DISTINTIONE quinta y el primer beneficio que las indias hacen a sus hijos es lavarlos con agua fría y con esto y con se criar desde su niñez desnudos y durmiendo en el suelo y con poca comida y ruines manjares porque casi todos se sustentan con yerbas y frutas y algunos con pescado seco al sol donde lo alcanzan y otros con carnes medio crudas / viven sanos y bien dispuestos, recios, fuertes, alegres, hábiles, ligeros, para cuanto quieren hacer y muy prestos para todo y sin lo rehusar ni se quejar como adelante constará más claro de lo que se dijere y aman en tan gran manera a sus hijos que entre tanto que les dan el pecho no consienten que sus maridos tengan acceso con ellas como adelante se dirá más largo y por lo que se ha dicho y se dijere se entenderá si son tan bárbaros y de tan poca habilidad y de tan poca razón y caridad ellos y ellas como algunos los hacen.

CAPÍTULO VEINTISÉIS

En que se trata del juego de la pelota y de qué disposición era el lugar donde la jugaban y de qué hacían las pelotas y qué maneras de juegos tenían según lo refiere fray Torivio en el capítulo veintisiete de la cuarta parte de aquel su *Libro*.

/159 v./ Dos maneras de juegos tenían los naturales de Anauac llamada Nueva España al uno llamaban PATOLIZTLI y se jugaba como el juego de las tablas encima de una estera y en lugar de dados lanzaban unas habillas o frijoles rayados y según el número que salía así iban mudando pedrezuelas por unas casas que estaban rayadas y señaladas en la estera que como se ha dicho es el mismo juego de las tablas.

Al otro juego llaman ULLAMALIZTL que en nuestro castellano se dice juego de pelota de viento / en la plaza donde se hacía el mercado tenían este juego y por los barrios había otros aunque menores que el que se jugaba en los mercados al lugar donde se jugaba le llamaban TLACHTLI, y TLACHCO, los españoles /160/ le llaman BATEY que es el nombre de las islas para este juego principal hacían una calle de dos paredes gruesas y como iban subiendo iban saliendo para fuera y ensanchando el juego por lo alto unos tenían veinte brazas de largo y otros menos según era el pueblo y en algunas partes hacían aquellas paredes almenadas y muy curiosas de ancho tenía cuatro brazas / las paredes de los lados eran bien altas y las de las frentes bajas tenían sus escaleras para subir encima de ellas y de todas partes había mucha gente mirando el juego y todo estaba encalado y muy blanco y se hacían en acabando de formar las paredes para este juego ciertas ceremonias y hechicerías.

En medio del juego en medio de cada pared había unas piedras como ruedas de molino con un pezón que entraba dentro de la pared en que se sustentaban más de un estado en alto y en el medio tenía un agujero por donde con dificultad podía caber la pelota y era del tamaño de las pelotas de viento de España y saltaban más

303

alto que ellas aunque son más pesadas y las hacían de la goma que sale de un árbol que se cría en tierra caliente /160 v./ y punzándole salen unas gotas blancas y luego se cuaja y después se torna negro en los principales juegos jugaban los señores y principales y los grandes jugadores y jugaban dos a dos y tres a tres y a las veces dos a tres y se desnudaban quedando cubiertas sus vergüenzas con unos MASTELES muy labrados que son tan largos como tocas de camino si la pelota daba en cualquiera parte del cuerpo fuera del cuadril era falta y de unos pueblos a otros iban a ver jugar y los señores traían consigo grandes jugadores y el precio era mantas muy ricas y joyas de oro y en el juego ponían muy gran diligencia y los que ganaban motejaban a los otros diciéndoles decid a vuestras mujeres que se den prisa a hilar que menester habéis mantas o id a comprarlas a tal feria o mercado y con esto y otras palabras de burla que decían hacían reír a los que miraban el juego no hacían chanzas sino que no recibían la pelota cuando no venía buena y los que la echaban por cima de la pared de frente o a topar en ella ganaba una raya y si daba con ella en el cuerpo de su contrario fuera del cuadril se ganaba otra raya y a tantas rayas /161/ se perdía o ganaba el juego y algunos atravesaban y se atenían a una parte y otros a otra y entre tanto que andaban jugando decían entre sí o a voces ciertas palabras de hechicerías y al que le acudía bien la pelota decían que había nacido en buen signo y cuando alguno acertaba a meterla por alguno de los agujeros que era pocas veces porque la había de meter hiriéndole con el cuadril todos lo tenían por cosa de gran maravilla porque tomándola con la mano y llegándose muy cerca no la embocarían de muchas veces una y toda la gente que se hallaba presente decía que el que embocaba la pelota por el agujero había de ser ladrón o adúltero o había de morir presto y todos los que estaban a la parte de la rueda por donde embocó la pelota le habían de dar las mantas y él hacía ciertos sacrificios y ceremonias delante la piedra que todas eran cosas de gran ceguedad con que el demonio los tenía engañados.

CAPÍTULO VEINTISIETE

En que se refiere la manera que los naturales de Anauac tenían en los bailes y danzas y de la gran destreza y conformidad que todos guardaban en el baile y en el canto y de los bailes y cantares que hacían en sus /161 v./ vencimientos y regocijos según lo refiere fray Torivio en el capítulo 28 y 29 de la cuarta parte de su *Libro*.

Una de las cosas principales que en toda aquella tierra había era los cantos y bailes así para solemnizar las fiestas de sus ídolos como para sus regocijos y a esta causa al baile le pusieron dos nombres como adelante se dirá y por ser cosa con que se tenía mucha cuenta en cada pueblo y cada señor en su casa tenía capilla de cantores que componían los cantares y danzas y para esto los buscaban que fuesen de buen ingenio para componer coplas a su modo del metro que ellos tenían y los señores muchos días en sus casas les hacían cantar en voz baja y ordinariamente cantaban y bailaban en las fiestas principales que eran de veinte en veinte días los bailes más principales eran en las plazas y otras veces en el patio de la casa del señor que en todas los había grandes y también en casa de los principales.

Cuando habían habido alguna victoria en guerra o levantaban nuevo señor o se casaba con señora principal los maestros componían nuevo cantar demás de los generales que tenían para las fiestas /162/ de sus ídolos y de las hazañas antiguas y de los señores pasados en los grandes pueblos había muchos cantores y si había cantos o danzas nuevas ayuntábanse otros con ellos porque no hubiese defecto y los maestros algunos días antes de la fiesta ordenaban los cantares y el día que habían de bailar ponían por la mañana una grande estera en medio de la plaza donde se ponían los atabales y todos se ataviaban en casa de los señores donde se ayuntaban para ello y de allí salían cantando y bailando y comenzaban por la mañana y otras veces algo más tarde y a la noche tornaban cantando a la casa del señor y allí daban fin al canto y algunas veces duraba hasta media noche y todavía se usan estos bailes y atabales que para ello tienen.

Para estos bailes tienen dos atabales el uno redondo de cinco palmos y más en alto más grueso que un hombre de muy buena madera hueco de dentro y muy bien labrado por de fuera en la boca le ponen un cuero de venado curtido y bien estirado y le tañen por sus puntos y tonos que suben y bajan concertando y entonando el atabal con los cantares el otro es de tal arte que no se puede dar /162 v./ bien a entender éste servía de contrabajo y ambos suenan bien y se oyen lejos llegados al sitio los que han de bailar comienzan a tañer los atabales y dos cantores de los mejores comienzan los cantos el atabal grande se tañe con las manos y el otro con unos palotes como los atabales de España / el señor con los otros principales y viejos andan delante los atabales bailando y toman alrededor de ellos tres o cuatro brazas y tras ellos otra multitud de gente que va ensanchando y ocupando todo el corro / los que andan en ello en los grandes pueblos son más de mil y a las veces más de dos mil en que andan hombres viejos y mozos y muchachos de todos ellos a la redonda anda una procesión de dos en dos órdenes los delanteros son dos hombres sueltos muy buenos danzantes que van guiando la danza y en estas ruedas en ciertas vueltas y contenencias que hacen a las veces miran al que está de frente y otras veces al que va detrás junto a él / antes de las guerras cuando celebraban sus fiestas en los grandes pueblos se ayuntaban a bailar tres y cuatro mil personas y más después de la conquista se ha ido disminuyendo.

/163/ Queriendo comenzar a bailar tres o cuatro indios levantaban unos silbos muy recios y vivos y luego tocan los atabales en tono bajo y poco a poco van sonando más alto en oyendo la gente los atabales se ayuntan y comienzan a bailar / los primeros cantos van en tono bajo y despacio / el primer canto es conforme a la fiesta y siempre lo comienzan aquellos dos maestros y luego los prosiguen todos los demás juntamente con el baile y traen los pies tan concertados como muy diestros danzantes de España y lo que más es que todo el cuerpo y la cabeza y los brazos y manos lo traen tan concertado y tan medido y bien ordenado que no discrepa ni sale uno de otro y lo que uno hace con el pie derecho y con el izquierdo lo hacen los demás a un mismo tiempo y compás y cuando uno baja el brazo izquierdo y levanta el derecho lo mismo y al mismo tiempo hacen los demás de manera que los atabales y el canto y los que bailan todos llevan su compás muy concertado sin discrepar uno de otro y muchos españoles buenos danzantes se admiran de verlo y tienen en mucho aquellas danzas y el concierto que en ellas tienen.

/163 v./ Los que andan más apartados en aquella rueda de fuera se puede decir que llevan el compasillo y hacen de un compás dos y va más vivo y meten más obra en la danza y todos son conformes unos a otros los que andan en medio del corro hacen su compás entero y los movimientos así de los pies como del cuerpo van con más gravedad y levantan y bajan los brazos con más gracia / cada verso o copla repiten tres o cuatro veces y van procediendo diciendo sus cantos bien entonados que ni en el canto ni en los atabales ni en el baile sale uno de otro / acabado un canto tan mala vez que el atabal mude el tono todos cesan de cantar y hechos ciertos compases de intervalo en el canto aunque no en el baile los maestros comienzan otro cantar más alto y el compás más vivo y así van subiendo los cantos y mudando los tonos y sonadas como quien de una danza muda en otra / andan bailando algunos muchachos y niños hijos de principales de siete y ocho años con sus padres que agracian mucho el canto y a tiempo tañen sus trompetas y unas flautillas y otros dan silbos con unos huesezuelos que suenan mucho otros /164/ andan disfrazados en traje y en voz contrahaciendo a otras naciones mudando el lenguaje éstos son truhanes y andan sobresalientes haciendo visajes y diciendo algunas cosas con que hacen reír a los que los oyen y a tiempos les traen su bebida y se apartan a descansar y a comer y vueltos aquéllos salen otros y a tiempos les traen sus guirnaldas y rosas que les ponen sobre la cabeza para estos bailes tienen sus mantas ricas y plumajes muy hermosos que llevan en las manos y sacan muchas divisas y señales en que se conocen los que han sido valientes en la guerra.

Desde horas de vísperas hasta la noche se van avivando los cantos y los bailes y alzando los tonos y la sonada es más graciosa porque tienen un canto alegre y también los atabales van subiendo el tono y como la gente es mucha se oye lejos y más de noche.

A estos bailes llaman los españoles ARAYTOS que es vocablo de las islas y el baile que en ellas se usaba y el canto era muy tosco y les hacen muy gran ventaja los de la Nueva España porque como está dicho bailan con mucho primor y gracia.

/164 v./ En la lengua de Anauac la danza o baile tiene dos nombres el uno es MOÇAUALIZTLI y el otro NETOTILIZTLI este postrero quiere propiamente decir baile de regocijo con que toman placer y cuando danzan dicen NOTOTILO que quiere decir bailan o danzan el segundo y principal nombre es MAÇEUALIZTLI que propiamente quiere decir merecimiento porque MAÇEHUALO quiere decir merecer y tenían este baile por obra meritoria de este verbo viene su compuesto TLAMAÇEUALO por hacer penitencia y estos bailes eran hechos en las fiestas principales y en las particulares de sus ídolos en las plazas alabándolos con sus cantares y por el gran trabajo que pasaban con los meneos que hacían con el cuerpo y con la cabeza y con los brazos y los pies le llamaban MAÇEUALIZTLI que es penitencia y merecimiento o confesión porque en su corazón llamaban a sus dioses y les ofrecían aquellos bailes y meneos que hacían y por esto le llamaban confesión de merecimiento y si tuvieran fe y conocimiento del verdadero Dios no erraban en la significación ni en el nombre porque en la Sagrada Scriptura hallamos que a Dios lo alababan /165/ con cantos y danzas y lo confesaban por Dios y Señor de todo lo criado.

Maria profetisa hermana de Aaron con las otras mujeres hebreas tomaron el adufe o pandero y salieron en danza bailando bendiciendo y alabando a Dios por el vencimiento y libertad del yugo y servidumbre de Egipto y peleando Dios por ellos fueron vencidos y ahogados los egipcios en el mar Bermejo y cantando y bailando decían cantemos al Señor que se ha magnificado gloriosamente y derribó en la mar al caballero y a su caballo como se refiere en el capítulo 15 del Exodo y según dice Eusebio en la *Historia ecclesiastica* el pueblo de Ysrrael tuvo su real en la rivera del mar Bermejo siete días y la mar echó allí los cuerpos de los egipcios y los hijos de Ysrrael tomaban el despojo y las armas y todos aquellos días salían con cantos y danzas y bailes Moysen con los varones a su parte y su hermana Maria a otra parte con las mujeres y cantaban en la forma que se ha dicho.

Debora profetisa con Barach hizo lo mismo por la maravillosa victoria /165 v./ que Dios la dio contra los cananeos y cantó convidando al pueblo a hacer lo mismo diciéndoles los que de buena voluntad saliste a la batalla de Dios y ofreciste vuestras vidas al peligro venid y bendecid al Señor que nos dio victoria contra nuestros enemigos como se dice en el capítulo quinto de los Juezes.

La hija de Gepte con otras doncellas de Ysrrael salió a recibir a su padre que venía con victoria y había vencido a los amonitas y la hija salió delante y todas con adufes, cantos, y danzas le recibieron como se dice en el capítulo 11 de los Juezes y después que Judich cortó la cabeza a Olofernes vencidos y despojados los asirios convocó y convidó al pueblo a danzar y a bailar en hacimiento de gracias e hizo nuevo cantar para ello como se dice en el libro de Judich capítulo 16.

El recibimiento que hicieron las mujeres de las principales ciudades de Ysrrael a David fue con diversos corros, bailes, danzas, y cantares y según se dice en la *Historia ecclesiastica* las mujeres casadas cantaban y decían Saul mató mil y las doncellas respondían /166/ y David mató diez mil como se refiere en el capítulo 17 del libro primero de los Rreyes y por la misma forma y manera parece que se debió cantar el salmo 117 respondiendo a cada verso QUONIAM IN SECULUM MISERICORDIA EJUS / y en el salmo 135 respondían QUONIAM IN AETERNUM MISERICORDIA EJUS / los maestros de los cantares de los indios en sus bailes cantaban un verso y el corro o toda la otra multitud respondía en la misma forma conforme a lo que se ha dicho de los israelitas que es otra conjetura para creer que descienden de ellos aunque también en España se usa esta manera de cantar en especial en Castilla la Vieja y en las aldeas.

SEGUNDA PARTE

/166/ De la Relaçion de la Nueva España en que se trata de los
reyes y señores que en ella hubo y cuántas maneras había de ellos
y cómo sucedían en los señoríos y de los tributos que les daban sus
vasallos y de la orden que en ello había y cómo gobernaban su
tierra y de algunas leyes que tenían para sus guerras y para hacer
esclavos y a qué servidumbre eran obligados y para sus matrimonios y contrataciones y cómo criaban y doctrinaban sus hijos y
cómo usaban del vino y de los jueces que tenían y cómo procedían
en su judicatura.

PREFACCIÓN E INTRODUCCIÓN PARA LA SEGUNDA PARTE DE LA RELACION DE LA NUEVA ESPAÑA

/166 v./ Del origen y principio que tuvieron los reyes y señores en el mundo demás de lo que se dice en la Sagrada Scriptura hay autores que lo tratan y muchas historias en que se cuenta y refiere la vida de cada uno de los reyes pasados y de otros señores y particulares y de lo que hicieron así en el gobierno y en defensa y aumento de sus reinos y señoríos como en las guerras que tuvieron unos con otros y asimismo hay tratados particulares sobre el modo que se ha de tener en su regimiento y gobierno y cómo han de criar y doctrinar sus hijos así los reyes y señores como los demás / y entre los naturales de la Nueva España no faltó diligencia y cuidado en todo lo susodicho / como se entenderá de lo que se dijere en esta segunda parte de la Relacion de aquella tierra.

Todos los que tratan de la forma y orden que se ha de tener en regir y gobernar a otros dicen que éste es uno de los negocios más pesados y de más importancia que los hombres tienen a su cargo y que la mayor obra del rey o gobernador es el buen regimiento de su reino o gobernación porque como cada día lo vemos trae consigo millares /167/ de inconvenientes y queriendo remediar uno después de haber en ello mucho y muchas veces pensando cuando se halla el remedio que parece conveniente se descubren no pocos impedimentos y estorbos por donde parece que ya aquello no conviene ni es necesario / que esto sea verdad nos lo muestra muy a la clara la experiencia cierta que de ello se tiene mayormente por los que han gobernado aquel nuevo y latísimo mundo de las Yndias del mar océano porque cada día suceden en él cosas nuevas y no pensadas, y que no conviene en ellas guardarse el rigor y orden del derecho común y porque de esto se trató largamente en el diálogo 14 de los *Discursos de la vida humana* no hay para qué lo referir aquí pues se podrá ver allí.

CAPÍTULO PRIMERO

En que se trata y refiere los señores que hubo en los de Culhua y en los de Mexico hasta Motecçuma que fue el que señoreaba aquella tierra al tiempo que los españoles entraron en ella y cómo se llamaron estos señores y qué tiempo reinó y qué ganó y acrecentó a su señorío cada uno de los señores de Mexico.

/167 v./ En la primera parte de esta Relaçion se ha dicho qué gentes fueron los que poblaron la Nueva España y la ciudad de Mexico y cómo los señores de Culhua tuvieron su señorío en Culhuacam y los de Anauac en Mexico en esta segunda parte se dirá quién fueron los señores de Culhua y quién y cuántos los de Anauac y quién reinaba en aquella tierra cuando los españoles entraron en ella y porque los de Culhua fueron los primeros se dirá primero de ellos y después de los de Anauac.

Fray Torivio Motolinea en la epístola en que ofrece aquel su *Libro* al conde de Benavente dice que un principal de los de Culhua con ambición y deseo de mandar mató a traición al señor de ellos que era treceno después que poblaron en Culhuacam y diez y seteno después que estaban en aquella tierra y que el homicida se levantó con el señorío y dice que calla los nombres por ser extraños y al fin de aquel libro en una cuenta que pone por figuras y caracteres de cuando vinieron los que poblaron la Nueva España dice que un principal llamado Totepeuch tuvo un hijo que se llamó Topilçim /168/ y que muerto su padre se vino Anauac y no dice de dónde vino y que estuvo cuatro años en Tollançinco y de allí se fue a Tullam y lo hicieron señor del pueblo y que muerto éste hicieron señor de Tullam de parte de los naturales a Huemac y de parte de los de Culhua a Nauchyoçim y muerto éste le sucedió Cuauhtexpetlatl que fue segundo señor de los de Culhua y tercero fue Hueçim, y cuarto Nonohualcatl, y quinto lo fue Achitometl, y sexto Cuauhtonalçim, en cuyo tiempo vinieron aquella tierra los mexicanos y les sucedió Maçaçim que fue séptimo señor, y octavo lo fue Tuecaçim y noveno Chalchiutonam y en su tiempo se fueron llegando los mexicanos a Tiçapam que es entre Culhuacam y la lagu-

na donde está edificada la ciudad de Mexico décimo señor fue
Cuauhtlix y undécimo Yohuallatonal, y duodécimo Tziuhtetl, y en
su tiempo se mudaron los mexicanos de Ticapam a donde está
ahora Mexico, y decimotercio señor fue Xihuitltemot, y decimocuar-
to Cuxcuxçim, y decimoquinto /168 v./ Acamapichçim a éste mató
Achitometl y se introdujo señor en Culhuacam y fue el decimosexto
de Culhua, y decimoquinto después de Topilçim y la mujer de
Acamapichçim llamada Yllamcuetl tomó a su hijo llamado como
el padre Acamapichçim o Acamapichtl y se metió con él en una
canoa y lo llevó a Couatlicham como lo dice fray Torivio en aquella
epístola y que algunos quieren decir que éste no era hijo del que
mató aquel traidor sino sobrino pero que todos concuerdan en
que era legítimo heredero de la casa y señorío de Culhua y que
también dicen que la que lo escapó no era su madre sino ama o
madre de leche y en aquella cuenta que pone en el fin de su *Libro*
dice que a cabo de algunos años aquel traidor se fue desesperado
a los montes y se despobló Culhuam y comenzaron a mandar los
señores de Azcapuçalco y Cuahuanauac, y Chalco, y Couatlicham
y Huexoçinco, y que después fue señor de los de Culhua Acamapichçim que fue decimoséptimo señor y que después de algunos años muerto el /169/ señor de Azcapuçalco comenzó a mandar
el señor de Mexico que primero era sujeto a Azcapuçalco y mandó
todo lo que este señor mandaba y lo de los señores de Cuahuanauac,
y Chalco y Couatlicham, y Huexoçinco, y después juntamente con
el de Mexico mandaba el señor de Tlezcuco, y el de Tlacopam y
todos tres de allí adelante mandaban y gobernaban toda la tierra.

Este Acamapichçim dice fray Torivio en aquella su epístola que
se crió algunos años en Couatlicham, y que siendo muchacho fue
llevado a Mexico y que los mexicanos lo tenían en mucho porque
sabían que era legítimo heredero y señor de la casa de Culhua y
que cuando fue de edad procuraron los más principales de darle
sus hijas por mujeres y que tuvo veinte mujeres principales y que
de ellas hubo muchos hijos de quien descienden los principales
señores de todas las comarcas de Mexico y que fue el primer señor
que hubo en aquella ciudad y que también lo volvió a ser de
Culhuacam y fue el decimoséptimo señor como se ha dicho y que
en su vida dio este /169 v./ señorío a un su hijo que se llamó
Nauhyoçim que fue señor decimoctavo de los de Culhua y él se
quedó con el señorío de Mexico y que en su tiempo fue muy enno-

316

blecida aquella ciudad y que la señoreó cuarenta y seis años y que no le obedecieron algunos pueblos del señorío de Culhuacam que obedecían a su padre y que muerto él sucedió en el señorío de Mexico un su hijo llamado Uiciliuiçim y que éste se mostró más señor y sujetó más pueblos y aumentó el señorío mexicano y le sucedió un su hermano llamado Chimalpupucaçim y queriéndose restituir y enseñorear como sus pasados en lo de Culhuacam lo mataron sus contrarios los de Culhua y al que estaba por señor en Culhuacam que era de su linaje / a éste sucedió un su hermano llamado Yzcoaçim el cual vengó muy bien la muerte de su hermano y fue venturoso en las guerras y sujetó muchos pueblos y provincias e hizo muchos templos y amplió los de Mexico y fue cuarto señor de aquella ciudad y le sucedió Ueuemotecçuma que quiere decir /170/ Motecçuma el viejo y era nieto de Acamapichçim el mozo.

Muerto este Motecçuma el viejo que fue quinto señor de Mexico le sucedió una hija legítima que fue casada con un su pariente muy cercano y hubieron tres hijos el primero se llama Axayacaçim padre de Motecçuma el mozo, el segundo se llamó Tiçoçicatzim, el tercero se llamó Auicoçim que señorearon por su orden a Mexico y muertos estos tres hermanos les sucedió en el señorío Motecçuma el mozo segundo de este nombre que fue hijo de Axayacaçim y nieto de Motecçuma el viejo.

Don Pablo cacique de Xaltocam en aquella su *Rrelaçion* que se ha dicho que me dio de los señores de Mexico declara esto mejor y dice que un señor de Culhuacan llamado Coxcuxtli y su mujer Yllamcuetl tuvieron un hijo llamado Cuauhtzim y que éste fue casado con una hija de un principal de Mexico llamada Yztauatzim y hubieron un hijo llamado Acamapichtli que fue el primer señor de Mexico y que reinó veintiún /170 v./ años y que fue casado con una hija del señor de Tlacopam llamada Chalchiuhtleuac y que en ella hubo a Yzcoatzim que fue cuarto señor de Mexico y no hace mención de la madre o madres de los otros dos segundo y tercero señores de Mexico pero conforme a lo que se ha referido de lo que dice fray Torivio Motolinea debieron ser también hijos de Acamapichtli y le sucedieron en el señorío de Mexico por su orden porque como el mismo fray Torivio dice era costumbre de los de Culhua de cuyo linaje era este Acamapichtli que heredaban y sucedían en los señoríos los hermanos del señor si los tenía, y muertos los hermanos sucedían los hijos del señor por su orden y a falta de hermanos sucedían los hijos como se dirá más largo adelante y así este Acamapichtli que fue el primer señor de Mexico por no tener hermanos le sucedió un su hijo llamado Uitziliuitzim y tras éste otros sus hijos por su orden y no dice don Pablo si fueron hijos de una o diferentes madres porque la /171/ costumbre era que tenían muchas mujeres y entre ellas una por la más principal y siempre era señora de linaje y si en ella había hijos éstos sucedían en el señorío y no los de las otras y en el matrimonio de estas señoras usaban ciertas ceremonias y no con las demás que eran y las tenían como concubinas o mancebas como adelante se dirá y lo que aquí se ha dicho que se llama el padre de Acamapichtli / Cuauhzim no contradice a lo que se ha referido de lo que dice fray Torivio que se llamó su padre Acamapichtli como él porque como dice él mismo la costumbre era especialmente entre señores que tenían dos y tres nombres y el tercero era de dignidad o de oficio y que algunos ponían los nombres siendo muchachos y a otros siendo más grandes y a otros cuando eran hombres y en lo que dice que reinó veintiún años contra lo que dice fray Torivio que reinó cuarenta y seis debe de estar el yerro en la cuenta de la *Relaçion* de don Pablo /171v./ porque la pasó en guarismo este Acamapichtli dice don Pablo que acrecentó el señorío de Mexico / el segundo señor que como se ha dicho fue hijo de Acamapichtli y que se llamó Uitziliuitzim dice don Pablo que fue casado con una hija del señor de Cuauhnauac llamada Miyanaxiuitli y que hubo en ella a Ueuemotecçuma que fue quinto señor de Mexico porque antes que él reinaron otros sus hermanos que fueron tercero y cuarto señores de Mexico como luego se dirá / este Uitziliuitzim reinó veintidós años y acrecentó el señorío de Mexico.

A este Uitziliuitzim sucedió su hermano llamado Chimalpopocam tercer señor de Mexico y no dice con quién fue casado ni qué hijos tuvo sino que reinó diez años y que sojuzgó y ganó once pueblos y no los nombra aunque nombra los que ganaron los señores que fueron antes que él y que Maxtlaton señor de Azcapuçalco a quien era sujeto en aquel tiempo el señorío de Mexico lo mandó matar porque /172/ le fue traidor y no dice en qué ni cómo y que privó a sus hijos del señorío de Mexico y fray Torivio según se ha dicho dice que lo mataron los de Culhuacam porque se quiso enseñorear y restituir como sus pasados y pudo ser que éstos lo mataron por mandado del señor de Azcapuçalco como ya se ha dicho.

El cuarto señor de Mexico llamado Ytzcoatzim fue también hijo de Acamapichtli y fue casado con Miyauaxothçim hija del señor de Tlacopam que se llamó Tlacacuitlauatzim y de ella hubo un hijo llamado Tetoçemoçim y casó con hija de Motecçuma el viejo como luego se dirá / éste reinó trece años y conquistó las provincias y pueblos de Azcapuçalco a quien primero era sujeto el señorío de Mexico y conquistó también a Tlacopam, y a Culhuacam que era el señorío de los de Culhua y Atlacuibaxan y otras provincias que refiere don Pablo y entre ellas a Coyouacam y siempre dejaban los señores con su señorío y los que se rebelaban o eran rebeldes les imponían mayores tributos que a otros pueblos como adelante se dirá. /172 v./

El quinto señor de Mexico fue Motecçuma el viejo hermano de estos dos señores que se han dicho y nieto de Acamapichtli y fue casado con Chichimeçaçiuatzim hija de Quauhtotatzim señor de Cuauhnauac y en ella hubo una hija llamada *Atotoztli que casó con Teçoçomatzim* hijo del cuarto señor de Mexico como se ha dicho y reinó veintinueve años y sujetó veinticuatro pueblos y provincias y no se refieren aunque las nombra don Pablo porque son de nombres muy extraños y están tan corruptos por los españoles que no se pueden bien entender y no tuvo más que aquella hija y como dice Plinio en el proemio del libro 5 *De los nombres de los pueblos de Africa* POPULORUM EJUS OPPIDORUMQUE NOMINA, VEL MAXIME SUNT INEFFAVILIA PROPTER QUAM IPSORUM LINGUIS.

El sexto señor de Mexico se llamó Axayacatçim nieto de Motecçuma el viejo y de Yzcoatçim cuarto señor de Mexico y no declara don Pablo la razón por que sucedió en el señorío este Axayacatçim y no su padre y debió de ser porque en defecto de hijo y de hermanos reinaban hijas y los hijos de ellas y sucedió el hijo de ésta y no ella ni su marido porque debían de ser muertos o porque tenían el /173/ señorío de Tlacopam que era de Teçoçomaçim yerno de este Motecçuma el viejo o porque habiendo nietos varones del señor sucedían y no las hijas como adelante se dirá en fin como quiera que sea el sexto señor de Mexico fue este Axayacaçim nieto de Motecçumaçim el viejo y dice don Pablo que reinó quince años y sujetó y ganó treinta y cinco pueblos y provincias y no se refieren por lo que se ha dicho aunque él los nombra todos / éste dice que fue casado con Yyacuetzim hija de Achicazim principal del Tlatilulco y que en ella tuvo un hijo llamado Axayaca y que después de la conquista fue cristiano y se llamó don Pedro Axayaca y después en la confirmación mudó el nombre y se llamó don Juan Axayaca y que también tuvo otro hijo que se llamó Motecçuma que fue el noveno y postrero señor de Mexico como luego se dirá.

El séptimo y octavo señores de Mexico no dice don Pablo cuyos hijos fueron ni con quién fueron casados ni qué hijos tuvieron pero según lo que se ha dicho /173 v./ y referido de fray Torivio Motolinea fueron hijos de Axayacaçim y hermanos mayores de este Motecçuma y reinaron en Mexico antes que el que fue séptimo señor se llamó Tiçoçicatçim y dice don Pablo que reinó cuatro o cinco años y que sujetó y ganó trece pueblos y provincias y pone los nombres de ellos.

El octavo señor se llamó Auitzotzim y dice que reinó dieciséis o diecisiete años y que conquistó y sujetó cuarenta y dos pueblos y provincias y pone sus nombres.

El noveno señor fue Motecçuma que reinaba en Mexico como se ha dicho cuando los españoles entraron en aquella tierra y dice que reinó diecisiete o dieciocho años y no dice con quién fue casado y dice que sujetó treinta y ocho pueblos y provincias y los nombra todos.

Otros muchos pueblos ganaron y conquistaron los mexicanos y tengo la memoria de ellos pero no se nombran éstos y los demás por lo que se ha dicho con que se vino a hacer muy grande su señorío y a se extender por muchas y diversas provincias /174/ así comarcanas como apartadas de Mexico aunque cerca de sí tenían algunas como lo refiere fray Torivio que decían los mexicanos que no las querían sujetar por tener con quien se ejercitar en las guerras y de donde haber cautivos para sus sacrificios y en la tercera parte de esta Relaçion donde se tratará de la conquista y pacificación de aquella tierra se dirá cuán gran señor era Motecçuma.

CAPÍTULO SEGUNDO

En que se declara los señores supremos que había en Mexico, y Tlezcuco, y Tlacopam, que los españoles llaman Tacuba y en otros pueblos de aquella tierra y cómo sucedían en los señoríos, y cómo llamaban y llaman a estos señores supremos y qué orden se tenía en la confirmación de ellos.

En la *Rrelaçion* que se ha dicho que me dio fray Francisco de las Navas dice que entre los naturales de la Nueva España había y hay comúnmente donde no los han deshecho tres señores en cada provincia y en algunas partes cuatro y cada uno de ellos tenía su señorío y jurisdicción conocida y apartada /174 v./ de los otros y había otros señores inferiores a quien comúnmente llaman caciques que es vocablo de la isla Española.

En Mexico y su provincia dice que había tres señores principales que eran el señor de Mexico y el de Tlezcuco y el de Tlacopam que ahora llaman Tacuba todos los demás señores inferiores servían y obedecían a estos tres y porque estaban confederados toda la tierra que sujetaban la partían entre sí.

Al señor de Mexico dice que habían dado la obediencia los de Tlezcuco y Tlacopam en las cosas de guerra y en todo lo demás eran iguales porque no tenía el uno que hacer en el señorío del otro aunque algunos pueblos tenían comunes y repartían entre sí los tributos de ellos los de los unos igualmente y los de otros se hacían cinco partes dos llevaba el señor de Mexico y dos el de Tlezcuco y una el de Tlacopam.

En la sucesión de estos señores supremos dice había diversos usos y costumbres según las provincias y que en la de Mexico y sus consortes y Tlaxcallam eran casi de una manera.

/175/ La más común sucesión dice que era por sangre y línea recta de padres a hijos no les sucedían hijas sino el hijo mayor habido en la mujer más principal que entre todas las demás tenía el señor para este efecto conocido y era la más respetada de las otras y de todos sus vasallos y si había alguna que fuese de las señoras de Mexico ésta era la más principal y su hijo el sucesor siendo para ello y lo mismo era en Tlezcuco y Tlacopam y en las provincias a ellos sujetos y de Neçaualcoyoçim y de su hijo Neçaualpilçintli que fueron señores de Tlezcuco y muy valerosos se dice que cada uno de ellos tuvo cien hijos y otras tantas hijas porque eran muchas las mujeres que tenían como lo refiere fray Torivio.

Si el hijo mayor no tenía habilidad para gobernar el padre señalaba uno de los otros el que le parecía más hábil y suficiente para que le suçediese teniendo siempre respeto a los hijos de la mujer principal para esto y para todo.

San Agustin en el capítulo 20 del libro 15 de la *Çibdad de Dios* dice que /175 v./ el primer rey que hubo en el mundo fue Caym y después de él sucesivamente no por primogenitura sino a los que los padres parecían más virtuosos y hábiles para regir y gobernar y más útiles y provechosos a la república.

Si no tenía el señor hijo varón y tenía hijas y algunas de ellas tenía hijos nombraba el señor uno de estos sus nietos el que tenía por más suficiente y si tenía nietos de hijos los prefería a los de las hijas prefiriendo siempre a los que eran de la mujer principal si eran para ello y esto hacía el señor cuando no tenía hijos o no eran para gobernar o eran muertos y si ninguno de sus hijos o nietos tenían habilidad para gobernar no hacía nombramiento sino quedaba la elección para ello a los principales de su señorío porque de éstos era elegir señor en defecto de sucesor.

Por manera que tenían los señores más cuenta con dejar sucesor suficiente para que gobernase sus tierras y vasallos que no en dejarlos a sus hijos o nietos ni con dejarlos por señores como lo hizo el gran Alexandro y en este caso sucedían en las tierras y vasallos que tenían /176/ patrimoniales que llamaban y llaman MAYEQUES y los repartían a su voluntad entre sus hijos o herederos como adelante se dirá.

Si el señor no tenía hijos o nietos o no eran para ello sucedía en el señorío hermano e iba por elección en saliendo la sucesión de hijos o nietos porque de éstos el señor nombraba el que le había de suceder como se ha dicho y de los hermanos elegían el que era más bastante aunque otros dicen que si las hermanas eran suficientes para regir y gobernar el señorío sucedían en él por su orden y no por elección como se ha dicho.

322

En defecto de hermanos y de los demás que se ha dicho o no siendo para ello elegían un pariente del señor el más suficiente y no lo habiendo elegían otro principal y jamás elegían MAÇEUAL que es la gente común o popular y siempre se tenía cuenta con elegir de la línea y parentela del señor si lo había que fuese para ello y en defecto de éstos elegían otros.

Si faltaba sucesor al señor de Mexico elegían los señores y principales de su /176 v./ señorío y la confirmación era de los señores supremos de Tlezcuco y Tlacopam y si a éstos les faltaba sucesor elegían los principales y señores de su tierra y la confirmación era del señor de Mexico y ya ellos estaban informados si la elección se había hecho en la forma dicha y si no mandaban tornar a elegir de nuevo.

El mismo orden se tenía en la sucesión y elección de los demás señores supremos sujetos a los de Mexico y Tlezcuco y Tlacopam y cada señor de estos tres confirmaba la elección de sus súbditos porque como está dicho cada uno de ellos tenía su señorío conocido y apartado con jurisdicción civil y criminal y los supremos sujetos de estos tres señores dichos confirmaban a los otros sus inferiores y casi el mismo orden se tenía en toda la Nueva España o diferían en muy poco.

En el reino de Michiuacam el señor en sus días nombraba el que le había de suceder de sus hijos o nietos y desde luego comenzaba a mandar y tenía alguna mano en la gobernación porque así era su costumbre y el señor /177/ lo quería y tenía por bien y ésta era costumbre solamente en aquel reino esto es conforme a lo que dice Baldoin proemio DECRETALIUM *In verbo Rex paçificus* / que el rey puede determinar en su vida a quien ha de venir el reino después de sus días como lo hizo David como se dice en el capítulo primero libro tercero REGUM.

Si el señor no había nombrado cuál de sus hijos o nietos le había de suceder cuando estaba en lo último de sus días se lo iban a preguntar y el que nombraba le sucedía pero lo más ordinario era que el señor en salud nombraba el que le había de suceder en la forma que se ha dicho y para esto hacía particular fiesta con sus ceremonias y desde entonces quedaba por conocido sucesor como lo hizo David al tiempo de su muerte que nombró a Salamon aunque no era el mayor de sus hijos y lo mismo hizo aquel gran señor de Tlezcuco llamado Neçaualcoyoçim que nombró a su hijo llamado Neçaualpintçintli aunque tenía otros muchos hijos mayores pero éste era el más valeroso de todos y así fue muy principal señor como constará de lo que adelante se dijere.

/177 v./ En algunas partes aunque hubiese hijos sucedían los hermanos en el señorío por su orden siendo para ello porque decían que siendo hijos de un padre habían de ser iguales y acabados los hermanos tornaba la sucesión a los hijos del señor por la orden que se ha dicho y en Mexico sucedió Motecçuma a dos hermanos suyos que reinaron primero que él como se ha dicho y en Tecpan Guatimala que es un pueblo principal junto a Guatimala conocí yo un señor que había sucedido a un hermano suyo y era vivo un hijo que dejó el difunto y lo conocí que solamente tenía unas tierras y MAYEQUES que habían sido del patrimonio de su padre y el tío tenía el señorío pero también decían que esto se había hecho porque el hijo del señor era ciego y por esto puso a este su hermano en el señorío el que gobernaba en aquella sazón.

Fray Torivio dice que si algún hijo o algún otro de los que tenían derecho para suceder en el señorío mostraba ambición y deseo de mandar o se quería preferir o aventajar a los otros en su /178/ traje o se entremetía en el gobierno o mando antes de tiempo aunque el señor le hubiese nombrado por el mismo caso aunque fuese el mayor de los hijos, y el más suficiente no le admitía el pueblo al señorío ni lo consentía el señor supremo a quien pertenecía la confirmación porque esto no se hacía hasta que era muerto el señor y dejaban pasar algunos días para entender cuál de los hijos o nietos u otro que tuviese derecho a la sucesión era más bastante para regir y gobernar y aquél elegían por la forma que se ha dicho y el señor supremo lo confirmaba.

Lo que aquellas gentes que algunos llaman bárbaros y faltos de razón hacían en no admitir al señorío al que se mostraba ambicioso parece que en alguna manera conforma con lo que hizo el rey David con su hijo Adonias que lo privó de la sucesión del reino como se dice en el capítulo quince del libro segundo de los Rreyes porque siendo él vivo se quiso mostrar señor y entremeterse en la gobernación y señorío y nombró e hizo alzar por rey a su hijo Salamon aunque era menor porque como decía Juliano jurisconsulto /178 v./ según lo refiere Ulpiano en la ley segunda párrafo INTERDUM párrafo DE VULGARI ET PUPILLARI SUBSTITUTIONE / gran maldad es mostrarse solícito por la herencia del que está vivo y por tal la tenían aquellas gentes en el que se mostraba en vida del señor codicioso del señorío.

Como eran las guerras tan continuas entre ellos se tenía gran cuenta para la sucesión y para la elección con el que era más valiente si con esto era hábil para gobernar y por esto dice don Pablo en aquella su *Rrelaçion* eligieron a Motecçuma que reinaba cuando los españoles entraron en aquella tierra porque era muy animoso y hombre hábil para la guerra y para el gobierno aunque no era legítimo y aunque era mayor que el Axayaca que después se llamó don Juan Axayaca legítimo hijo del señor principal de los de Mexico y era la segunda persona después de Motecçuma en el mando y gobierno de la tierra y adelante se dirá esto más largo.

El señor que no había hecho algunas hazañas ni se había mostrado guerrero y animoso carecía de algunas insignias y joyas en su traje y vestidos.

/179/ Algunos quieren decir que la más común sucesión era de hermanos a hermanos y después los hijos del señor difunto por su orden como ya se ha dicho pero lo que he dicho es lo que yo he podido averiguar y lo más general y la sustancia de lo que se usaba en la sucesión y elección y con esto y con algo de lo demás que se ha dicho conforma lo que dice fray Francisco de las Navas en la *Rrelacion* que de ello me dio.

A los señores supremos llamaban y llaman TLATOQUES de un verbo que se dice TLATOA que quiere decir hablar porque éstos como supremos y meros señores tenían la jurisdicción civil y criminal y toda la gobernación y mando de todas las provincias y pueblos de donde eran señores y a éstos eran sujetos las otras dos maneras de señores que se dirán adelante.

No hay para qué decir las ceremonias que se hacían cuando era electo o sucedía algún señor solamente me pareció decir cómo lo llevaban al templo e iba con él gran multitud de gente con gran silencio y lo subían de brazo por las gradas que no eran pocas dos principales, y llegados a lo alto el ministro /179 v./ mayor del templo le daba y ponía las insignias reales y lo saludaba con algunas breves palabras y lo cubrían con dos mantas de algodón la una azul y la otra negra y en ellas pintadas muchas cabezas y huesos de muertos para que se acordase que había de morir como los demás / acabadas las ceremonias le hacía el mismo ministro una plática en la forma siguiente.

325

Señor mío mira cómo os han honrado vuestros vasallos y pues ya sois señor confirmado habéis de tener mucho cuidado de ellos y amarlos como a hijos y mirar que no sean agraviados ni los menores maltratados de los mayores ya habéis cómo los señores de vuestra tierra vuestros vasallos todos están aquí con su gente cuyo padre y madre sois vos y como tal los habéis de amparar y defender y tener en justicia porque los ojos de todos están puestos en vos y vos sois el que los habéis de regir y dar orden / habéis de tener gran cuidado de las cosas de la guerra y habéis de velar y procurar de castigar los delincuentes así a los señores como los demás y corregir y enmendar los /180/ inobedientes habéis de tener muy especial cuidado del servicio de dios y de sus templos y que no haya falta en todo lo necesario para los sacrificios porque de esta manera todas vuestras cosas tendrán buen suceso y dios tendrá cuidado de vos.

Acabada la plática el señor otorgaba todo aquello y le daba las gracias por el consejo y bajábase al patio donde todos los otros señores lo estaban aguardando para le dar la obediencia y en señal de ella después de hecho su acatamiento le presentaban algunas joyas y mantas ricas y de allí lo acompañaban hasta un aposento que estaba en el mismo patio y no salía de él en cuatro días los cuales ayunaba y hacía gracias a sus ídolos y a ello iba al templo a sus horas señaladas / acabados estos cuatro días venían todos los señores y lo llevaban con mucho aparato y regocijo a sus casas donde hacía gran fiesta y gasto y de allí adelante mandaba como señor y era tan obedecido y tenido que apenas había quien levantase los ojos para le mirar el rostro si no era estando habiendo placer con algunos señores o privados suyos.

/180 v./ Fray Torivio dice que cuando alguno estaba para morir disponía de su hacienda y la dejaba a sus hijos y el mayor de ellos se entraba en ella y en las casas de su padre si era hombre y casado y tenía cuidado de sus hermanos y hermanas y como se iban casando iba repartiendo con ellos la hacienda y lo mismo hacían cuando alguno de sus hermanos moría y dejaba hijos pequeños.

CAPÍTULO TERCERO

En que se refiere la manera que se tenía en Tlaxcallan y Uexoçinco y Cholollam con los que de nuevo sucedían en el señorío y de la penitencia que hacían y de las fiestas y regocijos con que los recibían al señorío y cómo si el sucesor era mozo le daban coadjutor porque nunca gobernaban mozos.

En Tlaxcallam y Uexoçinco y Cholollam el que había de suceder al señor lo promovían primero a una dignidad o título que llaman TECUITLI que era la mayor que entre ellos había y para ello hacían algunas ceremonias en su templo /181/ y acabadas los del pueblo lo vituperaban y le decían palabras injuriosas y le daban empujones para probar su paciencia y era tanto su sufrimiento que no hablaba palabra ni volvía el rostro a ver quién lo injuriaba o maltrataba.

De su natural aquellas gentes son muy sufridas y ninguna cosa basta a los turbar ni alterar / son de suyo muy sujetos y corregibles y si les reprenden o riñen algún descuido o vicio están con gran humildad y atención y no responden más de pequé y cuanto más señores son con más humildad lo dicen y algunas veces dicen pequé no te enojes mira lo que quieres que haga / hablo de los que se están en su simplicidad natural / y en este auto que hacían los del pueblo con estos nuevos señores se entiende bien su gran humildad y sufrimiento.

Tratado de la manera que se ha dicho lo llevaban a un aposento del templo y allí estaba un año y a las veces dos encerrado haciendo penitencia y se asentaba en tierra y a la noche le ponían una estera en que durmiese y salía a sus horas ciertas de noche al templo con incienso / los cuatro /181v./ días primeros no dormía si no era de día un rato asentado y estaban con él guardas que si se adormía le picaban con unas púas de METL como punzones por las piernas y brazos y le decían despierta que has de velar y no dormir y has de tener cuidado de tus vasallos no tomas cargo para dormir sino para velar y ha de huir el sueño de tus ojos y tenerlos abiertos y en vela para mirar por los tuyos.

Ya que había acabado su penitencia sus deudos y criados proveían las cosas necesarias que no eran pocas para la fiesta que se había de hacer y ponían por memoria los señores que habían de ser convidados y los principales y amigos y parientes y allegados y según el número de la gente que había de venir ponían en unas grandes salas lo que a cada uno se le había de dar y cuando estaba todo a punto señalaban el día / y contaban desde el día que había nacido para que no fuesen aquel día pares porque lo tenían por mal signo y la cuenta que para esto hacían era bien delicada.

Señalado el día enviaban a convidar los señores comarcanos y amigos y deudos / el mensajero que iba a cada uno venía delante de él aposentándole y proveyéndole de todo lo necesario.

/182/ Si algún señor estaba mal dispuesto o muy impedido que no podía venir enviaba en su lugar uno de los más principales de sus vasallos y con él venían otros muchos principales y traían el asiento del señor y lo ponían en su lugar porque a cada uno le estaba señalado el suyo conforme a su estado y estaba vacío y junto a él se sentaba el que venía en su lugar del señor ausente y delante de su silla ponían todos sus presentes y su comida y allí hacían todas las ceremonias y acatamientos que hicieran al señor si estuviera presente.

Venido el día de la fiesta todos aquellos señores que se habían juntado llevaban al nuevo señor por la mano al templo y con él iba gente innumerable con bailes y cantos y regocijos y allí le daban el título de señor / acabadas las ceremonias daban de comer a todos los convidados y muchas dádivas y presentes en que se hacían muy grandes gastos porque era mucha la gente a quien daban y lo mismo a los señores que habían venido a la fiesta y a sus criados deudos y allegados y muchas limosnas a pobres y necesitados.

Por manera que aunque les faltaba el /182 v./ conocimiento de Dios verdadero se imponían para recibir estos señoríos en sufrir trabajos y en ayunar y en tener paciencia y sufrimiento y en dar gracias a sus ídolos y en hacer limosnas y en otras obras virtuosas aunque sin algún mérito por faltarles la fe y como dice Lactantio en el capítulo nueve del libro sexto *De las divinas ynstituçiones* hablando de los gentiles aunque tuvieran algún rastro de las obras de misericordia y se ejercitaban en ellas eran obras semejantes a cuerpo sin cabeza porque les faltó el conocimiento de Dios verdadero que es la cabeza y lo principal y sin Él todas las virtudes son como miembros sin vida.

Cuando moría algún señor si quedaba mozo el hijo o nieto o el que le había de suceder era costumbre que gobernaba un viejo su pariente el que era más suficiente para ello por el orden que se ha dicho que es que gobernaba el más cercano pariente y si no era para ello otro de los demás y si no había pariente que fuese suficiente para ello otro principal y era electo y nombrado para esto y confirmado por el supremo, y para Tlezcuco y Tlacopam lo confirmaba el de Mexico /183/ y si era para Mexico los de Tlezcuco y Tlacopam / y era como ayo o curador del nuevo señor / y muerto este curador porque en su vida no le quitaban el mando tomaba el señorío el sucesor que había quedado del señor y esto era así en cuanto al señor supremo y universal como cuanto a los otros inferiores de otras provincias que en ellas eran supremos / algunos dicen que si el curador o coadjutor era pariente que no lo quitaban en su vida aunque en siendo de edad el nuevo señor se hacía y gobernaba todo con su parecer y si no era pariente que en siendo el señor de edad expiraba el mando del curador y yo lo vi así en un pueblo principal junto a Guatimala y la edad que tenían por bastante era de treinta años y nunca gobernaban mozos antes de llegar a esta edad.

En el Nuevo Reino de Granada oí decir que el señor de Sogamoso para suceder en aquel estado hacía penitencia siete años encerrado en el templo y que no veía sol ni luz, ni gente más de los que le servían y esto a efecto de probar su sufrimiento / éste me vino a ver de su pueblo que había más de treinta leguas y trajo gran aparato y en llegado /183 v./ a cada pueblo lo primero que mandaba a los que con él venían para le servir era que supiesen si había algunos pobres indios o españoles y a los que se hallaban los mandaba proveer de comida y de leña porque es tierra muy fría / y no era cristiano por descuido de los que tenían obligación a le doctrinar ni lo eran sus vasallos ni los demás naturales de aquella tierra y estando yo allí comenzaron a ir frailes y a entender en la doctrina de aquellas gentes y no refiero algunas cosas que sobre esto pasaron por no divertirnos de nuestro propósito.

Otro señor de un gran pueblo llamado Chiam había primero de serlo de otro estado y menor señorío para que allí lo probasen y se viese si era bastante para subir aquel señorío de Chiam.

CAPÍTULO CUARTO

En que se refiere lo que decían los señores inferiores y otras personas principales cuando visitaban a los señores supremos o los iban a consolar en algún trabajo que les había sucedido y lo que los señores les respondían.

Cuando alguna vez iba algún señor inferior o algún principal a visitar /184/ al señor supremo o a lo consolar de algún trabajo que le había sucedido le hacía un razonamiento que contiene buenos avisos y en su lengua parece y suena mejor que no traducido en otra porque como el glorioso San Geronimo dice en una epístola que escribió a Pammachio que se intitula *De optimo genere interpretandi* que comienza PAULUS APOSTOLUS, cada lengua tiene su propia y particular manera de hablar y lo que se escribe en una lengua no suena tan bien como en ella si en otra se traduce y fray Andres de Olmos en aquella su *Rrelaçion* dice que esto tenían los indios por memoria en pinturas escritas con figuras y caracteres y que lo hizo sacar en lengua mexicana algunos indios a cada uno por sí y que todos conformaron en la traducción y que él lo sacó de la lengua mexicana en la castellana sin añadir ni quitar cosa alguna de la sustancia de lo que contenían que es lo siguiente.

Señor mío estéis en buena hora el tiempo que estuviéredes al lado y mano izquierda de Dios en el señorío y mando /184 v./ que tenéis, estáis en su lugar y habéis de mirar mucho lo que hacéis, sois ojo, y oreja, y pies, y manos, para mirar y oír y procurar lo que a todos conviene las palabras que salen de vuestra boca os las pone Dios en el corazón para que declaréis a los vuestros lo que deben hacer.

Delante de vos tenéis por espejo el cielo y la tierra en que como en pintura podéis ver lo que no tiene fin y lo que lo tiene.

Habéis de tener memoria de vuestros pasados para imitarlos que fueron buenos ha os dado Dios pies y manos y alas donde se amparen los vuestros ha os señalado el Señor que os crió en daros autoridad para regir vuestro señorío y si bien lo consideráis sois su justicia para castigar los malos y ayudar los que poco pueden /

Dios a todos ayuda y conserva y ante Él el malo teme y el inocente tiene contento.

No os faltará trabajo pero mira que ninguna cosa hay sin el sueño ni la comida no lo tendréis con mucho reposo no os faltara desasosiego considera[n]do lo pasado para poder prevenir a lo venidero estáis señor metido en muchos /185/ cuidados y temores en considerar lo pasado y presente y porvenir a cuya causa no podéis tomar gusto en el comer ni en el beber, ni en el dormir y tenéis el corazón afligido procurando conservar vuestro señorío y aun de lo aumentar esforzad pues y no desmayéis que vos sois señor y padre y madre de todos y no hay quien sea vuestro igual sois árbol grande de amparo y abrigo para todos gente tenéis que os ayude y que son vuestros pies y manos y se acogen a vuestra sombra adonde cogen aire de consuelo y tenéis la mano llena para los consolar y la justicia para castigar al malo / los instrumentos necesarios tenéis para amparar y perfeccionar a todos y para hacer que cada día crezca el pueblo con buenas costumbres vos dais a cada uno orden de vivir y lo honráis según sus méritos y como crecen en ellos les aumentáis la honra / sois ejemplo y dechado de todos y con ello dejaréis en este mundo mortal como en pintura vuestra fama / a los viejos habéis de honrar y aconsejaros con ellos porque así acertaréis a mandar /185 v./ lo que sea justo y a vedar lo que no lo fuere / gran merced os hizo Dios en poneros en su lugar mirad por su honra y servicio esforzad y no desmayéis que aquel alto Señor que os dio cargo tan pesado os ayudará y dará corona de honra si no os dejáis vencer de lo malo / en esto que Dios os puso podéis merecer mucho no haciendo cosa mala los muertos no ven vuestras faltas ni vendrán a os avisar ni pueden, no hagáis cosa que a los vivos deis mal ejemplo mira que a vuestros pasados no les faltó trabajos y tuvieron cuidado de gobernar su reino y no dormían con descuido procurando aumentar su tierra y dejar de sí memoria el concierto que dejaron no lo pusieron en un día tenían cuidado de consolar al pobre y al afligido y a los que poco podían honraban los viejos porque hallaban en ellos buenos consejos / a cualquier necesitado socorrían con gran voluntad pues os dejaron honra y carga ensanchad vuestro corazón no lo congojéis y sed el que debéis valiente y esforzado y nunca hagáis vileza no quiero daros más pena con mi plática.

/186/ Respuesta del señor.

Amigo mío seáis muy bien venido contento me ha dado lo que me habéis dicho y a Dios habéis hecho servicio oh si yo mereciese una de tantas y tan buenas palabras y tan preciosos consejos como han salido de vuestras entrañas, dignos son cierto de ser estimados y puestos en el corazón no debo yo tener en poco vuestro trabajo y el amor que me tenéis y con que me habéis amonestado y consolado, si fuese yo el que debo todas vuestras palabras había de recoger en mis entrañas / donde oyera yo tales consejos y avisos, cierto amigo mío vos habéis hecho vuestro deber en lo que me habéis dicho ante Dios y ante su señorío, y su pueblo yo os lo agradezco mucho reposad y descansad amigo mío.

Las señoras que iban a visitar a las supremas también les hacían sus razonamientos en la forma siguiente.

Señora mía estéis en buena hora todo el tiempo que Dios fuere servido de os dar vida en el estado que tenéis en su nombre, debéis lo servir y reconocer las mercedes que de su mano habéis recibido / habéis os de desvelar en su servicio y poner en Él vuestros pensamientos /186 v./ y suspiros y esforzaros en Dios y no desmayéis / a quién que mejor lo haga podéis dejar el cargo que Dios os ha dado qué harían vuestros vasallos y los pobres y miserables sin vos / todos os encomiendan a Dios para que los amparéis debajo de vuestras grandes alas como el ave a sus hijos y como tales se acogen a vos para que los abriguéis y consoléis, mira pues señora mía que no pongáis alguno de ellos en olvido pues a todos sois abrigo, amparo, y consuelo, dad señora a los vuestros con alegría algún refrigerio no los desconsoléis ni deis cosa mala, antes poco a poco como a niños los criades y no los ahoguéis en el sueño con el brazo del descuido no seáis encogida ni escasa antes ensanchad el regazo de misericordia abrid las alas de piedad donde vuestros hijos que son vuestros vasallos sean refrigerados y hallen consuelo y así irán en crecimiento y acrecentaréis vuestra corona y seréis muy obedecida siendo señora y madre de todos.

Haciéndolo así mereceréis ser de los vuestros muy amada y servida / no seáis con ellos corta en obras ni en palabras /187/ consolatorias y dulces y así harán ellos de grado lo que les mandáredes y a tiempos buscarán a su señora y madre para le manifestar sus trabajos y cuando Dios fuere servido de os llevar de esta vida llorarán todos acordándose del amor que les mostraste y de las buenas obras que de vos recibían y pues os vais poco a poco acercando a la muerte mirad bien señora mía todo esto.

Si vos señora hiciéredes lo que yo os he dicho dejaréis de vos memoria y buen ejemplo aun en las tierras muy apartadas de las vuestras y quedaréis en los corazones de todos / si no agradeciéredes a Dios las mercedes que os ha hecho en haberos puesto en honra y estado vuestra será la culpa y la afrenta y perdición y si le sois agradecida os dará el pago, no quiero seros más importuna.

Respuesta de la señora.

Hermana mía yo os agradezco mucho vuestros buenos avisos por amor de Dios, sea, que grande consuelo he recibido, quién soy yo esta gracia al señor Dios y a su pueblo la habéis vos hecho y yo he recibido el consejo, quién soy yo para /187 v./ me estimar, soy sino una vasija sujeta a corrupción no es de olvidar vuestro amor y vuestras palabras y lágrimas con que me habéis esforzado oh si yo mereciese tomar y obrar vuestros consejos de madre yo os lo agradezco mucho reposad y holgad hermana mía.

Los que hubieren tratado aquellas gentes no se admirarán de que haya en ellos tan buenas razones y consejos.

Andando yo visitando en tierra de Guatimala por montañas y sierras y malos y ásperos caminos venían a mí cada día mensajeros a me visitar y preguntar cuándo iría a sus pueblos de parte de los señores que estaban lejos porque los de cerca venían ellos y los unos y los otros me decían tan buenas palabras agradeciéndome el trabajo que por ellos tomaba por aquella tierra tan áspera que daba gran contento oírlos y ánimo para sufrir los grandes trabajos que pasaba por ver y entender lo que convenía para la visita que hacía y decían que me venían a visitar por ellos y por sus mujeres e hijos y que todos me lo agradecían y enviaban encomiendas y los de cerca traían consigo sus hijos aunque pequeños.

CAPÍTULO QUINTO

/188/ En que se declara la segunda y tercera y cuarta manera de señores que había en Anauac llamada Nueva España y cómo los llamaban y qué provecho tenían y qué era a su cargo y de los CALPULLIS o barrios y de dónde tuvieron origen y de las tierras que labraban y de la forma y orden que en ello había.

La segunda manera de señores dice fray Francisco de las Navas que se llama TECTECUTLZÇIM o TEUTLES /. éstos son de muchas maneras y se denominaban de sus dignidades y preeminencias que por ser muy largo y no hacer al propósito no se declaran / éstos eran como los comendadores en España que tienen encomienda y entre ellas hay unas mejores y de más calidad y renta que otras.

Estos señores que se ha dicho que se llamaban TECTECUTLZÇIM o TEUTLES en plural no eran más que de por vida porque los señores supremos los promovían a estas dignidades por hazañas hechas en la guerra o en servicio de la república o de los señores y en pago y remuneración de ello les daban estas dignidades /188 v./ como da el rey por vida una encomienda y había en estas sus dignidades principales y otras inferiores.

Las casas de estos señores se llamaban TECCALLI que quiere decir casa de palacio de estos señores de TECCUTTLI que es este señor y CALLI que es casa y este TECCUTTLI o señor tenía dominio y mando sobre cierta gente anexa aquel TECCALLI y unos eran de más gente y otros de menos.

El provecho que estos señores tenían era que les daban servicio para su casa y leña y agua repartidos por su orden y le labraban unas sementeras según era la gente y por esto eran relevados del servicio del señor supremo y de ir a sus labranzas y no tenían más obligación de acudir a le servir en las guerras porque entonces ninguno había excusado demás de este provecho el señor supremo les daba sueldo y ración y asistían como continos en su casa.

Estos señores tenían a su cargo mandar labrar las sementeras para ellos y para los mismos particulares y tenían para ello sus

334

ministros y tenían asimismo cuidado de mirar y volver y hablar por la gente que era a su cargo y defenderlos /189/ y ampararlos por manera que estos señores eran y se proveían también para pro del común como del señor a quien se daba este señorío.

Muerto alguno de estos señores los supremos hacían merced de aquella dignidad a quien lo merecía por servicios como está dicho y no sucedía hijo a padre si de nuevo no lo promovían a ello y siempre los supremos tenían cuenta con ellos para los promover antes que a otros si lo merecían y si no quedaban PILLES que son principales o hidalgos a su modo.

La tercera manera de señores llamaban y llaman CALPULLEC o CHINANCALLEC en plural y quiere decir cabeza o parientes mayores que vienen de muy antiguo porque CALPULLI o CHINANCALLI que es todo uno quiere decir barrio de gente conocida o linaje antiguo que tiene de muy antiguo sus tierras y términos conocidos que son de aquella cepa, o barrio, o linaje y las tales tierras llaman CALPULLI que quiere decir tierras de aquel barrio o linaje y estos CALPULLEC son como los que los isrraelitas llamaban tribus como se dijo más largo en la *Suma de los tributos*.

/189 v./ Estos CALPULLEC o linajes o barrios son muchos en cada provincia y también tenían estas cabezas o CALPULLEC los que se daban a los segundos señores de por vida como se ha dicho/ las tierras que poseen fueron repartimientos que entre sí hicieron los primeros que vinieron a poblar en aquella tierra y tomó cada linaje o cuadrilla sus suertes y términos señalados como lo hicieron los de las doce tribus de Ysrrael en la tierra de promisión y aquellas suertes que tomaron quedaron para sus descendientes y así hasta hoy las han poseído y tienen en nombre del CALPULLI y aquellas tierras no son en particular de cada uno del barrio sino común del CALPULLI y el que las posee no las puede enajenar sino que goza de ellas por su vida y las puede dejar a sus hijos y herederos.

CALPULLI es singular y CALPULLEC plural de estos CALPULLEC o barrios o linajes unos son mayores que otros y tienen más tierras que otros según los antiguos pobladores las repartieron entre sí a cada linaje y son como se ha dicho para sí y para sus descendientes y si alguna cosa se /190/ acababa quedaban las tierras al común del CALPULLI y aquel señor o pariente mayor las daba y da al que las ha menester de los del mismo barrio como adelante se dirá.

335

Por manera que nunca se daban ni se dan aquellas tierras a quien no es natural del CALPULLI o barrio que es como los isrraelitas que no podían ni era lícito enajenar las tierras de una tribu en otra y ésta entre otras es una de las causas y razones por que algunos se mueven a creer que los naturales de aquellas partes descienden de los del pueblo de Ysrrael y porque muchas de sus ceremonias usos y costumbres conforman con las de aquellas gentes y la lengua de Michiuacam que es un gran reino dicen que tiene muchos vocablos hebreos y esta lengua y casi todas las demás de la Nueva España y de otras partes son semejantes en la pronunciación en la lengua hebrea y así lo afirman los que saben la lengua de aquella tierra y los que han estado en los reinos del Peru y en las demás partes de Yndias así de sus ritos y ceremonias como de su lengua pero /190 v./ lo contrario tiene fray Geronimo Rroman en el capítulo nueve del segundo libro de *La rrepublica de las Yndias occidentales*.

Podíanse dar estas tierras a renta a los del otro barrio o CALPULLI y era la renta para las necesidades públicas y comunes del CALPULLI y a esta causa se permitía arrendarlas y no en otra manera porque si es posible por una vía ni por otra no se permitía ni permite que los de un CALPULLI labren las tierras de otro CALPULLI, por no dar lugar a que se mezclen unos con otros ni salgan del linaje.

La causa por que querían estas tierras a renta y no tomarlas en su CALPULLI de gracia era porque se las daban labradas y la renta era poca o parte de la cosecha según se concertaban o porque acontecía que eran mejores que las que tenían o les daban en su CALPULLI o por no haberlas para dárselas o porque querían y podían labrar las unas y las otras.

Si acaso algún vecino de un CALPULLI o barrio se iba a vivir a otro perdía las tierras que le estaban señaladas para que las labrase, porque ésta era /191/ y es costumbre antiquísima entre ellos y que jamás se quebranta ni había en ello contradicción alguna y quedaban y quedan al común del CALPULLI cuyas son y el pariente mayor las reparte entre los demás del barrio que no tienen tierras.

Si algunas hay vacantes o por labrar en el CALPULLI tenían y tienen gran cuenta con ellas para que de otro CALPULLI no se les entren en ellas y sobre esto tenían y tienen grandes pendencias por defender cada uno las tierras de su CALPULLI.

Si alguno había o hay sin tierras el pariente mayor con parecer de otros viejos les daba y da las que han menester conforme a su calidad y posibilidad para las labrar y pasaban y pasan a sus herederos en la forma que se ha dicho y ninguna cosa hace este principal que no sea con parecer de otros viejos del CALPULLI o barrio.

Si uno tenía unas tierras y las labraba no se le podía otro entrar en ellas ni el principal se las podía quitar ni dar a otro y si no eran buenas las podía dejar y buscar otras mejores y pedirlas /191 v./ a su principal y si estaban vacantes y sin perjuicio se las daban en la forma que se ha dicho.

El que tenía algunas tierras de su CALPULLI si no las labraba dos años por culpa y negligencia suya y no habiendo causa justa como por ser menor o huérfano o muy viejo o enfermo que no podía trabajar le apercibían que las labrase a otro año y si no que se darían a otro y así se hacía.

Los comunes de estos barrios o CALPULLEC siempre tienen una cabeza y nunca quieren estar sin ella y ha de ser de ellos mismos y no de otro CALPULLI no forastero porque no le sufren porque como dijeron los legados que enviaron los escitas al rey Alexandro cuando entró en sus tierras, ninguno hay que quiera sufrir señor alienígena o extranjero como lo refiere Quinto Curçio en el libro sexto de su *Historia* y el que elegían para esta dignidad había ya de ser principal y hábil para los amparar y defender y lo elegían y eligen entre sí y a éste tenían y tienen como por señor y es como en Vizcaya o en las montañas el pariente mayor y no va por sucesión /192/ sino muerto uno eligen otro el más honrado sabio y hábil a su modo y viejo el que mejor les parece para ello si queda algún hijo del difunto suficiente lo eligen y siempre eligen pariente del difunto como lo haya y sea para ello.

Este principal tiene cuidado de mirar por las tierras del CALPULLI y defenderlas y tiene pintadas las suertes que son y las lindes y adónde y con quién parten términos y quién las labra y las que tiene cada uno y cuáles están vacantes y cuáles se han dado a españoles y a quién y cuándo y a quién las dieron y van renovando siempre sus pinturas según los sucesos y se entienden muy bien por ellas y es a su cargo como está dicho dar tierras a los que no las tienen para sus sementeras o si tienen pocas según su familia les dan más y tienen cuidado de amparar la gente del CALPULLI y de hablar por ellos ante la justicia y ante los gobernadores y en casa de éste se juntan los del CALPULLI a hacer y tratar lo que conviene a su CALPULLI y a sus tributos y a sus fiestas y regocijos y en esto gasta mucho porque /192 v./ siempre en estas juntas que son muchas por año les da de comer y beber y es necesario para los tener contentos y quietos.

En entender la armonía de estos CALPULLEC o barrios va mucho para los sustentar en justicia no los confundir como lo están casi todos y tan divisos que nunca tornarán al buen orden que en esto tenían y por no se hacer caso de ello se han adjudicado a muchos las tierras que tenían de su CALPULLI para las labrar en la manera que se ha dicho por probar que las han poseído y labrado ellos y sus pasados impuestos para ello por españoles y mestizos y mulatos que se aprovechan y viven de esto y no les vale a los principales contradecirlo y decir que son del CALPULLI y clamar sobre ello porque no son entendidos y es gran perjuicio de los demás que se quedan sin aquel aprovechamiento que pretenden y porque aquellos a quien se adjudican las venden y enajenan en perjuicio del CALPULLI.

Hay otra y cuarta manera de señores no porque tengan señorío ni mando /193/ sino por linaje a los cuales llaman PIPILTÇIM que es vocablo general que quiere decir principales como decimos en Castilla caballeros y eran y son todos los hijos de los señores supremos a quien llaman TLACOPIPILÇIM como quien dice hijos de señores y otros PIPILTÇIMTLI que son nietos y biznietos y más adelante de los tales señores hay otros que llaman TECQUIUACQUES que son hidalgos hijos de los que tenían aquellos cargos que se ha dicho y todos los susodichos y sus sucesores eran libres de tributo porque eran hidalgos y gente de guerra y siempre estaba en casa del señor supremo cierta cantidad de ellos para embajadores para unas y otras partes y se mudaban por su orden y para ministros y ejecutores de la justicia y demás de no pagar tributo tenían otras muchas preeminencias y el señor les daba ración y acostamiento.

CAPÍTULO SEXTO

En que se refiere la manera que tenían en su gobierno y los jueces ordinarios y superiores que había y la /193 v./ manera que tenían en su judicatura y con cuánto rigor guardaban sus leyes.

Tres señores como se ha dicho había en la Nueva España a los cuales estaban sujetos casi todas las demás provincias y pueblos de toda aquella tierra que eran el señor de Mexico y el de Tlezcuco y el de Tlacopam y en éstos y en sus tierras había más orden y justicia que en todas las otras partes porque en cada ciudad de éstas había jueces a manera de audiencia y había poca o ninguna diferencia en las leyes y modo de la judicatura y diciendo el orden que en una parte se tenía quedará entendido de las otras, diráse más particularmente el modo que se tenía en Tlezcuco porque allí hubo un señor llamado Neçaualcoyoçim el cual reinó cuarenta y dos años que fue hombre de buen juicio y ordenó muchas leyes para el buen regimiento y conservación de su señorío que era muy grande a éste sucedió un hijo llamado Neçaualpilçintli que reinó cuarenta y cuatro años y demás de las leyes que /194/ su padre hizo él ordenó e hizo otras porque como los tiempos se iban variando eran necesarios nuevos preveimientos y aplicó los remedios según el tiempo y la necesidad lo demandaba por manera que estos dos señores se pueden contar entre los demás que dieron y ordenaron leyes en el mundo por donde se rigiese y gobernase y como estos señores padre e hijo se dieron buena maña en regir su tierra y poner buena orden en ella los señores de Mexico y Tlacopam los tenían como padres así por ser deudos propincuos como por la estimación de sus personas y regían y gobernaban sus tierras conforme al orden y leyes que éstos dieron en su señorío demás de las que ellos y sus pasados habían dado y remitían muchos pleitos a Tlezcuco para que allí se determinasen y en las cosas de guerra siempre tuvo el de Mexico la preeminencia y allí y no en otra parte se trataban y determinaban.

Estos señores tenían muchas provincias sujetas y de cada una de ellas tenían en las ciudades de Mexico y Tlezcuco y Tlacopam que eran las cabezas doce jueces hombres escogidos /194 v./ para ello de buen juicio y algunos eran parientes de los señores / el salario que éstos tenían era que el señor les tenía señaladas tierras donde sembrasen y cogiesen los mantenimientos que bastaban para sustentar su familia y en ellas había casas de indios que las sembraban y beneficiaban y del fruto llevaban su parte y daban servicio y agua y leña para las casas de aquellos jueces en lugar del tributo que habían de dar al señor supremo y muriendo alguno de estos jueces pasaban las tierras al que sucedía en el oficio y judicatura porque estaban aplicadas para ello con la gente que en ellas había para las beneficiar.

En las casas del señor había unos aposentos y salas levantadas del suelo y subían a ellos por siete u ocho gradas que eran como entresuelos y en ellas residían los jueces que eran muchos y los de cada provincia y de cada pueblo y barrio estaban a su parte y allí acudían los súbditos de cada uno / oían y determinaban las causas de los matrimonios y divorcios y cuando se ofrecía algún pleito de divorcio /195/ que eran pocas veces procuraban los jueces de los conformar y poner en paz y reñían ásperamente al que era culpado y le decían que mirase con cuánto acuerdo se habían casado y que no echasen en vergüenza y deshonra a sus padres y parientes que habían entendido en los casar y que serían muy notados de todos los del pueblo porque sabían que eran casados y les decían otras cosas y razones todo a efecto de los conformar.

Dicen los religiosos antiguos en aquella tierra que después que los naturales están en la sujeción de los españoles y se perdió la buena manera de gobierno que entre ellos había comenzó a no haber orden ni concierto entre ellos y se perdió su pulicía que para ellos era muy buena y la justicia y ejecución de ella y se han frecuentado los pleitos y los divorcios y anda todo confuso como lo han dicho algunos indios viejos.

Repudiar los maridos a las mujeres es cosa antiquísima como parece por el capítulo 24 del Deuteronomio donde /195 v./ se refiere por qué y en qué forma se podían repudiar y en el capítulo 19 de San Matheo y en el décimo de San Marcos se dice que se permitió el repudio por la dureza de corazón de los israelitas y el rey Asuero repudió a la reina Vasti su mujer porque en un gran convite que hizo a todos los principales de su reino en que se incluían ciento veintisiete provincias que duró ciento ochenta días, el postrero de ellos mandó a sus eunucos que sacasen a la reina puesta una corona en la cabeza para que todos viesen su gran hermosura y ella no quiso obedecer ni hacer lo que el rey mandaba de que él mostró gran sentimiento y enojo y tomando parecer con los de su consejo la repudió y casó con Hester como más largamente se cuenta en la Sagrada Escriptura en el libro intitulado Hester.

El primero que entre los romanos hizo divorcio con su mujer fue Spirius Carbilio llamada Rruga porque era estéril a causa de ser enferma y juró ante los censores al tiempo que la quiso /196/ repudiar que se había casado por haber hijos como lo refiere Aulo Gelio, en el fin del capítulo 21 del libro 17 y en el capítulo tercero del libro cuarto dice que esto sucedió quinientos veintitrés años después de la fundación de Rroma y Lucius Scylla teniendo cercada la ciudad de Athenas según lo refiere Plutarco en su *Vida* desde los muros le decían palabras de injuria y afrenta contra Metela su mujer porque públicamente era muy deshonesta y como dice San Geronimo en el libro primero *Contra Joviniano* con denuestos de sus enemigos supo los secretos de su casa porque somos los postreros que sabemos nuestros males y la deshonra de nuestra casa como lo dice Juvenal en la *Sexta satyra* y venido Sçylla a su casa repudió a su mujer y Pompeyo repudió a Muçia su mujer porque era muy deshonesta y estando en la guerra contra Mithlidates la seguían y codiciaban sus eunucos y otras gentes porque pensaban que Pompeyo lo sabía y daba lugar a su deshonestidad y un soldado suyo le avisó de ello y él, que era /196 v./ vencedor de todo el mundo se turbó con tan triste nueva como lo dice San Geronimo en el mismo libro primero *Contra Joviniano* y después de la victoria que hubo contra Mithlidates y después de le haber sucedido muchas cosas felicísimamente en las guerras de Asya y de otras partes y después de sus triunfos y después de haber tenido los más principales oficios en Rroma tornado de Asya en Ytalia habiéndose certificado de la infamia de su mujer la repudió y nunca jamás quiso decir la causa de ello como lo refiere Plutarco en su *Vida* y Paulo Emilio repudio a Papyria su mujer habiendo estado muchos años juntos y habiendo en ella al gran Scipion y jamás quiso decir la causa y como sus amigos le preguntasen en qué le había ofendido aquella mujer tan noble y tan casta y tan honesta y hermosa mostró uno de sus pies y dijo veis este zapato cuán nuevo y hermoso es pues ninguno de vosotros sabe dónde me lastima y Tullio repudió a Terençia su mujer que era muy sabia después de le haber escrito muchas /197/ cartas estando desterrado de Rroma y se casó con ella Salustrio su enemigo por saber sus secretos y tercera vez casó con Mesalla Corvino y dice San Geronimo que anduvo por los grados de la elocuencia porque después de Tullio que era elocuentísimo casó con Salustrio que lo era casi tanto como Tullio y después con Mesalla que era muy elocuente aunque no tanto como los otros dos y dice San Geronimo que después de este repudio de Terençia rogó Hirtio a Tullio que se casase con su hermana y no lo quiso hacer diciendo que no podía cumplir con la mujer y con el estudio de la filosofía y Cayo Jullio Çesar dice Baptista Fulgoso en el libro sexto que repudió a su mujer porque fue hallado en su casa Publio Claudio en hábito de mujer y como preguntasen a Çesar por qué había desechado a su mujer respondió la mujer de Çesar no sólo ha de estar libre de adulterio pero también lo ha de estar de la sospecha de él aunque Caton como lo refiere San Geronimo habiéndole pedido Hortensio a Martia su mujer para haber hijos en ella se la dio y después que parió de Hortensio la tornó a recibir como el mismo San Geronimo lo dice en el libro segundo *Contra Joviniano* /197 v./ y que en esto siguió la pulicía de Platon en su *Rrepublica* que mandó que las mujeres fuesen comunes y no debía de ser Caton tan achacoso como los demás que se han dicho pues de su voluntad dio a su mujer a otro y la tornó después a recibir y él según dice San Geronimo no la había habido virgen y pudo vivir sin él y Portia hija de Caton no pudo vivir sin Bruto porque sabiendo su muerte comió unos carbones hechos brasas de que murió según lo dice Plutarco en la *Vida de Bruto*.

Entre los griegos Euripides gran filósofo tuvo dos mujeres la primera llamada Choerina en quien tuvo dos hijos y después la repudió y casó con otra y también la repudió porque ambas fueron deshonestas de donde dicen que tomó ocasión para decir mal de las mujeres en sus *Tragedias* porque como dice San Geronimo todas están llenas de injurias y afrentas contra ellas porque como él mismo decía le engañaron los consejos de las malas mujeres de donde se entiende que el mal que de ellas dice no es contra todas porque esto fuera muy contra razón sino contra las malas porque es cierto /198/ que entre las mujeres hay buenas y malas como hay entre los hombres buenos y malos y si como decía una mujer muy honesta y discreta si a ellas fuera dado escribir como a los hombres pudieran decir tanto mal de ellos como ellos dicen de ellas y lo mismo dice un autor grave de cuyo nombre no me acuerdo aunque lo he visto y leído.

Los jueces que se ha dicho en amaneciendo estaban sentados en sus estrados de esteras y luego acudía la gente con sus demandas y algo temprano les traían la comida de palacio / después de comer reposaban un poco y tornaban a oír los que habían quedado y estaban hasta dos horas antes que se pusiese el sol y las apelaciones de éstos iban ante otros doce jueces que presidían sobre todos los demás y sentenciaban con parecer del señor.

Cada doce días el señor tenía acuerdo o consulta con todos los jueces sobre los casos arduos y criminales de calidad todo lo que con él se había de tratar iba muy examinado y averiguado / los testigos decían verdad así por el juramento /198 v./ que les tomaban como por temor de los jueces que se daban muy buena maña en averiguarla y tenían gran sagacidad en las preguntas y repreguntas que les hacían y castigaban con gran rigor al que no la decía.

Los jueces ninguna cosa recibían en mucha ni en poca cantidad ni hacían excepción de personas entre grandes ni pequeños, ricos ni pobres, y usaban en su judicatura con todos de gran rectitud y lo mismo era en los demás ministros de la justicia.

Si se hallaba que alguno recibía alguna cosa o se desmandaba algo en beber o sentían algún descuido en él, si éstas eran cosas pocas los otros jueces lo reprendían entre sí ásperamente y si no se enmendaba a la tercera vez lo hacían trasquilar y con gran confusión y afrenta lo privaban del oficio que era tenido entre ellos por gran ignominia, si el exceso en lo dicho era grande por la primera vez lo privaba el señor y porque un juez favoreció en un pleito a un principal contra un plebeyo y la relación que hizo al /199/ señor de Tlezcuco no fue verdadera lo mandó ahorcar y que se tornase a rever el pleito y sí se hizo y se sentenció por el plebeyo.

Había con ellos escribanos o pintores muy diestros que con sus caracteres ponían las personas que pleiteaban y sobre qué y las demandas y testigos y lo que se determinaba o sentenciaba y no se permitía que hubiese dilación ni más apelación que la que iba ante el señor con los jueces de apelaciones y a lo más largo duraba el pleito ochenta días que era el término de la consulta general como luego se dirá y determinado una vez no había quién osase tornar más a ello y no era como ahora que no saben acabar cosa los que se han dado a pleitos y en habiendo jueces nuevos tornan a renovar los pleitos en especial cuando cada uno los oye por sí solo fuera de la Audiencia y es cierto que los que se están en su simplicidad natural y que no anda entre ellos quién los imponga en traer pleitos están muy quitados de ellos y andando yo visitando en tierra de Guatimala lo vi y entendí muy claro que acontecía venir ante mí indios /199 v./ a pedir a otros tierras que les tenían tomadas y llamados decían es verdad que me entré en ellas porque no las labraba y dicho como se las pedía el otro decía pues dádselas / otros decían cuando me entré en su tierra estaba calma y he puesto CACAGUATAL o algunos otros árboles partámosla y el otro decía que era contento y que les diese yo cédula de ello y así se hacía sin escribir más letra y esto guardaban por ley y me acontecía cada día y sucedían otras cosas de gran simplicidad y bondad y no sabían negar la verdad como no hubiese quien los impusiese en otra cosa y lo mismo sucede en los delincuentes que si luego les toman la confesión dicen de plano la verdad y si entran en la cárcel o les hablan primero tarde o nunca se puede sacar de ellos porque están firmes en lo que les imponen.

Aquellos doce jueces que eran de las apelaciones tenían doce que eran como alguaciles mayores para prender personas principales e iban a los otros pueblos a llamar o prender a quien /200/ el señor o los jueces les mandaban y les hacían gran acatamiento donde quiera que iban como a muy principales mensajeros del señor y de su justicia mayor / había otros que servían de emplazadores y de mensajeros y en mandándoles la cosa iban con grandísima diligencia que fuese de noche o de día lloviendo o nevando o apedreando no esperaban tiempo ni hora.

En las provincias y pueblos había jueces ordinarios que tenían jurisdicción limitada para sentenciar pleitos de poca calidad, podían prender todos los delincuentes y examinar y concluir los pleitos arduos y guardaban la determinación para los ayuntamientos generales que había con el señor de cuatro en cuatro meses que cada mes era de veinte días y a esta junta acudían de toda la tierra ante el señor y se determinaban todos los negocios arduos y criminales duraba esta consulta dieciocho días y demás de la determinación de los pleitos se trataban y conferían todas las cosas tocantes a sus repúblicas y a todo el reino a manera de cortes.

/200 v./ Tenían sus leyes y por muchos delitos había pena de muerte / a los adúlteros los apedreaban aunque después se mudó esta pena y los ahorcaban y daban la muerte por otra vía / ponían gran diligencia de su oficio en inquirir si había algunos que cometiesen el pecado contra natura y morían por ello teníanlo por grave pecado / y decían que no lo veían en los animales brutos el pecado de bestialidad no se halló jamás entre ellos y ejecutaban con gran rigor la pena de la ley sin excepción de personas que aun con sus propios hijos no dispensaban y así el señor de Tlezcuco mandó matar un hijo suyo porque tuvo acceso con una de sus mujeres y ella murió también por ello conforme a su ley que ponía pena de muerte a ambos / otro señor de Tlezcuco por lo mismo mandó matar por justicia en veces cuatro hijos y a las mujeres con ellos en Tlaxcallam un señor principal señor de mucho pueblos y vasallos hermano de Maxizcaçim cometió adulterio y se juntaron sobre ello todos los señores de Tlaxcallam y con ellos Maxizcaçim /201/ que era muy valeroso y la segunda cabeza de Tlaxcallam de cuatro que había y capitán general de toda la provincia y fue por todos determinado que muriese por su delito y que no se quebrantasen por nadie sus leyes y se ejecutó la pena en él y en ella / cualquiera que entraba donde se criaban recogidas y encerradas las doncellas tenían pena de muerte y lo mismo si alguna de ellas lo metía y un hijo de un señor muy principal saltó las paredes del aposento donde se criaban las hijas del señor de Tlezcuco y habló con una de ellas un poco y en pie y no hubo más y como el señor lo supo fue avisado el mancebo y púsose en cobro de manera que no pudo ser habido y a la doncella hija suya muy querida e hija de señora principal la mandó luego ahogar y aunque mucho le rogaron no se pudo acabar con él que la perdonase porque decía que no se había de quebrantar la ley con nadie y que daría mal ejemplo a los otros señores y quedaría muy deshonrado y lo tendrían por injusto si con sus vasallos se ejecutase la ley y no con sus hijos y que convenía que un hecho tan malo no quedase sin castigo /201v./ este mismo señor llamado Neçaualpilçintli mandó matar por justicia una hija suya casada porque cometió adulterio y al adúltero con ella y se ejecutó la pena de la ley aunque el marido la perdonó porque se diría que no la perdona de su voluntad sino por su respeto a estos castigos mandaba juntar las doncellas y mujeres de palacio y les mandaba decir por qué se hacía para que se guardasen ellas de cometer semejantes delitos y no estaban presentes las niñas que se estaban en su inocencia por no les dar ocasión de pensar en aquel vicio / a los que eran causa de algún escándalo en especial en los mercados y lugares públicos mandaba que muriesen por ello.

Esta manera de gobierno tuvieron algunos años después de ganada la tierra entretanto que los señores naturales la gobernaron y se ha perdido después que entre ellos se pusieron gobernadores y alcaldes y regidores y otros oficiales de justicia y ha sido causa de abatir y deshacer los señores naturales y han perdido su manera de gobierno que para ellos era muy buena y muy necesaria y se han /202/ levantado contra los señores y unos con otros de donde ha resultado la multitud de pleitos que entre ellos hay como todo se dijo más largo en la *Suma de los señores* y en la *De los tributos*.

CAPÍTULO SÉPTIMO

En que se refieren algunas otras leyes que los naturales de Anauac tenían para castigar los delincuentes y para el gobierno de su república.

Gran orden y hermosura pone la justicia contra la fealdad y desorden del pecado y aunque los naturales de Anauac por la ceguedad de su idolatría muchas veces tomaban las tinieblas por luz y la luz por tinieblas y no pocas veces elegían el mal por bien y el bien tenían por mal y por tener el gusto estragado lo amargo tenían por dulce y lo dulce por amargo pero con todo esto tenían leyes y costumbres y algunas loables y buenas con que se regían y con que gobernaban y conservaban sus repúblicas y castigaban los delincuentes y como dice fray Torivio todo lo que es contra los diez mandamientos de Dios se tenía ser malo de donde dice se colige que usaban del derecho natural y pues se ha dicho /202 v./ de los jueces que tenían y del modo y manera que guardaban en su judicatura será bien a referir algunas leyes que tenían para ello además de las que se han dicho.

Los que cometían algún delito grave tenían pena de muerte / la mujer preñada que tomaba con qué lanzar la criatura ella y la que se lo daba morían por ello y era como ley que mujeres curaban otras mujeres en sus enfermedades y hombres a otros hombres / el que hacía fuerza alguna doncella en cualquiera parte que fuese moría por ello / el que daba ponzoña a otro tenía pena de muerte y lo mismo el que se la dio para ello / si el marido por su autoridad mataba a su mujer por adúltera aunque la tomase con otro moría por ello porque decían que usurpaba la justicia en no la llevar ante los jueces para que siendo convencida del delito muriera por sentencia porque la que cometía adulterio ella y el adúltero morían por ello habida información del delito y si no había más que indicios dábanles tormento y según dice fray Andres de Olmos en aquella su *Rrelaçion* los /203/ jueces los apercibían que dijesen verdad pues que ya su dios lo sabía y que no lo encubriesen y que si negaban el delito así en este caso como en otro criminal, metían al delincuente en una jaula de palo y lo tenían allí hasta que confesase o muriese / cualquier delito contra la república o ladrón famoso tenía pena de muerte y lo mismo toda su parentela y a los que estaban lejos a la sazón que el delito se cometió y se entendía por esto o por otra razón alguna que no lo podían saber los hacían esclavos para que otros tuviesen cuidado en teniendo noticia de semejantes delitos de avisar a la justicia / y dice fray Torivio que si algunos estando beodos cometían adulterio no por eso eran excusados de la pena de muerte / el que tenía acceso con su madrastra o con su hermana y el padrastro con su entenada tenían pena de muerte y lo mismo los que cometían incesto en grado de consaguinidad o afinidad salvo cuñados y cuñadas y cuando unos morían las mujeres que dejaban las tomaban los hermanos por mujeres aunque los difuntos tuviesen hijos /203 v./ en ellas / los que cometían alguna traición contra el señor y le querían privar del señorío por se levantar con él aunque fuesen deudos morían por ello el que hacía algún hurto de los templos o de la casa del señor o si para ello rompía casa aunque no hubiese efecto el hurto por la primera vez era hecho esclavo y por la segunda lo ahorcaban al que hurtaba algo en la plaza o en el mercado lo ahorcaban porque tenían por grave el delito cometido en la plaza o mercado / el hombre que andaba vestido como mujer o la mujer como hombre tenían pena de muerte y dice que en dos o tres provincias lejos de Mexico casi se permitía el pecado nefando porque el demonio les hizo creer que entre sus dioses se usaba y era lícito y con todo esto lo tenían por malo y por infame al que lo cometía.

Dice fray Torivio que estos indios de su natural son tan sin cólera y tan pacíficos que parecen carecer de la irascible por lo cual muy pocas veces les acontece reñir y llegan a descalabrarse o a se mesar o romper las mantas, si la justicia los prendía /204/ por ello estaban en la cárcel algunos pocos días y el dañador pagaba la cura al descalabrado y la manta si se la había roto y que nunca sacaban armas sino cuando iban a la guerra si no eran los señores y los cazadores que llevaban sus arcos y flechas o cerbatanas y las rencillas que entre ellos había eran de palabras de enojo y empujarse el uno al otro o tomar puñados de tierra y darse con ellos en los ojos y los que reñían en el mercado como alborotadores del pueblo eran gravemente castigados y el señor de Tlezcuco informado que dos mujeres habían reñido en el mercado y que la una a la otra le rasgó la oreja de que le salió sangre y se alborotó toda la gente en ver reñir dos mujeres por ser cosa nueva mandó ahorcar a la que rasgó la oreja a la otra así por el delito como por el escándalo que dieron y la otra fue castigada con rigor.

Cuando algunos reñían o tenían diferencias sobre amores de alguna mujer se desafiaban para la primera guerra y en ella se buscaban el uno al otro /204 v./ y se herían con sus armas como enemigos y conocida la ventaja que el uno hacía al otro los metían en paz y quedaba la mujer por del vencedor y así lo declaraban los padrinos que para ello ponían.

No podían beber vino sin licencia de los señores o de los jueces y no lo daban sino a enfermos y a viejos que pasaban de cincuenta años porque decían que éstos tenían necesidad de él porque se les iba resfriando la sangre y no podían beber más que tres tazas pequeñas al comer y con aquel su vino no se emborrachan si no es bebiendo mucha cantidad / en las bodas y fiestas tenían licencia general los que pasaban de treinta años para beber dos·tazas y cuando acarreaban madera y piedras grandes por el gran trabajo que en ello pasaban / las paridas lo podían beber los primeros días y no más y había muchos que en salud y enfermos no lo querían beber / los señores y principales y la gente de guerra tenían por afrenta beberlo y era muy aborrecida entre ellos la embriaguez y tenían por infame al que se embeodaba y la pena /205/ que tenía era que en el mercado públicamente lo trasquilaban fuese hombre o mujer y luego le iban a derribar la casa porque decían que quien se embeodaba y perdía el seso por ello no merecía tener casa en el pueblo ni ser contado entre los vecinos de él y eran privados de los oficios públicos que tenían y quedaban inhábiles para no los poder tener de allí adelante.

Algunos religiosos doctos han tenido escrúpulo sobre el castigo que se hace a los indios que se emborrachan y consultaron sobre ello a otros religiosos de España y respondieron que si los españoles no eran castigados por ello que no había razón por que se disimulase con ellos y se castigasen los indios en especial si en su gentilidad no tenían pena por ello y por lo dicho consta con cuánto rigor se castigaban.

Los españoles y algunos religiosos si no son los antiguos que han procurado averiguar de raíz las costumbres de aquellas gentes eran muy engañados en decir que en tiempo de su gentilidad había gran desorden en el beber y en se embriagar /205 v./ y la causa de este engaño ha sido y es porque luego como se ganó la tierra se daban al vino desenfrenadamente y tomaron esta licencia cuando comenzó a cesar la autoridad y poder de sus jueces y señores naturales para los castigar con la libertad que solían y dicen los indios viejos que ésta fue la causa porque en esto y en otros vicios y delitos tomó cada uno osadía para hacer a su voluntad lo que quería porque no se dan las justicias de los españoles tan buena maña como sus jueces en lo averiguar y castigar y poco a poco se fue entre ellos disminuyendo la autoridad y modo de su justicia hasta que del todo se vino a deshacer y acabar y con esto asimismo se acabó el buen orden que en todo tenían y su pulicía.

Muchas cosas muy singulares traen sobre la embriaguez Tiraquello *De penis temperandis* en la causa sexta y *Plaça de delictis* en el capítulo 30 donde lo podrá ver el curioso lector.

La pena que daban a las alcahuetas era sacarlas a la vergüenza y en la plaza delante de toda la gente le quemaban /206/ los cabellos y si la persona a quien habían alcahueteado era principal o persona honrada tenían pena de muerte.

Las cárceles eran crueles en especial las que tenían para los delincuentes y para los que prendían en guerra y era una casa obscura y dentro había sus jaulas de madera y la puerta era pequeña y la cerraban con tablas arrimadas a ella y luego arrimaban grandes piedras y había sus guardas y la comida que les daban era tan poca que desde a pocos días se paraban muy flacos y amarillos.

Otras muchas leyes dice fray Torivio que tenían y que no las refiere porque sería hacer largo proceso y que las tenían escritas con caracteres y figuras muy inteligibles a ellos y a otro cualquiera que lo quisiese entender y mirar con alguna plática y que él sacó de aquellas figuras o pinturas lo que se ha dicho y cuando tenía alguna duda lo preguntaba a buenos maestros.

CAPÍTULO OCTAVO

De las leyes y costumbres que los indios de Anauac tenían en las guerras y cómo se habían en ellas y con los que prendían.

/206 v./ La discordia y guerra es mal tan antiguo y tan general que a todas las partes del mundo alcanza y no hay parentesco tan propincuo entre quien falte algunas veces guerra como al principio del mundo la hubo entre los dos primeros hermanos que mató el uno al otro y entre el cuerpo y el ánima no falta guerra y no pequeña sino muy grande y muy continua y cuando el espíritu prevalece la carne está descontenta y quejosa y cuando ella vence y manda el ánima de señora es hecha sierva y en el vientre de Rebeca no tuvieron paz los dos hermanos Esau y Jacob sobre lo cual dice San Juan Chrysostomo que desea saber la causa de esta nueva batalla ¿qué pudo acaecer en el vientre de la madre? ¿qué interés hubo que fuese bastante para pelear? ¿qué se promete al vencedor o qué se niega al vencido? ¿ante qué juez pasaba el desafío para premiar al vencedor? ¿quién les enseñó antes de nacidos el arte militar? la razón y causa de esta batalla dice que es porque se significan dos pueblos diversos y contrarios que de ellos procedieron los cuales siempre tuvieron continua guerra /207/ y pelea y entre unas mismas gentes y naciones las suele haber como la hubo entre los naturales de Anauac y la costumbre que en ello tenían y las leyes que guardaban se declaran en este capítulo.

Para dar principio o comenzar de nuevo alguna guerra tenían por causa justa si en alguna provincia no sujeta a los señores de México y Tlezcuco y Tlacopam mataban algún mercader y también si mataban algún mensajero y para comenzar la guerra ayuntaban los viejos y las viejas y la gente de guerra que llaman COAHUTIOÇELO que quiere decir los llamados águilas y leones o tigres que son la gente de guerra y ayuntados todos el señor o su secretario les declaraba cómo quería hacer aquella guerra y la causa que para ello había / si era por haber muerto mercaderes respondíanle que tenía razón y que era justa causa para moverla

351

queriendo sentir que la mercaduría y contrato es de ley natural y lo mismo el hospedaje y el buen tratamiento a los huéspedes /207 v./ y a los que ésta quebrantaban era lícito darles guerra y porque el señor de Mexico y el de Tlezcuco enviaban sus mensajeros a provincias remotas rogándoles y requiriéndoles que·recibiesen sus dioses mexicanos y les tuviesen y reverenciasen y adorasen en sus templos y al señor de Mexico por superior y le obedeciesen y tributasen, si mataban sobre ello sus mensajeros o por otra menor causa decíanle una y dos y tres veces que no hiciese guerra y decían ¿por qué has de hacer guerra? como quien dice que no era justo título ni causa suficiente para ello porque su embajada no había sido justa en pedir lo tuviesen por señor y le tributasen y obedeciesen y si muchas veces los ayuntaba para ello por importunación y acatamiento de su señor respondían que hiciese guerra según deseaba y quería / como quien dice lo que primero te dijimos como puestos en nuestra libertad aquello sentíamos pero ahora importunados de ti que eres nuestro rey y señor y no te podemos ni debemos resistir decímoste que hagas lo que quisieres.

/208/ Determinado y acordado que se hiciese la guerra tomaban ciertas rodelas y mantas y enviábanlas aquellos con quien querían comenzar guerra haciéndoles saber la guerra que les querían mover y la causa porque estuviesen apercibidos y no dijesen que los tomaban a traición y ayuntábanse los de aquella provincia y si veían que se podían defender y resistir a los que a sus casas los venían a buscar apercibíanse para ello y si no se hallaban fuertes ayuntaban joyas y tejuelos de oro y piedras de CHALCHIHUITL y buenos plumajes y salíanles al camino con aquellos presentes y con la obediencia y de recibir su ídolo el cual ponían en par y en igualdad del ídolo de su provincia porque en cada pueblo tenían y honraban a un dios por más principal, los pueblos que así venían de voluntad sin haber procedido guerra tributaban como amigos y no como vasallos.

Si no salían de paz o la guerra era con las provincias de sus contrarios antes que la gente se moviese de guerra enviaban delante sus espías muy disimulados y pláticas en las lenguas y provincias que iban a dar guerra estos espías se vestían /208 v./ y afeitaban el cabello al modo de los pueblos donde iban por espías porque en esto siempre había diferencia y las provincias que tenían miedo y recelo de algunos señores siempre tenían entre ellos indios disimulados y secretos o en hábito de mercaderes para que de ellos fuesen avisados y no los tomasen desapercibidos / a los espías que enviaban delante llamaban ratones que andan de noche o escondidos y a hurtadillas.

Vista por los espías la disposición de la tierra y dada razón de todas las particularidades y flaqueza de los lugares el descuido o apercibimiento de la gente, los señores a los que lo hacían fiel y diligentemente daban a cada uno en pago de su trabajo y peligro a que se había puesto alguna tierra para en que sembrase y tuviese por suya y si de la parte contraria salía alguno a descubrir y a dar aviso cómo su señor o su gente venía sobre ellos y que estuviesen avisados al tal dábanle mantas y pagábanle bien, algunas veces pasaba esto tan secreto que no se sabía y se quedaba con lo que le daban pero si se venía a saber se hacía en él horrible y muy cruel castigo como a traidor enemigo de su república y que iba a dar aviso a sus contrarios.

/209/ Tomaban al que había cometido esta traición y en la plaza por justicia le cortaban todos los miembros lo primero le cortaban los bezos alto y bajo y las narices, y las orejas a raíz del casco, luego las manos y los brazos por los codos y por los hombros, los pies por los tobillos y por las rodillas luego repartían y echaban aquel cuerpo hecho pedazos por los barrios y lugares públicos para que viniese a noticia de todos y hacían esclavos a los parientes de aquel traidor en el primer grado así como hijos y hermanos si supieron de la traición y a todos los que la supieron y no lo dijeron y para saber esto ponían mucha diligencia.

Ayuntadas las huestes la batalla que como dice fray Torivio se daba en el campo entre los términos de las provincias que ellos llaman QUIAHUTLALE que quiere decir término y lugar de la guerra y allí salían a recibir a sus contrarios y en estando cerca los unos de los otros daban una espantosa grita que ponían la voz en el cielo otros silbaban otros aullaban que ponían temor y espanto a cuantos los oían que parecía que allí lloraban las muertes y heridas que luego habían de suceder / el señor de Tlezcuco llevaba un atabalejo que tocaba al principio /209 v./ de la batalla otros unos caracoles grandes que sonaban a manera de cornetas otros con unos huesos hendidos daban muy recios silbos todo era para animar su gente y apercibirlos a todos.

Lo primero jugaban con hondas y varas como dardos que sacaban con jugaderas y las echaban muy recias y también arrojaban piedras de mano tras esto allegaban los de espada y rodela y con ellos iban arrodelados los de arco y flecha y allí gastaban su almacén y aunque se arrodelan en extremo muy bien las flechas hacían mucho daño.

En la provincia de Teouacam había flecheros tan diestros que de una vez tiraban dos y tres flechas juntas y las sacaban tan recias y tan ciertas como un buen tirador una sola / este arte de saeta y flecha es la más común y más antigua de todas cuantas armas había en aquel nuevo mundo y desde que hay memoria de aquellas gentes la hay de la flecha y arco por las continuas guerras que entre ellos había y hay y por se mantener de la caza y nunca están sin flecha y arco y antes andarán desnudos que sin arco y sin flechas.

La gente de vanguardia no era la más fuerte ni la más diestra y gastada mucha /210/ parte de la munición salían de fresco con unos lanzones y espadas largas de pedernal y siempre las traían fiadas y atadas a la muñeca por que aunque alguna vez las soltasen de la mano no las perdiesen / no tenían costumbre de romper unos por otros mas primero andaban como escaramuzando y arremetiendo los unos volvían las espaldas a los otros iban un poco huyendo y de presto volvían los que iban huyendo sobre los otros y vueltas las espaldas iban huyendo y de esta manera andaban un rato prendiendo e hiriendo en los postreros y después de algo trabados y cansados que como los indios dicen estaban medio ciegos y como beodos muy embravecidos salían otros escuadrones de nuevo y de cada parte tornaban a trabarse tenían gente suelta para tomar luego los heridos y llevarlos a cuestas y estaban aparejados los cirujanos con sus medicinas y con gran brevedad curaban los heridos porque no saben alargar la cura.

Usaban también de echar celadas y muchas veces eran muy secretas y muy disimuladas porque se echaban en tierra y se cubrían con paja o de noche hacían hoyas en que se encubrían y allegando cerca de aquel /210 v./ lugar los amigos fingían huida y los contrarios iban descuidados siguiendo a los que huían y acontecíales lo que suele acontecer entre otras naciones.

Cuando alguno prendía al otro si no se quería rendir de grado y procuraba soltarse el que lo había preso trabajaba de lo desjarretar en la corva del pie o por el brazo en el hombro por llevarlo vivo al sacrificio y cuando uno no bastaba para prenderlo acudían a le ayudar otros dos o tres y otros a lo defender y es cosa prolija para

354

referir la crueldad con que repartían aquel cuerpo después de lo haber sacrificado delante los ídolos nunca rescataban ni libraban a ninguno aunque fuese principal señor antes cuanto mayor era lo guardaban para lo sacrificar ante sus demonios y el que prendía algún señor o principal lo presentaba a su mismo señor y él le daba algunas joyas y le hacía otras mercedes y a todos los que nuevamente prendían en la guerra alguno de los enemigos le daba el señor ropa para animar a él y a los demás.

Los que vencían la batalla seguían la victoria hasta que los contrarios cobraban /211/ algún lugar donde se hacían fuertes e iban quemando y robando cuanto hallaban y conociendo los vencidos su flaqueza muchas veces se sujetaban y se daban por vasallos del señor que los llevaba de vencida y si el señor no quería darle la obediencia sus mismos vasallos le requerían que se diese para que él y ellos no pereciesen ni les asolasen sus pueblos y sus casas, y si porfiaba a no se dar pareciendo que era soberbia sus mismos vasallos lo mataban y trataban paces con el otro señor otras veces los que vencían no pasaban más adelante y quemaban las casas que estaban a la raya donde residían los guardas y los que velaban el pueblo y se volvían con lo que habían robado el que llevaba algún prisionero que en singular llaman MALLI y en plural MAMALTZIM si otro se lo tomaba por fuerza o se lo hurtaba por el mismo caso moría por ello como ladrón corsario que hurtaba y salteaba cosa preciosa y quería atribuir a sí la honra del otro y el que tenía algún prisionero si lo daba a otro moría por ello porque los presos en guerra los habían de sacrificar y ofrecer a sus ídolos los que los prendían.

/211 v./ Cuando dos habían echado mano de algún contrario y prendídolo y estaba en duda de cuál de ellos era iban ante los jueces y ellos le tomaban juramento para que dijese cuál lo había prendido primero y él señalaba y decía éste me prendió primero y es mi señor que me ganó en guerra / vueltos al pueblo cada uno guardaba los que había cautivado y los metían en unas jaulas grandes de madera que hacían en algunos aposentos y les ponían su guarda y si ponía mal cobro o se le soltaba algún preso lo pagaban al señor y le daban una moza por esclava y una rodela y una carga de mantas y esto pagaban los del barrio donde era vecino el carcelero y cuando el que se había huido llegaba a su pueblo si era persona baja y de poca suerte el señor le daba alguna ropa con que se vistiese y si era principal los de su pueblo le mataban porque decían que los volvía a echar en afrenta y vergüenza y ya que en la guerra no había sido hombre para prender a otro o para se defender que muriera allá delante los ídolos como preso en guerra y que de esta manera moría con más honra que no volviendo fugitivo.

/212/ Eutropio en el libro segundo de la *Historia Romana* dice que habiendo enviado sus embajadores a Pyrrho el Senado de Rroma para tratar de redimir los que tenía cautivos el rey Pyrrho los recibió honoríficamente y que les entregó los cautivos graciosamente sin precio alguno y que los romanos mandaron que todos los cautivos por Pyrrho les había enviado fuesen tenidos por infames porque estando con sus armas los habían cautivado y que no pudiesen volver al estado antiguo hasta que cada uno hubiese muerto dos de sus enemigos y trajese los despojos de ellos y por esto que hacían los romanos y los indios con los que se dejaban prender en las guerras todos procuraban pelear valerosamente y morir peleando antes que dejarse prender.

El que hurtaba el atavío de guerra de los señores o descosía y hurtaba parte notable de ello aunque fuese muy propincuo pariente moría por ello y así el temor del castigo riguroso suplía la falta de las puertas porque no las usaban / también tenía pena de muerte el que en la guerra se vestía de las armas y divisas de los señores de Mexico y Tlezcuco que eran señaladas sobre todas y no era lícito a otra persona alguna traerlas.

/212 v./ Los reyes de Mexico y Tlezcuco y Tlacopam en todas las provincias que conquistaban y ganaban de nuevo dejaban los señores naturales de ellas en sus señoríos así a los supremos como a los inferiores y a todo el común dejaban sus tierras y haciendas y los dejaban en sus usos y costumbres y manera de gobierno y para sí señalaban algunas tierras según era lo que ganaban en que todo el común las labraba y hacían sementeras conforme a la disposición del pueblo y gente que en él había y a lo que en cada parte se daba y aquello era lo que se les había de dar por tributo y reconocimiento de vasallaje porque no pretendían tanto el interés de los tributos como el acrecentamiento de su señorío que es conforme a lo que dice Justino abreviador *De Trogo Pompeyo* en el libro segundo tratando de los escitas que habiendo sujetado a Assia le impusieron un pequeño tributo más para título de señorío y sujeción de su imperio que para premio de su victoria y a los que les

salían de paz y se les daban sin guerra eran muy poco el tributo
que les imponían y a los que se defendían se lo imponían muy
mayor /213/ aunque también dejaban los señores en su señorío y
su manera de gobierno y en sus haciendas y con estos tributos
acudían a los mayordomos y personas que el señor de Mexico y el
de Tlezcuco y de Tlacopam tenían puestos para la cobranza cada
uno en lo que le había quedado por sujeto y le acudía con la obediencia y a le servir en las guerras y esto era general en todas las
provincias que tenían sujetas y se quedaban tan señores como antes con todo su señorío y gobernación de él y con la jurisdicción
civil y criminal.

CAPÍTULO NUEVE

En el cual se prosigue y acaba la materia de la guerra y cuenta la honra que
hacían al señor y al que prendían la primera vez en la guerra.

Fray Torivio dice que tenían estos naturales a su señor en mucho
cuando era esforzado y valiente hombre porque teniendo tal señor
y capitán salían con mucho ánimo a las guerras según que leemos
lo hacían los hijos de Ysrrael en tiempo que fueron regidos y go-
bernados por jueces y ellos se habían de mostrar y señalar y en
tanto que esto no hacían aunque estuviesen elegidos y confirma-
dos en la /213 v./ posesión del señorío parecía que no estaban contentos ni usaban libremente de la ejecución y dignidad de señor
como los otros que ya se habían mostrado ser valientes hombres
en las guerras porque tenían de costumbre que ni los señores ni los
hijos de señores no se ponían joyas de oro ni de plata ni piedras
preciosas ni mantas ricas de labores ni pintadas ni plumajes en la
cabeza hasta que hubiesen hecho alguna valentía matando o prendiendo por su mano alguno o algunos en guerra y mucho menos la
otra gente de más bajo estado usaba de ropas o joyas hasta que lo
había alcanzado y merecido en la guerra por lo cual cuando el
señor la primera vez prendía alguno en la guerra luego despacha-
ba sus mensajeros para que de su casa le trajesen las mejores joyas
y vestidos que tenía a que diesen la nueva cómo el señor había por
su persona preso en la guerra un prisionero o más y vueltos los
mensajeros con las ropas luego componían y vestían al que el señor había preso y hacían unas como andas en las cuales le traían
con mucha fiesta y solemnidad llamándolo hijo del señor que lo
había preso /214/ y hacíanle aquella honra que al mismo señor
aunque no muy de veras y aquel preso delante y toda la cabalgada
con él venían los de la guerra muy regocijados y los del pueblo
salíanlos a recibir con trompetas y bocinas y bailes y cantos y a las
veces los maestros de los cantos componían cantar propio del nuevo vencimiento y al preso que venía en las andas saludaban todos
primero que al señor ni a otro ninguno diciéndole seáis bienveni-

do pues sois llegado a vuestra casa no os aflijáis que en nuestra casa estáis luego saludaban al señor y sus caballeros / sabida esta primera victoria del señor por los otros pueblos y provincias, los señores comarcanos parientes y amigos veníanle a ver y a regocijarse con él trayéndole presentes de joyas de oro y de piedras finas y mantas ricas y él recibíalos con mucha alegría y hacíales gran fiesta de bailes y cantos y de mucha comida y también repartía y daba muchas mantas y los parientes más propincuos quedábanse con él hasta que llegaba el día de la fiesta que habían de sacrificar al que había preso en la guerra porque llegados al pueblo señalaban el día.

/214 v./ Llegada la fiesta en que el prisionero había de ser sacrificado vestíanle de las insignias del dios del sol y subido a lo alto del templo y puesto sobre la piedra que allí había para los sacrificar el ministro principal del demonio le sacrificaba y con la sangre que del corazón salía rociaba o ensangrentaba las cuatro partes del templo y la otra sangre cogíanla y en un vaso enviábanla al señor el cual mandaba que rociasen con ella a todos los ídolos·de los templos que estaban en el patio en hacimiento de gracias por la victoria que le habían dado y por ellos y mediante su favor había alcanzado.

Sacado el corazón echaban por las gradas a rodar el cuerpo el cual tomado abajo cortábanle la cabeza y poníanla en un palo alto como hacen en muchas partes las cabezas de los ajusticiados por graves delitos y levantado el palo o varal poníanlo en el patio del templo y desollaban el cuerpo y henchían el cuero de algodón y por memoria llevábanlo a colgar en casa del señor / de la carne hacían otras ceremonias que por ser crueles y estar ya dichas otras cuasi semejantes en la primera parte no se refieren / todo el tiempo que el preso estaba en casa del señor antes /215/ que lo sacrificasen ayunaba el señor y antes y después de sacrificado hacía otras muchas ceremonias.

De allí adelante el señor se podía ataviar y usar de joyas de oro y de mantas ricas cuando quería en especial en las fiestas y en las guerras y en los bailes poníase en la cabeza unos plumajes ricos que ataban tantos cabellos de la corona cuanto espacio toma la corona de un abad con una correa colorada y de allí le colgaban aquellos plumajes ricos con sus pinjantes de oro que colgaban a manera de CHIAS de mitra de obispo y aquel atar de cabellos era señal de valiente hombre / los indios menos principales no podían atar los cabellos hasta que hubiesen preso o muerto en guerra cuatro y los penachos que aquéllos ponían no eran ricos y estas y otras ceremonias guardaban en sus guerras y como gente ciega y que servía a los crueles demonios también ellos lo eran y pensaban que hacían gran servicio a Dios que ciertamente todas las cosas que hacían las aplicaban a Dios como si lo tuvieran delante los ojos hasta lo que comían lo primero era quitar /215 v./ un poquito y ofrecerlo al demonio y de lo que bebían echaban un poco fuera por la misma intención y las rosas que les daban cortaban un poco antes que las oliesen para ofrecerlas a su dios y el que esto no guardaba era tenido por mal criado y que no tenía a su dios en su corazón y así dicen ahora los que se esfuerzan a servir y amar a nuestro verdadero Dios siempre doy mi corazón a Dios acordándome de él.

CAPÍTULO DIEZ

Que trata el modo y manera que estos naturales tenían de hacer esclavos y de la servidumbre a que eran obligados y cuáles se podían vender y cuáles no.

El hacer de los esclavos entre estos naturales de la Nueva España es muy al contrario según dice fray Torivio de las naciones de Europa y que es tan dificultosa cosa para acabarla de entender como cualquiera de las ya dichas y que no ha sentido cosa tan escabrosa e intrincada como ésta y que puesto que él ponga diligencia para sacar de raíz los modos y maneras que éstos tenían de hacer esclavos no /216/ querría que la tomasen por ley o argumento para defender su partido ni tomando unas cosas y dejando otras con ellas quiera excusar y favorecer su opinión dado caso que él se siga por las leyes y costumbres de Tlezcuco y Mexico que cree son las más generales en otras provincias y generaciones de otras diversas lenguas tenían otras leyes y costumbres de hacer esclavos especial donde no reconocían sujeción a Mexico y a Tlezcuco y que según que del común decir tenía entendido / halla que muy al contrario la usaban estos naturales y que parece que a estos que llaman esclavos les faltaban muchas condiciones para ser propiamente esclavos porque los esclavos de la Nueva España tenían pecunio adquirían y poseían propio y no podían ser vendidos sino con las condiciones que abajo se dirán / el servicio que hacían a sus amos era limitado y no ordinario y los que servían por esclavos cansándose o habiendo servido algunos años o queriéndose casar salían de la servidumbre y entraban otros sus hermanos o deudos en su lugar también había esclavos /216 v./ hábiles y diligentes que demás de servir a sus amos mantenían casa con mujer e hijos y compraban esclavo o esclavos de que se servían y sus hijos nacían libres todas estas condiciones faltan a los que las leyes dan por siervos y esclavos.

Las maneras de hacer esclavos que luego se dirán pasaban delante testigos personas de anciana edad y los ponían de la una parte y de la otra para que fuesen como terceros y entendiesen en el precio y fuesen testigos y éstos habían de ser hasta cuatro y dende arriba y siempre se ayuntaban muchos como cosa solemne.

Había algunos hombres que se daban al vicio del jugar a la pelota o al juego que llaman el PATOLLI que es a la manera del juego de las tablas como ya se ha dicho estos jugadores puestos en necesidad y para tener qué jugar vendíanse y hacíanse esclavos el más común precio era veinte mantas que es una carga de ropa unas son mayores y mejores que otras y vale más una carga que otra y así eran los esclavos que unos eran más dispuestos que otros y por el mejor daban más precio.

/217/ Había también mujeres que se daban a ruin vida y a traerse lozanamente y para se vestir y traer a su contento se vendían por esclavas y ellos y ellas gozaban primero que comenzasen a servir de su precio y pocas veces pasaba el tiempo de un año porque se les acababa el precio y acabado iban a servir.

Cuando algún niño se perdía luego lo pregonaban y buscaban por todas partes y si alguno lo escondía y lo iba a vender o de industria hurtaba algún muchacho y lo vendía en otro pueblo cuando se venía a saber al ladrón hacían esclavo porque vendió hombre libre.

Los parientes del traidor a su señor o a su república que supieron de la traición y no la manifestaron hacían los esclavos y al traidor daban la muerte que dijimos en los capítulos de la guerra.

En esta tierra guardan el ÇENTLI o maíz en unas parreras o trojes como muy grandes tinajas y encerrado allí el pan tápanle la boca que tiene en lo alto con su barro el ladrón que /217 v./ de allí ha de hurtar al que entró en la panera hacían esclavo porque éste era comúnmente el que incitaba a otro para que le ayudase.

El que hurtaba pequeños hurtos si no eran muy frecuentados con pagar lo que hurtaba hacía pago y si no tenía de qué pagar una y dos veces los parientes se ayuntaban y repartían entre sí el valor de lo que había hurtado y pagaban por él diez o doce mantas y dende arriba y no es de creer que hacían esclavos por cuarenta ni cincuenta mazorcas de ÇENTLI ni por otra cosa de más precio si él tenía de qué pagar o los parientes que lo tenían por costumbre y así lo afirman los de Tlezcuco a las personas de nueve años abajo perdonábanles los hurtos y delitos por inocentes y por menores de edad.

En hurtando alguna cosa de mucho precio así como joyas de oro o mantas ricas en cantidad luego ponían diligencia de lo buscar por los mercados y avisaban a las guardas que siempre residían en la plaza que llaman TIYANQUIZTLI O TIYANQUIZCO que el primero es el recto y el otro es el oblicuo y no tiene esta /218/ lengua en los nombres más de estos casos el primero que conocía su hurto y daba con el ladrón aquel se le daba que fuese su esclavo aunque hubiese también hurtado a otros y por esta causa casi siempre compraban y vendían en el TIYANQUIZCO y el que fuera de allí quería vender teníanle por sospechoso y en el mercado tenían mucha guarda y aviso sobre los ladrones.

El obispo de Chiapa don fray Bartolome de las Casas en *Un tratado que hizo sobre los esclavos* dice que a todos los parientes del ladrón y a sus consanguíneos los hacían esclavos por el delito del pariente o deudo y esto parece ser muy fuera de razón y lo mismo lo que sé que dijo en el capítulo séptimo que si alguno cometía algún delito contra la república o era ladrón famoso tenía pena de muerte él y sus parientes en la forma que allí se dijo y lo uno y lo otro parece gran tiranía pero según lo que dice Juan de Platea en la ley *Jure provisun de fabriçensibus codiçe* libro once en Florencia hay estatuto que si uno comete un delito todos sus parientes pagan /218 v./ por él y dice que la razón es para que todos tengan cuidado que sus parientes no cometan delitos y alega Abaldo en la ley primera C. RES INTER ALIOS ACTA que dice que el tal estatuto es razonable pero no loable y la adición a Juan de Platea refiere algunos doctores que dicen que es válido e Hipolito de Marsilis en el singular 362 que comienza STATUTUM VOLENS / esto se ha referido para que se entienda que tenían alguna manera de excusa lo que aquellas gentes hacían en los casos que se han dicho pero con todo eso parece que no carece lo uno y lo otro de muy gran tiranía.

En los mercados tenían sus portales alrededor y saletas abiertas que miraban hacia el TIYANQUIZCO donde se albergan los tratantes y los pasajeros para el tiempo de agua y como entre otras cosas se venden muchas para comer y se cae y queda por el suelo algo de ello a las noches van los perrillos a lo buscar y también algunos muchachos y ponen redes en las calles que salen al mercado para cazar los perrillos y una vez acaeció que estando las redes puestas /219/ en Tlezcuco de entre los que estaban en los portales se levantó un indio y hurtó la manta a otro y despertó y fue tras el ladrón dando voces que iba delante huyendo y al salir del mercado cayó

363

en una de aquellas redes y enredado en ella lo tomaron y a la mañana lo llevaron a los jueces y lo condenaron por esclavo diciéndole que sus pecados eran grandes pues lo habían metido en la red de los perros.

Algunos pobres en especial los viejos en tiempo de mucha necesidad y entre marido y mujer concertaban de vender un hijo y ponían terceros para ello y muchas veces acontecía que habiendo servido aquel hijo algunos años pareciéndoles que era bien repartir aquel trabajo entre los demás hijos daban al señor uno de ellos y sacaban al otro y el amo holgaba de ello y daba de nuevo tres o cuatro mantas o cargas de maíz.

Otra manera tuvieron de hacer esclavos que llamaban HUE-HUETLATLACALLI que quiere decir culpa o servidumbre antigua y era que si una casa o dos se veía en necesidad de hambre vendía un hijo y todos se obligaban que si aquél se /219 v./ muriese habían de dar otro por él salvo si moría en casa de su amo o le tomaba algo de lo que él adquiría y por esto el amo no le tomaba lo que tenía ni quería que habitase en su casa y le llamaban para entender en la hacienda y para ayudar en la labor y en sembrar y coger y algunas veces traían leña y barrían la casa.

Cuando aquel que habían señalado había servido algunos años queriendo descansar o casarse decía a los que estaban con él obligados y habían gozado del precio que entrase otro a servir algún tiempo y no por esto quedaba libre de la obligación él ni con quien se casaba fuese hombre o mujer y de esta manera acontecía estar cuatro o cinco casas obligadas por el esclavo a su amo y a sus herederos.

El año de mil quinientos cinco fue año de hambre en aquella tierra y el señor de Tlezcuco llamado Neçaualpilçintli viendo el abuso de aquella mala ley y porque aquel año no se usase la cesó y anuló y libertó las casas que estaban obligadas y se debe creer que sabido en Mexico y en otras /220/ partes harían lo mismo porque todos procuraban regir y gobernar su tierra al modo que aquel señor gobernaba la suya porque lo tenían por muy prudente y por hombre justo y de gran gobierno como se dijo en la primera parte.

Algunos esclavos había que para tener para jugar se vendían dos veces y sus amos los llevaban ante los jueces y mandaban que sirviese al que lo compró ante testigos y si los había habido en ambas ventas lo daban por esclavo al primer amo.

364

Si los esclavos eran muchachos o pobres sus amos los trataban y vestían y daban de comer como a hijos y muchas veces los amos casaban con sus esclavas y lo mismo las mujeres y había esclavos que regían y gobernaban la casa del señor.

Si algunos esclavos eran perezosos o viciosos y fugitivos sus amos les amonestaban dos y tres veces ante testigos y si no se enmendaban les echaban una argolla de palo puesta en la garganta y encima de las espaldas que tenía dos agujeros y por ellos atravesaban una vara larga y con ella juntaban otra por de fuera de los agujeros y las /220 v./ ataban y remataban a las puntas donde no pudiesen alcanzar para se desatar y les echaban una traílla de cordel y así los llevaban por los caminos y porque de noche no se cortasen el cordel les ataban las manos a las varas encima de los hombros.

Fray Andres de Olmos dice en aquella su *Rrelaçion* que si se huían y no los hallaban tomaban por esclavos otros de sus parientes y el obispo de Chiapa en aquel su *Tratado* dice que tomaban al más propincuo deudo que tenía y que así nunca fenecía en diversos sujetos la servidumbre.

Después que al esclavo echaban collera lo podían vender en los mercados y si a la primera o segunda venta no se enmendaba a la tercera lo podían vender y comprar para lo sacrificar y cuando se vendía preguntaban cuántas veces se había huido aunque pocas veces sacrificaban sus esclavos y casi siempre sacrificaban de los presos en guerra.

El esclavo que traía collera procuraba por las vías que podía irse a casa del señor principal porque en entrado en ella era libre y nadie le podía impedir /221/ la entrada ni volverlo del camino si no era sus amos o sus hijos y si otra persona se lo impedía le hacían por ello esclavo y el otro quedaba libre.

Cuando alguno que tenía esclavo se veía en necesidad no lo vendía sino decíale yo estoy en necesidad y conviene que trabajes de me ayudar y luego el esclavo iba a los mercados y de unas partes a otras llevaba a vender algunas cosas e iba acrecentando el caudal y con su trabajo e industria remediaba la necesidad de su amo.

Algunos señores de esclavos al tiempo de su muerte si les habían servido bien los dejaban libres y si no quedaban por esclavos de sus herederos.

CAPÍTULO ONCE

De las ceremonias y ritos que los naturales de Anauac tenían en se casar así los señores como los demás.

Por no haber entendido los ritos y ceremonias que los naturales de Anauac tenían en se casar y por no saber la diferencia que hacían entre mancebas y mujeres legítimas ni entre qué personas era lícito casarse o no, hubo a los principios muchas y diversas opiniones unos decían que entre aquellas gentes había matrimonio y otros que no lo había y la experiencia ha mostrado por /221v./ sus ritos, costumbres, y ceremonias que entre ellos había legítimo y verdadero matrimonio como se entenderá por lo que aquí se dijere aunque más largo lo refiere fray Torivio en su *Libro* y dice que cuando quería alguno casar a su hijo en especial los señores y principales porque todos tenían memoria del día y signo en que había nacido aunque no sabían la significación llamaban los maestros y exponedores de sus signos según sus ceremonias y hechicerías y procuraban saber el signo del nacimiento de la doncella y si los maestros decían que eran conformes los signos enviaban sus mensajeros a los padres de la moza y ellos también hacían la misma diligencia de los signos y si les decían que denotaban que con aquél había de ser mala mujer o mal casada no venían en el casamiento pero averiguado que los signos eran buenos y conformes se trataba de ello.

Satisfechos los padres o si no los tenían los parientes más cercanos de las personas y de los signos trataban el casamiento de parte del varón porque no se tenía por lícito tratarse de parte de las mujeres enviaban dos viejas honradas que llamaban ÇIUATLANQUE que quiere decir /222/ demandadoras de mujer o casamenteras éstas iban a los padres de la moza si los tenía y si no a los deudos más cercanos en cuyo poder estaba y decían su embajada con un razonamiento bien ordenado / la primera vez aunque tuviesen voluntad y deseo que se efectuase respondían excusándose dando causas y buenas razones para ello porque ésta era su costumbre vueltas aquellas mujeres con la respuesta a los padres del mozo si los tenía o a los deudos como sabían las excusas que se daban a la primera embajada pasados algunos días tornaban a enviar aquellas mujeres y siendo por ellas muy rogados los padres o parientes de la moza consentían en el casamiento y concertaban lo que se había de dar al uno y al otro y decían que hablarían a sus parientes y a su hija y le amonestaban y decían que fuese buena y supiese servir y agradar a su marido y no les echase en vergüenza y en algunas partes les decían si no fueres la que debes tu marido te dejará y tomará a otra y por esta razón decían que no había entre aquellas gentes verdadero matrimonio y fray Andres de Olmos dice que no tenían por delito dejar la mujer si no les agradaba o no se llevaban bien y tomar a otra como no /222 v./ tuviese marido y esto dice fray Torivio que se usaba de pocos años atrás y que la duda que hubo en si había matrimonio entre aquellas gentes fue causa para que se inquiriese la verdad con más cuidado y se vino alcanzar y saber cómo lo había como él largamente lo trata.

Tornadas las casamenteras con la respuesta a los padres y deudos del varón dice fray Torivio que aguardaban la determinación de los padres de la moza y que ellos la enviaban con otras mujeres sus parientas y si decían que eran contentos que se efectuase el casamiento hablaban al mozo y tomaban su consentimiento y le decían lo mismo que habían dicho a la moza sus padres aunque en otro modo y concertadas las bodas enviaban gente por ella en algunas partes la traían a cuestas y llevaban delante de ellas unos pedazos de tea ardiendo y si era señora y había de ir lejos la llevaban en una litera y llegada cerca de la casa del varón la salía a recibir a la puerta con un braserillo a manera de incensario con sus brasas e incienso y a ella daban otro y con ellos se incensaban el uno al otro y tomada por /223/ la mano la llevaban al aposento que estaba aderezado y alguna gente iba con ellos con cantos y bailes.

Los novios se iban derechos a su aposento y los demás se quedaban en el patio porque todas las casas lo tienen y sentábanse los novios en un petate o estera nueva delante del fuego y allí les ataban las mantas la del uno con la del otro y él daba a ella unos vestidos de mujer y ella a él otros de varón y traída la comida el esposo daba de comer con su mano a su esposa y ella a él y de parte de él daban sus parientes mantas a los parientes de ella y de parte de ella a los parientes de él y todos con sus amigos y vecinos comían y bebían desde hora de vísperas hasta la noche si no era los desposados porque luego comenzaban a estar en penitencia a cuatro días en que ayunaban por ser buenos casados y por haber hijos y en aquel tiempo no consumían matrimonio ni salían fuera de su aposento si no era a sus necesidades naturales y luego se tornaban a él porque si salían o andaban fuera en especial ella decían que había de ser mala de su cuerpo. Para la cuarta noche unos viejos les hacían la cama que eran guardas del templo /223 v./ y tendían unos petates y encima mantas y ponían en medio algunas cosas con ciertas ceremonias.

Los mazatecas se abstenían veinte días que no consumían matrimonio y estaban en ayuno y penitencia y los nahuas no se bañaban en aquellos días aunque es cosa entre ellos muy usada.

Después que habían consumido matrimonio se bañaban los novios sobre unas esteras de espadañas verdes y siempre cubrían mucho sus partes vergonzosas y al tiempo que se bañaban les echaba el agua uno de los ministros del templo a manera de bendición / a los señores y principales se la echaban con un plumaje como hisopo en reverencia de uno de sus demonios y se la echaban cuatro veces y otras cuatro vino y luego los vestían de nuevo y limpios vestidos y daban al novio un incensario para que echase incienso a ciertos ídolos en su casa y a ella le ponían en la cabeza pluma blanca y le emplumaban los pies y las manos de pluma colorada y mucha gente cantaba y bailaba y otra vez tornaban a dar mantas y a la tarde comían y bebían y ésta era costumbre general y los que no tenían posibilidad no hacían tantas ceremonias.

/224/ En la provincia de Michiuacam demás de otras muchas ceremonias lo que tenían por esencial era mirarse el uno al otro y aunque estuviesen juntos mucho tiempo si el uno de ellos por descontento no había mirado al otro no se tenían por casados y decían nunca le miré en que en alguna manera parece a lo que se dice en el capítulo veinticuatro del Uteronomio que el hombre que tomare mujer si después de tenerla consigo no hallare gracia ante sus ojos por alguna falta que le dé libelo de repudio y la deje.

Era tenido por malo tener mancebas y si algunos las tenían se disimulaba con ellos por evitar mayor mal siendo ambos solteros y no en otra manera antes había pena por ello y las que habían de tomar por mancebas las pedían a sus padres para este efecto diciendo que las querían para haber hijos en ellas y en habiendo el primer hijo los padres de la moza requerían al mancebo que la tomase por mujer o la dejase pues ya tenía hijo y se casaba con ella o la dejaba llevar a sus padres y había muy gran diferencia en pedirlas por mancebas o por mujeres.

También había mujeres públicas aunque no tenían casa ni lugares conocidos /224 v./ donde estuviesen y lo tenían por orden política para evitar adulterios y estupros y otros pecados y vicios peores de la carne.

Si algún mancebo se enamoraba de alguna moza y se ayuntaban sin consentimiento de los padres pasado algún tiempo cuando tenían para poder convidar a sus deudos el varón iba a los padres de la mujer y les decía yo digo mi culpa y conozco que erramos y que os habemos ofendido si ahora sois contentos que hagamos la solemnidad y ceremonias de casados vedlo y decidnos vuestra voluntad y si no quisiereis veis aquí vuestra hija ambos nos ayuntamos como casados y queremos trabajar y vivir bien y buscar con que tengamos de comer y con que criar nuestros hijos y os rogamos nos perdonéis y consintáis en nuestro casamiento / los padres y los deudos si tenían por bien que pasase el casamiento respondían que de allí adelante fuesen buenos y que pues lo habían hecho sin su licencia si en algún tiempo fuesen acusados de algún delito no les echasen a ellos la culpa como quien dice por el pecado que habéis cometido en os casar secretamente si algún mal /225/ os sucediere nosotros quedamos sin culpa y con esto hacían su regocijo y solemnidad de casados.

Muchas conjeturas hay como se ha dicho para creer que aquellas gentes descienden de los isrraelitas y la manera que tenían en se abstener cuatro días en no consumir matrimonio y ocuparse en dar gracias a sus dioses falsos parece les debió de quedar de lo que Tobias el menor hizo cuando casó con Sarra hija de Rraquel que le dijo la primera noche que diesen gracias a Dios aquella noche y las dos siguientes y que después se ayuntarían en uno y así lo hicieron como se refiere en el capítulo octavo de Tobias y el demonio extendió esto más y los impuso en que se sacrificasen y sacasen sangre y se la ofreciesen otros tenían por opinión más verdadera que descienden de gentiles y que no había entre ellos matrimonio verdadero como no lo hubo entre muchas naciones provincias y reinos de gentiles y que tenían las mujeres comunes a manera de bestias como lo refiere el glorioso San Geronimo en el *Libro segundo contra Joviniano* como ya se ha dicho.

/225 v./ Muchas cosas refiere fray Torivio en aquel su *Libro* para declarar si había matrimonio verdadero entre los naturales de Anauac y entre los que tenían muchas mujeres cuál de ellas era legítima porque todas las demás dice que eran mancebas y declara la manera que tenían en pedir a sus padres así las mujeres legítimas como las mancebas y sobre todo esto se alarga mucho y porque parece que ya no es necesario no se refiere aquí y también porque no conviene traerlo a la memoria y los fundamentos que él trae para probar que había matrimonio se podrán ver por los doctores que de ello tratan y el maestro fray Alonso de la Veracruz agustino muy antiguo en aquella tierra varón muy docto y de gran religión hizo un *Tratado* particular de ello y anda impreso.

CAPÍTULO DOCE

En que se refiere la manera que tenían los naturales de Anauac en criar sus hijos así los señores y principales como los demás y en los doctrinar y castigar.

En criar sus hijos así los señores y principales como los plebeyos y en los doctrinar y castigar había gran vigilancia /226/ y cuidado y por la mayor parte aun los hijos de los señores los criaban sus madres si estaban para ello y si no buscaban quien les diese leche y para ver si era buena echaban unas gotas en la uña y si no corría por ser espesa la tenían por buena, la madre o el ama que les daba leche no mudaba el manjar con que los comenzaba a criar algunas comían carne y algunas frutas sanas dábanles cuatro años leche y son tan amigos de sus hijos y los crían con tanto amor que las mujeres por no se tornar a empreñar entre tanto que les dan leche excusan cuanto pueden de se ayuntar con sus maridos y si enviudan y quedan con hijo o hija que le dan leche por ninguna vía se tornan a casar hasta lo haber criado y si alguna no lo hacía así parecía que hacía gran traición / a los hijos de los señores los criaban con un solo manjar y había gran cuidado en ello.

En habiendo cinco años los hijos de los señores los mandaban llevar al templo a servir en él para que allí fuesen doctrinados y supiesen muy bien lo que tocaba al servicio de sus dioses y los criaban con mucho castigo y disciplina y ellos eran los primeros /226 v./ en todo y el que no andaba muy diligente en el servicio era muy bien castigado / estaban en este servicio hasta que se casaban o eran de edad para ir a las guerras.

Las hijas de los señores eran criadas con mucha disciplina y honestidad y con gran solicitud y cuidado de sus madres y amas y de sus hermanas mayores en habiendo cuatro años las imponían en ser muy honestas en el hablar y en el andar y en la vista y recogimiento muchas no salían de casa hasta que las casaban y algunas y pocas veces las llevaban al templo por haberlas sus madres prometido en el parto o en alguna enfermedad e iban con mucha compañía de viejas y tan honestas que no alzaban los ojos

371

de tierra y si se descuidaban en ello luego les hacían señas no hablaban en el templo si no era decir las oraciones que les habían enseñado / cuando comían no habían de hablar y estaban con gran silencio tenían como por ley que los hombres aunque fuesen hermanos no comiesen con las mujeres antes de ser casadas.

Las casas de los señores todas eran grandes y por causa de la humedad /227/ alzaban los aposentos un estado y más y quedaban como entresuelos había en ellas huertas y vergeles y el aposento de las mujeres por sí y no salían las doncellas del suyo a la huerta o vergel sin guardas y si salían un paso solo fuera de la puerta las castigaban ásperamente y más si eran de diez o doce años / a las que se descuidaban en alzar los ojos o volver a mirar atrás las castigaban cruelmente lo mismo hacían a las que eran descuidadas o flojas teníanlas impuestas cómo habían de hablar a las señoras y a los demás y si se descuidaban en ello las castigaban y siempre las amonestaban que fuesen obedientes a los buenos consejos que se les daban.

En siendo de cinco años las comenzaban a enseñar a labrar, y a hilar, y a tejer, y no las dejaban andar ociosas tenían sus ratos señalados para se holgar delante sus madres y amas y guardas cuando alguna se levantaba de la labor sin licencia aun siendo niñas las castigaban y si las amas se descuidaban en su crianza o castigo las encarcelaban y habían de estar como sordas y como ciegas y mudas.

/227 v./ Hacíanlas velar y madrugar a su labor porque con la ociosidad no se hiciesen torpes y hacíanlas andar limpias y lavarse a menudo con mucha honestidad si alguna le imponían que había sido descuidada en algo se descargaba con jurar que no era así y decían por ventura no me ve nuestro señor dios y nombraban el mayor de sus ídolos y con esto quedaba libre porque no había quien osase jurar falso porque temían ser castigados con grave enfermedad del dios por quien juraban.

Cuando el señor quería ver sus hijas iban como en procesión y delante por guía una matrona y muy acompañadas y siempre iban con licencia del padre y no en otra manera / llegadas al aposento ante su padre mandábalas sentar y la guía le hablaba y saludaba en nombre de todas y ellas estaban con gran silencio y recogimiento aunque fuesen muy niñas la guía daba al padre los presentes que le traían que eran rosas y flores y frutas y lo que habían labrado y paños de labores que habían tejido para él y mantas de algodón que es la ropa que usaban para su vestir y eran muy delgadas y muy bien labradas. /228/ El padre hablaba a todas avisándoles que fuesen buenas y guardasen las amonestaciones de sus madres y maestras y les tuviesen mucho respeto y obediencia y agradecíales los presentes que le habían traído y porque tenían cuidado de su labor y trabajo y no respondían cosa alguna más de cuanto se acercaban a él y se humillaban como que se despedían y llegaban una a una por orden y concierto y ninguna se reía en su presencia y estaban con gran cordura y honestidad e iban contentas con lo que el padre les había dicho.

Los demás principales y la gente común y plebeya no se descuidaba en criar y amonestar sus hijos y les retraían los vicios y los imponían en servir a los que tenían por dioses y los llevaban consigo a los templos y los imponían en trabajar y en oficios según que en ellos veían habilidad o inclinación aunque lo más común era darles el oficio del padre si eran traviesos castigábanlos cruelmente y si se ausentaban de casa de sus padres recogíanlos dos y tres veces y más y si eran incorregibles dejábanlos por malos y paraban los más en ser esclavos.

/228 v./ Amonestábanles mucho que no mintiesen y a los que eran viciosos en ello hendíanles el labio y así usaban mucho decir y tratar verdad y preguntados algunos viejos por qué ahora mienten tanto dicen que porque no hay castigo y que también es la causa el miedo que han tomado y tienen a los españoles que no les osan responder mas de aquello en que sienten que les agradan diciendo a todo sí aunque sea imposible y están siempre recatados para no les responder fuera de su gusto y no se confían de ellos ni los entienden y así en preguntando el español al indio alguna cosa luego se recata para responder y pocas veces responderán descuidadamente.

Siendo como eran muchos los muchachos unos se criaban en los templos y éstos eran como se ha dicho los hijos de los señores y con ellos algunos hijos de principales los demás se criaban en capitanías en cada barrio y tenía cargo de ellos un viejo para los recoger y doctrinar y les hacían traer leña para el templo y repararlos y lo mismo las casas en que se recogían y en labrar y beneficiar las tierras y heredades que tenían para se sustentar /229/ imponíanlos en guardar sus ayunos y había tiempos señalados para ello no los consentían andar ociosos castigábanlos duramente por cualquier vicio y tenían sus horas señaladas para los amonestar y corregir y averiguar y saber en qué habían excedido / algunos si eran para ello iban a la guerra y los demás a ver y deprender cómo peleaban y estaban todos tan bien impuestos que ninguna excusa daban a lo que se les mandaba e iban con gran presteza a ello sin guardar tiempo ni hora.

En habiendo veinte años o poco más demandaban licencia para se casar y el que se casaba sin pedir licencia era tenido siempre por ingrato y malcriado si era pobre ayudábanle con alguna cosa de lo que tenían recogido en su comunidad y si eran hijos de ricos sus padres daban presentes a la salida a la casa y al capitán que tenía cuidado de ellos y esta licencia era demás de la que pedían a sus padres y muy pocas veces se casaban sin pedirla porque quedaba como infame el que así no lo hacía y en pasando de edad para se casar si no quería casarse lo despedían de la compañía en especial en Tlaxcallam y así nunca dejaban de se casar en amonestándoselo.

/229 v./ Entretanto que estaban en aquella congregación iban algunos días aunque pocos y con licencia a ayudar a sus padres si eran labradores y traían alguna cosa de los frutos que cogían para la comunidad criábanse en aspereza comían poco y el pan duro dormían con poca ropa y al sereno en salas y aposentos abiertos como portales porque como las guerras eran continuas decían que convenía que estuviesen hechos a trabajos.

Cuando se despedían de la casa donde se habían criado su capitán les hacía un largo razonamiento diciéndoles que mirasen que fuesen muy solícitos en servir a los dioses y que no olvidasen lo que en aquella casa habían deprendido y que trabajasen de mantener su mujer y casa y que no fuesen negligentes ni perezosos en criar sus hijos y que fuesen esforzados para las guerras y que si fuesen buenos los dioses les ayudarían y que tuviesen acatamiento a sus padres y honrasen los viejos y siguiesen sus consejos.

En siendo casados los empadronaban entre los demás casados porque también tenían sus cuadrilleros o capitanes así para los tributos como para otras cosas /230/ porque todo se repartía por orden y concierto y aunque la tierra estaba muy poblada y llena de gente había memoria de todos chicos y grandes cada uno acudía a su superior y a lo que le mandaban sin haber falta ni descuido en ello.

CAPÍTULO TRECE

En que se refieren algunos consejos que los padres daban a sus hijos y las madres a sus hijas.

Demás de criar los hijos con la disciplina y cuidado que se ha dicho los padres asimismo lo tenían en les dar muchos y muy buenos consejos y los tienen los indios principales por memoria en sus pinturas y un religioso muy antiguo en aquella tierra y que siempre ha tratado y comunicado y doctrinado aquellas gentes los tradujo de su lengua y dice que él hizo a unos principales que los escribiesen y que no pusiesen más que la sustancia de ellos y que los escribieron y ordenaron en su lengua sin estar él presente y los sacaron de sus pinturas que son como escritura y se entienden muy bien por ellas y que no mudó letra de lo que le dieron más que dividirlo en partículas para que mejor se entendiese la sentencia /230 v./ y que los nombres que había de sus dioses les avisó que los quitasen y pusiesen el nombre de Dios verdadero y Señor nuestro y para que se vea claramente que no son como ya se ha dicho tan faltos de razón como algunos los hacen se ponen aquí a la letra y son en la forma siguiente.

Consejos que daban los padres a los hijos.

Oh mi hijo muy precioso nacido y criado en el mundo por Dios en cuyo nacimiento tus padres y parientes habemos puesto los ojos has salido como el pollito del cascarón y como él se impone al vuelo te impones tú al trabajo y no sabemos el tiempo que Dios querrá gocemos de ti encomiéndote hijo a Dios para que te ayude pues te crió y es tu padre que te ama más que yo suspira a él de día y de noche y en él pon tus pensamientos sírvele con amor y hacerte ha mercedes y te librará de todo peligro, a la imagen de Dios y a sus cosas ten mucha reverencia y ante él ora devotamente y prepárate para las fiestas / el que ofende a Dios morirá mala muerte y será suya la culpa.

/231/ Reverencía y saluda a los mayores a los pobres y afligidos consuela con obras y con buenas palabras.

375

Honra y ama a tus padres sírvelos y obedécelos porque el hijo que así no lo hiciese no se logrará.

Ama y honra a todos y vivirás en paz.

No sigas los locos que ni honran padre ni madre y son como animales que no quieren tomar ni oír consejo.

Mira hijo que no hagas burla de los viejos ni de los enfermos o faltos de miembros ni del que está en algún pecado no afrentes a los tales ni los aborrescas mas humíllate delante de Dios y teme no te suceda a ti lo mismo.

No des a nadie ponzoña porque ofenderás a Dios en su criatura y será tuya la confusión y el daño y morirás en lo mismo.

Se hijo honesto y bien criado y no seas a otro molesto ni enojoso ni te metas donde no te llaman por que no des pena y seas habido por malcriado.

No hieras a otro ni seas adúltero ni lujurioso que es mal vicio y destruye a los que a él se dan y ofenden a Dios.

No des mal ejemplo ni hables indiscretamente ni cortes a otros sus platicas /231 v./ ni los turbes y si no hablan bien o concertadamente mira tú no hagas lo mismo y si no es a tu cargo hablar calla, si te preguntaren algo responde cuerdamente y sin ficción ni lisonja y sin perjuicio de otros y será estimada tu plática.

No te des hijo a las fábulas ni a burlerías ni a mentiras ni pongas discordia entre otros y donde hay paz porque destruyen y ponen en confusión al que se da a estas cosas.

No seas placero ni andes por las calles ni te detengas en el mercado ni en el baño por que no se enseñoree de ti o te trague el demonio.

No seas demasiado curioso en tus trajes porque es señal de poco seso.

Por donde fueres lleva tus ojos sosegados no vayas haciendo visajes ni meneos deshonestos porque serás habido por liviano y son estos lazos del demonio.

No trabes a otro por la mano ni de la ropa porque es señal de liviandad.

Mira bien por donde fueres si encontrares a otros no te pongas delante.

Si te fuere encomendado algún cargo en que por ventura te quieren probar excúsate buenamente y no lo aceptes luego aunque hagas a otros ventaja y atribuírsete ha cordura y prudencia.

376

No entres ni salgas primero que los mayores ni atravieses por delante de ellos dales siempre /232/ la ventaja y no hables primero ni les tomes su mayoría si no estás puesto en algún cargo porque serás tenido por malcriado.

No te adelantes en el comer ni en el beber ten comedimiento con los otros porque por la humildad se alcanza el don de Dios y de los mayores.

Cuando comieres da parte de ello al que a ti viniere con necesidad y merecerás por ello.

Si comieres con otros baja tu cabeza y no comas arrebatadamente y con desasosiego porque serás tenido por liviano ni comas de manera que acabes primero que los demás con quien comieres por que no se afrenten.

Si te fuere dada alguna cosa aunque pequeña no la deseches ni te enojes ni pienses que merecías más porque perderás ante Dios y ante los hombres.

Encomiéndate todo a Dios porque de su mano te vendrá el bien y no sabes cuándo morirás.

Yo procuro lo que te conviene, sufre y espera y si te quisieres casar dínoslo primero pues eres nuestro hijo y no te atrevas a ello sin dar primero parte a tus padres.

No seas jugador ni ladrón porque lo uno viene de lo otro y es grande afrenta y así no te verás difamado por las plazas y mercados.

Sigue hijo lo bueno y siembra y cogerás y come de tu trabajo y así vivirás contento y con loor y tus parientes te amarán.

/232 v./ Con mucho trabajo se vive en este mundo no se alcanza fácilmente lo necesario yo te he criado con trabajos y nunca te desamparé ni he hecho cosa por que te pueda venir afrenta.

No cures de murmurar si quieres vivir en paz porque la murmuración es causa de afrentas y diferencias.

Calla hijo lo que oyeres óiganlo de otro y no de ti y si fueres preguntado y no pudieres excusarte de lo decir di la verdad sin añadir cosa alguna aunque sea buena.

Lo que hubiere pasado ante ti tenlo secreto y no seas parlero porque es mal vicio y si dijeres mentira no quedarás sin castigo calla pues de parlar no se saca fruto.

Si alguno te enviare con mensaje a otro y el otro te riñere o murmurare o dijere mal de quien te envió no vuelvas con la respuesta enojado ni lo des a entender y preguntado cómo te fue allá responde con reposo y buenas palabras callando el mal que oíste por que no los revuelvas diciéndoselo y vengan a se herir o matar y con pesar dirás después oh si no lo dijera y no tendrás así excusa y quedarás por revoltoso.

No tengas que ver con mujer ajena mas vive limpiamente porque no se vive dos veces en este mundo y la vida es breve y se pasa con trabajos y todo se acaba.

/233/ No ofendas a ninguno ni le quites ni tomes su honra haya en ti méritos que de Dios es dar a cada uno como a Él place toma hijo lo que te diere y dale gracias y si fuere mucho no te estimes ni ensalces mas humillante y será mayor tu merecimiento y no tendrán otros qué decir ni qué murmurar y tomando lo que no te pertenece serás afrentado y ofenderás a Dios.

Cuando alguno estuviere hablando contigo ten quedos los pies y las manos y no los estés revolviendo y mirando a una y a otra parte ni levantándote ni sentándote porque en ello te mostrarás liviano y malcriado.

Si vivieres con otro ten cuidado de le servir y agradar con diligencia y habrás lo necesario y con cualquiera que vivieres te irá bien y si hicieres lo contrario no permanecerás.

Si no quieres hijo tomar los consejos de tu padre habrás mal fin y será tuya la culpa.

No tengas soberbia con lo que Dios te diere ni tengas a otro en poco porque ofenderás al Señor que te puso en honra.

Siendo el que debes a otros afrentarán contigo para los corregir y castigar con estos avisos hijo que te he dado como padre que te ama cumplo y mira no deseches mis consejos porque te hallarás bien con ellos.

/233 v./ Respuesta del hijo.

Padre mío gran bien habéis hecho a mí vuestro hijo por ventura tomaré algo de lo que ha salido de vuestras entrañas de padre que me ama decís que con ello habéis cumplido y que no tendré excusa / si hiciere lo contrario no será imputado a vos padre mío ni será vuestra la culpa pues me habéis dado tan buenos avisos pero ya veis que aún soy muchacho que no entiendo lo que me conviene y pues soy vuestra sangre y vuestra carne no debéis dejar de me avisar a la contina y no contentaros con sola esta vez y así confío que otros consejos de padre me daréis con el amor que éstos me habéis dado y no me debéis desamparar si luego no los tomare con estas pocas palabras padre mío respondo a vuestro buenos consejos y avíos y Dios os dará el pago por el bien que me habéis hecho.

Lo que se ha dicho eran consejos que daban los principales y ciudadanos y mercaderes a sus hijos / los labradores y gente común también daban sus consejos a sus hijos en la forma siguiente.

Consejos que daban a sus hijos los labradores.

Hijo mío estéis en buena hora el tiempo que estuviéredes esperando enfermedad o castigo de la mano de Dios no podemos pasar sin trabajo de día y de noche en este su pueblo.

/234/ No duermas demasiado ni te descuides en servir aquel con quien vivieres por que ganes su gracia.

Contigo tienes a punto lo que te pertenece para tu oficio no huyas del trabajo en que Dios te puso pues no mereciste más y está contento con tu estado.

Si sirvieres a otro en algún oficio en ello ayudas al pueblo y al Señor y así habrás lo necesario para criar tus hijos.

Toma lo que pertenece a tu oficio trabaja siembra y planta tus árboles y come de tu sudor y no dejes la carga ni desmayes ni tengas pereza porque si eres perezoso y negligente no podrás vivir ni sustentar a ti y a tu mujer y a tus hijos la diligencia y el buen servicio recrea el cuerpo y alegra el ánima.

Haz que tu mujer tenga cuidado de lo que pertenece a su oficio y casa.

Avisa a tus hijos de lo que les conviene y ambos como padres les dad buenos consejos para que vivan sin ofensa de Dios y no hagan cosa en que os afrenten.

No te espante hijo el trabajo en que vives pues de allí habéis de haber la comida y criar vuestros hijos.

Otra vez te digo hijo que tengas cuidado de tu mujer y casa y trabaja de tener con que consolar a tus parientes y a los que vinieren a tu casa por que los puedas recibir con algo de tu pobreza y conozcan la gracia /234 v./ que en ti hallan y te lo agradezcan y hagan ellos lo mismo contigo.

Ama y haz piedad y no seas soberbio ni des a otros pena sé bien criado y bien comedido y serás amado y tenido en mucho.

No hieras alguno ni le hagas afrenta y haz lo que debes y no por eso te ensalces porque indignarás a Dios contra ti y no quedaras sin castigo.

Si no anduvieres hijo a derechas qué resta sino que te quite Dios lo que te dio con abatimiento y daño tuyo.

Se obediente a tus mayores huye de los ociosos y sigue los que se dan al trabajo porque si así no lo hicieres vivirás con necesidad y afrenta.

No murmures ni des mala respuesta a tus padres ni a los que te aconsejaren que trabajes porque les darás pena y doblarás tu trabajo.

Si fueres penoso con nadie podrás caber ni podrás vivir con otros y serás desechado de todos y destruirás a ti y a tu mujer y a tus hijos y no hallarás donde te acoger ni tendrás con que vivir por tu culpa.

Cuando algo te mandaren óyelo de voluntad y responde con crianza y si lo puedes hacer hazlo y si no di lo cierto y no mientas porque si no lo puedes hacer encomendarlo han a otro y haciéndolo así no serás culpado.

/235/ No seas perezoso ni amigo de holgar ten reposo y no andes de unas partes a otras y haz casa donde dejes a tu mujer y a tus hijos cuando murieres y de esta manera irás consolado porque les dejas en qué vivir / esto basta y toma hijo mío mis consejos.

Respuesta del hijo.

Padre mío yo os agradezco mucho los consejos que me habéis dado con tan amorosa plática gran culpa sería mía si no tomase tan buenos avisos pero quién soy yo sino un pobrecillo maçeual que vivo en pobreza y sirvo a otro y soy un pobre labrador gran merced me ha hecho Dios en se acordar de mí para que vos padre mío me diésedes tan buenos consejos dónde hubiera ni oyera yo tal plática no tienen precio ni comparación las palabras preciosas de vuestro corazón oh si yo mereciese tomarlas bien porque no son para dejar ni olvidar tales consejos yo he sido con ellos muy consolado y vos habéis hecho como padre que me ama.

Consejos de las señoras a sus hijas.

Las madres no se olvidaban de amonestar y aconsejar a sus hijas y cuando algún señor casaba alguna hija les hacía muy largas amonestaciones antes que /235 v./ saliesen de su casa y las informaban cómo habían de amar y servir a sus maridos para ser bien casadas y amadas de ellos y entre otras cosas les decían hija mía ya ves cómo te vas con tu marido mira que ya te apartas de nosotros ya sabes que es costumbre que las mujeres vayan y sigan sus maridos y estén y vivan con ellos y en sus casas pues eres ya casada y has de ir con tu marido ten cuidado de vivir de tal manera que seas ejemplo a las otras mujeres mira que eres hija de señor y mujer de señor y que has de vivir virtuosamente ten gran cuidado de servir a Dios y darle ofrenda como las señoras lo acostumbran también tendrás cuidado de servir y agradar a tu marido por que así merezcas que Dios te haga bien y te dé hijos que sucedan en el señorío / si tu marido fuere a otro pueblo cuando supieres que vuelve sal a lo recibir fuera de tu aposento con tus mujeres y salúdalo con mucho amor y honestidad y haciéndolo así tu marido te amará mucho y lo mismo haremos tus padres cuando oiremos tus buenas costumbres y crianza y el amor que ambos os tenéis estaremos de ello muy gozosos y si hicieres /236/ cosa que no sea de señora de tu calidad darnos has gran pena y echarnos has en vergüenza.

Dichas estas y otras cosas decíanle vete hija con tus madres que te acompañan y te han criado y éstas te servirán y tendrán cuidado de ti ve pues hija y no hagas cosa mala ni vergonzosa y lo que mucho y principalmente les encargaban era el servicio de Dios y la guarda de su honestidad y el servicio y amor de su marido y parece que conforma con lo que dijeron a su hija Sarra los suegros de Tobias.

Consejos que daban las demás a sus hijas.

Las que no eran señoras también daban sus consejos a sus hijas y les decían hija mía yo te parí y te he criado y puesto en crianza y concierto y tu padre te ha honrado si no eres la que debes no podrás vivir con las buenas y virtuosas ni habrá quién te quiera por mujer.

Con dificultad y trabajo se vive en este mundo y las fuerzas se consumen y es menester servir a Dios para que nos ayude y dé salud y vivir con diligencia y cuidado para alcanzar lo necesario.

Mira pues amada hija que no seas perezosa /236 v./ ni descuidada se limpia y diligente y ten cuenta con la casa y ponlo todo en concierto y como conviene cada cosa en su lugar y así aprenderás lo que has de hacer en tu casa cuando fueres casada.

Por donde fueres ve con mucha honestidad no apresurada ni riéndote ni mirando a una parte ni a otra ni a los que vinieren hacia ti ni a otro alguno sino ve tu camino y así cobrarás honra y fama.

Mira que seas bien criada y que hables con cordura a lo que te preguntaren responde cortésmente.

Ten cuidado de la hacienda y de la tela y labor y serás querida y amada y merecerás haber lo necesario para comer y vestir y serás consolada y darás a Dios gracias porque te da habilidad para ello.

No te des al sueño, ni a la cama, ni a la pereza, ni seas amiga de estarte en la sombra fría y fresca porque atrae y enseña pereza y vicios y con tal ejemplo no se vive bien ni honestamente y las que se dan a ello no son queridas ni amadas.

Sentada o levantada o andando o trabajando siempre hija mía piensa y obra bien y haz lo que debes para servir a Dios y a tus padres.

/237/ Si fueres llamada no aguardes a la segunda vez sino ve presto a lo que te mandaren por que no des pena ni sea necesario castigarte por tu pereza e inobediencia / oye bien lo que te fue mandado y no des mala respuesta y si no lo puedes hacer con crianza te excusa y no mientas ni engañes a nadie que te mira Dios.

Si llamaren a otra y no fuere tan presto ve tú con diligencia y oye y haz lo que la otra había de hacer y así serás amada y querida.

Si alguno te diere buen consejo tómalo y si te avisare de lo que te conviene no lo desprecies por que no se escandalice y te tenga en poco.

Anda con honestidad y reposo y no des muestra de que te tengan por liviana.

Se caritativa no aborrezcas ni menosprecies a otras ni seas avarienta.

Ninguna cosa eches a mala parte ni tengas envidia del bien que Dios hiciere a otros.

No des fatiga ni enojo a otros porque en ello te lo darás a ti.

No te des a cosas malas ni sigas tu corazón porque te harás viciosa y te engañarás y echarás en afrenta a ti y a tus padres.

No te juntes con las mentirosas ni con las /237 v./ perezosas y callejeras ni con las malas mujeres por que no te dañen entiende en lo que conviene a tu casa y no salgas de ella livianamente ni andes por el mercado ni por las plazas ni baños porque es muy malo y en ello está la perdición y el daño y si se dan al vicio es malo de dejar y mueve y saca malos deseos.

Si alguno te dijere algo no lo creas ni le vuelvas a mirar calla y no hagas caso de él y aunque te siga no le respondas porque con tu habla no le muevas el corazón y si no curares de él te dejará de seguir.

No entres sin propósito en casa ajena por que no te levanten algún testimonio.

Si entrares en casa de tus parientes tenles acatamiento y no estés ociosa haz lo que vieres que conviene que hagas y no te estés mirando a las que trabajan.

Cuando tu padre te diere marido no le seas desacatada óyelo y obedécelo y haz lo que te dijere con alegría no le vuelvas el rostro y si en algo te fuere penoso no te acuerdes de ello y si se sustentare con tu hacienda no por eso lo tengas en poco ni le seas desabrida ni desgraciada porque ofenderás a Dios y tu marido se indignará contra ti dile con mansedumbre lo que vieres /238/ que conviene y no lo afrentes ni digas palabras feas delante de otros ni aun a solas porque a ti te afrentarás en ello y será tuya la vergüenza.

Si alguno viniere a visitar a tu marido agradéceselo y hazle algún servicio si tu marido no fuere para ello y avísale cómo ha de vivir y ten cuidado de tu casa y de proveer los que labraren tus sementeras y guarda lo que se cogiere de ellas y no te descuides en cosa alguna.

No gastes mal tu hacienda y ayuda a tu marido y tendréis lo necesario para vosotros y para dar a vuestros hijos.

Si hicieres hija mía lo que te he dicho serás amada y estimada de todos con esto cumplo la obligación que tengo como madre y si tomares estos consejos y avisos vivirás consolada y si no tuya será la culpa y adelante verás lo que te sucede por no los haber tomado y no se podrá decir que yo te dejé de avisar como madre.

Respuesta de la hija.

Madre mía gran bien me habéis hecho y harto mal sería si no tomase lo que me habéis dicho qué sería de mí si vos no me aconsejásedes y diésedes tan buenos avisos. Con trabajos me habéis criado /238 v./ y aún no me tenéis olvidada pues me dais tales consejos, ¿con qué los podré yo servir? oh si tuviese Dios por bien que mereciese tomar algo de ellos para que siendo la que debo hayáis vos madre mía parte de las mercedes que Dios me hiciere y Dios os dará el pago del cuidado que de mí tenéis y habéis tenido.

SEGUNDA PARTE DE LA SEGUNDA Y PRINCIPAL

De la Relaçion de la Nueva España en que se trata de los tributos que pagaban los naturales de ella en tiempo de su gentilidad a sus reyes y señores y cuántas maneras había de tributarios y en qué tributaban y el orden que se tenía en el imponer y repartir los tributos y cómo y por quién se recogían, y cuándo y por qué se hacía suelta de ellos y quién y cuándo eran libres de tributo y del orden que después de su conquista se ha tenido y tiene en las tasaciones de tributos y de las consideraciones que en ello se debe tener.

INTRODUCCIÓN

Algunos doctores juristas que escribieron sobre los tributos que se pagan a los reyes y señores y a otros particulares dicen que el primer tributo tuvo /239/ principio luego como unos hombres tuvieron jurisdicción sobre otros dicen que desde Çesar Agusto y se fundan en lo que San Lucas refiere en el capítulo segundo de su sagrado Evangelio que Çesar Agusto mandó describir todo el mundo / pero esto hace poco al caso para prueba de su opinión porque como dice el doctísimo maestro fray Domingo de Soto aunque a otro propósito en el libro cuarto de *Justicia et jure* cuestión cuarta artículo segundo el evangelista refiere la historia desnuda de lo que mandó Çesar y Otalora en el capítulo primero número primero de la segunda parte de su *Tratado de Nobilitate* en cuanto el evangelista dice que mandó describir el mundo suple él para la paga de los tributos y pudo ser que fuese como la cuenta que mandó hacer David del pueblo de Ysrrael como se refiere en el capítulo último del libro segundo de los Reyes y en el capítulo veintiuno del libro primero para Lipomenon y porque aquella cuenta que David mandó hacer fue fundada en vanagloria por la multitud de vasallos que tenía lo castigó Dios con pestilencia que envió por mano de un ángel que consumió /239 v./ gran parte de la gente como se dice en el decreto capítulo ECCLESIA en el versículo item David 1 cuestión cuarta y pudo ser que Agusto movido asimismo con soberbia y vanagloria mandó contar sus vasallos para que se supiese el gran número que tenía de ellos y así lo dice Soto UBI SUPRA columna séptima IN PRINCIPIO.

Muchos años antes hizo Joseph tributarias las tierras de Egipto como se dice en el capítulo cuarenta y siete del Genesis y hay muchas leyes de jurisconsultos gentiles que fueron muchos años antes que Çesar Agusto que hacen mención de tributo y Socrates antiquísimo filósofo que fue contemporáneo de Aristotiles y muchos años antes que Çesar Agusto en la oración intitulada *De paçe* hace mención de los tributos que se pagaban en su ciudad y

Alexandro Magno que fue en los mismos tiempos mandó que no pagasen tributo en Greçia los pobres y lisiados y les mandó dar limosna y que las justicias tuviesen cuidado de mirar por ellos y que no se les hiciese injuria ni agravio como lo refiere Diodoro Siculo en el libro segundo de *La fortuna de Alexandro* y en el capítulo primero del /240/ libro primero de los Machabeos se dice que Alexandro sojuzgó muchas regiones y reinos y los hizo sus tributarios y entre los romanos parece que se pagaba tributo antes que Çesar Agusto tuviese el imperio como se colige de lo que dice Tito Livio en el libro segundo década primera donde dice que los tributos se perdonaron en Rroma cuando vino contra ella el rey Porsena y Justino abreviador de Trogo Pompeyo dice en el libro segundo hablando de los escitas que después que hubieron sojuzgado a Asya la hicieron tributaria y le impusieron un pequeño tributo más para título de imperio y sujeción que en premio de la victoria / pero de mi parecer lo podemos tomar de muy más atrás y para en prueba de ello se referirán las autoridades que ocurrieren de la Sagrada Scriptura que es verdadera prueba y la más antigua de todas y para declaración de esto se ha de suponer que tributo se da en señal y reconocimiento de vasallaje y sujeción como se dice en el capítulo REÇIPIMUS DE PREVILEGIIS y en el capítulo MAGNUM XI cuestión 1 y en el capítulo OMNIS ANIMA /240 v./ DE ÇENSIBUS y allí los doctores y es debido por el súbdito al que lo señorea como se nota en el capítulo octavo del libro segundo de los Rreyes donde dice Nicolao de Lyra que como en el freno se sojuzga el caballo, de la misma manera el pueblo con el tributo y que David cuando venció los filisteos quitó este freno que tenían sobre los hebreos y los hizo sus tributarios y en el capítulo cuarenta y nueve del Genesis se dice hablando de Ysachar que fue hecho tributario y en el capítulo diecisiete de Josue se dice que los hijos de Ysrrael hicieron sus tributarios a los cananeos y lo mismo en el capítulo dieciséis y en el capítulo 8 del libro 2 de los Reyes se dice que hizo David Asyria su tributaria y en el capítulo nueve se dice que Salamon hizo tributarios a los que no habían podido echar de sus minas los hijos de Ysrrael y en el capítulo primero de los Threnos hablando Jeremias de Hierusalem dice que fue hecha casi como viuda la señora de las gentes y princesa de las provincias y hecha tributaria y en el capítulo /241/ veintiuno de los Probervios y en el capítulo cuarto del libro primero de Esdras y en el capítulo octavo del libro

388

tercero se hace mención de cómo se pagaba tributo y en el capítulo primero de los Juezes se dice tres o cuatro veces que los hijos de Ysrrael hicieron tributarias ciertas ciudades de los cananeos y en el capítulo veinte del Deuteronomio se dice cómo se había de imponer tributo por los hijos de Ysrrael a las ciudades que sujetasen habiéndoles ofrecido primero paz y en tiempo del rey Saul primero rey de Ysrrael se pagaba tributo como parece por el capítulo diecisiete del libro primero de los Rreyes donde prometió Saul hacer libre de tributo la casa del padre del que matase a Golias.

Luego como Dios creó al hombre en el paraíso terrenal le dio licencia para comer de todas las frutas de él y en reconocimiento de vasallaje y sujeción le mandó que no comiese de un árbol como se dice en el capítulo segundo del Genesis y porque no lo obedeció y quebrantó su mandamiento lo lanzó de aquel lugar donde había de vivir en descanso y lo echó en este mundo miserable lleno de infinidad de /241 v./ trabajos como se dice en el capítulo tercero y un docto varón dice que lo primero que habló Dios al hombre y lo que trató con él fue acto de obediencia cuando le dijo de todas las frutas del paraíso podrás comer excepto la del árbol de la ciencia del bien y del mal y así parece que el más antiguo acto de virtud que Dios enseñó al hombre fue la obediencia de manera que entró Dios en el mundo mandando y enseñoreándose del hombre y en señal de este señorío y de vasallaje que el hombre le debía le mandó que no comiese de aquella fruta.

Caym y Abel ofrecieron dones al Señor en señal de obediencia y vasallaje como se dice en el capítulo cuarto del Genesis y el Señor tuvo por gratos los de Abel y miró a ellos y no a Caym ni a los suyos porque no los ofrecía con la intención que debía como lo dice San Juan en el capítulo tercero de su *Canonica* y como se dice en el capítulo 34 del Ecclesiastico las ofrendas de los malos no las aprueba ni las recibe el Altísimo y se refiere en el capítulo IN QUA VIVUS 3 cuestión 7 y en el capítulo SCRIPTUM EST 14 cuestión 5 y aun lo podemos /242/ tomar de mucho más atrás pues luego como creó Dios los ángeles los buenos le dieron tributo adorándolo y reconociéndolo por Señor y Creador suyo y a Luçifer y sus secuaces por rebeldes y desconocidos en no le dar la obediencia y reconocimiento que debían los lanzó del reino de los cielos y les privó de la gloria y los echó en los infiernos donde para siempre estarán en gravísimas penas y se podrían traer otras muchas autoridades de la Sagrada Scriptura y de otras profanas en que se hace mención del tributo que se pagaba por los súbditos y en la *Suma de los tributos* se dijo quién, y a quién, y para qué, y por qué, y cómo, y cuándo se puede imponer tributo y cómo no hay cosa creada libre de él en la forma que allí se declara.

CAPÍTULO PRIMERO

En que se refiere cuántas maneras había de tributarios en Anauac y en qué tributaban y el orden que se tenía en imponer y repartir los tributos y cómo y por quién se recogían y para qué eran y cuándo y por qué se hacía suelta de ellos y cómo daban el servicio personal y quién era libre de tributos.

/242 v./ Ya que se ha dicho el orden que aquella gente tenía en su gobierno y en las guerras y matrimonios y en criar sus hijos será bien decir el que tenían en pagar los tributos a los señores y a otros particulares y cuántas maneras había de tributarios.

Fray Francisco de las Navas en aquella su *Rrelaçion* dice que entre los naturales de aquella tierra en tiempo de su gentilidad había cuatro maneras o diferencias de tributarios unos había que llamaban TECCALLEC que quiere decir gente de unos principales que es la gente que tenían los segundos señores que se decían TECTECLUTZIN de quien se ha dicho que no iban por sucesión sino que los supremos los daban a quien se había señalado en su servicio o de la república o en la guerra y a estos segundos señores pagaban el tributo que habían de pagar al supremo como todo queda ya declarado cuando se trató cuántas maneras había de señores.

La segunda manera de tributarios se llamaban CALPULLEC o CHINANCALLEC que quiere decir barrios conocidos o parentesco antiguo y conocido que están /243/ por sí y ésta era mucha gente por ser los CALPULLEC muchos y casi entraban en ella todos los que tributaban al señor supremo y a su principal o cabeza le labraban una sementera para su sustento y le daban servicio conforme a la gente que había en el barrio y era por el cuidado que de ellos tenía y por lo mucho que gastaba en las juntas que se hacían por año en su casa en pro del común y esto no lo pagaban por mandado del señor supremo ni de obligación sino era la que tenían por ser esta costumbre antiquísima y así no era en perjuicio del tributo del supremo.

Otra manera y tercera había de tributarios que eran los mercaderes y éstos eran linajes conocidos y ninguno lo podía ser si no le

391

venía de herencia o con licencia de los señores y tenían algunas libertades porque decían que eran necesarios para la república como se dijo en la *Suma de los tributos* y también tributaban los oficiales de lo que era su oficio y los mercaderes de lo que trataban y todos estos no eran obligados al servicio personal ni a las obras públicas si no era en tiempo de necesidad. /243 v./ o de guerra ni eran obligados ayudar en las milpas o sementeras que se hacían para los señores porque cumplían con pagar su tributo y siempre había entre ellos un principal para lo que se les ofrecía que tratar por todos con los señores o con los gobernadores y éstos andaban también con los CALPULLEC y con los TECCALLEC porque de todo género de gentes había en cada barrio.

Por no se haber entendido esto bien hacen acudir a las obras públicas los mercaderes / y sus cabezas han insistido en que no son obligados a ello y mandóles un gobernador que cumpliesen lo que se les mandaba y si no que serían castigados por ello todos ellos aunque se humillaron hasta hincar las rodillas en el suelo y dijeron que le besaban las manos porque para ellos era muy gran merced padecer por su república y por su libertad y preeminencias y como estuvieron en esto muy firmes fueron desterrados por ello y los salió acompañar gran multitud de los naturales y fueron con ellos más de media legua, si esto merece exagerarse o no júzguenlo los que han leído con cuánto encarecimiento /244/ alaban los que sufren o padecen algunos trabajos por su república.

Los tributos que daban a los señores supremos eran para la sustentación de la república y para las guerras que eran ordinarias y de ellos el señor supremo que era a quien obedecían los otros que también se llamaban supremos en su tierra tenía su parte y de ella pagaba los gobernadores y ministros de justicia y daba acostamiento y ración a muchos principales según la calidad de cada uno y sustentaba los capitanes y ordinariamente comía toda esta gente en casa del señor supremo donde cada uno tenía su asiento y lugar señalado según su calidad o dignidad y oficio que tenía en casa del señor o en la guerra o república y no era en manos del señor disponer a su voluntad de estos tributos porque se alteraba la gente y los principales si no era de su parte y lo demás en lo que está dicho y por ser la gente mucha era mucho lo que se llegaba y había para todo.

Otra y cuarta manera había de tributarios que llamaban TLAL-MAYTES o MAYEQUES que quiere decir labradores /224 v./ que están en tierras ajenas porque las otras dos maneras de tributarios todos tienen tierras en particular o en común en su barrio o CALPULLI como queda declarado y éstos no las tienen sino ajenas porque a los principios cuando repartieron la tierra los que la ganaron como queda dicho no les cupo a éstos parte como sucedió cuando la ganaron los cristianos que a unos cupo tierras e indios y a otros ni lo uno ni lo otro / estos MAYEQUES eran y son solariegos y como tales pagaban tributo al señor de las tierras donde estaban y labraban en la forma que se ha dicho y al señor supremo y universal no tenían obligación de le tributar ni le tributaban más que en tiempo de guerra o de necesidad eran obligados a le servir por razón del señorío universal y por la jurisdicción suprema que sobre ellos tenían como en todos los demás como se ha dicho y queda declarado y se dijo más largo en la *Suma de los señores* y en la *De los tributos.*

No se podían ir estos MAYEQUES de unas tierras a otras ni se vio que se fuesen y dejasen las que labraban ni que tal intentasen porque no había quien osase ir contra lo que era obligado y en estas /245/ tierras sucedían los hijos y herederos del señor de ellas y pasaban a ellos con los MAYEQUES que en ellas había y con la carga y obligación del servicio y renta que pagaban por ellas como lo habían pagado sus predecesores sin haber en ello novedad ni mudanza y la renta era parte de lo que cogían o labraban una suerte de tierra al señor como era la gente y el concierto y así era el servicio que daban de leña y agua para casa.

Cuando el señor muere y deja hijos está en su mano repartir sus tierras patrimoniales y dejar a cada uno de ellos los MAYEQUES y tierras que le pareciere porque no son de mayorazgo y lo mismo los demás que tenían tierras y MAYEQUES.

Las dos maneras de tributarios primeros que son TECCALLEC y CALPULLEC que es todo el común como está dicho y los mercaderes y oficiales que entre ellos hay y son de estos barrios y CALPULLEC se han convertido en tributarios del rey y de enco-menderos particulares solamente habían quedado los señores con sus MAYEQUES y lo mismo algunos particulares que los tenían y estaban en sus tierras patrimoniales.

Había y hay tierras señaladas que andaban con el señorío que llaman TLATOCAMILLI /245 v./ que quiere decir tierras del señorío y de éstas no podía el señor disponer por ser del señorío y andar con él y el señor las arrendaba a quien quería y lo que se daba de renta que era mucha por ser como eran las tierras muchas y muy buenas se comía y gastaba en casa del señor porque era costumbre general de los señores que todo lo que se cobraba de los tributos y renta de las tierras del señorío se comiese y gastase como está dicho en su casa donde asimismo acudían a comer todos los pasajeros y los pobres demás de los principales y los demás que se han dicho a cuya causa eran muy honrados y obedecidos y servidos y · por cumplir con esto gastaban cuando faltaba de lo demás de sus tributos patrimoniales.

Los labradores pagaban los tributos reales y personales y los mercaderes y oficiales pagaban tributo pero no personal si no era en tiempo de guerra y en el un tributo ni en el otro no tributaban los TECUTLEZ ni los PILLES que se han dicho porque eran como dicho es hidalgos y caballeros a su modo y servían en las guerras y oficios públicos de gobernadores y ministros de justicia y asistían en casa del señor supremo y unos servían /246/ de continos y escuderos para lo acompañar / otros de mensajeros y para negocios del señor y para este efecto tenían repartidos los pueblos por barrios entre estos principales otros había que no tenían gente a cargo y acompañaban al señor de ordinario y no tributaban y a todos los dichos daban acostamiento y de comer y algunos labradores que les sirviesen y para les traer leña y agua y labrarles sus sementeras y servicio para sus casas conforme a la persona y calidad de cada uno y éstos no eran perpetuos porque unas veces se señalaban para ello unos y otras veces otros y no eran obligados acudir a la milpa ni al servicio del señor supremo porque cumplían en darlo en su lugar a estos principales y así se ha de entender siempre que servían algún señor o principal si no era en tiempo de guerra por manera que jamás tributaba uno a dos señores y el tributo era este servicio que daban y la milpa o sementera que labraban al señor supremo o a otro en su lugar y por su mandado.

También eran libres de tributos los que estaban debajo del poderío de sus padres /246 v./ y los huérfanos porque faltándoles sus padres después que se perdió el buen orden que había en criar los muchachos como se ha dicho se llegaban y llegan a un pariente para le servir por que les den de comer y le servían y sirven hasta que se casan y no hay ni uno entre ellos soldada ni tal se usa ni usó ni tributaban las viudas ni lisiados ni impedidos para trabajar aunque tuviesen tierras porque todos los dichos no las podían labrar hasta que eran de edad o tenían quien les ayudase o se las labrase y porque no era la culpa suya no labrarlas no se las quitaban ni se daban a otros asimismo no tributaban pobres mendicantes aunque de éstos había muy pocos ni tributaban hidalgos a su modo.

Los que servían a los templos o estaban diputados para el culto de sus ídolos en ningún tributo servían ni se ocupaban más que en lo tocante el servicio de ellos.

En lo que los súbditos tributaban había orden y concierto y cada provincia y pueblo tributaba según su calidad y gente y tierras que tenían porque cada pueblo o provincia tributaba de lo que en ella se cogía y labraba /247/ sin que fuese necesario salir a lo buscar fuera de su natural ni de tierra caliente a fría ni de fría a caliente.

El común tributo era sementeras de maíz, ají, frijoles, algodón, y otras semillas que ellos usan para su comida y para ello tenían en cada pueblo señaladas tierras y en ellas tenían los señores cantidad de esclavos que las guardaban y labraban y la gente del pueblo les ayudaba y de otros comarcanos si en ellos no había tierras para ello porque habiéndolas en su pueblo labraban la sementera y no iban a otros daban asimismo leña y agua y servicio para casa / los oficiales tributaban de lo que era su oficio y jamás se repartió tributo por cabezas sino que a cada pueblo y a cada oficio mandaban lo que habían de dar y ellos lo repartían y proveían y acudían con ello a sus tiempos y era como el encabezonamiento que se hace en Castilla.

Por manera que los labradores hacían labraban, y beneficiaban, cogían, y encerraban las sementeras y frutos de ellas los oficiales tributaban lo que era de su oficio los mercaderes de sus mercaderías ropa, plumas, joyas, piedras cada uno de lo que trataba y los tributos de éstos eran de más valor por ser gente más rica.

/247 v./ A donde se cogía algodón se hacían sementeras de ello para el tributo y en algunas partes aunque no se cogía lo daban porque tenían sujetos donde se cogía / a otros pueblos que eran en tierra fría daban el algodón porque no se cría en ellas para que lo labrasen porque se hacía en ellos buena ropa y ésta era la mejor por ser labrada por gente de tierra fría que es para más que la de tierra caliente así que unos pueblos daban el algodón y otros lo labraban y daban fruta y pescado y caza donde lo había.

Donde se cogía oro lo tributaban en polvo poca cantidad y no otra cosa y lo cogían en ríos sin trabajo en todo esto había gran concierto para que no fuesen unos más agraviados que otros y era poco lo que cada uno pagaba y como la gente era mucha venía a ser mucho lo que se juntaba y todo lo que tributaban era de poca costa y de poco trabajo y sin vejación alguna.

Aquella sazón valía todo muy barato y no se trataba entre ellos moneda la contratación que había era permutación de unas cosas por otras que es antiquísima manera de contratar y que ha sido muy usada en el mundo y la más antigua y segura y más conforme a la naturaleza como se ha dicho.

/248/ De los pueblos que habían ganado por guerra y habían sido rebeldes llevaban mayores tributos en lo que está dicho como se ha declarado.

A estos señores supremos hacían presentes los demás señores inferiores en ciertas fiestas que hacían por año en reconocimiento de sujeción y vasallaje.

Los mercaderes demás del tributo que pagaban tenían costumbre como gente rica y estimada de los señores de hacerles para estas fiestas sus presentes no de obligación sino voluntario y no lo daba cada uno por sí sino que se recogía entre todos y cada uno daba lo que quería y el más principal de ellos lo daba en nombre de todos al señor y todo esto era para lo gastar con ellos y con los demás en aquellas fiestas.

Acabadas las fiestas los señores supremos daban a los inferiores súbditos mantas ricas y otras cosas según la calidad de cada uno con que iban contentos y pagados de lo que habían traído.

Resumiendo lo dicho las dos maneras de tributarios que son TECCALLEC y CALPULLEC que es casi todo el común son los que ahora tributan al rey y a los encomenderos y los mercaderes y oficiales que se pusieron por tercera manera de tributarios.

/248 v./ La cuarta manera de tributarios que son como se ha dicho los MAYEQUES sirven y tributan a los señores de las tierras que labran donde no se las han quitado.

El valor de los tributos reducidos a pesos de oro no se puede bien averiguar porque era poco lo que daban los tributarios y de poco valor entre ellos aunque ahora vale mucho y paga más un tributario que entonces dos y dábase lo que daba peso* en reales

---

* Casi ilegible en el original, pero consideramos correcta la frase transcrita. [N. del e.]

entonces dos de los que daban oro y porque no se sacaba con el trabajo que ahora no se estimaba en tanto pero lo que se puede conjeturar no valdría todo lo que daba un tributario de tres a cuatro reales a lo muy largo con el servicio que daban porque estaba todo bien repartido y con tanto orden que a cada uno le cabía poco y el servicio una vez o dos a lo más por año y a los que cabía dos veces eran de lo más cercanos porque se tenía atención a que no se ocupaban en venir a ello y el volver a sus casas tanto como los de lejos.

A los señores naturales y supremos de las provincias sujetas a Mexico y a sus aliados Tlezcuco y Tlacopam les tributaban sus vasallos y les daban servicio de la manera que a los señores universales que se han dicho porque no se lo quitaban /249/ y se gastaba de la misma forma que se hacía con los de Mexico y sus aliados y a los señores inferiores de éstos tributaban de la manera que se ha dicho que tributaban y servían a los inferiores de los supremos y tenían los mismos nombres y todos los unos y los otros tenían sus tierras patrimoniales y MAYEQUES en la forma que se ha dicho y tierras señaladas que andaban con el señorío.

Las sementeras se recogían al tiempo de la cosecha y se encerraban en cada pueblo en casas y trojes que había diputadas para ello y de allí se iban sacando para lo gastar en lo que se ha dicho salvo en el circuito de Mexico porque esto se traía a la ciudad para provisión de la gente que allí había porque no había donde sembrar por ser todo o lo más laguna y manantiales.

En lo que daban o tributaban los oficiales y mercaderes había diversas costumbres porque en unas partes lo daban de veinte en veinte días en otras de ochenta en ochenta porque ellos contaban cada mes de veinte en veinte días y en efecto venía a caber a cada uno de año en año una vez porque estaba repartido el tributo por pueblos y por oficios según era lo que tributaban y la distancia /249 v./ que había a cada pueblo y no todos tributaban cada veinte días ni cada ochenta sino por su tanda como estaban repartidos y casi todo el año había quien tributase y no había falta de ello en casa de los señores y lo mismo era en la fruta, y pescado, y caza, y loza, y otras cosas para la comida y servicio y cada uno pagaba un tributo en la forma que le estaba repartido.

El orden que tenían de repartimiento era señalar a cada pueblo las tierras que había de labrar según la calidad y gente de él y lo que se había de sembrar en ellas era lo que se daba en la tierra porque como está dicho el tributo común y general era sementeras y a los mercaderes y oficiales lo que habían de dar según los que había en cada pueblo o provincia y conforme a lo que trataban / y la gente que habían de dar para el servicio y la que había de dar para la guerra teniendo en todo atención a la que había y a su posibilidad y calidad de la tierra y porque no se andaban mudando de unos pueblos a otros ni aun de unos barrios a otros sino que era como ley guardada y usada y que casi nunca se vio otra cosa aunque no de fuerza sino que donde habían nacido y vivido sus padres y abuelos vivían y acababan sus descendientes / los tributos no eran inciertos ni variables ni había confusión en ello. /250/ Para recoger estos tributos y para hacer labrar la sementera de común y de particulares y para ver cómo se cumplía con lo demás que está dicho tenían estos señores supremos así los universales como sus súbditos sus mayordomos señalados de aquellos PILLES que se ha dicho y éstos recogían los tributos de sus vasallos y de las provincias a ellos sujetas y donde había otros inferiores no eran necesarios mayordomos porque ellos hacían lo que habían de hacer los mayordomos y acudían los unos y los otros al señor supremo con ello o a quien y como él lo mandaba.

En tiempo de pestilencia o esterilidad acudían estos inferiores o los mayordomos al señor supremo y universal a le dar relación de ello y siendo así que siempre lo era porque no osaban de otra manera tratar de ello mandaba que no se cobrase tributo aquel año de los pueblos donde esto sucedía y si por ser grande la falta y esterilidad era necesario les mandaba dar ayuda para se sustentar y simiente para sembrar otro año porque su intento era relevar y conservar sus vasallos en cuanto era posible.

El servicio personal y ordinario de cada un día de agua y leña y para casa estaba /250 v./ repartido por sus pueblos y barrios y de manera que a lo más cabía a cada uno dos veces por año y como está dicho esto era entre los cercanos y por ello también eran relevados en algo de lo que otros tributaban y a las veces venía todo un pueblo con la leña que les cabía por llevarlo de una vez y esto era cuando estaban algo lejos y el más ordinario servicio era de esclavos que tenían muchos.

En todo lo dicho había una misma manera en todo lo que dicen Nueva España en que entran muchas provincias como ya se ha dicho / en Michiuacam había diferente costumbre que en lo demás porque todos principales y labradores tenían tierras propias y otras comunes donde labraban las sementeras del señor universal y para los inferiores y para los templos.

El tributo que pagaban no era por las tierras ni por las haciendas porque eran sementeras como está dicho y lo demás que queda declarado que todo se hacía de común si no era de los oficiales y mercaderes, y pescadores, y cazadores y los que daban fruta y loza, y leña, y agua.

En algunas partes había tierras diputadas para suplir la de la renta de ellas las /251/ necesidades de la república y no se podían enajenar y todos los que las labraban aunque fuese el señor supremo había de pagar renta de ellas conforme a lo que se concertaban y éstas se llamaban tierras tributarias.

Casi todos tenían tierras propias en particular o en común como los TECCALLEQUES o CALPULLEQUES de quien ya se ha dicho y los que no las tenían o no las querían del común ni de su barrio eran renteros de otros señores o particulares o de otros barrios y éstos arrendaban por un año o por más las tierras que podían labrar como se concertaban y al señor supremo tributaban como los demás sus vasallos y tributarios y son diferentes de los MAYEQUES porque éstos no dan al señor de las tierras servicio alguno ni más que la renta como se conciertan y los MAYEQUES demás de la renta que pagan por las tierras dan al señor de ellas servicio de agua y leña y para casa como se dijo en la *Suma de los señores* y en la *De los tributos* donde se dice por qué algunos no querían tierras de las del común y por qué no las tenían suyas como los demás.

CAPÍTULO SEGUNDO

En que se declara qué es ANGARIA y PERANGARIA y cómo corrían los indios la posta y cómo no son ellos solos los que se cargan porque entre otras naciones se ha usado y se usa cargarse los hombres.

/251 v./ Entre los demás tributos que se pagaban a los reyes hay uno que se llama ANGARIA y PERANGARIA el cual según todos los doctores dicen es una injusta imposición o extorsión o fuerza impuesta por el príncipe o superior y PERANGARIA es gravísima e injustísima extorsión porque acrecienta la significación del vocablo aquella dicción PER como se probó y se dijo en la *Suma de los tributos.*

Suydas dice que ANGARIA es palabra pérsica y que quiere decir mensajeros reales y los que llevan cartas y mandados y para ello están puestos en ciertas partes y los unos las dan a los otros y así van con grandísima presteza y esto se usaba mucho entre los indios.

Budeo dice que en una manera de correr a caballo muy peligrosa que llaman postas porque están puestos para aquel efecto en ciertos lugares y Çelio Rrodogino en el capítulo octavo del libro 18 de *Las lecçiones antiguas* dice que estos mensajeros se llaman en la lengua pérsica ANGAROS y que de allí llaman a los rústicos que viven como salvajes y bestias fieras ANTAGAROS y Juan Mauriçio en la *Ley una de mulieribus et in quo loco* C. libro X dice que es /252/ palabra pérsica y significa mensajero de donde los griegos tomaron esta palabra ANGARIA y llaman ANGAROS a los que llevan cargas a sus cuestas y que de aquí llamamos a los rústicos ANTAGAROS y Otalora en el capítulo segundo de la primera parte de su *Tratado de nobilitate* dice que no es palabra latina y que quiere decir fuerza y servidumbre personal forzosa y que los tributos que pagaban a sus reyes y señores los naturales de la Nueva España eran semejantes a estas ANGARIAS porque de los frutos que cogían pagaban la tercia parte del tributo los villanos y pecheros y que para pagar esto les tasaban la comida y si no pagaban los hacían esclavos a ellos y a sus hijos y los sacrificaban que era un

400

crudelísimo género de tiranía y que demás de esto los molestaban cargándolos como bestias y con otras gravísimas ANGARIAS y PERANGARIAS.

Si fuese así como Otalora dice tendría razón de llamarlo crudelísmo género de tiranía pero de lo que se ha dicho en esta Relaçion y de lo que se dijo en la *Suma de los señores* de la Nueva España y en la *Suma de los tributos* que escribí en latín se entenderá que se engañó en esto como también /252 v./ se engañó en lo que dice en el capítulo sexto de la segunda parte que solamente los indios occidentales especialmente los de la Nueva España que descubrió y conquistó Hernando Cortes marqués del Valle que como bárbaros y que carecen de razón no excusan a los nobles de los tributos en especial de los personales como lo dice Francisco Gomez de Gomera que escribió las costumbres de aquellas gentes el año de mil quinientos cincuenta y tres.

Ésta es la sustancia de sus palabras y como él y Gomera escribieron por relaciones de otros y de luengas vías se pudieron fácilmente engañar como se engañaron y como también se engañó Paulo Jovio en lo que escribió de Hernando Cortes en el libro sexto de sus *Elogios* donde dice que descubrió los reinos de Mexico y también se engañó en la manera que pone de la muerte de Motecçuma rey y señor que era de Mexico y en otras cosas que allí refiere porque las escribió por relaciones de algunos interesados y de otros que lo debían de haber oído a otros y así fue lo de Gomera y Otalora en lo que dicen de los tributos porque los hijosdalgo /253/ o nobles a su modo no pagaban tributo alguno como se ha dicho y se dijo en la *Suma de los señores* y en la *De los tributos* y tenían muchas preeminencias y exenciones y solamente tenían obligación de ir a las guerras y asistir por su orden en las casas de los señores como continos suyos y les daban ración y otras dádivas y servían de mensajeros para negocios graves como lo fueron los que envió Motecçuma cuando tuvo noticia de la llegada de Hernando Cortes y lo demás al puerto que los envió por sus mensajeros o embajadores y por todo el camino hasta llegar a Mexico y esta obligación de asistir en casa de los señores no la tenían todos sino solamente los que llaman los indios YPILTÇIM y otros YPILTÇIMTL y otros TECQUIVAQUES que todos son hijosdalgo e hijos y nietos de los que tenían aquellos cargos que se han ya dicho y se dijo en la *Suma de los señores* y en la *De los tributos* y que no tenían otros aprovechamientos sino los que habían por servir a los señores supremos y los demás que estaban /253 v./ ocupados en aquellos cargos que se han dicho o tenían vasallos o hacienda de qué vivir era voluntario el asistir en casa de los supremos como en las cortes de los reyes y aunque faltasen algunos de los que andaban por rueda cuando les cabía la vez no se miraba en ello porque faltaban pocas veces y con justa causa porque era grande la cuenta que todos tenían en cumplir lo que era su cargo.

Por manera que conforme a la declaración de Suydas y a la de Çelio Rrodogino les cuadra aquella palabra ANGARIA O ANGAROS porque en su tiempo de gentilidad estaban indios puestos en algunas partes en los caminos para llevar los mensajes con presteza y corrían la posta a pie y los unos lo decían a los otros y en los pueblos había algunos señalados para ello.

El tributo de la gente común no era tanto como Gomera y Otalora dicen ni es cierto el castigo que refieren se les hacía si no pagaban / ni Hernando Cortes fue el descubridor de la Nueva España fuelo Francisco Hernandez de Cordova /254/ y después de él Juan de Grijalva y la conquistó Hernando Cortes a costa y con navíos y gente que para ello le dio Diego Velazquez gobernador de la isla de Cuba o Fernandina como lo dice Gonçalo Hernandez de Oviedo en su *Historia general de las Yndias* que es testigo más cierto porque fue en su tiempo y vio algo de ello y como lo dice Gomara en su *Historia de la Nueva España* y Juan Cano en la suya.

Ni hay para qué encarecer que los cargaban como a bestias porque a causa de no las tener para ello se cargaban y carga la gente común de su voluntad con sus haciendas o ajenas con paga y con cargas livianas y pequeñas jornadas y todavía lo hacen entre ellos y no lo tienen por pesado por ser como es costumbre antiquísima suya y por esta causa aunque está prohibido el cargarlos no se prohíbe entre ellos y los que tienen posibilidad que son pocos tienen un rocín o dos para ello y cada día se van en general proveyendo de ellos y no es ya tanto como solía el cargarse entre ellos con hacienda de otros indios ni es costumbre de sólo los indios cargarse porque otras naciones lo han usado y usan como lo /254 v./ refiere Luçiano en uno de sus diálogos intitulado *Luçianus et Cynicus* y a los hombres los traían en unas andillas otros hombres como parece por una epístola que escribió Servio Sulpiçio a Tullio que está en el libro cuarto de su *Epistolas familiares* y es doce en

402

orden y de estas andillas se hace mención en el capítulo final de
Esayas y en la ley quisella párrafo de SERVITIBUS RUSTICORUM
PREDIORUM y San Geronimo libro primero *Contra Joviniano* y
Juvenal en la sátira primera y Marçial y otros muchos hacen men-
ción de ellas.

Aulo Gelio en el capítulo tercero del libro cuarto dice que
Protagoras que fue excelente filósofo ganaba su vida a traer leña a
sus cuestas siendo mozo antes que estudiase.

Mucho antes de lo que se ha dicho se cargaban los hombres
como parece por el capítulo veintiuno del Exodo donde se dice
que cuando salieron los hijos de Ysrrael de Egipto llevaban a sus
cuestas saquillos de harina aunque llevaban consigo grandísima
cantidad de bestias y como cosa usada entre ellos dijo Dios /255/ a
Moysem cuando le apareció en el monte de Horeb y le habló de
enmedio de la zarza que ardía y lo envió a faraón para que sacase
los israelitas de Egipto que cuando saliesen de allí no irían vacíos
sino que pedirían las mujeres a sus vecinas y huéspedes vasos de
oro y plata y vestidos y al cabo dice que lo pondrán sobre sus hijos
e hijas como se refiere en el capítulo tercero del Exodo y en el
capítulo quinto del libro cuarto de los Reyes se dice que los talen-
tos y vestidos que dio Naamam a Giezi los puso sobre sus criados
que los llevaban delante de él y en el capítulo segundo para Lipomenon segundo se dice al principio y al fin que señaló Salamon
setenta mil varones para que trajesen para edificio del templo en
sus hombros las piedras que habían de cortar en los montes ochenta mil varones que señaló para ello y hay otras autoridades que lo
prueban y los soldados antiguos en los ejércitos romanos llevaban
a sus cuestas sus armas y su comida como se colige de lo que dice
Virgilio en el libro tercero de las *Georgicas* donde trata de los /255 v./
pastores de Lybia y de lo que dice Vegeçio en el libro primero de
Rremilitare y hoy en día se cargan muchos en España por los pueblos con cargas que llevan de unas casas a otras y con leña que
traen para vender a sus cuestas y agua que andan vendiendo en
carretones que los tiran hombres o en cántaros que traen en las
manos y con otras cargas en que ganan su vida y las mujeres de los
tudescos y en las montañas y en otras partes también se cargan y
Solino en el capítulo nueve *De las cosas maravillosas del mundo*
dice que Aristeo rey mandó en la ciudad de Carralis que él había
edificado y que de tal manera sujetó aquellas gentes que ponía

seis hombres a un carro y les hacía que tirasen como lo hacen las bestias y que no por tan gran soberbia rehusaron semejante imperio.

A los que se cargan con cargas que llevan de unas casas a otras llaman los griegos ANGAROS y los latinos BOJULOS y los españoles los llaman ganapanes y en algunas partes los llaman palanquines por unas palancas de que /256/ usan para llevar cargas y a éstos comparó Socrates a Alçiades como lo refiere Platon en el *Dialogo de voto* y Tullio en el libro tercero de las *Tosculanas questiones* y se dirá todo esto más largo en los *Discursos de la vida humana*.

CAPÍTULO TERCERO

En que se refiere el orden que se tuvo en el imponer de los tributos a los naturales de Anauac luego como se ganó la tierra y el que se ha tenido y tiene después acá y cuánto paga de tributo cada indio y en qué lo paga y de las consideraciones que se han de tener en el hacer de las tasaciones de los tributos.

Luego como aquella tierra de Anauac se ganó el capitán don Hernando Cortes mandó juntar los caciques y señores en Coyoaucam que es un pueblo principal de indios que está dos leguas de Mexico y vinieron los que pudieron y juntos les dijo que ya no habían de acudir con los tributos a los señores de Mexico y Tlezcuco y Tlacopam como solían sino al emperador y en su nombre a los españoles que allí estaban y a él /256 v./ y que no habían de sembrar las sementeras que solían y que cada pueblo había de ser por sí y así lo aceptaron los que se hallaron presentes y repartió la tierra entre sí y los que con él estaban sin dar orden en qué ni cuánto ni cuándo habían de tributar y cada uno se concertaba con el señor y principales del pueblo que le habían encomendado sobre lo que le habían de dar cada ochenta días y algunos de ellos acudieron al capitán para que confirmase el concierto.

Siendo el emperador Carlos quinto máximo de gloriosa memoria informado de lo que se ha dicho mandó que se hiciese tasación de los tributos que los indios habían de dar a sus encomenderos y lo cometió a don fray Juan de Çumarraga primer obispo que fue de Mexico y protector de los indios y como las cosas estaban en términos que no convenía desagradar a los españoles hizo poco examen para las tasaciones que hizo y quitó poco de lo mucho que pagaban de tributo así por los conciertos que habían hecho /257/ con sus encomenderos como porque muchos caciques y principales les decían que podían dar el tributo que daban.

Después de esto la Audiencia y algunos visitadores han hecho otras tasaciones y como las primeras estaban tan subidas les parecía que hacían mucho en quitarles alguna cosa y así siempre claman y piden los desagravien porque están muy cargados y unas veces les han bajado el tributo y otras no y de aquí es que nunca les falta sobre qué ir y venir a la Audiencia y en qué gastar dineros y con ellos la vida porque los encomenderos piden que se tasen sus pueblos y alegan y dicen que es mucha gente y que pueden dar mucho más de lo que dan y se da traslado a los indios y se nombra quien los vaya a contar y demás de los muchos inconvenientes y engaños que en ello hay se recrecen y causan muchas costas como todo se dijo y probó muy largamente en la *Suma de los señores de la Nueva España* y en la *De los tributos* donde también se dijo cómo se puede averiguar el número de tributarios sin los andar contando.

/257 v./ A cada un indio en las tasaciones que se hacen le mandan pagar de tributo un peso de TIPUZTLE que son ocho reales y media fanega de maíz y real y medio para la comunidad y la mitad de esto a los viudos y viudas y solteros que tienen tierras o algún patrimonio aunque no sé si con la mudanza que ha habido de jueces en las Audiencias la haya habido también en esto y en lo demás que se ha dicho porque cada uno de los oidores que va de nuevo quiere dar nuevo orden y piensa sin tener más experiencia ni certidumbre que las relaciones que le han dado algunos interesados que sus antecesores estaban engañados y que él solo acierta y que le estaba aguardando el remedio común y suele ser destrucción general como claramente lo ha mostrado y muestra la experiencia que de esto tienen los que desean el bien de los naturales de aquellas partes de cuya conservación depende el sustento de todos los demás que en ellas viven y como dice el Philosopho en el libro primero de las *Ethicas* para que se vea /258/ si algún negocio conviene hacerse o no se ha de proceder por experiencia y conjeturas de los que ven el provecho o daño y los inconvenientes que en ello hay o se podrían recrecer y no por sutilezas y razones especulativas y en el primero de las *Matematicas* declara qué es experiencia como más largo por autoridad suya y de otros se dijo en la *Suma de los tributos.*

Algunos visitadores que han tenido comisión para hacer las tasaciones daban a cada un indio un papelito y por pintura que es escritura entre ellos y le declaraban en él lo que había de pagar y ponían en cada papel su rúbrica o señal, o sello / otros lo daban por escrito en su lengua pero mejor es por pintura porque todos lo entienden y pocos saben leer y en la pintura no puede ser engañado en lo que se ha repartido y por aquellos escritos o pinturas pagaban y se cobraba el tributo de cada uno y los recogedores tienen sus padrones y pinturas de la tasación y repartimiento /258 v./ que se hizo a cada tributario y así los unos y los otros saben lo que han de pagar y lo que han de cobrar y es muy fácil de hacer y muy necesario y si alguno muere luego lo borran de la pintura y lo mismo al que se ausenta y sientan en ella a los que se casan.

Por muchas y diversas provisiones cédulas, ordenanzas, e instrucciones está proveído y declarado las consideraciones que se han de tener en las tasaciones que se hicieren y porque conviene que se sepan por los que van a hacer estas tasaciones referiré aquí las más sustanciales de ellas y se podrá ver más largo en las *Sumas* que se han dicho y en la *Rrecopilaçion* que hice de lo que pude haber de lo que está proveído para el buen gobierno de las Yndias si saliere a luz y lo puse debajo de libros y de títulos.

Está proveído y mandado que las tasaciones no se hagan por información de la posibilidad de los pueblos sino vistos y entendida bien su calidad y posibilidad y la fertilidad o esterilidad de cada uno de ellos para que se /259/ hagan más justamente y que se dé a entender a cada un indio particularmente lo que debe y es obligado a pagar para que aquello pague y no más y que no se tasen en cosas que habiéndolas de pagar sea causa de su perdición sino en lo que se cría y coge en su tierra y comarca y que buenamente puedan dar y pagar y que sea de los frutos naturales e industriales según la calidad y uso de cada pueblo y en dos o tres cosas y no en más y que ninguna quede indeterminada sino declarado precisamente lo que han de pagar de cada cosa y que se tenga atención a que no paguen todo lo que pueden y a que antes vayan enriqueciendo que no empobreciendo y que les quede con que remediar sus necesidades y curar sus enfermedades y con que casar sus hijos y como anden descansados y relevados teniendo atención a su conservación y a su aumento y doctrina y que anden a la contina visitando la tierra dos oidores por su orden y rueda y que lleven por instrucción que tasen lo que no estuviere tasado y moderen /259 v./ las tasaciones excesivas y que se tenga gran cuenta y cuidado de todo lo dicho como cosa muy importante y de ver lo que pueden dar a sus encomenderos y a Su Majestad y a lo que dan a sus caciques en tomines o en mantas o sementeras y que dan a los gobernadores, y a los alcaldes y a otras justicias y a los clérigos y religiosos que residen en sus pueblos entendiendo en su doctrina

y a lo que trabajan en hacer sus monasterios e iglesias y a lo que
dan para ornamentos y a lo que dan y trabajan para sus comunidades y en las obras públicas y que todo lo dicho se sume y se tenga
consideración a ello cuando se tasare algún pueblo y que cuando
se hicieren las tasaciones se citen las partes así encomenderos
como indios y que se tenga gran cuidado de todo lo susodicho como
de cosa de que nuestro Señor y Su Majestad serán muy servidos
y que no se ha de dar comida ni otro servicio alguno para corregidor ni su teniente ni alguacil ahora estén presentes o ausentes
de los pueblos porque en ninguna manera han de comer a costa de
ellos.

/260/ Esto es en suma lo que he podido colegir de las Nuevas
Leyes y Ordenanzas de Yndias y de las provisiones cédulas, cartas
e instrucciones que he podido haber cuán santo y jurídico sea todo
no habrá quien lo niegue.

Asimismo está proveído y mandado que a los caciques y señores naturales se les den los tributos y servicios que en tiempo de su
gentilidad solían llevar con que no sean excesivos ni tiránicamente
impuestos y si lo fueren que los tasen y moderen y que a los encomenderos se les tasen los tributos que han de llevar como buenamente se puedan sustentar sin perjuicio y vejación de los indios
guardando en esto lo que en su favor está proveído y mandado y
que los tributos sean moderados y menos de lo que pagaban en
tiempo de su gentilidad para que conozcan la voluntad que Su
Majestad tiene de les hacer merced.

/260 v./ Encomio del ilustrísimo señor don Hernando de Vega
en verso suelto castellano autor Francisco de Arzeo.

> Levanta fama tus alas muy ligeras
> publica con nuevo modo y voz sonora
> las grandes virtudes y bondad muy rara
> de don Hernando de Vega varón excelente
> muy ilustre en sangre y de letras adornado
> gobernador y muy digno presidente
> del muy católico Consejo del mundo nuevo
> no dudes ni hayas de nadie temor
> ni te dejes vencer de la envidia triste
> que es la que suele poner en perpetuo olvido
> los hechos heroicos de muy claros varones
> publica pues y di sin ningún recelo

que es digno de ser puesto y contado
entre los que merecen ser tenidos
por amparo y padres de la patria
pues él lo es de la monarquía indiana
y de cristiandad muy raro ejemplo
con que es por mil vías merece ser loado
y con que muestra en todo ser muy digno
del lugar que tiene del gran monarca
Phelipe Segundo rey de España
que es la suma de cuanto decir se puede
en su loor y de su muy ilustre y generosa sangre
y con esto doy fin a lo que no lo tiene
porque cierto la materia sobrepuja
a todo ingenio y fuerza humana.

Esta obra se terminó de imprimir
en el mes de diciembre de 1999
en los talleres de Litoarte, S.A. de C.V.,
San Andrés Atoto 21-A, Col. Industrial Atoto,
Naucalpan, CP 53519, Estado de México,
con un tiraje de 3 000 ejemplares

Tipografía y formación, Limusa S.A. de C.V.
Fuente: English Times 11/12

Cuidado de edición:
Dirección General de Publicaciones
Consejo Nacional para la Cultura y las Artes